Du même auteur

Montesquieu, la politique et l'histoire, PUF, 1959.
Pour Marx, collection « Théorie », Maspero, 1965.
Lire Le Capital, collection « Théorie », Maspero, 1965 (en collaboration).
Lénine et la philosophie, collection « Théorie », Maspero, 1969.
Réponse à John Lewis, collection « Théorie », Maspero, 1973.
Philosophie et Philosophie spontanée des savants (1967), collection « Théorie », Maspero, 1974.
Éléments d'autocritique, collection « Analyse », Hachette, 1974.
Positions, Éditions sociales, 1976.
22ᵉ Congrès, collection « Théorie », Maspero, 1977.
Ce qui ne peut plus durer dans le parti communiste, collection « Théorie », Maspero, 1978.
L'avenir dure longtemps, suivi de *Les faits*, Stock/IMEC, 1992. Nouvelle édition augmentée, Le Livre de poche, 1994.
Journal de captivité. Stalag XA, 1940-1945, Stock/IMEC, 1992.
Écrits sur la psychanalyse. Freud et Lacan. Stock/IMEC, 1993.
Sur la philosophie. Entretiens et correspondance avec Fernanda Navarro, suivis de *La Transformation de la philosophie*, collection « L'Infini », Gallimard, 1994.

ÉCRITS PHILOSOPHIQUES ET POLITIQUES

Édition posthume d'œuvres de Louis Althusser

Le présent ouvrage s'inscrit dans un programme d'édition posthume de textes de Louis Althusser, en majeure partie totalement inédits, qui proviennent des archives du philosophe confiées à l'Institut Mémoires de l'édition contemporaine (IMEC) en juillet 1991 par sa famille.

La publication de ces textes s'effectuera sur plusieurs années, dans le cadre d'une coédition entre les Éditions Stock et l'IMEC.

Déjà parus :

1. Textes autobiographiques : *L'avenir dure longtemps*, suivi de *Les faits* (1992).

2. *Journal de captivité*. Stalag XA, 1940-1945 : Carnets, correspondances, textes (1992).

3. *Écrits sur la psychanalyse*. Freud et Lacan (1993).

La mise en valeur du Fonds Althusser et l'édition posthume de ces textes sont placées sous la responsabilité scientifique de l'IMEC.

Louis Althusser

Écrits philosophiques et politiques

Tome I

TEXTES RÉUNIS ET PRÉSENTÉS PAR FRANÇOIS MATHERON

STOCK/IMEC

Présentation

« Je t'institue dépositaire devant l'éternité de cet acte de conscience, pour que tu puisses en témoigner dans les siècles à venir, quand on éditera mes œuvres posthumes et ma correspondance avec Franca [1]. »

« On ne publie pas ses propres brouillons, c'est-à-dire aussi ses propres erreurs, mais on publie parfois les brouillons des autres... Marx ne publie pas les fameux, hélas, *Manuscrits de 44* sur l'économie politique et la philosophie... il ne publiera même pas l'*Idéologie allemande*, texte pourtant capital pour nous (il ne publie pas non plus les *Thèses sur Feuerbach* qui sont notre alpha et notre omega) [2]. »

Tout Althusser est dans l'écart entre ces deux textes strictement contemporains, et jusque dans l'écart inscrit au cœur même du second. La thèse de la « coupure » qui l'a rendu célèbre reposait en effet sur une étude minutieuse des œuvres du jeune Marx : son exemplaire personnel des *Manuscrits de 1844* constitue à lui seul un document d'archives impressionnant. Il lui arrivait pourtant de regretter qu'elles aient été publiées, allant même jusqu'à déplorer qu'elles aient été écrites. Et s'il est impossible de parler d'une quelconque

1. Louis Althusser, lettre à Franca Madonia, 18 novembre 1963. Sur Franca Madonia, voir *L'avenir dure longtemps*, suivi de *Les faits*, Stock/IMEC 1992, p. 133, réédition Le Livre de poche, 1994, p. 162.
2. Louis Althusser, annexe à *Réponse à une critique*, 30 novembre 1963.

volonté d'Althusser quant au destin de ses propres écrits, il n'en est pas moins incontestable qu'il lui est arrivé de rencontrer l'idée de publication posthume.

L'ambivalence de Louis Althusser à l'égard de ses propres travaux est assurément extrême. Il ne reniera jamais ses écrits de jeunesse [1]. Il laisse ainsi tardivement rééditer en espagnol *Une question de faits* [2], dont les lecteurs français n'auront pas connaissance. Il construit pour ses proches, qui ne la liront pas, un mythe autour de sa longue lettre à Jean Lacroix [3]. Il fait inversement lire à quelques amis dans les années 1970 son pamphlet *Sur l'obscénité conjugale*, auquel il ajoute en 1978 un complément « sur la question des femmes ». Il cache soigneusement son mémoire sur Hegel, mais éprouve le besoin d'affirmer en 1963 que Merleau-Ponty voulait le publier [4]. Il invente en outre, peu après la parution de *Pour Marx* et de *Lire Le Capital*, ce que l'on pourrait appeler des textes au statut semi-public, qu'il fait retaper par une secrétaire de l'École normale supérieure et diffuse largement autour de lui sous forme de polycopiés. L'impact de ces écrits est tel qu'une grande partie des critiques que lui adressera par la suite Jacques Rancière [5] repose sur l'un d'entre eux, rédigé en 1965 : *Théorie, pratique théorique et formation théorique. Idéologie et lutte idéologique,* inédit en France, mais publié en Amérique latine [6]. La pratique du texte anonyme, déjà expérimentée au début des années 1950, ne lui déplaît pas non plus, et il en joue avec un certain succès en publiant en 1966 dans le n° 13-14 des *Cahiers marxistes-léninistes* un article non signé intitulé « Sur la révolution culturelle ». Et certains projets d'édition furent à ce point avancés qu'il n'est pas excessif de soutenir que son œuvre publiquement assumée fut plusieurs fois sur le point de prendre une direction profondé-

---

1. Ces textes sont publiés dans la première partie de ce volume.
2. In Louis Althusser, *Nuevos escritos*, Barcelone, Laia B, 1978.
3. Cf. Yann Moulier Boutang, *Louis Althusser. Une biographie*, Paris, Grasset, 1992.
4. Cf. p. 27-28 de ce volume.
5. Jacques Rancière, *La Leçon d'Althusser,* Paris, Gallimard, 1975.
6. In *La filosofia como arma de la revolucion*, Cuadernos de Pasado y Presente, Cordoba, 1970.

ment différente de celle finalement retenue par l'histoire. Pour le meilleur et pour le pire.

Connu pour ses textes brefs et incisifs, Louis Althusser n'en a pas moins écrit deux manuels de marxisme-léninisme [1], et deux manuels de philosophie pour non-philosophes [2]. Dans le même ordre d'idées, il ne renonce qu'au dernier moment à publier un livre publiquement annoncé dans une note de son Avertissement aux lecteurs du Livre I du *« Capital »* : « Cf. *Une science révolutionnaire.* Présentation du Livre I du *Capital,* Éditions Maspero, Paris, 1969 [3] ». Bien plus, il refuse en plusieurs occasions d'envoyer à l'impression des textes dont il a pourtant corrigé les épreuves. C'est ainsi que les lecteurs français n'ont jamais pu lire *La Tâche historique de la philosophie marxiste*, texte pourtant partiellement publié en hongrois [4] après avoir été commandé en 1967, puis refusé, par la revue soviétique *Voprossi Filosofi*, et dont une maquette retrouvée dans ses archives montre qu'il devait être publié dans sa collection « Théorie ». C'est ainsi que le cinquième Cours de philosophie pour scientifiques, destiné à paraître bien avant les autres, en 1968 ou 1969, dans la *Revue de l'enseignement philosophique*, est finalement demeuré inédit, et n'a pas été repris en 1974 dans *Philosophie et philosophie spontanée des savants*. Et si Louis Althusser ne semble pas avoir regretté la non-publication de ces textes, on ne saurait en dire autant de son *Machiavel et nous*, rédigé entre 1972 et 1976, comme le montre une lettre du 28 mai 1986 à son éditeur mexicain Arnaldo Orfila Reynal, directeur des éditions Siglo XXI [5]. La disproportion est décidément étrange entre les

---

1. Des fragments du premier ont été publiés en 1966 dans le n° 11 des *Cahiers marxistes-léninistes* sous le titre « Matérialisme historique et matérialisme dialectique » ; des fragments du second, intitulé *Qu'est-ce que la philosophie marxiste-léniniste ?*, puis *De la superstructure* ont été regroupés dans le célèbre article *Idéologie et appareils idéologiques d'État* (*La Pensée,* juin 1970, repris dans *Positions,* Éditions sociales, 1976).

2. *Être marxiste en philosophie* (1976); *Initiation à la philosophie (pour les non-philosophes)* (1978).

3. In : Karl Marx, *Le Capital,* Livre I, Garnier-Flammarion, 1969, p. 18.

4. In Louis Althusser, *Marx-az elmélet forradalma,* Kossuth Könyvkiadó, 1968.

5. Cf. *L'avenir dure longtemps,* réédition Le Livre de poche, 1994, p. 21.

neuf livres, souvent très brefs, publiés en français de son vivant, et les milliers de pages retrouvées dans ses archives, parmi lesquelles une dizaine de livres comportant souvent des consignes typographiques destinées à son éditeur. Plus étrange encore : sa volumineuse correspondance, d'autant plus complète qu'il conservait en général les doubles de ses propres lettres, ne contient à peu près aucune allusion aux raisons de l'abandon de ses projets éditoriaux. Par-delà la maladie, l'attention exacerbée à la conjoncture politique, ou les avis souvent contradictoires des amis à qui il faisait lire ses textes, il faut sans doute y voir aussi la marque de l'aléatoire.

Choix d'écrits prélevés dans l'abondante production de leur auteur, cette édition a été construite à partir de critères par définition subjectifs. Privilégiant les textes tranchant par leur objet, leur style ou leur contenu, avec les ouvrages et articles connus, nous avons réduit le poids de ce qui en constitue plutôt des modifications. Un souci de lisibilité nous a en outre conduit à ne pas retenir les manuels de marxisme et de philosophie [1] : souvent écrits en une langue lourdement tributaire de l'idée que se faisait alors Althusser des exigences de la conjoncture théorique, ils ont paradoxalement plus mal vieilli que des textes plus anciens. Et si ces deux volumes d'*Écrits philosophiques et politiques* sont essentiellement composés d'inédits, le souci de proposer au lecteur des ensembles cohérents nous a enfin amené à reprendre quelques articles déjà publiés, totalement ignorés ou largement méconnus.

Le premier volume a été organisé suivant un ordre chronologique, le second [2] sera construit d'après un principe essentiellement thématique. L'ensemble des écrits sur l'art, ou les textes sur l'histoire de la philosophie rédigés à l'occasion de cours professés à diverses époques, pouvaient ainsi difficilement être dispersés : ils seront publiés dans le second volume.

---

1. Chacun peut au demeurant les lire à l'IMEC, avec l'ensemble des archives de Louis Althusser.
2. A paraître à l'automne 1995.

Inversement, et quels qu'en soient les thèmes, les écrits de jeunesse doivent être lus ensemble : il eût été possible de rattacher le mémoire sur Hegel de 1947 aux écrits sur l'histoire de la philosophie, mais les autres textes de l'époque l'éclairent bien davantage.

L'organisation interne de ce premier volume repose sur un principe extrêmement simple. Un sujet politico-philosophique dénommé « Althusser » s'est constitué au cours des années 1960, devenant en 1965, avec la publication de *Pour Marx* et *Lire Le Capital*, l'un des référents majeurs de la vie intellectuelle française et internationale. Produit entre autres d'une rencontre dans la France gaulliste entre des éléments *a priori* aussi éloignés que l'avènement du structuralisme, la redécouverte de l'épistémologie, les répercussions hautement problématiques de la déstalinisation sur le parti communiste français, la rupture sino-soviétique, le développement du mouvement étudiant, sans oublier le passé catholique et la structure psychique singulière d'un individu installé au cœur d'une École normale supérieure condamnée à inventer de nouvelles stratégies dans sa compétition avec d'autres institutions, ce sujet disparaît en tant que tel avec les événements de mai 1968. La célébrité du philosophe est intacte, on ne constate pas d'infléchissement brutal dans sa production théorique. Mais le monde a changé, des ruptures ont été consommées. Et Althusser manifeste au grand jour sa situation nouvelle en publiant pour la première fois un article dans *L'Humanité*, organe central du parti communiste français [1]. S'il y a bel et bien eu une école althussérienne, celle-ci a désormais pratiquement cessé d'exister.

L'objet de ce volume est de faire découvrir ou à tout le moins mieux connaître les périodes de la production d'Althusser à la fois antérieures et postérieures à celle des années 1960, dont les grandes lignes sont déjà connues [2]. Les

---

1. « Comment lire *Le Capital*? », *L'Humanité*, 21 mars 1969, repris dans *Positions* (Éditions sociales, 1976).
2. Plusieurs textes inédits de cette période seront publiés dans le second volume.

textes de jeunesse, écrits entre 1946 et 1951 par un sujet encore en devenir, correspondent incontestablement à un moment précis, celui d'un double passage : de Hegel à Marx et du catholicisme au communisme ; ils constituent la première partie de ce volume : « Louis Althusser avant Althusser ». Les années 1970 sont quant à elles hautement problématiques. Althusser demeure une figure incontournable, ses écrits sont plus cités que jamais, du moins dans la première moitié de la décennie, et il publie des textes apparemment très sûrs de leurs fondements, comme la *Réponse à John Lewis*, où il définit en 1972 la philosophie comme « lutte de classe dans la théorie ». Cette apparence cache cependant de profonds bouleversements. Sa production inédite est en réalité extrêmement éclatée : un sujet nouveau tente de s'affirmer au prix d'une mise en crise généralisée que laissent seulement entrevoir quelques publications [1]. La spécificité largement méconnue de ce nouvel Althusser nous a conduit à lui consacrer la deuxième partie de ce volume : « Textes de crise ». En tuant sa femme le 16 novembre 1980, Louis Althusser cesse enfin définitivement d'être un sujet politico-philosophique. Par-delà les continuités, ses textes souvent étranges sur le matérialisme aléatoire constituent le dernier moment de son activité théorique, inséparable du retour au premier plan de la question de son propre prénom [2] : « Louis Althusser après Althusser ».

La philosophie française de l'après-guerre est profondément marquée par la figure de Hegel, peu lu depuis le XIXᵉ siècle. Des articles importants lui étaient, il est vrai, de temps à autre

---

1. Par exemple *Ce qui ne peut plus durer dans le parti communiste* (Paris, Maspero, 1978), ou son intervention au colloque de Venise organisé en 1977 par *Il Manifesto* (in Il Manifesto, *Pouvoir et opposition dans les sociétés postrévolutionnaires,* Paris, Seuil, 1978). La rédaction en 1976 de la première autobiographie, *Les faits*, est un signe éclatant de cette crise.

2. Rédigé en 1985, *L'avenir dure longtemps* témoigne du caractère dramatique de cette question du prénom.

consacrés [1] ; Jean Wahl avait publié en 1929 *Le Malheur de la conscience dans la philosophie de Hegel* [2], accompagné d'une traduction d'extraits de la *Phénoménologie de l'Esprit ;* Henri Lefebvre et Norbert Guterman, après leurs *Morceaux choisis* de Karl Marx en 1934, avaient édité un recueil de morceaux choisis de Hegel en 1939 [3] ; Alexandre Kojève avait donné de 1933 à 1939 une série de cours sur la *Phénoménologie de l'Esprit* à l'École pratique des Hautes études, suivis par un public appelé à un bel avenir : tout cela ne suffisait pas à faire véritablement lire Hegel. Il faut en effet attendre 1939 pour voir les éditions Aubier entamer la publication de la première traduction intégrale, par Jean Hyppolite, de la *Phénoménologie de l'Esprit,* dont le second volume sortira des presses en 1941 ; les *Principes de la philosophie du droit* et l'*Esthétique* paraissent pendant la guerre dans des conditions pour le moins déplaisantes [4]. Les *Leçons sur la philosophie de l'histoire* sont publiées en 1945, suivies en 1947 et 1949 de la première traduction française, par Samuel Jankelevitch, de la *Science de la logique ; L'Esprit du christianisme et son destin*, traduit par Jacques Martin, à qui Althusser dédicacera son *Pour Marx*, paraît en 1948 aux éditions Vrin. En quelques années, l'essentiel de l'œuvre de Hegel devient donc accessible au public français. Les études se multiplient. Deux monuments émergent : *Genèse et Structure de la Phénoménologie de l'esprit de Hegel,* de Jean Hyppolite (1946), et *Introduction à la lecture de Hegel,* d'Alexandre Kojève (1947). D'autres ouvrages sont publiés, comme celui du père Henri Niel, *De la médiation dans la philosophie de Hegel* [5]. Les articles ne se comptent plus, de Kojève, d'Hyppolite, de nombreux théolo-

1. Le numéro de juillet-septembre 1931 de la *Revue de métaphysique et de morale* est par exemple consacré à Hegel.
2. Paris, Rieder, 1929.
3. Paris, Gallimard, 1939.
4. Les *Principes de la philosophie du droit* (Paris, Gallimard, 1940) paraissent sans le nom du traducteur : il s'appelle André Kaan ! L'*Esthétique* (Paris, Aubier, 1944) paraît également sans le nom de son véritable traducteur, Samuel Jankelevitch ; pire : le tome premier comporte l'indication « traduction originale par J. G. »!
5. Paris, Aubier, 1945.

giens, tel le révérend père Fessard, et de bien d'autres encore. Dans un contexte où s'affirme également la figure de Karl Marx, on ne parle plus que de la dialectique du maître et de l'esclave, de la lutte à mort, de l'en-soi et du pour-soi, de la conscience et de la conscience de soi, d'autrui et de l'aliénation. Hegel devient un familier, connu au moins à travers la lecture de *L'Être et le Néant* de Jean-Paul Sartre.

Il n'y a donc rien d'étonnant à ce que Louis Althusser travaille sur Hegel en 1947. Son mémoire de DES [1] est d'autant plus solide qu'il a alors vingt-neuf ans, âge inhabituel pour ce type d'exercice : mûri par la guerre et la captivité, le jeune Althusser n'est plus un jeune homme. Les volumes retrouvés dans sa bibliothèque montrent que, contrairement à ses affirmations postérieures, il a lu de près cet auteur. Il annote longuement la *Phénoménologie*, les *Leçons sur la philosophie de l'histoire*, et les *Principes de la philosophie du droit*, et il connaît manifestement assez bien la vieille traduction Véra de l'*Encyclopédie*; il lit en allemand *Foi et Savoir,* l'écrit sur la *Différence des systèmes de Fichte et Schelling* et les *Écrits théologiques de jeunesse* – en particulier *L'Esprit du christianisme et son destin*, dont il parle très probablement avec Jacques Martin, alors en train de le traduire. S'il connaît imparfaitement la *Science de la logique*, il en a lu en allemand la préface et le dernier chapitre. Il suffit de parcourir son étude pour s'en rendre compte : son rapport à Hegel n'est pas un rapport d'extériorité. Comme la plupart de ceux qui ont écrit sur Hegel, il est saisi par son objet : il n'a pas seulement écrit sur Hegel, il a incontestablement été hégélien.

La lecture de Hegel est alors inséparable de celle de Marx, qu'Althusser lit avec passion dans la traduction de Molitor. Il ne néglige pas totalement *Le Capital*, ou l'*Histoire des doctrines économiques*, dont il annote quelques volumes. Son intérêt pour la *Contribution à la critique de l'économie politique* ne va guère, alors, au-delà de la Préface de 1859 et de l'Introduction. Il couvre en revanche d'annotations ses exemplaires

---

1. Diplôme d'études supérieures, équivalent de l'actuelle maîtrise.

des *Œuvres philosophiques*, en particulier *Économie politique et philosophie* (nom alors donné aux *Manuscrits de 1844*), l'*Idéologie allemande* (dont il ne se contente pas de lire la première partie) et la *Critique de la philosophie du droit de Hegel*. Et son mémoire de DES, animé par un historicisme assez surprenant pour qui connaît ses écrits postérieurs, rend compte des rapports entre Marx et Hegel en des termes qui n'ont rien d'univoque : « Cependant Hegel a bien vu un autre point, que Marx néglige. Comment penser l'essence de la philosophie, c'est-à-dire l'aliénation de la pensée, sans être soi-même prisonnier de sa propre pensée?... Marx philosophe est donc captif de son temps et donc captif de Hegel, qui a par avance dénoncé cette captivité. Marx subit en un sens la nécessité de l'erreur qu'il voulait reconstruire dans Hegel, dans la mesure où Hegel a dénoncé cette nécessité dans le philosophe, et l'a détruite en lui pour engendrer le Sage. L'erreur de Marx est de n'être pas un sage [1]. » On n'oubliera pas ces lignes du jeune Althusser en lisant un ouvrage comme *Marx dans ses limites* [2].

La confrontation de Hegel et de Marx s'inscrit pour Althusser dans le contexte idéologique d'un passage du catholicisme au communisme. Son catholicisme est ancien, il ne fut pas toujours de gauche [3]. Et si ses positions politiques ont radicalement changé après la guerre, il n'en continue pas moins à s'affirmer catholique. Il participe ainsi à un voyage à Rome dont il rend compte dans *Témoignage chrétien* des 10 et 17 mai 1946 sous le pseudonyme de Robert Leclos; il publie dans la revue *Dieu vivant* un compte rendu de *L'homme est révolutionnaire* de Georges Izard [4], et l'article « L'internationale des bons sentiments » qui ouvre ce volume était initialement destiné à une autre revue catholique, *Les Cahiers de notre jeunesse*.

Louis Althusser s'intéresse aux activités de deux groupes

1. Voir p. 186-187 de ce volume.
2. Voir p. 357 de ce volume.
3. Cf. Yann Moulier Boutang, *op. cit.*, pp. 99-171.
4. *Dieu vivant*, n° 6, Éditions du Seuil, 1946.

catholiques : l'Union des chrétiens progressistes et Jeunesse de l'Église. Fondé à l'initiative d'André Mandouze, l'Union des chrétiens progressistes est politiquement très proche du parti communiste, auquel beaucoup de ses membres adhéreront assez vite : parmi eux Maurice Caveing, Jean Chesneaux et François Ricci. Si de nombreux documents du groupe ont été conservés dans ses archives, Althusser ne participe pas vraiment à sa réflexion : sans doute trop politiques à ses yeux, les chrétiens progressistes n'établissent pas de lien satisfaisant entre leur foi et leur engagement terrestre. Tout autre est le groupe Jeunesse de l'Église [1]. En janvier 1936, le père dominicain Maurice Montuclard fonde à Lyon ce qu'il appelle alors « la Communauté », dont sortira un centre de recherches religieuses : « Jeunesse de l'Église », qui publiera entre autres dix *Cahiers* de 1942 à 1949, parmi lesquels *L'Incroyance des croyants, Le Temps du pauvre*, et *L'Évangile captif*. L'un des paradoxes de l'itinéraire de Louis Althusser est qu'il choisira le moment de son adhésion au parti communiste pour collaborer de près aux activités de cette communauté qui s'installera au Petit-Clamart à la Libération. Et pour donner une idée de ce qui pouvait l'y pousser, nous citerons ces quelques phrases de Maurice Montuclard, dont l'antihumanisme ne lui a sans doute pas été indifférent : « Il est capital pour l'Évangile et l'Église que les chrétiens échappent... aux liens d'un humanisme et d'une civilisation jadis chrétienne, maintenant " bourgeoise ", et qu'ils apportent à l'évolution présente de l'Histoire leur présence active, lucide et, avec leur présence, l'influence et l'existence de la grâce. Cela entraîne... 1° Une vision chrétienne de l'Histoire profane, distincte de l'action historique de l'Église visible, bien que jamais opposée à elle,

---

1. Cf. *L'Instituant, les Savoirs et les Orthodoxies (en souvenir de Maurice Montuclard)*, études recueillies par Nicole Ramognino, Publications de l'Université de Provence, 1991 (en particulier la contribution d'Émile Poulat : « La formation religieuse et sociale d'un sociologue »), et Yann Moulier Boutang, *op. cit.*, pp. 276-341. Sur la fin de Jeunesse de l'Église, directement liée à la répression exercée par le Vatican contre les prêtres ouvriers, voir également les livres de Pierre Pierrard (*L'Église et les ouvriers en France, 1940-1990*, Paris, Hachette, 1991) et François Le Prieur (*Quand Rome condamne*, rééd. Paris, Plon, 1989).

et force de progrès dans la mesure où Dieu choisit d'en faire un instrument aussi du Salut en Jésus-Christ. 2° Une subordination de la politique à la religion et, plus largement, du temporel au spirituel, différente... de celle qu'avait accréditée le régime post-médiéval de chrétienté [1]. » Ou encore le passage suivant : « Si nous voulons que le message chrétien soit entendu, nous devons prêcher l'Évangile – *l'Évangile, et non point un humanisme chrétien.* Si nous voulons qu'on croie en l'Église, nous devons la présenter, et par conséquent la vivre, de telle façon qu'elle se montre capable, par ses propres moyens surnaturels et sans le secours d'inutiles appuis humains, d'engendrer à la vie, à la liberté, à la fraternité et au culte du vrai Dieu une humanité nouvelle... Un monde disparaît, qui entraîne dans sa chute, avec nos privilèges et nos sécurités, tous les points d'appui dont l'Église se servait pour faciliter, appuyer humainement sa mission. Ce monde disparaît au profit d'une humanité grandie dans une civilisation nouvelle. Comment hésiterions-nous à souhaiter que sa chute donne des chances, encore inconnues mais déjà certaines, au progrès de l'évangélisation ? Comment hésiterions-nous à choisir de libérer l'Évangile de ses entraves et de préparer la présence en ce monde qui naît d'une Église, tout entière sensible à la liberté de l'Évangile, tout entière axée, dans son enseignement, ses méthodes, ses institutions, sur la souveraine puissance de la grâce ? Non, nous n'avons plus le choix : nous avons opté pour l'Évangile [2]. » Si Louis Althusser a quant à lui opté pour le parti communiste, le catholicisme ne disparaîtra jamais totalement de sa réflexion : en témoignent un article publié en 1969 dans la revue *Lumière et Vie* [3] et une transcription, écrite en 1985, et retrouvée dans ses archives,

---

1. Lettre *Jeunesse de l'Église*, n° 2, janvier 1949.
2. Conclusion au dixième *Cahier de Jeunesse de l'Église*, intitulé *L'Évangile captif*, contenant l'article de Louis Althusser « Une question de faits », publié dans ce volume.
3. *Lumière et Vie*, n° 93, mai-juin 1969.

d'une discussion avec le père Stanislas Breton sur la théologie de la libération [1].

Il eût été étonnant que Louis Althusser ne fût pas stalinien. Nul ne pouvait y échapper en adhérant comme lui au parti communiste en novembre 1948, et en lui demeurant fidèle comme peu l'ont été. Déductible *a priori*, cette affirmation est amplement vérifiée par ses écrits : les grands procès de l'après-guerre ne le gênent nullement, et il n'a aucun doute apparent sur la culpabilité de Rajk [2]. A lui seul cependant l'adjectif « stalinien » n'est pas très éclairant. Il y a différentes façons de l'être, et l'histoire du phénomène ne peut être réellement comprise qu'à la condition d'en percevoir la diversité : la *Lettre à Jean Lacroix* n'a probablement guère d'équivalent. Si Althusser manifeste ainsi son accord avec la conférence de Jdanov sur la philosophie [3], on ne trouve pas trace chez lui de la moindre défense du réalisme socialiste pourtant théorisé par le même Jdanov. Il s'intéresse de près à l'affaire Lyssenko, lisant et annotant plusieurs brochures de propagande dont il n'est pas aisé de savoir ce qu'il en pensait. Contrairement par exemple à Jean-Toussaint Desanti, alors membre du comité de rédaction de *La Nouvelle Critique*, il ne semble cependant pas avoir cédé au vertige de la théorie des « deux sciences » : « science bourgeoise » et « science prolétarienne », et on le voit mal écrivant un éloge de « Staline, savant d'un type nouveau [4] ». Et s'il approuve malgré tout le lyssenkisme, c'est clairement, déjà, au nom de *la* science, position exactement inverse de celle défendue sur le même sujet par Aragon. Ces textes de Louis Althusser ont bien entendu quelque chose de dérangeant. Tout un pan de son œuvre postérieure ne se comprend cependant pleinement qu'à la lecture de ces écrits de jeunesse. La préface de *Pour Marx* acquiert ainsi une

---

1. Cf. Stanislas Breton, « Althusser aujourd'hui », *Archives de philosophie*, juillet-septembre 1993.
2. Voir dans ce volume la *Lettre à Jean Lacroix*, p. 283-287.
3. Voir p. 295 de ce volume.
4. Cf. Jean-Toussaint Desanti, « Staline, savant d'un type nouveau », *La Nouvelle Critique*, n° 11, décembre 1949. Une étude comparée des écrits staliniens de Louis Althusser et de Jean-Toussaint Desanti serait assurément passionnante.

dimension largement méconnue. Et le rapport à Hegel apparaît alors dans toute sa complexité.

Les années 1970 sont pour Louis Althusser des années dramatiques. Coupé des mouvements d'extrême gauche après 1968, il cesse au même moment de faire de l'École normale supérieure le centre d'une complexe stratégie politico-philosophique : l'époque du séminaire sur *Le Capital* ou du Cours de philosophie pour scientifiques est définitivement révolue. Il choisit de mener un combat essentiellement interne au parti communiste au moment précis où celui-ci entame un déclin que l'on ne fait encore que pressentir : ses positions sont alors très fortes dans l'Université, et l'Union de la gauche a de belles heures devant elle. Le rythme lent des publications se poursuit comme si de rien n'était : la *Réponse à John Lewis* paraît en Angleterre en 1972, puis en France en 1973, les *Éléments d'autocritique* et *Philosophie et philosophie spontanée de savants* en 1974, *Positions* en 1976. Le succès de ces ouvrages, en particulier celui, considérable, de la *Réponse à John Lewis*, cache cependant mal la profondeur du désarroi : en témoigne le texte autoparodique qu'il rédige au même moment [1]. Quelque chose, décidément, s'est brisé. La situation ne s'améliorera pas avec la crise du milieu de la décennie : les intellectuels français redécouvrent soudainement les horreurs du stalinisme et la référence à Marx finit par apparaître comme un signe d'ignominie.

Althusser réagit d'une façon qui n'a rien d'homogène. Sa tendance la plus visible, du moins dans un premier temps, est celle d'une défense des grands principes. Il entreprend ainsi une vigoureuse campagne de défense du concept de dictature du prolétariat, dont la plaquette *22ᵉ Congrès* [2] est la manifestation la plus visible. Il participe sur ce thème à plusieurs débats publics, en France mais aussi en Espagne, et rédige un long ouvrage inachevé qu'il intitule *Les Vaches noires*. *Inter-*

---

1. *Une question posée par Louis Althusser*, p. 345 de ce volume.
2. Paris, Maspero, 1977.

view imaginaire. Dans le même temps ou presque, il dresse un sévère constat de crise du parti communiste dans la série d'articles publiés dans *Le Monde* et repris dans le livre *Ce qui ne peut plus durer dans le parti communiste*. Il entreprend en outre une réflexion de fond sur la crise de la théorie marxiste dont l'objectif premier n'est plus de défendre des principes, mais de montrer en quoi la pensée marxiste ne peut se renouveler qu'à partir d'une analyse de ses propres limites. Relisant attentivement Gramsci à cette occasion, il tente ainsi de définir les « limites absolues » de Marx, en particulier sur la question de l'État. Cette démarche a elle-même son propre revers : la crise est peut-être plus profonde, il convient peut-être de faire tout autre chose, tel est au moins l'un des sens du « retour à la philosophie » qui s'opère au même moment, pour ne pas parler de la rédaction en 1976 de la première autobiographie : *Les faits*. Dans les deux manuels de philosophie évoqués plus haut, on voit ainsi apparaître des références inhabituelles chez lui : Épicure, Heidegger, et aussi Derrida qu'il lit depuis très longtemps, mais dont il n'a jamais parlé publiquement. C'est alors qu'apparaît dans ses écrits théoriques la métaphore du train qui deviendra l'une des grandes obsessions de ses dernières années. Si la réflexion d'Althusser a toujours eu plusieurs facettes, l'écart est ici extrême.

Dans les dernières années de son existence, Louis Althusser n'a, d'une certaine manière, plus de comptes à rendre à personne. Par-delà la fidélité des amis, cet état d'extrême solitude conditionne son écriture théorique, qui prend volontiers une tonalité prophétique. La limite est parfois mince entre le travail philosophique et des textes dont l'intérêt, souvent immense, est surtout celui de documents cliniques : nous avons renoncé à publier ici de tels écrits, estimant que leur place était ailleurs. Et lorsque paraît au Mexique en 1988 le seul livre édité de son vivant [1] après le meurtre d'Hélène, c'est

---

1. *Philosophie et Marxisme. Entretiens avec Fernanda Navarro* (Éditions Siglo XXI), repris dans Louis Althusser, *Sur la philosophie* (Paris, Gallimard, 1994).

au terme d'une élaboration si complexe qu'il faudrait un long récit pour en rendre compte.

Le rapport de ces derniers écrits à l'ensemble de l'œuvre d'Althusser n'est pas simple. La rupture est en un sens évidente : pour reprendre une de ses expressions favorites, le concept de « matérialisme aléatoire » n'était pas directement « trouvable » dans sa production antérieure. Alliance de deux termes totalement étrangère à la tradition du matérialisme dialectique, il fait cependant irrésistiblement penser à celui de « pratique théorique ». En outre et surtout, le thème de la rencontre était depuis longtemps au cœur de ses réflexions sur l'histoire et sur le mode de production [1]. Ses idées sur la conjoncture développées dans les années 1960 avaient manifestement pour arrière-fond le projet d'une théorie de la conjonction finalement inabouti. Le premier moment de surprise passé, on n'est finalement pas étonné de découvrir dans ses notes de travail de 1966 des remarques qui seront presque littéralement reprises dans ses derniers écrits : « 1. Théorie de la rencontre ou *conjonction* (= genèse...) (cf. Épicure, clinamen, Cournot) hasard etc., précipitation, coagulation. 2. Théorie de la *conjoncture* (= structure)... la philosophie comme théorie généale de la *conjoncture* (= conjonction). » Et ce n'est pas sans une certaine émotion que l'on voit surgir au beau milieu d'annotations sur le livre de Pierre Macherey *Pour une théorie de la production littéraire*, ces remarques qui en sont à première vue bien éloignées : « *Théorie du clinamen*. Première théorie de la *rencontre*! » Si enfin l'image du train développée dans le *Portrait du philosophe matérialiste* qui clôt ce volume est présente dans la plupart des derniers textes d'Althusser, elle ne surgit pas du néant dans les années 1980 : on la rencontre ainsi dans une lettre à René Diatkine probablement écrite en 1972 : « Il n'y a pas de gare de départ, il n'y a pas de gare de destination. Les trains ne se

---

1. Cf. par exemple « Contradiction et surdétermination », repris dans *Pour Marx*, ou la contribution d'Étienne Balibar à *Lire Le Capital* à laquelle Althusser continuera de se référer en 1982.

prennent qu'en marche : ils ne viennent de nulle part et ils ne vont nulle part. Thèse matérialiste : c'est à cette condition qu'on peut avancer. »

Il n'y a pas de dernier mot de Louis Althusser : son œuvre s'arrête en chemin, essentiellement inachevable. Mais s'il fallait désigner quelque chose comme le moteur de sa production théorique, nous nous hasarderions à mentionner le vide. De la conjuration du vide nécessaire du mémoire sur Hegel au « vide d'une distance prise » de *Lénine et la philosophie*, pour aboutir au vide comme « objet unique » de la philosophie, la fascination pour un mot est sans doute au principe de la construction d'un objet philosophique.

Nous tenons à remercier tous ceux qui nous ont aidé à réaliser l'édition de ce volume, au premier rang desquels François Boddaert, héritier de Louis Althusser, Olivier Corpet et Yann Moulier Boutang dont le soutien quotidien nous a été précieux. Nos remerciements également à Étienne Balibar, Madame Behr, conservateur en chef de la bibliothèque de l'Université catholique de Lyon, Madame Bely, doyen de la faculté de philosophie de l'Université catholique de Lyon, Gilles Candar, André Chabin, Marcel Cornu, Dominique Lecourt, Jacqueline Pluet-Despatin, Robert F. Roeming, Jacqueline Sichler. Un remerciement particulier pour Sandrine Samson.

François MATHERON.

Note sur la présente édition

Dans un double souci de fidélité aux documents et de lisibilité, nous avons effectué les corrections et rectifications d'usage sur les inadvertances de plume ou les erreurs et omissions de ponctuation, ajoutant en quelques occasions entre crochets les mots et locutions indispensables à la compréhension du texte. Tous les soulignements voulus par l'auteur ont été indiqués en italique. La plupart des majuscules ont été conservées.

Les notes de Louis Althusser sont désignées par des chiffres ; elles sont toutes éditées en bas de page, à l'exception de celles, très nombreuses, du mémoire de DES : *Du contenu dans la philosophie de G.W.F. Hegel*, reportées à la fin du texte. Les notes d'édition sont indiquées par des lettres ; elles sont éditées en bas de page lorsqu'elles ne risquent pas de surcharger le texte, et à la fin du texte dans le cas contraire. Les variantes qui nous sont apparues significatives sont indiquées dans les notes d'édition. Pour éviter d'introduire des notes dans les notes, nous avons indiqué entre crochets à la fin des notes de Louis Althusser les quelques compléments éditoriaux nécessaires.

Nous avons conservé systématiquement les références bibliographiques données par Louis Althusser, en corrigeant autant que faire se peut les éventuelles erreurs. Lorsque l'auteur se réfère à des éditions très anciennes, ou à des éditions étrangères de textes traduits en français dans l'intervalle (il s'agit essentiellement d'ouvrages de Hegel et de Marx), nous nous sommes efforcés de compléter la bibliographie par des références plus récentes : ces ajouts sont indiqués entre crochets après les indications bibliographiques originales. Dans le cas d'ouvrages relus ultérieurement par Althusser dans des éditions plus récentes, ou dans le cas de citations non référencées, nous avons calqué sur ses choix de lecture nos compléments bibliographiques : les œuvres de Marx sont donc presque toujours citées d'après les volumes publiés par les Éditions sociales.

1

Louis Althusser avant Althusser

Notice

Les textes publiés dans la première partie de ce volume forment l'essentiel de la production « de jeunesse » de Louis Althusser, philosophiquement dominée par le rapport à Hegel, idéologiquement marquée par un passage assurément non linéaire du catholicisme au communisme.

Daté du 20 décembre 1946, L'internationale des bons sentiments est le premier texte où la virtuosité polémique de Louis Althusser se manifeste pleinement. Produit d'un jeune philosophe qui se présente alors comme chrétien et qui, quoique déjà attiré par le parti communiste, n'a pas encore à se débattre avec la rhétorique stalinienne, cet article était destiné aux Cahiers de notre jeunesse, dirigés par son ami François Ricci qui adhéra par la suite au parti communiste. On peut lire ainsi dans une lettre du 20 décembre 1946 de Louis Althusser à ses parents : « Je vais écrire un article assez virulent à paraître le mois prochain dans Cahiers de notre jeunesse (une petite revue catholique fondée pendant l'Occupation par des cagneux lyonnais et qui a fait du chemin) sur " L'internationale des bons sentiments ". » Si ce texte n'a finalement pas été publié, ce n'est aucunement dû à l'un de ces remords tardifs caractéristiques de l'Althusser de la maturité : il fut simplement refusé par son destinataire, effrayé de sa virulence[1]. Louis Althusser n'oubliera pas ce refus, qu'il attribuera curieusement à la revue Esprit

---

1. Cf. Yann Moulier Boutang, *op. cit.*, pp. 283-290.

dans une lettre du 4 juillet 1958 à son amie Claire [1] *: « Malraux. Beaucoup à te dire sur lui. J'avais même écrit autrefois un article sur une de ses conférences-prophéties en 47, cet article n'a jamais paru, car j'avais refusé d'y changer une ligne — il était destiné à la revue* Esprit. »

La lecture consécutive des trois textes sur Hegel du « jeune Althusser » réserve plusieurs surprises. Surprise, bien sûr, de découvrir un Althusser hégélien, mais surprise également de constater la vitesse avec laquelle il en arrive à un jugement extrêmement négatif sur Hegel — ou du moins sur le « retour à Hegel » de la philosophie française contemporaine.

Du contenu dans la pensée de G.W.F. Hegel *est le Diplôme d'études supérieures de Louis Althusser (l'équivalent de l'actuelle maîtrise). Vraisemblablement rédigé entre août et octobre 1947, ce travail a été soutenu devant Gaston Bachelard. Dans une lettre non datée, probablement écrite en octobre ou novembre 1947, Althusser décrit la soutenance à Hélène, qui a tapé son travail à la machine à écrire : « J'ai passé hier l'oral du diplôme avec Bachelard qui m'a dit qu'entendez-vous par la circularité du concept, n'est-ce pas plutôt circulation des concepts qu'il faut dire? Je l'ai fait rentrer dans sa barbe de quelques mots et il n'a pas bronché : il m'a dit qu'il relirait mon texte " très intéressant ", ce qui n'engage guère. Je ne puis me fier à lui d'ailleurs parce que les questions qui m'occupent lui sont bien étrangères. Naturellement m'a-t-il dit ne vous inquiétez de rien. J'espère qu'il m'aura mis mention très bien pour la gloire de l'administration, l'honneur de mes parents et le mérite de la dactylo. » Ces espoirs étaient fondés, puisque le mémoire fut noté 18 sur 20* [2].

Le mémoire de Louis Althusser a été rédigé à peu près en même temps que celui de son ami Jacques Martin [3] (Remarques

---

1. Cf. *L'avenir dure longtemps* (Paris, Stock/IMEC, 1992, p. 132 sq.; réédition Le Livre de poche, 1994, p. 161 sq.).

2. Cf. Yann Moulier Boutang, *op. cit.*, p. 275. Althusser racontera à sa manière cet épisode dans *Les faits, op. cit.*, p. 320 sq.; réédition, *op. cit.*, p. 361 sq.

3. Sur Jacques Martin, à qui est dédié *Pour Marx*, voir Yann Moulier Boutang, *op. cit.*, en particulier pp. 449-460.

sur la notion d'individu dans la philosophie de Hegel), *également tapé par Hélène, également soutenu devant Gaston Bachelard. Les deux textes ont été retrouvés côte à côte dans la bibliothèque d'Althusser, qui avait fait disparaître son propre nom sur la reliure de son travail : on y lit simplement* G.W.F. Hegel. Du contenu dans la pensée. *Encore sous le choc du suicide, à la fin du mois d'août 1963, de celui dont il dira plus tard qu'il était son « seul contemporain », Althusser évoquera longuement le travail de Jacques Martin dans une lettre du 7 octobre 1963 à son amie Franca* [1] : « *Franca, j'ai cherché ce matin dans mon bureau, j'avais comme le vague souvenir d'y avoir conservé, en dépit de lui, et presque à son insu, le seul texte de lui qu'il ait jamais écrit pour un lecteur anonyme : son diplôme sur Hegel, qu'il avait composé en 46-47, dans la même année scolaire où je rédigeais le mien. Je l'ai retrouvé. Il est là, sur ma table. Il me l'avait apporté voilà je crois un an et demi, me demandant de le lire pour lui dire* " *si ça avait encore quelque intérêt* " — *il l'avait sans doute retrouvé lui-même, et je sentais qu'il y tenait encore, au moins pour certains points de théorie qu'il y développait. C'est vrai : ce texte avait une maturité extraordinaire. A l'âge où la plupart d'entre nous et moi tout le premier faisions encore* " *de la littérature* " *sur la philosophie, son texte était d'un maître, dégagé de toute tentation, et pardessus tout des tentations de la facilité. Les choses étaient ainsi dans cette étrange jeunesse et dans cette étrange école, que je n'avais pas plus lu son diplôme que lui-même n'avait lu le mien. Nous conservions ces choses contre nous, bien serrées, pour ne pas les avouer. Merleau-Ponty, dont le nom t'est peut-être connu, et qui a été un philosophe célèbre ici, qui nous connaissait, parce qu'il avait fait des cours à l'École, voulait publier nos diplômes, celui de J[acques] M[artin], le mien, et celui d'un autre ami, depuis prof. en province. Nous nous en étions défendus jalousement, disant : ces textes ne sont que l'occasion d'éliminer des erreurs de jeunesse.* " *On ne publie pas ses erreurs*

---

1. *L'avenir dure longtemps, op. cit.*, p. 132 sq.; réédition, *op. cit.*, p. 162.

de jeunesse. " Merleau en avait été très vexé, nous nous défendions comme nous pouvions, à vrai dire ce n'était pas tant contre lui, mais contre la ligne de sa pensée : nous ne voulions pas lui prêter, en aucune manière, notre appui ou notre consentement. Merleau est mort depuis, comme tu sais. Ces diplômes n'ont pas été publiés. Mais je sais que l'excuse qui valait pour moi ne valait pas pour J[acques] M[artin]. Son diplôme contenait peut-être des erreurs, en tout cas des propositions qu'il n'eût plus avouées dans les années suivantes. Mais ce n'étaient pas, en aucun cas, des erreurs de jeunesse. C'étaient des erreurs d'homme mûr, mûr par la pensée. » Dans ces lignes où transparaissent ses réflexions d'alors sur les œuvres du jeune Marx, qu'il lisait et relisait au moment précis où il allait jusqu'à contester le principe même de leur publication, il n'est pas interdit de lire un certain regret d'Althusser quant au destin de son propre travail.

Rédigé en même temps que son diplôme, L'homme, cette nuit *a été publié dans le n° 286, deuxième semestre 1947, des* Cahiers du Sud, *dirigés par Jean Ballard, dont il avait fait la connaissance par l'intermédiaire d'Hélène. Compte rendu du livre d'Alexandre Kojève :* Introduction à la lecture de Hegel *intégré à la rubrique « Chroniques », l'article de la revue ne reprend pas ce titre, qui figure sur sa version dactylographiée. Dans une lettre non datée, probablement écrite en septembre 1947, Althusser parle à Hélène de sa lecture du livre de Kojève : « J'ai lu le Kojève (dans Ballard), il y a des sottises mais des choses bien intéressantes qui ne sont que du Hegel* compris *(à quoi je vois que j'avais beaucoup pressenti mais peu compris) et en tout cas très utiles pour mon diplôme (et l'agreg). »*

Le retour à Hegel, dernier mot du révisionnisme universitaire *a été publié dans le n° 20 (novembre 1950) de* La Nouvelle Critique, *sous la signature de « la commission de critique du cercle des philosophes communistes » — avec un titre différent de celui figurant sur le texte dactylographié* (« Hegel, Marx et Hyppolite ou le dernier mot du révisionnisme universitaire »). *On est alors en pleine guerre froide, l'heure n'est plus à la nuance, et le style d'Althusser se raidit. Les archives du philosophe montrent que cet article a été longuement travaillé : plusieurs versions dactylographiées ont été en effet retrouvées, ainsi que de nombreuses notes de lecture répertoriées sous le titre évocateur d' « hégéliâneries contemporaines ».*

Tout anonyme qu'elle soit, son intervention ne passe pas inaperçue. Émile Bottigelli, qui traduira plus tard les Manuscrits de 1844 *de Marx, publie dans le n° 21 de* La Nouvelle Critique *une réponse au titre explicite : « Pas d'accord à propos du " retour à Hegel " ». Tout en manifestant son accord avec la thèse soutenue par Althusser, Bottigelli refuse la conception qui y est défendue des rapports de Hegel et de la bourgeoisie allemande. Althusser reçoit à cette occasion le soutien de son ami germaniste Pierre Grappin, qui lui envoie le 22 novembre 1950 une longue citation de Franz Mehring allant dans le sens de son article, pour conclure par ces mots : « Ton contradicteur veut étaler sa science, mais elle est trop courte. » Dans le numéro 22 de* La Nouvelle Critique, *Henri Lefebvre publie une « Lettre sur Hegel », dans laquelle on lit notamment : « L'article paru dans la N[ouvelle]C[ritique] laisse l'impression que le " retour à Hegel " a toujours un caractère réactionnaire ou fascisant. Pourquoi n'avoir pas mieux précisé que ce " retour " n'a un tel caractère que s'il fait abstraction de l'œuvre de Marx, Engels, Lénine et Staline ? Pourquoi n'avoir pas rappelé que Lénine " retourna " à Hegel en automne 1914, dans un moment particulièrement difficile ; qu'il relut la* Logique *de Hegel avant d'écrire* Contre le courant *et prit les notes connues sous le nom de* Cahiers sur la dialectique de Hegel ? *Pourquoi n'avoir pas cité ce livre et s'être borné au texte archiconnu (essentiel d'ailleurs) de la préface du* Capital ? *L'article donne l'impression que le règlement de la « question Hegel » (Jdanov) s'est accompli en rejetant Hegel entièrement dans le passé mort. Je ne puis accepter, sauf nouveaux arguments, cette position, qui me paraît incompatible avec les textes de tous les classiques du marxisme, de Marx à Staline. Tel n'a pu être le sens de la phrase de Jdanov, qu'il ne faut pas prendre isolément. » Les archives de Louis Althusser contiennent en outre deux lettres de*

René Schérer, alors membre du parti communiste français. La première commence par un « chers camarades » suivi d'une formule classiquement menaçante : « Je suis tout à fait d'accord avec votre analyse de la vogue actuelle de la philosophie hégélienne dans l'université », et se poursuit par sept pages de défense de Hegel ; la seconde, datée du 19 décembre 1950, est plus amicale : la première lettre ayant été transmise à Althusser, celui-ci a manifestement répondu à Schérer, dévoilant par là même l'identité de l'auteur mis en cause. Tout se passe comme si, derrière l'anonymat guidé par la prudence, Althusser s'était ménagé un poste d'observation. Et l'on imagine sans peine les « pensées de derrière » inscrites dans ses rapports par ailleurs fort courtois avec Jean Hyppolite qui sera nommé directeur de l'École normale supérieure en 1954.

Une question de faits *a été publié en février 1949, dans le* dixième Cahier de Jeunesse de l'Église *intitulé* L'Évangile captif. *Divisé en deux grandes parties : « Conditions réelles de l'évangélisation » et « Possibilités ouvertes à l'évangélisation », ce recueil est constitué d'une série de réponses de longueur très variable à une unique question : « La Bonne Nouvelle est-elle annoncée aux hommes de notre temps ? », commentée dans un « Avant-Propos » où l'on peut lire notamment : « D'une part, nous ne pouvons pas nous arrêter purement et simplement, devant les obstacles économiques, politiques ou sociaux que nous rencontrons aujourd'hui dans notre effort d'évangélisation. Ces " impossibilités " d'annoncer la bonne nouvelle signifient seulement, en fait, que le message chrétien et l'Église doivent nécessairement prendre une nouvelle figure historique, déroutante surtout pour les " fidèles ". A l'inverse, il ne s'agit pas de croire trop facilement aux possibilités spirituelles d'une évangélisation du monde actuel par le monde chrétien : " il suffirait que nous soyons des saints ". Cela ne suffirait pas parce qu'il y a un obstacle intérieur à l'évangélisation, ou plutôt intérieur à ce qui évangélise : non pas l'indignité personnelle mais peut-être une ignorance pratique de l'Évangile comme bonne nouvelle adressée à tout homme. Qu'appelons-nous en effet Évangile ? Est-ce que nos habitudes, nos idées* a priori, *nos manières de vivre n'ont pas fait de l'Évangile notre Évangile ? »*

Louis Althusser avant Althusser

Une question de faits *est particulièrement significatif de la complexité de la démarche intellectuelle d'Althusser : il écrit ce texte peu après son adhésion au parti communiste en novembre 1948, et tel est justement le moment qu'il choisit pour s'intéresser de très près aux activités de* Jeunesse de l'Église, *dont sa sœur Georgette devient pour un temps permanente. Aussi n'est-il pas surprenant que son article ouvre le dixième cahier d'un groupe également fort complexe. Le résultat ne dut pas lui déplaire, puisqu'il laissa un éditeur espagnol en publier une traduction en 1978* [1].

Commencée le 25 décembre 1950 à Paris, interrompue, puis achevée le 21 janvier 1951 dans le Limousin, la Lettre à Jean Lacroix *est beaucoup plus qu'une lettre privée à un ancien professeur. Louis Althusser a en effet construit une sorte de mythe autour de cette épître démesurée de soixante-dix pages, constituée en acte semi-public du seul fait qu'il en parlait abondamment autour de lui* [2]. *Violente critique, non dénuée de mauvaise foi, du livre de Jean Lacroix :* Marxisme, Existentialisme, Personnalisme, *ce texte est à bien des égards déconcertant pour un lecteur des livres d'Althusser : défendant le procès Rajk en un langage qui n'est assurément pas, alors, celui d'une « critique de gauche du stalinisme », il affirme néanmoins conserver d'une certaine manière les idéaux de son passé catholique, et défend la thèse d'un humanisme marxiste par des formules dont il prendra par la suite l'exact contrepied, tout en rejetant la problématique de l'aliénation à laquelle il adhérait dans son mémoire sur* Hegel.

En dépit de sa violence, cette lettre n'est nullement un acte de rupture avec Jean Lacroix, dont nous ignorons la réaction, aucune trace de réponse n'ayant été conservée dans les archives d'Althusser. Si ce dernier ne lit plus guère par la suite les livres que le philosophe personnaliste continue à lui envoyer, il éprouve le plus grand respect pour les positions politiques d'un homme

---

1. In Louis Althusser, *Nuevos escritos*, (Editorial Laia, Barcelone, 1978). L'article est traduit sous le titre : ‹ Situación histórica de la Iglesia ›.
2. Cf. Yann Moulier Boutang, *op. cit.*, pp. 314-324.

avec qui il entretiendra par la suite une correspondance régulière. C'est grâce à Jean Lacroix qu'Althusser publiera en 1959 son livre sur Montesquieu aux Presses Universitaires de France. Et c'est Jean Lacroix qui acceptera le premier en France de publier en juin 1964 dans les Cahiers de l'ISEA *le plus retentissant de ses articles :* « Marxisme et humanisme ».

Rédigé en un style à nul autre pareil, Sur l'obscénité conjugale *a été écrit en janvier 1951, si l'on se fie à ce qu'en dit Althusser en 1978, au début d'un texte consacré au mouvement des femmes :* « A ce texte qui a été écrit en janvier 1951, en un temps où, encore proche des milieux d'action catholique étudiante où j'avais milité, mais déjà inscrit au PCF (1948) je réfléchissais, sous le prétexte d'un thème apparemment étrange, et sur mon passé personnel, et sur la " politique ", suivie par l'Église de France, qui avait été à l' " avant-garde " du mouvement de réanimation de ce qui n'était pas encore l' " aggiornamento " que devaient instaurer Vatican I et II, je voudrais adjoindre les quelques remarques suivantes, touchant cette fois directement le mouvement des femmes et accessoirement le " Féminisme ". » *Dans ce texte où il écrit presque le contraire de ce que l'on pourrait attendre, Louis Althusser, littéralement habité par son sujet, déploie un talent souvent manifesté dans ses lettres : celui de plonger le lecteur dans une situation* a priori *totalement étrangère.*

L'internationale des bons sentiments
(1946)

Nous avons tous reçu au cœur les paroles d'André Malraux : « à la fin du siècle, le vieux Nietzsche proclamait la mort de Dieu. C'est à nous maintenant de nous interroger sur nous-mêmes et de nous demander si désormais l'homme n'est pas mort [a]. » Je cite de mémoire et ces mots ne sont peut-être pas exactement les siens. Je n'oublierai pas qu'alors nous sentîmes le vide en nous. La foule humaine qui contemplait des gradins de la Sorbonne cet acteur [b] tragique se débattre dans la solitude, vit soudain qu'elle était elle-même cette solitude, et que dans ce désert de la conscience un petit homme gesticulant luttait contre la mort de l'homme. « Il nous faut recomposer une image de l'homme où l'homme se reconnaisse. » Le pathétique de Malraux n'était pas dans la mort qu'il annonçait imminente, mais dans cette conscience désespérée de la mort imminente habitant un vivant. Ceux mêmes qui ne partageaient pas ses craintes ne pouvaient se garder d'une profonde inquiétude : on ne voit pas impunément un homme *traiter son destin comme un ennemi.*

Or, dans le monde qui nous abrite, on reconnaît chaque jour un peu plus clairement que des hommes, de plus en plus nombreux, rompent les liens silencieux qui les unissaient à leur destin et le maudissent. Deux ans après la plus atroce des

---

Notes d'édition p. 50 à 57.

guerres, sur la terre couverte de paix et de ruines, dans la brume du petit hiver qui nous vient, se font de silencieux rassemblements. Les murmures que le bruit des armes couvrait, les protestations inentendues dans le fracas de la guerre, on les perçoit désormais dans le calme restauré. Phénomène remarquable, ce sont des vieilles terres européennes que montent les plaintes de la paix. A l'est l'immense peuple russe est rentré dans le travail et trouve dans le travail sa réconciliation avec l'histoire « L'angoisse est un état d'âme bourgeois. Nous reconstruisons » (Ehrenbourg) [a]. A l'ouest l'Amérique intacte dénombre ses morts et ses victoires, essaie sa force future dans les airs et dans les mers, et s'installe dans le monde comme dans son avenir : le siècle américain est devant elle, jusqu'à l'horizon, comme de grandes vacances : « Notre destin c'est d'être de libres Américains. » Certes l'optimisme de l'effort et de la liberté garde un sens pour des Français et des Britanniques, la plupart y cherchent la raison [b] de la dure vie qu'ils mènent [c]. Pourtant c'est au milieu des ruines « occidentales » que l'homme perçoit que la guerre des armes et la guerre des âmes n'ont pas la même fin, que la paix est aussi meurtrière que la guerre et plus horrible en ce que le meurtre ne s'y accomplit pas dans l'excuse du bruit. En France voici Malraux déjà nommé pour son discours tragique, voici Camus [1] dans les articles de *Combat* [d] où la fatalité prend l'homme dans le meurtre et ne le lâche que dans la mort, voici un Gabriel Marcel acharné contre la modernité du monde et ses « techniques d'avilissement [e] », voici le mouvement du « front humain [f] » qui pense arrêter la fatalité de la guerre par une action morale internationale, voici des exemples de l'excitation commerciale comme le numéro de *Franchise* sur *Le Temps des assassins* [g]. En Angleterre, c'est Koestler [h] qui

---

1. Ce n'est pas un des moindres paradoxes de ce temps que les plus éloquentes protestations nous viennent dans la paix des plus courageux et des plus fermes dans la guerre : Malraux et Koestler ont combattu dans les rangs républicains en Espagne, Malraux a fait cette guerre, Camus fut un admirable résistant, ainsi que plusieurs autres parmi les meilleurs de ces modernes croisés. Ces armes déposées sont troublantes.

dénonce l'asservissement des hommes par les régimes totali-
taires et nourrit de romans le ressentiment de ses contemporains contre leur histoire. L'extraordinaire succès de son œuvre
prouve [a] qu'il existe un public étendu prêt à accueillir la
malédiction de ces prophètes modernes. Et certains échos
venus d'Allemagne laissent croire que les vaincus ne
demandent qu'à joindre la voix de leur trop bonne conscience
à la voix de la mauvaise conscience de leurs vainqueurs, qu'ils
sont prêts eux aussi à maudire la dernière paix, et à conclure
contre elle une sainte alliance de la protestation, dont nous
devons nous demander quel est le sens vrai. Car nous nous
trouvons devant un phénomène d'ordre international, devant
une idéologie diffuse, non encore exactement définie, mais
susceptible de revêtir une certaine forme d'organisation ;
Camus envisagerait la formation de groupes de protestation
décidés à dénoncer à la conscience universelle les crimes contre
les hommes ; le « front humain » pense user du cinéma [b] ou
de la radio pour détourner l'humanité de la guerre. On sent
dans ces essais une mentalité qui se cherche, une intention [c]
avide de corps, une idéologie qui veut à la fois se définir, se
fixer, et se donner des moyens d'action. Si cette mentalité est
de caractère international, et se donne des institutions, nous
allons au-devant d'une nouvelle « internationale ». Il n'est
peut-être pas inutile de tenter de voir ce qu'elle recouvre.

Cette « internationale » de la protestation humaine contre
le destin repose sur une prise de conscience de l'humanité,
comme menacée, et constituant face à la menace une sorte de
« prolétariat » de la terreur. Alors que le prolétariat ouvrier est
défini par des conditions sociologiques, économiques et historiques, ce « prolétariat » récent se définirait par une condition
psychologique : la menace et la peur. Et de même qu'on voit
une égalité prolétarienne dans la misère et l'aliénation
ouvrières, de même ce *prolétariat implicite* connaîtrait aussi
l'égalité, mais dans la mort [d] et la douleur. Selon nos auteurs,
les dernières inventions, dans l'atome ou la torture, *sont désor-*

mais la condition humaine où les hommes sont égaux. C'est une égalité de fait qui gouverne tous nos gestes, où nous vivons et circulons sans le savoir comme sans le savoir un homme vit et circule dans la pesanteur. Et de même que l'unité du prolétariat existait avant Marx, mais n'est devenue conscience [a] que par Marx, de même cette unité de l'humanité-prolétariat dans la terreur n'existe pour nous en conscience que par la révélation de nos prophètes modernes. On sent dans leurs appels le même pathétique historique (du moins le croient-ils) que dans les fameux mots d'ordre de Marx et Engels, le pathétique de tous les appels à la conscience (cette conscience dont Malraux montre qu'elle est notre seule gloire et notre seul bien dans la « nuit » où nous sommes), le tragique des mots par lesquels les hommes sont appelés à *naître* à la vérité, à connaître leur condition et à la dominer. Homme connais qui tu es : ta condition est la mort (Malraux), c'est d'être une victime ou un bourreau (Camus), c'est d'aller vers l'univers des prisons et des tortures (Koestler), c'est d'aller vers la guerre atomique, ta destruction totale, ou vers la fin de ce qui te fait homme et qui est plus que ta vie : le regard de tes frères, ta liberté, la lutte même pour la liberté. L'humanité, dit Camus, court à l'abîme comme un train lancé à toute vitesse et les voyageurs poursuivent leurs chicanes. Nous serions ces fous qui nous battons près de l'abîme, sans savoir que *la mort déjà nous a réconciliés.* Quel homme de sens voyant l'humanité périr pourrait encore croire à la lutte des classes et à la révolution ? Le militant d'un parti ouvrier moderne a beau se connaître menacé par la classe bourgeoise, il ignore qu'il est menacé de mort comme homme avant d'être menacé de servitude comme ouvrier, que cette menace commande toutes les autres, que le prolétariat de la lutte des classes est une diversion de l'histoire. Il n'y a plus, nous dit-on sans détour, qu'un recours contre la catastrophe, la sainte alliance contre le destin : *que les hommes apprennent s'il en est temps qu'ils ne peuvent être que divisés dans le prolétariat de la lutte des classes, et qu'ils sont déjà unis sans le savoir dans le prolétariat de la peur ou de la bombe, de la terreur et de la mort, dans le prolétariat de la condition humaine.*

L'ancien prolétariat « réduit » par le nouveau, il reste à s'interroger sur l'essence de ce dernier. Qu'est-ce que le *« prolétariat » de la condition humaine ?* Camus dit dans *Combat* [a] que la condition de l'homme moderne est la *peur*, et dans un certain sens cette remarque ne se conteste pas. Elle est de l'ordre de l'expérience quotidienne, et quelle qu'en soit la cause, on peut considérer comme *un fait historique* que l'humanité présente vit dans l'appréhension. Mais il est aussi remarquable que les causes de ce phénomène authentique sont difficiles à discerner et que la peur qui frappe les observateurs par sa réalité les déconcerte par une espèce de déraison intérieure. Il y a un paradoxe de la peur : si les raisons humaines n'ont pas de prise sur elle, elle résiste mal à la raison qui l'examine et se définit avec peine [b].

Retenons qu'elle est d'abord un *milieu psychologique* d'ordre très général. La peur n'est pas inscrite dans des codes ni fixée dans des institutions : elle n'habite même pas comme peur les lieux ou elle règne, les prisons, les camps de la mort : la peur habite le riche et le misérable, le libre et le prisonnier, elle tient l'âme de tout homme, quelle que soit sa condition juridique ou sociale, dès qu'il regarde en face son destin et *voit que son destin l'attend.* Bossuet eut de fortes pensées sur ce prolétariat de la mort que le Moyen Âge groupa dans la pierre des cathédrales et que l'histoire réconcilie dans la fraternité de la poussière. Ce qui unit les hommes, ce n'est pas aujourd'hui où le riche et le pauvre n'ont pas le même habit, c'est demain où ils seront couchés dans la même mort, ou soumis à la même torture. Ce qui les unit, c'est l'attente de l'égalité dans le destin. *Le prolétariat de la condition humaine est un prolétariat du lendemain.* On pourrait ici jouer sur les mots, et dire qu'à ce point d'abstraction on ne voit pas pourquoi, si l'on définit l'unité humaine par l'imminence d'un destin commun, on ne retiendrait pas aussi le quotidien de ce destin ; il y a aussi, puisqu'il « pleut sur les bons et les méchants [c] », un prolétariat de la pluie et un autre du beau temps, et puisque le soleil brille pour tous, un prolétariat du jour et un autre de la nuit, prolétariat du dimanche, et du lundi, et du mardi, mais nous ne jouerons pas plus avant le jeu de l'*Ecclésiaste* [a] [b] : si la peur n'avait d'autre réalité que d'être un milieu psychologique, une attente sans objet, elle serait une abstraction sans issue. Mais elle est plus qu'un milieu, elle est aussi une réaction psychologique devant une certaine menace existante. Ici son objet se rapproche d'elle – alors éclate le paradoxe de la peur : cet objet reste néanmoins, quel que soit le degré d'obsession, toujours hors de la peur, et devant elle. C'est ce qui distingue le prolétariat ouvrier du prolétariat de la peur. L'ouvrier n'est pas prolétaire par ce-qui-va-lui-arriver-demain, mais par ce qui lui advient à chaque instant du jour. Comme le disait si bien Camus naguère : « Il n'y a pas de lendemain » et *le prolétariat ouvrier est comme le pain : quotidien*. Le prolétariat est ce qui n'a pas d'avenir, même pas l'avenir de la peur; la misère n'y est pas la crainte de la misère, elle est là et ne s'absente jamais, elle est sur les murs, sur la table, dans les draps, dans l'air qu'on respire et l'eau qu'on boit, dans l'argent qu'on gagne et qui est gagné sur elle, dans les gestes mêmes qui la chassent, on est dans la misère comme dans la nuit, comme on voit certains malades dans la souffrance, tellement unis à elle qu'elle devient leur nature. L'homme qui a peur vit contre un mur [c], dit Camus, mais nous ne voulons pas vivre comme des chiens. Le mur est un horizon, c'est le seul horizon, mais du moins y a-t-il un horizon [d]. *Le peureux vit devant le mur; le prolétaire est emmuré.* Aussi ne voit-il pas son destin devant lui, il ne prend pas la guerre qui vient, ni les bombes qui brouillent les mers extrêmes, pour les signes de la Fatalité, il ne craint pas la paix qu'il a conquise; sa condition c'est son travail, ses besoins, sa lutte quotidienne. *Il sait que demain sera un aujourd'hui et que le prolétariat du lendemain est aujourd'hui l'escamotage du prolétariat quotidien.*

Ajoutons : la peur et son objet ne sont pas du même ordre, à quoi l'on sent qu'une dialectique de la peur est impensable. Le peureux fait un avec sa peur, mais l'objet de sa peur n'a pas en lui la même présence que sa peur : je n'ai pas peur d'un autre comme autre, mais j'ai peur du destin qui m'attend dans l'autre. Je n'ai pas peur de la guerre comme guerre, mais du blessé, de l'invalide, de l'homme souffrant que la guerre va faire de moi. La guerre n'est pas vraiment dans ma peur où je ne trouve que mon corps mutilé par la guerre. Le véritable objet de ma peur, *c'est moi-même imaginé dans une souffrance à venir, c'est-à-dire non un autre mais moi-même, et non un moi réel, mais un moi imaginaire. Le contenu de la peur est un imaginaire, un non-existant :* c'est pourquoi à l'inverse du prolétaire qui trouve dans le prolétariat le moyen de s'en libérer *le peureux ne peut pas faire que l'objet de sa peur soit la fin de sa peur* [a]. Le prisonnier peut s'évader parce que sa condition est objective, que les barreaux existent réellement; de vrais barreaux se brisent : à nous la liberté! Le peureux est un prisonnier sans prison ni barreaux, il est son propre prisonnier et les menaces montent la garde en son âme. C'est une aventure sans issue car on ne s'évade pas d'une prison sans barreaux : *la peur est une captivité sans évasion.*

La servitude, elle, a un contenu : c'est le maître et le travail. Alors que la peur n'a pour objet qu'un imaginaire, la condition ouvrière saisit dans la domination du monde capitaliste un objet réel qui est le fondement de la dialectique réelle et le moyen de la libération du prolétariat. Autrement dit *la servitude peut être convertie en liberté* par la réflexion sur son propre contenu, et le dépassement de son contenu par l'action. Il n'y a pas de libération de la peur par la conscience de la peur [b]. *La servitude au contraire est une captivité dont on s'évade, parce que c'est une vraie prison, avec de vrais murs et de vrais barreaux.* C'est pourquoi l'angoisse n'est pas le lot du prolétariat : *on ne se libère pas de la condition humaine, mais on se libère de la condition ouvrière.* Peu importe le prix et la patience dont on paiera cette libération, du moins sait-on qu'elle est possible, que l'homme peut se réconcilier avec son destin et vivre dans l'attente non plus de la fin des temps, mais de la liberté, non plus dans le désespoir et l'absurde, mais dans l'espérance. Le prolétaire éprouve chaque jour la réalité concrète du contenu de sa condition, chaque jour il s'exerce à la vaincre, et cette épreuve quotidienne lui est une double preuve qu'il ne se bat pas contre des ombres mais atteint un objet réel dans sa lutte et que cet objet, dans la mesure où il existe et résiste, peut-être dépassé. C'est pourquoi cette condition est dialectique, car *elle peut convertir son contenu, et transformer une servitude concrète en liberté concrète*. Notons enfin que la communauté dans la réaction de la peur et dans la libération prolétarienne n'ont pas le même sens. L'appréhension est une attente collective, *un avent*, où les êtres sont unis en esprit mais non en vérité, et d'autant plus troublés qu'*ils habitent déjà le même vide*. Mais on ne se soutient pas sans fin hors de la vérité et faute de la tenir, le peureux provoque la vérité de sa peur : Alain aimait à montrer que les guerres sont des mythes provoqués, qu'elles naissent de leur crainte, comme les péchés. Cette communion catastrophique est du troupeau, où chacun finit par craindre un objet qui n'existe que par la peur de l'autre, où personne ne rend compte de l'objet inexistant de la peur ; c'est la panique, ce malentendu. L'histoire en offre assez d'exemples, de la grande peur de l'an mil à celle de l'été 1789, des krachs du XIXe siècle aux paniques atomiques des émissions radiophoniques, cette panique diffuse enfin dans laquelle nous vivons et que précipitent des actes inconsidérés, relevant de l'affolement comme certain numéro du *Témoignage chrétien*[a] sur la-guerre-dans-les-quinze-jours. Cette fraternité apocalyptique est du pur langage. On peut maintenant en retrouver le pressentiment dans certaines formules de *L'Espoir*, peut-être le livre le plus sombre[b] de notre temps : peut-on encore parler d'une « fraternité d'au-delà de la mort » ? La peur n'est pas une patrie, le courage non plus (nous l'avons appris des fascistes qui s'excusent maintenant par le courage), bien plus, *la condition humaine n'est pas une patrie humaine*. C'est peut-être la patrie des hommes sous le regard de Dieu, et nous appelons cette condition péché originel parce que nous sommes chrétiens. Pour l'homme non chrétien et pour le chrétien qui n'usurpe pas la place de Dieu, la patrie humaine n'est pas le prolétariat de la condition humaine, c'est le prolétariat tout court menant l'humanité entière à sa libération. Ce prolétariat a un contenu réel. Parlant des socialistes français, Marx écrivait en 1844 : « chez eux la fraternité des hommes n'est pas une simple formule mais la vérité [a]. » Désormais la fraternité n'est plus pour nous dans la peur ou le langage, elle ne peut être que dans la vérité.

Nous pouvons affirmer ici que non seulement le « prolétariat de la condition humaine » (sous sa forme présente, celle de la peur) ne remet pas en question la réalité du prolétariat ouvrier, mais qu'il se révèle à l'analyse comme une abstraction, c'est-à-dire sans autre réalité que celle du discours et de l'intention. *Le prolétariat de la peur est un mythe, mais un mythe qui existe, et il importe tout particulièrement qu'il soit dénoncé comme tel par les chrétiens.* Car nous croyons comme chrétiens à la condition humaine, nous croyons autrement dit à l'égalité de tous les hommes devant Dieu, et devant son Jugement, *mais nous ne voulons pas qu'on escamote devant nous le jugement de Dieu, et que des non-chrétiens et des chrétiens parfois, commettent le sacrilège de prendre la bombe atomique pour la volonté de Dieu, l'égalité devant la mort pour l'égalité devant Dieu* (disons-le puisque Bossuet et des prédicateurs en sont là), *et les tortures des camps de concentration pour le jugement dernier.* Or les chrétiens sont les plus exposés à être les victimes de ce chantage à la confusion des termes : quand on leur parle de l'égalité des hommes dans leur condition malheureuse, ils entendent cette vérité d'ordre psychologique comme une vérité religieuse, quand des affolés annoncent la fin des temps et l'éclatement de la planète, ils ont dans l'oreille saint Jean et l'Apocalypse ; il suffit de jouer sur l'équivoque religieuse pour les berner comme des enfants. Ce qu'on a pu lire et entendre dans le genre théologie de la bombe atomique dans les milieux chrétiens passe l'imagination, il n'y a même pas manqué les discours de Churchill et Truman, représentants de la « civilisation chrétienne » ! Dès qu'il soupçonne que le politique devient religieux Gabriel Marcel entre dans les transes prophétiques : « ... cette guerre, si elle a lieu, sera en réalité un crime bilatéral. Mais la notion paradoxale de crime bilatéral demanderait à être creusée. Elle paraît se confondre avec celle même de péché. On serait ainsi amené à se transporter sur le plan religieux... N'arrivons-nous pas à ce moment de l'histoire où le péché coïncide identiquement avec son propre châtiment et se présente comme l'expression même de la colère de Dieu [a] ? » Gabriel Marcel est le trompé qui cherche les raisons de sa tromperie, et qui est assez fin pour trouver les véritables. Mauriac, lui, est déconcertant et désarmant d'ingénuité, l'enfance est chez lui un état chronique, il confesse sa foi selon saint Koestler avec l'ardeur d'un converti, découvre la passion dans le procès de Moscou, et tranche les bons et les mauvais comme on coupe une pomme [b]. Nous ne nous laisserons pas imposer par le talent [c] de ces romanciers convertis en prophètes, ni par la rencontre sur un thème commun de non-chrétiens et de chrétiens. Si Camus et Mauriac se mettent à l'unisson [d], nous savons bien que les mots n'ont pas le même sens pour eux, et s'ils sont sincères (ce que je crois) ils se dupent sans le savoir et nous dupent par surcroît. *Cette fausse fin du monde est peuplée de faux prophètes qui annoncent de faux Christs et désignent l'événement comme l'Avènement.* Nous savons par le Christ qu'il faut nous garder des faux prophètes et qu'ils apparaissent aussi à l'approche de la Fin. Ce paradoxe est clair : la fin qui est proche pour tout chrétien n'est pas la fin des faux prophètes de l'histoire.

Si donc cette « internationale » de la protestation n'a pour nous aucune signification religieuse, il reste qu'elle est un événement historique, et remarquable en ce qu'il ne se justifie pas de lui-même puisqu'il repose sur un mythe. Voilà donc un phénomène réel sans nécessité intérieure. C'est une *idéologie*, c'est-à-dire un mouvement d'opinion incompréhensible historiquement sans un recours au contexte dans lequel il apparaît. Nous avons montré que cette idéologie ne remettait pas en question les distinctions réelles de l'histoire, puisque son contenu est imaginaire. Il reste donc à confronter cette idéologie avec l'histoire où elle se montre et à élucider la raison de cet imaginaire dans une histoire véritable [1].

Retenons d'abord pour explication le déséquilibre de la guerre. On ne passe pas sans risques de la lutte à la paix. La guerre nourrit la guerre; la paix est d'abord le vide et le vertige devant le vide. Ceux pour qui la guerre est une patrie entrent dans la paix comme dans un désert : la jeunesse allemande ne sait que faire de ses bras, elle n'a plus d'avenir puisque la paix est là, terre inconnue. Même parmi les vainqueurs, combien ne reconnaissent pas dans la paix l'œuvre qu'ils ont voulue dans la guerre, parce qu'ils ont accepté la guerre pour des raisons de courage et de morale qu'ils ne voient plus dans la paix, ou parce qu'ils désavouent dans la paix les suites d'une guerre qu'ils ont acceptée.

Ceux qui ont accepté les camps de concentration (je parle des fascistes) et ceux qui ont accepté les 300 000 morts de Hambourg (je parle des alliés), ceux qui ont vécu de la mort de millions d'êtres dans la servitude, et ceux qui ont accepté contre leur cœur d'être des « meurtriers » pour empêcher que le massacre dure, ceux qui ont pris sur eux la responsabilité de leur mort, et de la mort des leurs, et de la mort de leurs ennemis pour que la vie redevienne possible, ceux qui d'un côté

---

1. Avouons sans détour que cette entreprise est périlleuse, et que nous ne prétendons pas la mener à bien en quelques pages. Le manque de recul et d'informations sont des excuses valables qui eussent pu nous retenir de publier ces remarques, si nous n'avions cru nécessaire d'appeler l'attention sur un mouvement d'opinion assez étendu désormais pour inspirer la réflexion sinon l'inquiétude. D'autre part il est trop clair que toute « réduction » de la protestation humaine à des causes psychologiques, ou politiques, même obscures, doit heurter la conscience de tous les honnêtes gens à qui il serait absurde de supposer que le danger de perversion de leur protestation puisse échapper. Aujourd'hui chacun s'entend démontrer qu'il se trompe et sur ses intentions et sur leur sens et sur leurs suites, le monde est plein de diseurs de bonne aventure plus ou moins complices avec l'histoire. Il y a quelque chose de sain dans la réaction du protestataire, il nous faut des protestataires, mais on peut souhaiter aussi qu'ils accordent quelque attention au destin de leurs généreuses paroles, ou bien s'ils sont trop absorbés dans la pureté, qu'ils permettent à des étrangers qui leur veulent du bien, de signaler les dangers qu'on discerne mal de l'intérieur.

comme de l'autre mais en un sens opposé, puisque les uns pour la servitude, les autres pour la libération, portent la responsabilité de millions de morts, ceux-là font parfois dans la paix revenue de curieuses lamentations communes. Nous sommes tous des meurtriers, crie Camus! Je crois que l'« Europe » peut se réconcilier dans cette évidence, et les premiers à l'entendre sont assurément ceux qui vont se faire par Camus et contre lui une bonne conscience à bon marché. Nous sommes tous égaux par nos crimes, diront-ils, égaux parce que nous avons tué, nous voilà absous par le crime, confondus par le crime, réconciliés par le crime! Une pareille monstruosité ne s'entend pas sans honte. Et quand on sait l'écho qu'elle trouve en Allemagne, et la perversion religieuse de cette absolution laïque reprise par les Églises allemandes, on se demande vraiment si les mots et les actes ont encore un sens, si au regard des hommes *tuer pour asservir et tuer pour libérer sont le même acte de tuer, si en définitive l'homme se définit non par ses raisons de vivre et de mourir qui le font homme, mais par la vie et la mort qui le font chien.* Aucune mort n'est au-dessus des raisons de mourir, ce sont nos raisons qui jugent nos morts, et font le partage des cadavres unis dans la pourriture. *Mais cette union dans la mort est de la pourriture et pourriture tout ce qui l'établit dans l'esprit de l'homme.* Il nous faut tout de même sortir de cette honte : nous ne sommes pas des chiens, et ce ne sont pas des chiens qui ont arraché au fascisme notre liberté à tous, cette liberté que nous acceptons sans demander ce qu'elle a coûté, sans rappeler que, si des hommes sont morts contre elle, d'autres sont morts pour elle! A qui profite cette confusion? Évidemment aux morts de la guerre pour l'esclavage, à ceux qui dans leur pays conservent leur mémoire et aussi à ceux qui dans certaines nations veulent acheter par le pardon les mercenaires de la prochaine guerre...

Cette même volonté de cacher par un mythe confusionnel les véritables raisons et les réalités présentes se rapporte également à cette réaction déjà signalée sur la fin de la guerre. On se doute que la guerre ne commence pas avec sa déclaration;

on ne sait pas encore qu'elle ne finit pas avec l'armistice.
L'essence de la paix et de la guerre seraient distinctes ; la
mort dans la guerre pourrait être artificielle ; dans la paix
elle doit être naturelle (Camus parle de supprimer la peine
de mort [1] !) ; les lois des deux genres seraient si différentes
qu'on sortirait de la guerre comme un enfant sort du jeu,
en changeant de règle, ou en criant : « pouce » ! On rencontre aujourd'hui des gens de la meilleure volonté qui
exposent que la guerre est finie, qu'il faut remiser son
règlement, ses armes, ses méthodes – que cette paix n'est
pas la paix parce que non seulement on y prépare mais on
y poursuit la guerre, que la paix n'a pas aboli les camps de
concentration, qu'elle entretient les antagonismes sociaux,
que l'homme avait tout de même bien mérité de vivre dans
le calme et que la lutte continue. Contre ce scandale de la
guerre dans la paix il n'y aurait qu'une ressource : la protestation, le cri de la conscience morale – et nous retrouvons notre internationale des bons sentiments, faite de tous
ceux qui ont renoncé à trouver la paix dans et par l'action,
qui veulent obtenir *immédiatement*, par le cri, ce dont leur
patience un peu courte n'a pas eu raison, les sincères (généreuses natures religieuses fourvoyées dans la politique), les
indignés, les impatients, les maniaques de la persécution (et
non les persécutés). Ces bonnes volontés sont bien entendu
inopérantes dans l'immédiat, et mystifiées. « Ce ne sont pas
ceux qui crient Seigneur, Seigneur [a]... » *Quand on ne fait
que l'invoquer on ne sert pas le Seigneur qu'on invoque, mais
un autre qu'on n'invoque pas.* Et quand on voit Koestler
proposer dans sa prédication à la « gauche européenne »
l'exemple et l'idéal du travaillisme anglais au pouvoir, Malraux fournir de brillants mythes au thème du bloc occidental (il faut sauver la liberté du monde contre l'Amérique et
l'URSS), Mauriac donner à Léon Blum [b] l'investiture des
bien-pensants [c], on est fondé à s'interroger *si ces désespérés
n'ont pas un espoir caché, et ne servent pas une cause ou un*

---

1. Provisoirement, il est vrai, et comme thérapeutique.

seigneur qu'ils n'invoquent pas : la cause d'un socialisme « occidental » sans luttes de classe, c'est-à-dire la cause d'une Europe unie dans un socialisme verbal et moralisateur escamotant les antagonismes sociaux, maintenant donc en fait sous des concessions de forme le capitalisme dans l'essentiel de ses positions. Quant au seigneur non invoqué, ce pourrait bien être ce capitalisme qui, comme on le voit en Angleterre [a], installe le socialisme au gouvernement comme la meilleure garantie contre le socialisme dans l'économie, et souhaiterait étendre au reste de l'Europe ce sytème de protection contre le communisme. Ici on apercevrait peut-être la signification objective du phénomène qui nous occupe, et le sens de cette excitation à la guerre, de cette névrose atomique venue d'outre-Atlantique, alimentée par des informations américaines, par Bikini [b] dont le sens est *d'arracher les hommes de ce vieux monde à la réalité même de leur existence, à leur lutte quotidienne, politique et sociale et à les fixer dans les mythes de la peur.*

Cette réflexion ne touche en rien les chrétiens comme chrétiens, mais elle voudrait les atteindre comme hommes. Cette gigantesque opération (consciente ou inconsciente peu importe) que nous dénonçons tend à représenter à l'homme *qu'il ne peut pas se réconcilier avec son destin, qu'il ne parviendra pas à dominer sa technique,* qu'il sera détruit par ses propres inventions, *que loin de le libérer son travail l'asservit et le tue.* C'est le thème de l'apprenti sorcier – et de l'enfance qui envahit le monde, doublé d'un pessimisme politique (l'homme n'est pas majeur, on ne peut se fier à l'homme pour sauver l'homme) que les bonnes âmes entendent sur le mode religieux. Le malheur est que cette morale, ce sont encore des hommes qui la font aux hommes, ou qui l'inspirent, ou qui acceptent qu'on la répande. Le malheur est que ces bons apôtres sont précisément ceux qui avant la fin des temps ont le plus d'intérêt à décourager l'humanité d'elle-même et de son destin, et particulièrement à décourager ceux des nôtres qui ont déjà entrepris de réconcilier l'humanité avec son histoire. Ceux-là [c] tiennent qu'il dépend de l'homme que la technique le libère au lieu de l'asservir, que son travail l'affranchisse au lieu de le détruire ; il serait monstrueux que l'homme qui découvre l'énergie atomique n'en découvrît aussi l'usage pour le bien de l'homme. Mais ce détournement atomique n'est pas nouveau : la bombe n'est qu'un produit du travail humain, *et le monde où l'humanité tremble devant son œuvre est l'image démesurée de la condition prolétarienne où le travailleur est asservi par le produit de son propre travail* ; c'est tout simplement le même monde. On voit là quel « prolétariat » enveloppe l'autre, on devine aussi d'où peut surgir la solution offerte à la volonté humaine : la voie de la réconciliation de l'homme avec son destin est essentiellement celle de l'appropriation des produits de son travail, de son œuvre en général et de son histoire comme de son œuvre. Cette réconciliation suppose le passage du capitalisme au socialisme par la libération du prolétariat ouvrier, qui non seulement par cet acte peut se libérer lui-même, mais encore libérer l'humanité entière de sa contradiction, et par surcroît de la frayeur apocalyptique qui l'assiège. Le destin est la conscience de soi comme d'un ennemi, disait Hegel [a]. *Nous attendons l'avènement de la condition humaine et la fin du destin.* Mais nous savons le prix de cet effort, et la lucidité qu'il requiert. La solution sera donnée dans la lutte seulement, mais nous n'avons pas l'ingénuité de croire que la guerre n'habite pas la paix, au contraire nous [b] [...]

. . . .

Dans ce combat nous lutterons aussi contre les mythes qui veulent nous dérober la vérité : nous avons faim de la vérité, et nous l'aimons comme le pain dont elle a le goût. Dans ce combat nous ne rejetons pas la bonne volonté, *mais il nous faut la volonté et des camarades qui acceptent d'entendre et de voir. Ce ne sont pas les sourds et les aveugles qui guideront les hommes dans l'amitié de leur destin.*

Notes d'édition de
« L'internationale des bons sentiments »

Page 35

a. Louis Althusser évoque ici une conférence sur « L'homme et la culture », prononcée le 4 novembre 1946 à la Sorbonne par André Malraux, dans le cadre du « Mois de l'Unesco ». *Combat* en rend compte le 5 novembre, citant en ces termes la phrase évoquée par Althusser : « Depuis Nietzsche Dieu est mort, mais il faut savoir si, oui ou non, dans cette vieille Europe, l'Homme est également mort. L'Europe d'aujourd'hui n'est pas plus ravagée ni plus sanglante que la figure de l'Homme. »

b. Première rédaction : « ce petit acteur ».

Page 36

a. *Franchise,* n° 3, voir note *g,* page 36. La phrase exacte est : « L'angoisse est un luxe bourgeois. Nous, nous reconstruisons. »

b. Première rédaction : « y trouvent le sens ».

c. Passage rayé sur le manuscrit : « Mais c'est pourtant de la vieille Europe que montent les lamentations de la lassitude, et les révoltes de la conscience. »

d. Albert Camus : « Ni victimes ni bourreaux », série de huit articles publiés dans *Combat* du 19 au 30 novembre 1946 (repris dans Albert Camus, *Essais,* Paris, Gallimard, La Pléiade, 1965, pp. 331-352).

e. Voir par exemple l'article : « La propagande comme technique d'avilissement », *Les Nouvelles Paroles françaises,* 9 mars 1946, repris dans *Les Hommes contre l'humain,* Paris, Éditions du Vieux-Colombier, 1951, republié en 1991 par les Éditions Universitaires avec une préface de Paul Ricœur – ou encore, dans le même recueil : « Technique et péché ».

f. Mouvement se présentant comme « né sous l'occupation allemande, des épreuves d'une poignée de chefs maquisards appartenant au service national des Maquis Écoles », le Front humain a publié à partir de 1945 une dizaine de « lettres aux citoyens du monde », et plusieurs « fascicules de travail du Front humain des citoyens du monde », émanation du « Centre international de recherche et d'expression mondialiste », dont un placé sous le patronage d'Einstein, à qui est attribué l'appel suivant : « Je vous réclame de façon urgente de m'envoyer un chèque à moi, président du comité de désespoir de la recherche atomique. »

g. Franchise, n° 3, novembre-décembre 1946. L'ensemble du numéro est présenté comme une pièce de théâtre : « *Le Temps des assassins, tragédie en cinq actes* de Pierre Garrigues, Louis Pauwels et Jean Sylveire », avec pour personnages les collaborateurs du numéro, dont Albert Einstein (« Le 23 mai 1946... A la presse »), Albert Camus (« Nous autres meurtriers »), Emmanuel Mounier (« Mobilisation générale »), Aldous Huxley (« La faim »), Ilya Ehrenbourg (« Je ne peux rien vous dire »), Gabriel Marcel (« Un seul recours : la grâce »), Jean-Paul Sartre (« La guerre de la peur »). Dans le « Rideau de scène » qui tient lieu d'éditorial, on peut lire notamment : « L'immense multitude paie de son sang et de sa faim pour apprendre que la seule réalité est son angoisse et sa misère absolues sur une terre où se multiplient en la ravageant des principes politiques de plus en plus " satisfaisants "... Nous sommes au bord extrême du gouffre. Un petit nombre d'hommes s'agitent en feignant, sans le savoir, la responsabilité. »

h. Le Zéro et l'Infini, traduction française Paris, Calmann-Lévy, 1945. Un exemplaire de *Le Yogi et le Commissaire* (Paris, Charlot, 1946) a été retrouvé dans la bibliothèque de Louis Althusser. *La Tour d'Ezra* est alors publié en feuilleton dans *Combat.*

Page 37

a. Première rédaction : « est le signe ».

b. Première rédaction : « pense utiliser des moyens de propagande modernes comme le cinéma... ». Dans la première « Lettre aux citoyens du monde », non datée, mais très probablement imprimée en 1946, on peut lire en effet : « Il est possible de réaliser en quatre mois un film d'une durée de cinquante minutes, qui serait doublé et diffusé dans le monde entier. Il servirait à des milliers de conférenciers militants... Il est possible en six mois de réaliser un quotidien et un hebdomadaire des citoyens du monde... Il est possible... d'obtenir un créneau d'émissions radiophoniques dans quelques pays et d'y parler, dans les principales langues, à la totalité des hommes. »

c. Première rédaction : « un comportement psychologique ».

d. Première rédaction : « devant la mort et la douleur ».

Page 38

a. Première rédaction : « mais n'a existé pour le prolétariat en conscience ».

Page 39

a. Le premier des articles de la série *Ni victimes ni bourreaux* a pour titre : « Le siècle de la peur. »

b. Une page manuscrite attachée par un trombone au texte dactylographié a été ici retrouvée dans les archives de Louis Althusser, probablement destinée à être insérée au début du paragraphe suivant : « Ces raisons sont fortes. Elles n'ont pas pour elles seulement l'apparence d'une logique, mais le poids d'une expérience, qu'elles révèlent par un brusque éclairage. Koestler, Camus, Malraux nous désignent notre sort, le plus grand risque que l'humanité ait jamais couru. Jusque-là seules nos civilisations étaient mortelles : nous l'avions appris sur le tard, mais nous hâtions d'en tirer la leçon qui est de précipiter la mort des sociétés vieillies et d'en inventer de nouvelles. Aujourd'hui ces jeux nous sont fermés. La mort ne menace plus seulement nos façons de vivre mais notre vie tout court ; il n'est plus question d'inventer de nouvelles coutumes, mais de nous maintenir dans la vie qui, aussi vieille qu'elle soit, est la seule que nous possédions et n'aura pas de seconde [*sic*]. Ici nos prophètes interviennent à la fois pour nous désigner le mal, mais aussi pour nous montrer le remède dans le mal lui-même. La conscience de notre condition périlleuse suffirait à nous tirer du péril, et à nous réconcilier avec notre avenir. L'appréhension où nous vivons contiendrait de quoi s'anéantir et nous libérer d'elle. Le destin qui nous domine par la peur pourrait nous être soumis comme un enfant. Il suffirait de convertir par une cure de conscience et d'alarme le contenu de notre peur en quiétude, de surmonter la névrose présente, et de tirer de la guerre future que nous habitons déjà les promesses mêmes de la paix. Nous ne pensons pas cependant que cette prétention soit fondée, et qu'il soit possible de guérir l'humanité par la parole. Le mal qui la tourmente a des causes plus profondes qu'un dérangement de la conscience, et nous ne tenons pas que le traitement qui en aura raison puisse opérer au niveau même des troubles décrits. Autrement dit, nous ne croyons pas que la conscience du trouble puisse provoquer sa disparition si la conscience se limite au trouble purement décrit, et n'atteint pas les régions profondes dont il est issu. Avant d'aller plus loin il faut établir ce point. Examinons donc au niveau même de la peur si le trouble peut se convertir lui-même, s'il contient en lui assez de raisons pour s'exorciser, si comme le prolétariat ouvrier l'humanité peut se libérer de sa condition terrifiée par sa condition même, en un mot quelle est la réalité de la peur. »

c. Référence à Malebranche, par exemple aux *Entretiens métaphysiques*, IX, paragraphe XII, ou au *Traité de la nature et de la grâce*, I, paragraphe XIV. Althusser a été toute sa vie fasciné par ces textes de Malebranche, qu'il réévoquera dans ses derniers écrits. Voir dans ce volume p. 539.

Page 40

a. Passage biffé : « Le lendemain de la condition humaine n'est pas le quotidien, mais ce qui remet l'homme en question, dans ce qu'il possède de meilleur, sa vie comprise. Cette extrémité n'empêche que nous traitions ici d'une abstraction, et il importe peut-être de l'entendre si comme chrétiens nous ne voulons pas que l'on nous fasse prendre *l'égalité devant la mort atomique pour l'égalité des hommes devant Dieu, et le prolétariat de la peur de 1946 pour le prolétariat du jugement dernier.* »

b. Une page manuscrite intercalée a été ici retrouvée, sans doute destinée à remplacer la version dactylographiée. Althusser avait probablement l'intention d'insérer ce texte après le mot « Ecclésiaste », mais ne l'indique pas explicitement : « l'objet de notre peur n'est pas le terme lointain de la mort où, bien qu'un seul y parvienne, tous les jours nous acheminent ; ce n'est pas non plus le simple milieu de notre vie, l'air que nous respirons, l'espace où nous avons le mouvement, et qui accompagne nos gestes, comme l'horizon accompagne insensiblement le marcheur. Cette égalité dans une condition abstraite ne nous empêcherait pas plus de vivre que l'égalité de l'air nous empêche de respirer, à moins que nous n'attendions de vivre pour vivre, et que nous mourions tout simplement de la peur de mourir. Notre peur est autre chose qu'un simple milieu psychologique : elle est une réaction psychologique contre une menace réelle, et nous voyons par là son objet se rapprocher d'elle. Je n'appréhende pas la mort en général, mais la mort par la bombe, et de ces deux termes que je pense nécessairement liés, je sais que l'un existe réellement, même si j'en ignore le dépôt géographique : c'est la bombe. C'est la réalité de la bombe qui fait la réalité de ma peur. Cependant si j'examine de plus près, je vois aussi que la bombe toute seule est inoffensive. Elle est inoffensive au moment où j'écris puisque son effet m'empêcherait sans doute d'écrire. C'est donc sa signification, sa destination, son usage qui sont périlleux. Mais par là j'introduis dans la bombe même une dimension nouvelle, celle par laquelle elle se met à intéresser mon existence. Elle ne me menace que si elle me vise, si elle peut m'atteindre, en sorte que ma peur devient une anticipation sur la menace. L'objet de ma peur n'est plus la bombe ou la guerre, mais la bombe ou la guerre possibles, c'est-à-dire un déchaînement qui n'existe pas encore quand je l'envisage comme possible. Enfin, poussant plus avant ma remarque, je note que cette possibilité ne me touche pas tant que je ne la ressens pas dans mon corps même. Le véritable objet de ma peur n'est plus un objet réel (la bombe), ni un événement anticipé (son éclatement), mais moi-même victime imaginée de cet événement possible. Je n'ai pas peur de la bombe comme bombe, mais du destin qui m'attend en elle. Je n'ai pas peur de la guerre comme guerre, mais du blessé, de l'individu, de l'homme souffrant qu'elle va faire de moi. La guerre réelle n'est pas vraiment dans ma peur où je ne retrouve que mon corps mutilé par la guerre. Je suis en vérité l'objet de ma peur, moi-même envisagé dans une souffrance à venir, non le moi réel que je suis en ce moment, mais un moi imaginaire. Aussi dois-je concéder que l'objet de ma peur n'a pas la même réalité que ma peur. Je ressens celle-ci comme une obsession quotidienne, et l'analyse ne me montre en celui-là qu'un imaginaire. »

c. « Vivre contre un mur, c'est la vie des chiens. Eh bien ! les hommes de ma génération et de celle qui entre aujourd'hui dans les ateliers et les facultés ont vécu et vivent de plus en plus comme des chiens » (Albert Camus, *Essais,* Paris, Gallimard, La Pléiade, p. 331).

d. Passage rayé : « Le prolétariat vrai ne craint pas sa condition, parce qu'elle n'est pas *devant* lui, mais qu'il y est comme dans sa nature. »

Page 41

a. Ici devait prendre place la fin du texte manuscrit cité dans la note *b*, p. 40.

b. Passage rayé : « Au contraire l'esclave qui se sait esclave se sait par là le maître du maître et se sait maître de sa servitude, non seulement dans son âme mais dans la vie puisque le maître est à sa merci dès qu'il cesse de travailler : sa servitude est donc à sa merci. La peur n'est pas à la merci du peureux : on ne crie pas contre la nuit pas plus qu'on ne perce le ciel avec des flèches. On ne s'évade pas de la peur et c'est pourquoi la condition de l'homme engagé contre son destin est tragique, nous sommes des bourreaux ou des victimes mais nous ne sommes plus des hommes. »

Page 42

a. Témoignage chrétien, 3 février 1946. Il s'agit du second volet d'une série de deux articles signée « Témoignage chrétien » : « Où va la France? » Dans ce texte, lui-même intitulé « La guerre est à nos portes », on peut lire par exemple : « En réalité la guerre est à nos portes et si des événements d'ordre quasi miraculeux n'interviennent pas d'ici quelques mois, la France connaîtra à nouveau les horreurs de la guerre et de l'occupation. »

b. Première rédaction : « désespéré ».

Page 43

a. Marx, *Manuscrits de 1844,* Éditions sociales, 1962, p. 108. Cité par Althusser dans l'édition Costes (Karl Marx, *Œuvres philosophiques,* t. VI, Paris, Alfred Costes éditeur, p. 64).

Page 44

a. Gabriel Marcel, « Un seul recours : la grâce », *Franchise,* n° 3. Cf. note *g*, p. 36.

b. Voir par exemple « La vocation trahie », éditorial du *Figaro* du 3 décembre 1946, dans lequel Mauriac cite longuement Koestler : « Il n'y a que deux conceptions de la morale humaine, et elles sont à des pôles opposés. L'une d'elles est chrétienne et humanitaire, elle déclare l'individu sacré et affirme que les règles de l'arithmétique ne doivent pas s'appliquer aux unités humaines... L'autre conception part du principe fondamental qu'une fin collective justifie tous les moyens, et non seulement permet mais exige que l'individu soit subordonné et sacrifié à la communauté, laquelle peut disposer de lui soit comme d'un cobaye qui sert à une expérience, soit comme de l'agneau que l'on offre en sacrifice. »

c. Première rédaction : « par ces grands noms ni par le talent... ».

d. Une vive polémique au sujet de l'épuration avait opposé Camus et Mauriac en octobre 1944.

Page 47

a. Évangile selon saint Matthieu, 7, 21 : « Ceux qui me disent Seigneur, Seigneur ! n'entreront pas tous dans le royaume des cieux, mais celui-là seul qui fait la volonté de mon père qui est dans les cieux » (dans l'édition Segond dont un exemplaire a été retrouvé dans la bibliothèque d'Althusser, contenant curieusement une photographie d'André Gide).

b. Léon Blum a été élu président du gouvernement le 17 décembre 1946. Dans son éditorial du *Figaro* du 19 décembre (« L'inconséquence communiste »), Mauriac écrit : « Ce n'est point parce qu'il fait figure de modéré qu'un socialiste comme Léon Blum est accueilli sans méfiance par l'Assemblée et par le pays, mais c'est parce qu'il donne au mot République, au mot Démocratie, le sens que nous leur donnons nous aussi. Les motifs de ses actes au gouvernement nous seront aisément déchiffrables. Nous savons qu'il peut se tromper, non nous tromper. »

c. Passage biffé : « Camus prêter des raisons d'avenir à la conscience allemande ».

Page 48

a. Les travaillistes ont remporté les élections législatives le 5 juillet 1945.

b. Référence à la première explosion nucléaire américaine

dans l'atoll de Bikini le 1er juillet 1946, devant les journalistes du monde entier convoqués pour l'occasion.

c. Passage biffé : « (les marxistes et leurs compagnons chrétiens ou non chrétiens) ».

Page 49

a. Hegel, *L'Esprit du christianisme et son destin*, cf. traduction Jacques Martin, Paris, Vrin, 1948, p. 53.

b. La dernière page du texte retrouvé dans les archives de Louis Althusser étant déchirée, une partie manque.

Du contenu dans la pensée
de G.W.F. Hegel

(1947)

> « Le contenu est toujours jeune. »
>
> G.W.F. HEGEL.

Introduction *

1. Le problème du contenu dans la philosophie de Hegel est d'abord un problème d'histoire. Si la vérité n'est rien sans son devenir, le devenir de la vérité se révèle comme la vérité de la vérité, son développement comme la manifestation de ce qu'elle est en soi. En un certain sens l'histoire apporte au hégélianisme le moment qui lui manque, l'épreuve du pour-soi. Hegel est resté enveloppé dans sa propre pensée comme dans sa croissance l'enfant qui ne sait pas par quelle loi il grandit, ni les contradictions qui dorment en lui. Il nous faut reprendre la dialectique des âges de la vie, et chercher dans la maturité de l'histoire la vérité de Hegel, philosophe mort jeune dont nous vivons l'âge d'homme.

Par l'histoire, en effet, la pensée hégélienne échappe à la prison d'un siècle naissant, à la captivité d'une tête fonctionnaire : c'est dans la liberté de sa réalisation qu'elle s'offre à nos regards, et dans son développement objectif. En un sens qui n'est pas étranger à Marx, notre monde est devenu philosophie, ou plus précisément Hegel devenu est devant nous, c'est-à-dire notre monde : le monde est devenu hégélien dans

---

* Les notes de Louis Althusser étant pour ce texte particulièrement nombreuses, nous n'avons introduit aucune note d'éditeur ; lorsque cela était indispensable, nous avons simplement ajouté entre crochets un complément à la fin des notes de l'auteur, en particulier pour renvoyer à des traductions plus récentes d'ouvrages de Hegel. Pour ne pas surcharger cette édition, les notes de Louis Althusser ont été reportées à la fin du texte p. 218.

la mesure où Hegel était une vérité capable de devenir monde. Il suffit de lire, et par bonheur nous avons sous les yeux des caractères pour nos yeux, grossis dans le texte de l'histoire, des caractères faits hommes.

Or la leçon de l'histoire est sans équivoque : Hegel devenu est la décomposition de Hegel. Dix ans après la mort du Maître son œuvre se défait, se divise, se développe dans des directions adverses, devient le lieu d'un combat, est elle-même un combat : « *Ich bin der Kampf* » [Je suis le combat]. La vieille parole d'Iéna reçoit dans les luttes des jeunes hégéliens une étrange confirmation posthume. Sous la paix du dernier système, dans l'absolution de l'Esprit, les contraires semblaient réconciliés. Le simple coup de la mort les libère, comme la chute du despote prussien les forces profondes de l'opposition. N'est-ce pas le signe que le lien qui les tenait en repos leur était extérieur ? Engels distingue deux éléments dans la pensée de Hegel : dans son langage, la méthode dialectique acceptée par les jeunes révolutionnaires, et le système, l'ensemble des vérités politiques, religieuses, esthétiques que revendiquent les jeunes conservateurs. La même fidélité envers le Maître unit ses disciples ennemis qui prétendent tirer de Hegel lui-même « les vraies conséquences que Hegel n'osait développer [1] ». Le cours du XIXe siècle a encore accentué ce phénomène de décomposition, les partis en présence abandonnant successivement la plupart des vérités du corps de l'hégélianisme, pour n'en retenir qu'un certain esprit, une tendance générale. Si l'on peut soutenir que la pensée philosophique n'a pas dépassé le hégélianisme, et que les luttes d'une histoire récente ne sont que le combat de la gauche contre la droite dans Hegel même, il reste qu'on ne se bat pas pour le corps du système, pour la logique ou l'esthétique, pour la philosophie de la nature ou la philosophie de la religion. Le hégélianisme développé s'est décomposé de deux façons, en abandonnant une part importante de son contenu, désormais mort pour la pensée contemporaine, et en révélant l'esprit qui a survécu à ce corps comme un esprit divisé et hostile. Cette double extériorité de la vie à la mort et de la vie à la vie dans l'histoire de la philosophie de Hegel pose le problème de la nature du corps qui se délabre ainsi devant nous. Marx n'a pas exclu que l'histoire puisse pourrir : nous découvrons dans Hegel mort une pourriture de la vérité. Par extraordinaire Hegel a par avance dénoncé la signification de la décomposition de sa propre pensée : « dans la philosophie la vérité signifie que le concept correspond à la réalité... un homme mort est encore une existence, mais n'est plus une existence vraie, il est une existence privée de concept, c'est pourquoi le cadavre pourrit [2] ». La vie passe bien d'un corps dans un autre corps, elle est survie : Hegel survit dans le marxisme, les existentialismes et les fascismes, mais le corps de la vérité hégélienne n'est qu'un cadavre dans l'histoire, qui nous montre sa pourriture comme « une existence privée du concept », un contenu privé de la forme, un contenu abandonné par une forme étrangère.

2. Cette épreuve historique nous renvoie à Hegel. L'évidence du développement désigne ce que le commencement recélait. La décomposition de Hegel est sa vérité, mais il serait vain de chercher la vérité de cette décomposition hors de Hegel même. C'est dans Hegel que se pose le problème du contenu de la pensée de Hegel, dans cet en-soi non développé que reposent les contradictions assoupies. Là doit se montrer l'extériorité de l'âme et du corps, de la forme et du contenu, sinon la révélation de l'histoire ne serait que la révélation d'une méprise – non le développement de la vérité de Hegel mais le déploiement d'un Hegel mythique, mal entendu, falsifié. C'est la pensée de Hegel qui doit nous livrer la vérité en soi, nous apparaître dans sa profondeur ou son formalisme, trancher enfin ce débat qui divise les interprètes, et nous renseigner si la dialectique est une forme imposée du dehors ou si elle est le développement du contenu, si elle est formelle ou réelle, si le schématisme y est un pur procédé mécanique ou l'âme des choses.

On pourrait ici se contenter d'une méthode d'inventaire, semblable à celle que conseille Nicolaï Hartmann pour isoler dans Hegel les dialectiques réelles des dialectiques formelles, l'authenticité du schématique. Mais ce serait là traiter la pensée de Hegel comme un objet historique constitué, posé devant le jugement critique, c'est-à-dire soumis au critère d'une discrimination extérieure qui distinguerait, en vertu de présupposés, les bons et les mauvais côtés d'une philosophie donnée. Il suffirait de reprendre en esprit la décomposition du système, de mettre à part le vrai du faux, et de mimer du dehors la défaillance de l'histoire. Mais ce serait convertir la vérité hégélienne dans l'extériorité, faire du système un objet que le jugement analytique réduirait en ses éléments – sans observer que l'analyse détruit son objet, prend sur soi la vérité de l'objet décomposé, et par essence ne retrouve dans l'objet que la vérité de sa décomposition, c'est-à-dire l'extériorité de sa propre appréhension. Traiter Hegel comme un objet, c'est donc présupposer l'extériorité qui est en cause. On ne peut dépasser la servitude de la conscience jugeante qu'en pénétrant à l'intérieur de la vérité, en s'enfonçant dans son contenu, en naissant et croissant avec lui. Littéralement il nous faut traiter Hegel comme un sujet.

3. De même que le développement du contenu dans l'histoire nous renvoyait au contenu lui-même, de même le contenu constitué de la pensée de Hegel nous renvoie à son développement. Mais cette fois, nous avons dépassé l'extériorité historique et l'extériorité de la critique jugeante ; c'est à l'extériorité même du contenu que nous visons, et puisqu'il est encore question de développement, c'est le développement du contenu en lui-même, dans son concept, autrement dit le développement du concept de contenu qui doit faire l'objet de notre analyse. En effet, il n'est pas possible, à l'intérieur même de la pensée hégélienne, de traiter un élément comme un donné, puisque la démarche fondamentale de Hegel est l'anéantissement du donné. Le donné renvoie à ce qui le fonde comme donné, et ce qui dans la conscience jugeante est un contenu donné, renvoie dans le système au devenir qui le produit comme résultat, c'est-à-dire au développement intérieur de soi-même. Le contenu développé, qui est pour nous l'œuvre de Hegel, est pour Hegel le moment explicité d'une

intériorité immédiate, autrement dit la manifestation du concept du contenu. Si dans Hegel le résultat n'est rien sans son devenir, c'est le devenir de ce concept que nous devons envisager pour conquérir comme un résultat la vérité du contenu, et discerner la vérité et l'erreur de cette vérité. Peut-être alors sera-t-il possible de dire en quel sens le hégélianisme est effectivement la pensée du contenu, ou un formalisme sans profondeur, et de répondre au paradoxe du plus rigoureux des systèmes que l'on voit justifier les institutions les moins rigoureuses, et se décomposer naturellement comme si sa rigueur même était d'emprunt.

C'est l'apparition, la croissance et la déchéance du concept que nous tenterons de représenter dans le cours de cette étude.

I

Naissance du concept

*« Nach dem Gehalte der Wahrheit
war mithin eine Sehnsucht vorhanden... »*

(Geschichte der Philosophie).

La philosophie de Hegel se donne non seulement comme un corpus de vérité, comme un tout constitué, que l'on peut considérer à sa place dans l'histoire de la pensée, mais comme un tout totalisant ; non seulement comme une tentative de prise du réel, mais comme l'acte par lequel la vérité s'accomplit, *« sich vollzieht »*, parvient à la plénitude. Il faut prendre cette expression dans son acception littérale, savoir qu'avec Hegel la *plenitudo temporum* est réalisée, que l'œuvre de Hegel est non seulement la révélation de cet événement, mais cet événement même ; en elle l'événement est absorbé par l'Avènement. D'où l'ambiguïté de sa signification : elle est à la fois ce par quoi le tout est accompli, *« vollzogen »*, plein, elle est ce qui constitue le tout comme tel, mais en même temps elle est ce par quoi le manque qu'elle vient combler se révèle. Elle est ce qui manquait au tout et qui dévoile ce manque. Elle comble un vide qu'elle dénonce par là même, et le montre comme le vide précisément qu'elle a mission d'anéantir. Aussi n'est-il pas possible de séparer dans Hegel la prise de conscience de la signification de sa pensée de l'élaboration de sa pensée même. A chaque moment, avec plus ou moins de clarté, le vide révélé appelle un contenu, mais aussi le vide est en quelque sorte la révélation que le contenu est déjà [là], comme l'illimité est déjà là dans la conscience de la limite[3]. C'est cette appropriation de sa propre genèse comme d'un accomplissement dans la conscience même du vide que les méditations du jeune Hegel nous présentent déjà. Il n'est peut-être pas de meilleure introduction dans sa pensée, que la naissance même, qui pour nous en un sens est déjà accomplissement, mais pour la conscience phénoménologique de Hegel au niveau de l'événement, n'est d'abord que l'expérience et l'horreur du vide.

A. Hegel et sa vie

On pourrait être ici tenté de réduire la signification de l'œuvre de Hegel à son auteur, et de montrer que cet accomplissement est d'abord un accomplissement de l'individu Hegel.

Son existence est remarquable à cet égard, toute d'effacement et de continuité : son œuvre fait toute l'histoire de sa vie, et en constitue le véritable contenu. Elle s'est développée sans à-coups ni repos jusqu'à la mort qui a surpris Hegel sur les premières pages de la *Phénoménologie* qu'il révisait pour une réédition : la fin le ramenait aux commencements. Des trois grands encyclopédistes que l'histoire de la philosophie connaisse, il est le seul qui n'ait rien tenté hors de la stricte élaboration de son œuvre écrite et de son enseignement oral. Aristote a parcouru le monde et s'est mêlé d'éducation politique, Leibniz menait de front l'administration, le conseil, la diplomatie, la controverse et la méditation. Hegel n'a fait que concevoir sa pensée et s'en nourrir. Il apparaît en elle comme dans sa véritable existence, elle est le lieu de sa liberté puisqu'elle ne lui est rien d'étranger, et qu'il se retrouve en elle chez lui, « *bei sich* ». S'il a exposé que l'accomplissement de tout contenu est liberté, Hegel l'a d'abord montré dans son comportement vis-à-vis de sa pensée ; par elle il assimile tout, il est à l'affût de tout, il est contemporain de l'accomplissement de l'histoire. Le service divin qu'est la philosophie ne le rend pas étranger au monde, mais au contraire le veut attentif aux événements, habitant du présent [4]. Ce « métaphysicien journaliste [5] » s'empare de l'histoire et du monde par la pensée et les fait siens par un acte de prise et d'assimilation qu'il n'hésite pas à comparer à la manducation dont il est remarquable de voir l'usage qu'il fait sous les images les plus variées. C'est ici le point où il serait peut-être permis d'avancer que cette domination par la pensée représente pour Hegel la conjuration d'un destin que l'histoire nous montre vécu par Hölderlin, son frère d'études, la conjuration de l'extrême solitude d'une pensée que la folie guette comme son extrémité et sa tentation naturelles [6].

Cependant, s'il se voit sauvé de l'isolement de la subjectivité absolue par la plénitude de son œuvre, il conjure aussi par elle dans une certaine mesure tout ce que son état de professeur le met hors d'entreprendre. Hegel est avant Nietzsche le juge le plus amer qui ait jamais prononcé l'arrêt du professeur, cet « animal intellectuel » dont il est question dans le chapitre de la *Phénoménologie* sur le règne animal de l'esprit et la tromperie. Face à ceux qui agissent « sa conscience s'immisce dans leur opération et dans leur œuvre, et si elle ne peut plus la leur prendre des mains, elle s'y intéresse du moins en s'occupant à porter des jugements sur elle [7] ». Certes, Hegel dépasse la conscience jugeante, mais dans la mesure où il atteint la conscience reconnaissante qui se reconnaît elle-même dans son contraire, le contenu de sa conscience, parce qu'il est sien, et différent de soi, devient la médiation vivante entre lui-même et l'autre, bien mieux, il est la réconciliation de la conscience agissante et de la conscience reconnaissante : « le oui de la réconciliation dans lequel les deux moi se désistent de leur être-là opposé, est l'être-là du moi étendu jusqu'à la dualité, moi qui en cela reste égal à soi-même, et qui dans sa complète aliénation et dans son contraire complet a la certitude de soi-même — il est le Dieu se manifestant au milieu d'eux qui se savent comme le pur savoir [8]. » Il faut lire en clair ce texte qui clôt la dialectique de la Belle Ame pour comprendre que Hegel s'y représente lui-même face à Napoléon, comme le moi qui s'est développé par le discours, face au moi qui s'est développé par l'action, et que la réconciliation du professeur et de l'empereur, autrement dit la réconciliation de Hegel avec le démiurge qu'il n'a pu être, s'accomplit par la reconnaissance : le professeur apporte à l'empereur la révélation du sens de sa propre action, Napoléon a fait l'unité de l'Europe mais sans le savoir, et parce que lui, Hegel, le sait, il restitue au démiurge sa vérité, se réconcilie avec lui, et engendre ainsi la manifestation de Dieu. Ainsi, non seulement l'œuvre de Hegel apporte à son auteur l'accomplissement de sa vie, mais elle est présentée comme l'accomplissement du plus extraordinaire destin qu'aucun fonctionnaire prussien de 1806 ait jamais rêvé dans les défaites et les écoles. Non seulement elle a rempli la vie de G.W.F. Hegel mais elle a aussi rempli l'histoire en lui donnant son sens, en sorte qu'elle est vraiment la révélation vivante, « *der erscheinende Gott* », parmi les hommes. Cette exaspération de la plénitude est, sinon pour les hommes, du moins pour Hegel, la révélation de lui-même dans et par son œuvre, et la justification de soi dans un mouvement démesuré qui révèle peut-être en son extrémité la tentation de folie qui habite tout solitaire, même penseur.

On connaît le mot de Marx sur Hegel, le « penseur aliéné à lui-même » qui connaît « l'ennui, le vif désir d'un contenu »[9]. Il est étonnant que Hegel lui-même ait rencontré cette notion de l'ennui, dans un curieux texte sur le stoïcien, dont les expressions universelles « ne peuvent aboutir en fait à aucune expansion du contenu, et ne tardent pas à engendrer l'ennui[10] ». Le rapprochement de ces deux pensées semblerait indiquer dans le vide d'une certaine pensée abstraite la raison de l'ennui qui se révèle négativement à la conscience comme le désir du contenu, de telle sorte que le mouvement par lequel le philosophe « s'enfonce dans le contenu » est en quelque manière la réconciliation avec l'origine même de son désir, c'est-à-dire avec son aliénation[11]. Envisagée dans son ensemble l'œuvre de Hegel peut donc être tenue pour la réconciliation de Hegel avec son propre destin sous les espèces d'une mission de révélation divine. La conscience de l'aliénation, si obscure soit-elle, ne se supporte que par une médiation qui la justifie : il faut à Hegel un portrait digne pour souffrir de voir en face sa tête de professeur. Ce révélateur est non seulement le révélateur du monde, mais son propre révélateur. C'est dans ce rôle, donc dans son œuvre que Hegel pense son aliénation, et par la médiation de son œuvre qu'il l'accepte, parce qu'elle lui apparaît à ce prix comme le contraire même de l'aliénation. Ici le langage a dans l'œuvre de Hegel la fonction magique que Hegel y découvre dans la *Phénoménologie*, celle d'invertir et de nier la forme de l'immédiateté. Mais nous voilà renvoyés à l'œuvre de Hegel, qui, détachée de ce contexte de signification personnelle, va se présenter à nous dans son indépendance, et d'abord dans l'universalité même de la pensée.

B. HEGEL ET SON TEMPS

Ce n'est pas en effet l'individu particulier, mais l'individu universel Hegel qui découvre la signification de son œuvre, et cela au moment même où son œuvre est en train de naître, non seulement en lui mais encore dans l'élément historique de la fin du XVIIIe siècle. Il est assez remarquable que Hegel ait pris conscience de ce moment historique, à la fois sur le plan religieux, politique et philosophique, comme du moment de la vacuité.

Ce vide a un nom : l'Aufklärung. Hegel l'a d'abord vécu avant de le connaître et d'en donner l'extraordinaire description de la *Phénoménologie de l'Esprit*. Dans ses œuvres de jeunesse, ce vide n'est pas encore devenu un objet pour lui, c'est l'élément dans lequel la conscience se meut, et où les jeunes générations romantiques se sentent étrangères. « Je trouvais en moi un vide inexplicable et que rien n'aurait su remplir » écrivait Rousseau [12]. Pour les contemporains de Hegel ce vide n'est pas seulement en eux, mais devant eux, et autour d'eux, c'est un monde vidé, sans profondeur. Dans une de ses *Xénies* [13] Goethe représente Nicolaï en pêcheur bredouille qui ne ramène rien dans ses filets parce qu'il pêche *en surface* : tel est l'Aufklärer. C'est encore ce « *Schreiber* » infatigable

(« *unverdrossen* ») que Novalis nous montre dans un curieux passage de *Heinrich von Ofterdingen* [14]. Il couvre de notes interminables des feuilles qu'il tend à une femme divine (la Sagesse) appuyée sur un autel où repose une vasque d'eau pure (la Vérité), mais ses écrits ne résistent pas à l'épreuve de la Vérité ; ce sont des feuilles blanches qui sortent du bain révélateur. Comment d'ailleurs l'Aufklärung accepterait-elle cette épreuve puisqu'elle se donne elle-même comme la possession de cette vérité, et que cette vérité est ressentie comme non existante ? « Pour le contenu et le sens interne des événements, nous ne devrons pas nous en occuper. Ils (les philosophes de l'Aufklärung) sont allés aussi loin que Pilate, le pro-consul de Rome qui, ayant entendu le Christ prononcer le mot Vérité lui demanda : " Qu'est-ce que la Vérité " comme quelqu'un qui sait à quoi s'en tenir sur ce sujet, qui sait, veux-je dire, qu'il n'y a pas de vérité [15]. »

Dans ce monde vidé de sa vérité, le jeune Hegel et ses amis de Tübingen, Hölderlin et Schelling, aspirent à une plénitude reconquise. Cette richesse accomplie, ils ne pouvaient en effet la recevoir d'un temps qui réduisait la réalité au pur exercice de l'intellection, à la pure extension de la lumière dévorante, et qui adorait dans l'être suprême le vide même auquel il avait réduit le monde. Cette tension entre deux termes ennemis qui sont à la fois le complément et la vérité l'un de l'autre, et, parce qu'ils sont étrangers l'un à l'autre, se démontrent finalement étrangers à eux-mêmes, cette intuition fondamentale de la maturité hégélienne perce déjà dans les analyses et les méditations de la jeunesse. S'il se tourne vers le monde que lui propose l'Aufklärung, c'est une pure figure de l'utilité qui lui est offerte : tout y est extérieur à soi, ordonné à l'autre, dans une chaîne infinie que l'esprit ne parcourt que pour la nier ; cette critique chasse la signification de la chose qu'elle réduit à sa relation à l'autre chose, et perd jusqu'à la relation dans le mouvement de l'esprit qui retourne en soi dans la satisfaction du vide : « L'Aufklärung est satisfaite [16]. » S'il se tourne vers la foi, comme vers la vérité de ce monde dépouillé de sa vérité, il s'aperçoit que l'Aufklärung vide la foi de tout contenu en la ramenant à la signification de l'immédiateté sensible (le pain est du pain, la pierre est une pierre) et ne laisse subsister qu'une abstraction, l'être suprême du déisme contemporain que la *Phénoménologie* traite de néant, de vide [17], de gaz fade [18]. Le Hegel de Tübingen et de Berne ne comprend pas encore la relation essentielle qui unit le déisme et l'intellection dans l'Aufklärung, mais il la vit dans la mesure où il ne l'accepte pas, où il refuse cette satisfaction et tente par des voies personnelles de retrouver le Paradis perdu et la plénitude originaire.

Le désarroi politique de l'Allemagne a peut-être autant frappé le jeune Hegel que le formalisme de la vie religieuse, et il est assez remarquable qu'on ne puisse que malaisément dissocier la réflexion politique de la réflexion religieuse dans ses préoccupations de jeunesse. Dans une lettre à Schelling, datée de Berne, et dans l'écrit *Zur Verfassung Deutschlands* de 1802, Hegel nous donne un tableau de la société politique contemporaine. Deux contradictions le retiennent tout particulièrement, d'une part le morcellement politique de l'Allemagne, d'autre part le déchirement du droit entre un pouvoir absolu sans contrôle et les intérêts égoïstes des particuliers. Dans l'existence séparée d'une multitude d'états, absorbés par des disputes mesquines, à la mesure de leurs souverains, acharnés à détruire l'État qui seul pourrait leur conférer une consistance authentique, Hegel ne voit que l'absence d'un État : « A force de méditer sur cette lamentable réalité, à force de vivre dans la patience ou le désespoir, à force d'accepter une accablante destinée, les âmes tournent vers le rêve, vers la pure nostalgie ce qui leur reste d'ardeur [19] ». L'unité politique ne peut être représentée en rêve, conçue en pensée, c'est-à-dire pensée comme absente. Qu'attendre en effet de cet atomisme politique, sinon l'anarchie des parties qui tentent d'échapper à leur vérité, c'est-à-dire au tout? « Les actes du Reich allemand... n'émanent jamais de l'ensemble mais bien plutôt d'une association qui a plus ou moins d'extension... pareilles associations font penser à un tas de pierres rondes qui voudraient constituer une pyramide en restant rondes absolument

73

et non liées [20] ». Ici se dessine déjà une réalité implicite qui seule permet de penser l'absence comme absence, le vide comme vide : celle d'une plénitude dans la totalité, et qui inspire la critique de l'absolutisme de ces petits états allemands. Le pouvoir absolu se tient devant les citoyens de l'État comme un étranger, imposant aux hommes une volonté étrangère, creusant « un abîme infranchissable entre les esprits et la réalité [21] ». Aussi rusent-ils avec lui, vivent-ils dans sa dépendance et dans l'espoir d'y échapper par son propre consentement, arrachent-ils à l'État des droits qui sont la négation même du droit, qu'ils constituent en privilèges, mettent-ils l'injustice sur le siège de la justice. Comme on voit les petits états déchirer leur vérité, on voit les citoyens anéantir leur propre cité : un pouvoir vide face à une vie sociale vidée de son sens, une légalité morte en face d'une vie illégale, telle est le spectacle dont la méditation conduit Hegel à l'intuition d'une totalité organique que la cité grecque lui offre en exemple. Cette intuition fondamentale qui se révèle ici négativement est une constante de la pensée de Hegel : nous la retrouverons dans ses réflexions sur la religion. Elle s'exprime ici confusément comme la nostalgie d'un temps originaire où la Cité était l'existence réelle du droit, où la vie publique et la vie civile étaient faites de la même substance ; mais cette unité est perdue, et la conscience ne la connaît que dans sa perte, elle ne l'éprouve pas encore comme présente dans sa perte même.

La méditation du problème religieux permet à Hegel d'approfondir ces premières réflexions. Il prend d'abord position face à l'Aufklärung. Sans doute trouve-t-on dans les écrits de Tübingen des passages où Hegel semble reprendre la critique de l'Aufklärung contre la positivité de la religion, c'est-à-dire le contenu de la révélation, qu'un de ses maîtres le théologien Storr lui présentait alors dans un raisonnement inspiré de Kant comme inaccessible à l'entendement [22]. Il faut voir là un des traits qui préfigurent la maturité : le contenu, même religieux, est déjà ressenti comme différent du simple donné ; mais d'un autre côté la négation du donné ne se confond pas avec la négation du contenu, et dans le même temps où il critique une conception irrationnelle de la foi, le jeune Hegel refuse une religion qui sépare l'homme de Dieu, une religion qui ne soit pas une vie. C'est là le problème fondamental des *Theologische Jugendschriften*, que l'on peut suivre à travers un certain nombre de formes, et en particulier la notion de bonne positivité, la notion de *Volksgeist* [« esprit du peuple »] et la conception de la médiation par l'amour.

Ces trois thèmes de réflexion ne font qu'expliciter une certaine intuition de la plénitude religieuse ressentie dans le milieu même du déchirement, qui est une des plus profondes pensées de la tentative hégélienne. Il s'agit de retrouver le sens de la positivité authentique, c'est-à-dire de rendre au contenu de la révélation son usage pratique, sa signification concrète pour la conduite de l'action. La suite des temps a perdu cette signification car elle a transformé les maximes en dogmes, isolant ainsi la vérité de la vie ; il s'agit aussi de penser cette vraie positivité comme un concret dans l'histoire c'est-à-dire comme reliée à une totalité organique qui est le « *Volksgeist* ». Cette notion d'une religion totale incarnée dans le peuple ne peut se comprendre que comme la transposition d'une image de la Grèce qui hanta Hegel et ses amis, et dont on possède la traduction poétique dans les poèmes de Hölderlin. Le grec ignore la transcendance d'un Dieu étranger, il n'a pas de révélation devant lui, ni de morale hors de lui. La religion n'est que l'exercice même de la vie, et les dieux circulent dans un monde familier, comme des hommes parmi les hommes. Les hommes eux-mêmes sont à leur hauteur, et Hegel pense avec regret au temps

« *wo jeder die Erde streifte wie ein Gott* [23] »,

comme au temps de la familiarité et de l'harmonie perdues. Il est remarquable que cette méditation qui revient sans cesse dans les écrits de jeunesse [24] soit le rappel d'un temps qui n'est plus, ou d'une unité originaire perdue, et qui ne révèle que plus amèrement le vide de sa disparition. La Grèce est en creux dans Hegel, et sa place restera toujours en son âme comme un vide à combler [25].

Il n'est pas dupe en effet de l'histoire et n'ignore pas que cette forme de la plénitude religieuse a elle-même disparu sous les coups du christianisme. Cet événement fait l'ambiguïté de son jugement sur le Christ. D'un côté le Christ apparaît comme le destructeur de l'unité heureuse des Grecs ; face à Socrate qui vit dans l'amitié des hommes en les révélant à eux-mêmes le Christ est à la fois le séparé et le séparateur : il vient d'en haut et apporte une vérité transcendante, il n'est pas de ce monde, et doit quitter ce monde ; aussi divise-t-il le monde, y détruit-il la liberté spontanée, le sens social pour y prêcher des vertus néfastes (que Hegel dénonce ici avant Nietzsche), la souffrance et l'impuissance [26]. Le chrétien est dans ce monde comme un exilé « qui trouve son soulagement dans chaque larme versée, dans chaque acte de contrition, dans chaque sacrifice, et se sent réconforté à la pensée qu'ici le Christ a marché, qu'ici il s'est sacrifié pour moi [27] ». Cependant, s'il a détruit l'harmonie grecque le Christ a réconcilié un autre monde déchiré, le peuple juif. Ici reparaît en quelque sorte latéralement le concret historique que Hegel contemplait avec amour et regret dans la religion païenne : c'est dans un peuple que le Christ restaure la plénitude dans le plus grand déchirement. Ici prennent place d'admirables analyses sur la condition juive, et le malheur de la conscience. Abraham est la figure de cette conscience désertique, qui chasse ses troupeaux sous un ciel vide et un Dieu hostile, elle-même l'autre de cet autre absolu qui l'écrase de sa puissance étrangère : aussi la relation de l'homme à Dieu vécue comme la plus grande séparation (celle du Tout-Puissant au néant de l'homme), se révèle en vérité comme une relation d'affinité entre le néant de l'homme et le néant de Dieu (qui étant le Tout-Puissant ne représente plus rien pour l'homme que l'absolument autre formel). C'est pourquoi l'évolution du judaïsme aboutit au légalisme vide. La mission du Christ est précisément de réconcilier la Loi avec l'homme, de lui donner un contenu vivant : le Christ est venu *accomplir* la Loi, il est lui-même la Loi accomplie, il réconcilie Dieu avec son peuple, et le peuple avec son destin par l'Amour. La notion de totalité amoureuse intervient ici non plus comme un donné mais comme un acquis. Il faut noter ce point dans la progression de la pensée de Hegel. Alors que la totalité organique de la religion grecque est en quelque sorte sans passé, qu'elle se réfléchit moins comme un résultat que comme une origine, et se situe donc dans une immédiateté anté-réflexive, l'Amour est l'aboutissement d'un devenir, il est la résolution d'un déchirement, il est comme le voulait Platon à la fois très jeune mais aussi très vieux, il a une histoire — et son passé ne lui est pas étranger (sinon nous serions derechef dans le déchirement) mais il repose en lui, dans la division et l'apaisement. L'Amour est « *Aufhebung* [28] », dépassement qui contient les contraires et exprime leur vérité. Ici apparaît à Hegel pour la première fois que la totalité n'est pas primitive, mais dernière, qu'elle ne peut pas être à l'origine, mais à la fin, et qu'il faut donc dépasser la conscience du vide qui ne serait que la conscience d'un contenu perdu pour atteindre la conscience du vide comme d'un contenu à conquérir. Ici se renversent les perspectives à l'intérieur même de sa méditation : il y a une négativité du vide que connaît la conscience fautive, qui regrette l'innocence et le Paradis perdu, cette conscience est pessimiste et désespérée, elle ressent sa condition comme l'inverse de la vie, c'est Hölderlin chantant la Grèce disparue à jamais ; mais il y a aussi en quelque manière une posivitité du vide qui enseigne que l'accomplissement est à venir, que le néant est l'avent de l'être, que le déchirement est l'attente et l'avènement de la totalité. On voit déjà percer dans ces mouvements intérieurs d'une conscience qui se cherche l'idée d'un déchirement nécessaire à l'accomplissement final, et comme une *nécessité du vide*. Après l'avoir vécu comme le simple élément de sa vie, puis l'avoir éprouvé dans la perte d'une plénitude originaire, Hegel pressent dans sa dialectique de l'amour le vide comme la promesse d'un accomplissement et comme le moment nécessaire à cet accomplissement. La conscience du vide s'enrichit et devine déjà un certain contenu dans le vide qu'elle éprouve. Lorsque Hegel aura compris cette trans-figuration qui s'opère sans qu'il le sache dans sa propre pen-sée, et qui à son insu transforme déjà le vide en plein, le néant en être, ce sera le grand et profond cri de joie de la *Phénoméno-logie* sur le séjour de l'esprit dans la mort : « Ce séjour est le pouvoir magique qui convertit le négatif en être [29]. » *Pour nous* qui anticipons cette découverte, c'est cependant une révé-lation étonnante que de voir les mouvements de la conscience du vide se développer dans la pensée de Hegel, et dégager progressivement la signification et en un sens le contenu de la vacuité, dans un moment où Hegel ne dit pas encore *pour nous*, c'est-à-dire ne connaît pas encore le sens de ses propres recherches.

Cependant l'amour n'est pas le dernier terme de sa réflexion religieuse. Hegel ne peut en effet détacher son avè-nement du contexte concret de l'histoire, il le tient pour un devenu, mais aussi pour un disparu. La totalité en effet s'est décomposée dans le christianisme, comme la totalité s'était décomposée dans le paganisme. La plénitude de l'accomplis-sement chrétien est donc pensé comme un passé, un supprimé dont l'absence dans la conscience même n'est que l'expression de la destinée du christianisme moderne. C'est là que Hegel retrouve le point de départ de ses méditations, l'état du chris-tianisme contemporain, mais dans un mouvement qui a trans-formé le point de départ en aboutissement, et l'origine en résultat. C'est en effet le sort du christianisme que de porter en lui une lacune héritée du Christ même, qui n'a pas pu accomplir historiquement la réconciliation qu'il annonçait. Dans *l'Esprit du Christianisme et son Destin*, Hegel insiste sur cet échec du destin de Jésus, qui est aussi celui de la première communauté chrétienne, et qui explique le développement de la mauvaise positivité. Au lieu d'accepter son destin pour lui-même, comme au soir de sa vie, dans ses yeux perdus et sa souffrance, Œdipe accepte sa part humaine, le Christ accepte la Croix et la mort comme sa part divine ; que la volonté du Père soit faite. Ce recours transfigure son destin, mais le dégage aussi du sort commun des hommes. La dimension par où le Christ retourne au Père est aussi celle par où il disparaît d'entre les hommes, et n'accepte pas de partager l'avenir de son peuple : « Le destin de Jésus fut de souffrir du destin de sa nation ou bien de faire sien ce destin, et d'en porter la nécessité et d'en partager la possession, et de réunir son esprit avec le leur mais alors de sacrifier sa beauté, son lien avec le divin, ou d'écarter de Lui le destin de son peuple, mais de conserver en soi sa vie sans l'avoir développée et sans y avoir goûté ; en aucun cas d'accomplir sa nature [30]... ». La pureté du Christ, le sentiment de la filiation divine, la signification de sa mission l'ont emporté chez lui sur la réalisation concrète de la réconciliation du peuple et de Dieu. Aussi n'a-t-il pas accepté de partager le sort de son peuple en tant que peuple, mais seulement de souffrir le sort que son peuple lui fit subir et qui le retranchait de lui. En un sens le Christ dans la mort retrouve la séparation qu'il est venu abolir.

Ici éclate cependant la positivité de son échec : ce n'est plus la même séparation. S'il ne peut restaurer la familiarité primitive dans laquelle Abraham vivait avec le divin avant la mission par Iaweh, s'il ne peut instaurer dans le peuple juif une religion totale et organique par la médiation de l'amour, il enseigne du moins qu'une réconciliation est possible à l'intérieur même de la division historique : celle de la subjectivité ; et il transforme par la découverte de cette profondeur le déchirement purement objectif de la conscience juive en un déchirement subjectif. Hegel dégage cette évolution du développement de la première communauté chrétienne, qui devant le tombeau vide intériorise le Christ, et vit de l'amour [31] du Christ comme dans l'intérieur pur au milieu d'un monde hostile. Cependant, avec le temps, le souvenir lui-même devait s'objectiver et se poser devant la conscience chrétienne comme un contenu étranger à l'amour, et qui médiatise l'amour même puisqu'il provoque sa naissance. C'est le retour dans la mauvaise positivité, c'est-à-dire dans un élément qui perd sa qualité concrète pour exister comme un donné devant la conscience religieuse : la vie du Christ devient une histoire transmise, elle s'éloigne, se constitue, se fixe, se détermine et se recompose hors de la vie du croyant. La révélation constituée en dogmes prend la place du Dieu étranger en face de l'amour réfugié dans la subjectivité. Cette aliénation intérieure décompose à nouveau les termes à unir, et se double dans l'histoire d'un phénomène objectif de décomposition de la religion totale : la subjectivité s'oppose non seulement au donné de la révélation, mais encore au concret de l'histoire des peuples. Hegel retrouve ici le sens de sa critique du christianisme ; c'est la religion d'une secte, d'un petit nombre, qui pratique une règle d'isolement sans voir que cette règle détruirait la société si on la lui étendait, et sans voir non plus que la société dont les chrétiens s'écartent est la condition même de leur isolement. On entend ici les phrases amères de *La Vie de Jésus*, et cet étonnant commentaire cursif du Pater : « " Que Ton règne arrive, que Ton Nom soit sanc- tifié ", c'est là le souhait d'un individu isolé qu'un peuple ne peut former. " Que Ta Volonté soit faite ", un peuple conscient de son honneur et de sa force fait sa volonté propre et regarde toute autre volonté comme une ennemie..." Par- donne-nous ", c'est là aussi une prière de l'individu isolé [32]... » Cette double contradiction entre la subjectivité et le contenu de la révélation, entre la subjectivité et le concret de l'histoire, le développement du christianisme l'a montrée dans la suite des temps, et Hegel peut l'observer dans la société contemporaine sous la division de l'Église et de l'État, du monde et de Dieu, de la vertu et de la sensibilité. La reli- gion est devenue formelle, vidée de contenu et de vie. Ce développement paraît nous reconduire au point de départ, et certaines formules hégéliennes sur l'esclavage du légalisme juif et l'esclavage du formalisme chrétien pourraient nous confir- mer dans ce cercle.

Cependant la forme de l'opposition n'est plus la même : alors que le juif pensait sa solitude comme celle d'un objet devant un autre objet, et *existait en quelque sorte devant soi*, comme le néant face à la toute-puissance de Dieu, le chrétien a désormais intériorisé l'un des termes, et il pense la division sous la forme de la subjectivité ; autrement dit il vit et pense sa propre intériorité comme un des termes de la division, et sa conscience religieuse est à la fois la séparation et la conscience de la séparation, vide et conscience du vide ; le malheur de la conscience est devenue la conscience malheureuse, l'objet de la conscience n'est plus le vide, mais le vide comme constituant la conscience, ou la conscience vide. Si l'on préfère, la conscience est désormais à elle-même son propre objet.

Cette espèce de développement phénoménologique des méditations religieuses de la jeunesse nous conduit donc à une sorte de passage de la conscience à la conscience de soi qui préfigure les analyses de la *Phénoménologie*. Nous étions partis du vide de la conscience qui s'est d'abord montré comme une plénitude perdue, puis comme la génération de la plénitude : il se dévoile enfin comme l'être même de la conscience. Cette prise de conscience de la subjectivité comme telle porte un nom dans la pensée contemporaine, c'est le kantisme.

C. Hegel et Kant

Ici intervient un événement capital : Hegel rencontre Kant et la signification de cette rencontre se dégage des mouvements obscurs de sa recherche antérieure. Hegel rencontre Kant non comme un étranger qu'un accident a fait naître allemand et philosophe dans la seconde moitié du XVIIIᵉ siècle, mais comme la vérité de sa propre inquiétude. Ἀλήθεια, la vérité est ce qui se dévoile, Kant est pour Hegel l'Aufklärung sans voiles [33], et en même temps la vérité qui lui dévoile le sens de sa propre réflexion. Ce qui nous a paru se dégager des méditations sur le christianisme, que *le vide* est *l'être même de la conscience*, Hegel en contemple l'expression dans Kant. Cette vérité acquise dans l'expérience personnelle est aussi devant lui, et les deux mouvements n'en font qu'un, celui par lequel Hegel trouve la vérité de sa conscience dans Kant et celui par lequel Kant est revêtu de sa vérité. Il nous est donné de saisir dans cette rencontre une des réactions les plus profondes qui atteste la qualité authentique de la *Phénoménologie*.

Au point où son développement nous l'a montrée la conscience hégélienne se saisit dans Kant comme en soi-même, et en lui découvre sa vérité : elle se voit en Kant comme soi-même dans l'autre, et, connaissant l'autre comme elle-même, c'est elle-même qu'elle s'apprête à dégager de la connaissance de Kant. La connaissance de Kant est la naissance de Hegel [34].

Ce phénomène de génération de soi dans un autre fait toute l'importance de la critique de Kant, qui au cours de son déroulement nous apparaîtra donc comme une *Aufhebung* : ce qui est nié de Kant est aussi conservé et remis à sa place. Ainsi le mérite fondamental de Kant aux yeux de Hegel est de représenter le moment de la subjectivité : Kant a introduit dans la pensée une nouvelle dimension, qui a bouleversé les rapports des choses, transformé les relations réflexives de l'être en relations réflexives du sujet, substitué à une philosophie du monde une philosophie du moi, bref découvert la profondeur de l'intériorité. Mais (c'est ici que l'aspect négatif intervient) Kant n'a pas conçu cette dimension dans sa vérité, il l'a exprimée seulement comme un formalisme, comme une identité sans plénitude. Kant a découvert la profondeur mais c'est une profondeur vide, parce qu'il n'a fait que transposer dans l'intériorité comme dans une forme préparée d'avance les schèmes réflexifs des philosophies classiques. Cette découverte du vide de la profondeur est déjà chez Hegel la prise de conscience d'une profondeur sans vide dont la profondeur découverte et le vide réflexif ne sont que la manifestation. La vérité bascule dans son erreur, qui bascule dans sa vérité. C'est à cet *Umschlagen* [renversement] que la critique de Kant nous introduit comme le processus même par lequel le néant se convertit en être, la pensée qui se défait se fait en réalité. La critique hégélienne est donc dans son exercice même une connaissance prenant conscience et possession du vrai.

C'est peut-être là une des pensées les plus étrangères à Kant, qui ne conçoit que la négativité de la critique. Kant est pour Hegel le philosophe qui veut connaître sa connaissance avant de connaître, et qui attend de la connaissance de sa connaissance la connaissance des limites de sa connaissance. Ce recul devant le savoir inspire à Hegel des réflexions mordantes : comme s'il fallait faire une théorie de la digestion pour se risquer à manger, ou apprendre à nager, pour se jeter à l'eau [35]. La réflexion sur la connaissance est elle-même une connaissance : si l'esprit n'est pas déjà dans la connaissance quand il s'interroge sur elle, jamais il n'y atteindra. La critique comme prolégomène est en quelque sorte l'acte même par lequel il refuse de reconnaître qu'il est déjà dans l'élément de la vérité, c'est son ignorance en acte, constituée, érigée en système, l'aveu écrit et publié que l'esprit se cherche là où il n'est pas et ne se trouve pas là où il est. Le philosophe critique est victime de la mésaventure du peuple juif : *Dieu est parmi son peuple et son peuple ne le connaît pas* [36]. Mais c'est aussi parce qu'il ne reconnaît pas la vérité, qu'il l'invente et constitue son ignorance en vérité. La vérité du criticisme est son ignorance, qu'il adore comme vérité. Cette réflexion nous livre une pensée maîtresse de Hegel dans ses rapports avec Kant : c'est qu'il n'est pas besoin de chercher hors de Kant la vérité sur Kant, que la pensée de Kant est l'être du kantisme, c'est-à-dire renferme déjà pour Kant sa propre vérité. Toute la réflexion de Hegel sur Kant consiste à montrer que le système kantien se dénonce lui-même, à l'insu même de son auteur, comme la contradiction réalisée, objectivée dans une construction philosophique. C'est le thème même de l'aliénation : Kant pense dans la contradiction, et parce qu'il ne sait pas qu'il est dans la contradiction, sa pensée constituée est la contradiction constituée, lui renvoie donc sa propre image, son essence, sa vérité [37]. Le Dieu habite donc doublement son peuple; il est non seulement parmi son peuple mais devant lui. La vérité est l'élément même de la méditation kantienne : il ne la connaît pas. Mais elle est aussi devant lui, il rencontre dans son système sa propre vérité : il ne la reconnaît pas. Kant se regarde et ne se voit pas. Par là sa pensée devient la non-reconnaissance même.

Aussi cette méfiance de la pensée qui veut s'éprouver avant de connaître est déjà une contradiction. « Si la crainte de tomber dans l'erreur éveille une méfiance dans la science, qui sans tant de scrupules se met à l'œuvre et connaît, pourquoi ne se méfierait-on pas de cette méfiance même et ne craindrait-on pas que la crainte de l'erreur ne soit l'erreur même [38] ? » Cette contradiction dans la forme qui nous renvoie à l'infini n'est que la manifestation d'une contradiction non résolue dans le contenu de la pensée. Cette crainte n'est pas sa propre raison d'être, elle présuppose toute une conception de la vérité et aussi de la connaissance. « Elle présuppose une représentation de la connaissance comme instrument et milieu et aussi une distinction entre nous et cette connaissance ; mais surtout elle présuppose que l'absolu se trouve d'un côté, et que la connaissance qui se trouve d'un autre côté, pour soi, séparée de l'absolu, est pourtant quelque chose de réel [39]. » Cette séparation absolue, ce dualisme fondamental constitue pour Hegel le formalisme de la conception kantienne, qui n'est qu'une vaine tentative pour penser l'unité de deux termes posés à l'origine comme totalement étrangers, l'impossible volonté d'*évacuer le vide*.

1. En effet, s'il a découvert le moment de la subjectivité, dépassé la conscience pour atteindre la conscience de soi, Kant n'a fait qu'intérioriser la vieille opposition réflexive de la forme et du contenu : « Le *Ich* transforme la finitude du dogmatisme objectif antérieur dans la finitude absolue du dogmatisme subjectif [40]. » Au lieu de penser le monde comme la relation de termes qui renvoient l'un à l'autre devant la pensée, il a pensé la connaissance comme la relation de deux termes opposés : la forme de l'aperception transcendantale, et le donné de la sensibilité ; ou plutôt il pose comme absolument séparés deux termes dont il lui faut penser la liaison. « Les concepts sans intuition sont vides, les intuitions sans concept sont aveugles. » Cette petite phrase que Hegel cite dans *Glauben und Wissen* représente la limite extrême de la pensée de la liaison, qui est aussitôt écartelée par la position antagoniste de la pensée et de l'être, du Je de l'aperception et de la chose en soi. L'unité est chassée, et pensés hors de

l'unité, les deux termes en présence se révèlent tels qu'ils sont, vides, étrangers, ennemis.

Tout l'artifice de cette présentation réside dans l'opération par laquelle Kant pense la séparation des termes. Alors que le sujet est révélé par l'objet, la forme par le contenu, le constituant par le constitué, alors que le donné renvoie au Je de l'aperception, le divers à l'unité comme le conditionné à sa condition, c'est-à-dire par une opération réflexive qui n'a pas de sens hors de la présence du terme qui se réfléchit, Kant pense les termes en dehors de la relation qui les constitue, il pense la condition sans le conditionné, et le conditionné sans la condition, dans un état pré-réflexif. Ce sans quoi devient un *en-soi* qui préexiste à l'opération qui justifie sa notion. La *chose en-soi* et le *je*, bien que donnés dans la connaissance, lui préexistent comme deux en-soi séparés. D'un côté la forme et de l'autre le contenu, attendant de se réfléchir l'un sur l'autre comme s'ils n'étaient pas le produit même de la réflexion. Hegel présente ainsi drôlement l'espace et le temps kantiens comme des formes patientes attendant leur *Erfüllung* [accomplissement], lui préexistant, ainsi que « la bouche et les dents qui sont la condition du manger » attendent leur nourriture [41]. Mais elles sont *déjà là*, *a priori*, données en dehors de toute expérience. Cette équivoque par quoi ce qui est le produit réflexif de l'expérience est présenté comme existant *a priori*, en dehors de toute expérience, est la qualité même de l'abstraction. Nous entendons alors que l'essence de ces abstractions soit le vide. Le Je est une forme pure, et comme le dit profondément Hegel, « l'unité pure n'est pas une unité originaire [42] », n'est pas une unité pré-réflexive, mais seulement l'abstraction de l'acte par lequel le Je se purifie, se vide de ce qui n'est pas lui. Le Je pensé séparément est donc de l'aveu même de Kant l'unité vide, abstraite de son contenu, qui ne connaît son contenu que comme l'autre, un étranger qui par une opération incompréhensible vient l'habiter dans la connaissance.

Mais l'abstraction qui isole le sujet de l'objet, isole aussi l'objet du sujet. Dans son abstraction, le donné, ce qui est présent en dehors de toute détermination de pensée, le contenu non informé, la matière transcendantale, bref la chose en soi est l'image que le Je projette devant soi : « Ce *caput mortuum* est lui-même le produit de la pensée et précisément de la pensée qui va jusqu'à l'abstraction pure du moi vide qui se donne pour objet cette identité vide de lui-même [43] ». De telle sorte que la chose en soi et le Je sont posés comme étrangers [44] l'un envers l'autre, alors qu'ils sont en réalité la vérité l'un de l'autre, ils sont le même vide, et précisément parce qu'ils ne sont que ce vide, leur opposition est elle-même une opposition vide. Au point d'abstraction où elle est parvenue, la conscience kantienne est encore phénoménologique et ne se reconnaît pas elle-même dans l'objet qu'elle se donne. Elle pense le Je et la chose en soi comme vide, mais ne sait pas qu'elle se pense elle-même dans le vide de son objet. A chaque instant dans le développement de sa méditation Kant se heurte à sa vérité. Il la pose sans le savoir et passe sans la reconnaître. Il ne fait ainsi qu'exprimer l'aliénation de l'Aufklärung qui ne reconnaît pas dans le contenu de la foi réduit au vide de l'Être Suprême l'essence du mouvement de l'esprit qui ordonne toute réalité à l'utilité pure.

Cette aliénation paraît aussi dans la forme sous laquelle Kant pense cette opposition du sujet et de l'objet : celle du maître et de l'esclave, c'est-à-dire de la dépendance. Kant ne fait qu'intérioriser le conflit de la conscience religieuse juive et pose le contenu dans la dépendance de la forme : « *Begreifen ist Beherrschen* [comprendre, c'est dominer]. » Mais cette dépendance se renverse. De même que la *Phénoménologie* montre dans l'esclave la vérité du maître, la philosophie kantienne révèle à l'analyse le dominé comme la vérité du dominant, c'est-à-dire le dominant comme dominé par le dominé. Le même renversement s'opère dans la philosophie de Fichte qui lui aussi n'a su penser le contenu que sous la domination : le moi qui domine le non moi est en réalité dominé par lui, puisque ce dernier est la condition même de l'exercice de son pouvoir. Demeurer dans la relation du maître et de l'esclave, c'est habiter la contradiction sans la penser, c'est donc la subir. La pureté est une servitude ignorée. Ainsi l'homme de la morale kantienne qui oppose le devoir à la sensibilité, la loi au divers de la vie concrète, est en réalité l'esclave du contenu qu'il a chassé de sa pensée, et qui domine son maître. Ainsi le contenu est la vérité de la forme, il livre sa vérité quand on l'examine hors de toute relation avec la forme, mais la vérité délivrée n'est que celle de la forme séparée. La vérité du contenu est donc hors du contenu, le contenu se définit donc en fait dans l'abstraction kantienne par l'extériorité à soi-même, mais cette extériorité est seulement posée ; elle n'est pas pensée comme l'être du contenu. La pensée kantienne est donc dans l'extériorité, elle n'est pas la pensée de l'extériorité ; elle pense le contenu dans l'extériorité et refuse de penser le contenu de l'extériorité. Elle est elle-même dominée par son objet et prise dans la relation de servitude dont elle n'est que la description phénoménologique. C'est pourquoi Hegel répète de Kant qu'il a fait une philosophie de la perception [45], se bornant à analyser les contradictions sans les penser, ou une phénoménologie [46] qui découvre seulement la vérité de la conscience de soi : l'abstraction du vide.

2. Ce vice de la position kantienne commande toute sa pensée, et en particulier sa conception de la connaissance. Jusque-là en effet nous n'avons considéré que les termes de la connaissance dans leur essence séparée. Kant les pose d'un côté dans l'isolement absolu, et d'un autre côté veut les penser comme liés ; mais cette démarche n'est pas le retour à la liaison originaire dans laquelle, avant toute abstraction, les termes étaient donnés, elle n'est pas une tentative de saisir l'état pré-réflexif, l'unité originaire à partir de laquelle les termes se différencient, elle n'est pas la pensée de l'élément même de la contradiction. Kant ne saisit la liaison que dans la réflexion, c'est-à-dire à l'intérieur même de la séparation. L'unité ainsi reconstituée, loin d'être l'élément dans lequel la séparation se fait, se fait au contraire dans l'élément de la séparation. Autrement dit en un langage hégélien, c'est la séparation qui est la vérité de l'unité, ce n'est pas l'unité qui

est la vérité de la séparation [47]. Ce renversement a pour Hegel un sens très concret : il signifie tout simplement que la séparation (ou la contradiction) est la vérité de tous les moyens termes par lesquels Kant figure la connaissance, c'est-à-dire tente de penser l'unité à l'intérieur de la division. Rien n'est plus frappant à cet égard que le rôle et le sort de l'imagination transcendantale, à laquelle Hegel consacre dans *Glauben und Wissen* des pages étonnantes. Elle est, dit-il, la véritable raison, position originaire des contraires, unité fondamentale se diversifiant à l'intérieur d'elle-même en sujet et objet, et se retrouvant elle-même dans l'activité esthétique et organique comme la réconciliation en acte. « En elle gît un *jugement originaire* ou dualité, donc la possibilité de l'apostériorité même, et de cette façon l'apostériorité cesse d'être l'absolument opposé de l'*a priori*, et par cela même l'*a priori* cesse d'être une identité formelle [48]. » L'imagination est donc la vérité d'un système ingrat : Kant ne l'a pas reconnue et l'a pensée comme une faculté banale, une faculté humaine qu'il a fait rentrer dans l'intérieur de la subjectivité psychologique, où elle n'est plus qu'un moyen terme dans la dépendance des extrêmes, un μεταξύ entre l'entendement et la sensibilité [49], une médiatisation du vide par le vide.

De même lorsque Kant veut penser l'objectivité, il l'oppose sans doute à la subjectivité de l'opinion, et la conçoit comme l'universel et le nécessaire, mais ces qualités lui appartiennent dans la mesure où elles sont les nôtres, et seulement les nôtres. La médiation est ici tout simplement celle de l'un des termes pris comme moyen entre lui-même et son opposé. Le Je et la chose en soi sont identiques « comme le sont le soleil et le caillou si l'on considère la chaleur quand le soleil chauffe le caillou. Dans une telle identité formelle, l'identité absolue du sujet et de l'objet et l'idéalisme transcendantal sont passés dans cet idéalisme formel ou plutôt et véritablement psychologique [50] ». D'où l'inconsistance de l'objectivité, qui est un moyen terme falsifié, non pas l'unité synthétique où seraient posés deux extrêmes mais leur simple répétition au milieu d'eux. « Si le subjectif est un point, l'objectif aussi est un point, si le subjectif est une ligne, l'objectif aussi est une ligne. La même chose est considérée une fois comme représentation, une autre fois comme chose existante : l'arbre comme ma représentation et comme une chose... De même que les catégories sont posées une même fois comme relations de ma pensée, une autre fois comme relations des choses [51]. » Cette espèce de *Mittelding* qui n'a de consistance que par les extrêmes, ce mannequin qui mime en une troisième figure deux figures qui se miment sans le savoir [52] rappelle à Hegel un épisode de *Das Märchen* de Goethe, dont il reprend jusqu'aux termes [53] pour comparer l'objectivité à un être composite qui ne reçoit de consistance que de ses voisins et qui s'effondre quand ils s'éloignent, comme l'objectivité s'effondre quand on retire d'elle les catégories : il ne reste plus alors qu'une masse informe et innommable : « Le monde est en soi quelque chose qui tombe en pièces. »

Mais c'est à propos de la raison que la contradiction apparaît dans son innocence et n'est pourtant pas reconnue pour ce qu'elle est. La raison est ou bien marquée de ce caractère empirique qui préside au choix des catégories découvertes dans la table du jugement (« Kant cherche dans le sac de l'âme et y trouve la raison » comme une faculté à côté d'autres facultés dans un moi purement psychologique), ou bien tout simplement l'abstraction de l'entendement : « la raison n'est en réalité rien d'autre que l'entendement vide [54] », une puissance d'unification et de régulation étrangère à son contenu comme on le voit dans les antinomies. La découverte des antinomies est aux yeux de Hegel un des mérites de Kant, mais comme de tous ses mérites il faut dire que Kant ne l'a pas connu : Kant n'a pas accepté l'idée que la contradiction constituât l'être même du contenu. Sa tendresse pour le monde lui a fait reporter la contradiction sur l'esprit, il en a fait une sorte de malentendu, le résultat d'un usage abusif de la raison. En sorte que la raison est évidemment, dans les antinomies, coupée de son objet : prenant sur elle la division elle ne fait que reprendre son bien. Le dualisme fondamental du Je et de l'en-soi ne peut retrouver à l'intérieur de la division que des moyens sans consistance, ou la division même. L'abstrait ne peut échapper à son essence qui est posée dans la séparation, quel que soit le pouvoir dont on prétend le charger. L'analyse hégélienne montre que le séparé n'échappe pas à son destin, puisque le destin est la séparation réalisée. Aussi bien la raison a beau se présenter dans la *Critique de la raison pratique* comme autonomie absolue (et ouvrir ainsi la voie à Fichte), comme infini inconditionné, ce travestissement verbal ne peut lui restituer l'indépendance originaire : « Cette infinité, qui est tout bonnement conditionnée par l'abstraction d'un opposé et n'est rien hors de cette opposition, est cependant affirmée dans le même temps comme la spontanéité et l'autonomie absolues [55]. » D'où les paradoxes du légalisme moral où la spontanéité incapable d'atteindre l'être se maintient dans le devoir.

3. Ici nous atteignons le point le plus profond de la réflexion de Hegel. Cette unité originaire du sujet et de l'objet, pour avoir été détruite par l'abstraction kantienne et l'opposition absolue des termes, existe cependant comme l'unité dans laquelle s'est opérée la division. Mais cette unité n'est pas pensée. Ce qui est pensé dans Kant est seulement l'unité à l'intérieur de la division. Or cette unité se révèle contradictoire, elle est une fausse unité qui ne recouvre pas l'unité originaire dans laquelle se fait le déchirement. Aussi Kant se débat-il dans le paradoxe suivant : l'unité pensée n'est pas l'unité et l'unité qui est n'est pas pensée. Tel est le sens du *sollen* et des postulats de la raison pratique : ils expriment comme n'étant pas réalisée l'unité qui *doit* être réalisée, autrement dit ils projettent devant la pensée l'essence même de la contradiction kantienne comme un au-delà [56]. Nous avons vu jusqu'ici les deux termes opposés se renvoyer l'un à l'autre leur propre vérité, la liaison pensée de la division se détruire elle-même, nous sommes maintenant au bout de la tentative kantienne, là où elle produit elle-même sa vérité et se pense dans le *sollen* et le postulat comme le néant : « Le plus haut effort de la pensée formelle est la reconnaissance de son néant et du devoir-être [57]. » Telle est la signification de

la Foi fondée sur les ruines de la connaissance. L'unité que Kant n'a pu établir à l'intérieur de la division se trouve projetée à l'extérieur, dans un au-delà, non dans un être mais dans un devoir-être, c'est-à-dire une notion sans contenu : « La foi est vide de contenu parce que l'opposition qui, comme identité absolue, pourrait constituer son contenu, lui reste extérieure : son contenu, si l'on devait exprimer positivement son caractère, est l'irrationnalité, parce qu'il est un au-delà purement impensé, non reconnu et insaisissable [58] ». Nous sommes donc ici en face de la contradiction complètement développée, qui se pense dans la Foi comme contradiction, mais ne fait pas de cette contradiction sa chair et sa vie, puisqu'elle la pense comme un au-delà d'elle-même. Aussi la contradiction en reste à la pure forme. Le vide du devoir-être exprime donc l'essence de la relation des termes absolus que Kant posait face à face dans la connaissance. Le cercle est clos : ni au début ni à la fin de sa pensée Kant n'a possédé la plénitude du contenu : il n'a pensé que l'abstraction de la conscience de soi et n'a découvert en elle que le vide même de son abstraction.

On comprend alors la signification que la prise de conscience du formalisme kantien représente pour Hegel. Kant est pour lui la pensée même de l'élément dans lequel sa conscience phénoménologique se développe : il est la vacuité de l'Aufklärung constituée en pensée, et pensée comme vide. En lui Hegel rencontre la vérité de l'élément où se meut sa propre conscience; il donne rétrospectivement un sens aux aspirations confuses du jeune théologien qui refuse la religion de son temps, et du jeune politique qui se détourne de la cité moderne. Dans le formalisme kantien et fichtéen Hegel rencontre la raison des mouvements obscurs de sa jeune conscience : le vide qu'il appréhendait d'abord comme une plénitude perdue, ensuite comme une plénitude à reconquérir, mais qui se trouvait en quelque sorte *devant lui*, comme un autre, c'est-à-dire chargé de l'extériorité de la conscience, devient pour lui dans la philosophie kantienne la vérité de la conscience de soi : non pas un *devant* mais un *dedans*, c'est-à-dire non pas un objet de sa pensée, mais sa pensée elle-même. Cette découverte ne se détache pas pour Hegel du contexte historique, pas plus qu'il ne se détache d'elle. La même vacuité qu'il contemple dans le monde, le même vertige intérieur des années de jeunesse s'exprime dans la philosophie kantienne qui en est la vérité : ce mouvement du développement de la pensée hégélienne est aussi un moment du développement historique. Ce que Kant révèle à Hegel est donc à la fois la vérité de Hegel et la vérité de son temps. En prenant conscience de Kant, Hegel ne fait que saisir et expliquer le moment historique où par le vide qu'elle pense, la pensée humaine est déjà le désir d'une plénitude qu'elle ne pense pas, mais qu'elle appelle. « *Nach dem Gehalte der Wahrheit war mithin eine Sehnsucht vorhanden* [il existait donc un ardent désir du contenu de la vérité]. » Il est incontestable que Hegel a ressenti dans Kant ce point ambigu où la satisfaction dans le vide devenait intenable, et exigeait d'être dépassée. On pense ici à ce texte étonnant de la *Wissenschaft der Logik* [59] où Hegel montre dans la pensée philosophique « le besoin d'un besoin satisfait » et il n'est peut-être pas interdit d'imaginer sa prise de conscience de l'Aufklärung satisfaite comme le besoin même de dépasser cette satisfaction, de la détruire comme satisfaction, et de tirer de l'insatisfaction la vérité qu'elle exige pour s'accomplir, savoir le contenu même de la vérité. Du néant même de la pensée formelle où il s'est attardé, l'esprit hégélien fait donc surgir la plénitude de l'être; il séjourne dans Kant comme dans la mort, et ce séjour est bien « la force magique qui transforme le néant en être ». C'est pourquoi nous retrouvons ici la remarque liminaire de ce chapitre : la pensée hégélienne ne peut être pensée du contenu que si elle est accomplissement du vide qu'elle dénonce, et elle ne peut combler l'insatisfaction fondamentale qu'elle révèle qu'en se constituant en pensée du contenu. Nous venons de décrire le premier aspect, phénoménologique, de cette opération. Il nous reste à en décrire le second aspect dans son développement, c'est-à-dire la constitution de la philosophie hégélienne en philosophie du contenu.

II

Connaissance du concept

Elle est retrouvée,
Quoi ? L'éternité.
C'est la mer mêlée au soleil.

A. Rimbaud.

La philosophie selon Hegel n'est pas un art rhétorique qui traite des matières les plus diverses par procuration, et qui répète dans le langage l'existence des choses. Elle n'est pas le bavardage indéfini de la conversation qui plane au-dessus des sujets de son choix, et pensant sauver sa liberté la détruit en vérité. La domination par le langage est d'abord un héritage de la culture dont on peut posséder l'usage sans en connaître la signification : ce fait explique le préjugé répandu en tous temps que la philosophie est à la portée du premier venu, qu'elle ne s'apprend pas, qu'elle n'est pas une science : « Si quiconque ayant des yeux et des doigts, à qui on fournit du cuir et un instrument, n'est pas pour cela en mesure de faire des souliers, de nos jours domine le préjugé selon lequel chacun sait immédiatement philosopher et apprécier la philosophie puisqu'il possède l'unité de mesure nécessaire dans sa raison naturelle – comme si chacun ne possédait pas dans son pied aussi la mesure d'un soulier [60] ». En réalité une telle philosophie immédiate est à la philosophie ce que « la chicorée est au café [61] » – plus trompeuse serait déjà la prétention de la philosophie d'être ce que son nom indique, un amour de la science qui se contenterait de désirer la science sans y parvenir, qui lui resterait extérieure comme dans le platonisme l'intelligence à l'idée du Bien, une *science sur le seuil.* La prétention de Hegel est au contraire d'accomplir cet amour insatisfait et de rapprocher la philosophie de la forme de la science, afin que « la philosophie dépose son nom d'amour du savoir pour être le savoir réel [62] ». Pour Hegel la pensée ne doit pas rester sur le seuil mais pénétrer dans la maison, elle doit habiter chez elle, « *bei sich* », c'est-à-dire dans son objet, dans son contenu même : « La philosophie est la pensée du contenu [63]. »

Cependant il existe bien des formes de connaissance qui ne réalisent pas cette intimité du sujet et de l'objet. Leur analyse permet de mieux entendre par le contraste la spécificité de la méthode philosophique. La méthode mathématique, appréciée pourtant de grands philosophes, ne peut pas prétendre à l'usage philosophique pour Hegel, qui en donne dans la préface de la *Phénoménologie* une description agressive : le géomètre connaît ses démonstrations par le dehors, « *auswendig* », et non pas « *inwendig* », du dedans, selon leur propre genèse. Veut-il s'en défendre, et propose-t-il de les exposer, on observe un curieux phénomène de disjonction mécanique entre l'objet mathématique et ses transformations : la certitude mathématique est un lien personnel entre le mathématicien et son objet, tel cependant qu'elle paraît produire la vérité de l'objet et non en sortir : « Le mouvement de la démonstration mathématique n'appartient pas au contenu de l'objet mais est une opération extérieure à la chose [64]. » Considérons-nous le mathématicien ? C'est un homme qui connaît par son opération, et par elle ramène en lui toute la vérité de l'objet, qui n'est guère plus entre ses mains qu'un prétexte. Considérons-nous l'objet mathématique ? Il subit sous nos regards une série d'amputations, de sutures, de déplacements qui le rendent méconnaissable. On pense ici aux analyses de la *Gestalttheorie* sur la démonstration, que les remarques de Hegel font directement pressentir. « Le triangle est démembré, ses parties sont converties en éléments d'autres figures que la construction fait naître en lui [65]. » L'objet initial est finalement restitué, nous avons devant nous le même triangle, mais c'est un autre triangle surgi on ne sait d'où, puisque le premier a disparu dans la démonstration. « La réflexion est une opération extérieure à la chose : de ce fait il résulte que la vraie chose est altérée [66]. » Si nous nous tournons derechef vers l'opérateur nous voyons qu'en lui se découvre aussi la même extériorité de la nécessité et du contenu. L'opération est conduite par une idée extérieure à elle : « En ce qui concerne la connaissance on ne se rend pas compte tout d'abord de la nécessité de la construction. Elle ne résulte pas du concept du théorème, mais elle est imposée et on doit obéir en aveugle à la nécessité de tirer ces lignes particulières, quand on pourrait en tirer une infinité d'autres, tout cela avec une ignorance égale seulement à la croyance que cela se conformera à la production de la démonstration [67]. » Nous entendons le pourquoi des mouvements après coup seulement, comme le trompé découvre l'embuscade quand il y tombe. La démonstration mathématique est donc une double ruse, ruse envers l'objet qu'elle détruit et refait comme un artifice, ruse envers la vérité qu'elle établit par des détours sans loi. La nécessité est du côté du seul sujet qui sait où il va, ordonne son opération, transforme l'objet pour accomplir sa fin. Le contenu n'est que le témoin de son aventure.

Si la philosophie n'est pas l'exercice d'une méthode, elle n'est pas non plus l'imposition d'un schématisme automatique à la riche plénitude d'un contenu extérieur. Tel est pourtant le sort de la triplicité kantienne devenue un « schéma sans vie » dans la philosophie de Schelling [68]. Ce profond pressentiment de la vérité devient « un truc » [69] dans l'univers de l'identité, dont tout l'avantage est dans la répétition. Mais cet avantage même devient lassant : « Sa répétition quand le truc est bien connu devient aussi insupportable que la répétition d'un tour de prestidigitation une fois qu'on l'a pénétré. » Ce procédé consiste à revêtir toute différence donnée dans la découverte du réel, d'un couple de déterminations inspirées du magnétisme polaire, à coller littéralement ce schéma sur chaque être comme on colle des étiquettes sur des boîtes, ou des bouts de carton sur un squelette [70]. Pas plus qu'on ne peut attendre des os la génération de la chair et du sang, on ne peut espérer de ce formalisme de l'identique la génération de la diversité du contenu. Pour être ainsi baptisé il doit être déjà là ; sinon sa réalité même sombre dans « l'abîme du vide » où toutes les différences s'effacent, comme les vaches dans la nuit allemande. Ainsi la nécessité n'est pas dans le contenu, et la nécessité de son côté n'a pas le contenu dès qu'elle est pure. Si la nécessité n'est qu'un revêtement, le contenu « ne peut échapper au destin d'être dévitalisé... d'être dépouillé et de voir porter sa peau par un savoir sans vie [71] ».

A cette connaissance « en surface », à cette méthode étrangère à l'objet, au schématisme automatique d'un Schelling, Hegel oppose une vision de la pensée philosophique profondément enfoncée dans la vie même de l'objet. « La connaissance scientifique exige qu'on s'abandonne à la vie de l'objet... S'absorbant ainsi profondément en son objet elle oublie cette vue d'ensemble superficielle qui est seulement la réflexion du savoir en soi-même hors du contenu [72]. » Le savoir véritable doit « séjourner dans la chose et s'y oublier [73] », s'abandonner à elle au lieu de s'abandonner à soi. La seule façon pour la pensée de se « réconcilier avec le riche contenu qui est devant elle [74] » est de surmonter ce *devant*, de sacrifier la distance qui est fausse liberté, de renoncer à soi pour se retrouver soi-même dans l'autre. La pensée doit « enfoncer cette liberté dans le contenu, laisser ce contenu se mouvoir selon sa propre nature, c'est-à-dire suivant le Soi en tant que Soi du contenu [75] » — ainsi l'activité du savoir « immergée dans le contenu » deviendra le mouvement même du contenu, son propre développement, « le soi immanent du contenu [76] ». Cependant le même mouvement qui réconcilie la pensée avec son objet, et lui vaut le séjour dans la richesse du contenu, réconcilie également l'objet avec la nécessité, qui n'est plus une forme extérieure à lui, mais sa propre transformation. En sorte que la nécessité qui s'abandonne au contenu s'abandonne à la nécessité même, assiste à sa propre naissance dans la génération du contenu et donne au contenu développé l'assurance que sa nécessité ne lui est pas ennemie, mais se confond avec sa propre liberté. C'est à cette genèse du contenu que nous voudrions nous attacher, à travers les trois moments du donné, de la réflexion, et du Soi.

A. LE CONTENU COMME DONNÉ

Quand la conscience naïve tente de se représenter le contenu, elle le conçoit comme un *donné*. C'est la pente naturelle de la pensée que d'imaginer sa propre opération comme une rencontre ou un geste. Ce que je rencontre est déjà là, le continent où j'aborde m'attendait depuis l'origine des temps. Ce que je saisis dans l'action *(Handlung)* ou tout simplement avec la main *(Hand)*, même si mon geste le révèle et le détache du contexte propre, était *déjà là*. Le fait d'être à portée de la main *(die Handgreiflichkeit* selon la jolie expression de la préface de la *Wissenschaft der Logik)* suppose une certaine antécédence : en un sens la pomme que je saisis est plus vieille que ma main ; même si elle est cueillie du dernier octobre, elle est πρεσβύτερον, chargée d'un autre âge, plus respectable par sa condition puisqu'elle assiste à la naissance de mon geste. De même les aliments que je consomme, ou les viandes qu'un chien dévore, s'ils n'existent dévorés que dans l'affamé, ont une autre dignité que sa voracité : ils étaient là avant la faim, et sans cette *prés*ence, l'acte de manger ne se nourrirait que de soi. Le donné est donc chargé de sens, et surchargé, puisque au simple *devant* se surajoute un *déjà*, et que l'*avant* n'est pas seulement dans l'ordre du temps mais encore dans l'ordre de l'être, et désigne l'origine même de ce qui est.

On pressent ici la profondeur du contenu dans la représentation naïve du donné ; et c'est ce qui explique le parti qu'en ont tiré des philosophies averties qui mettent à leur principe le témoignage de l'intuition et de l'évidence, c'est-à-dire de la pure réceptivité : il suffirait que la pensée s'ouvrît comme l'œil et vît ce qui lui est offert, soit directement dans le monde, soit plus directement encore en Dieu. Ainsi chez Descartes, si l'on exclut la préparation purement psychologique de la méthode qui est un dressage de l'attention, l'intuition est bien l'état de l'esprit où la vérité lui est *donnée* dans sa pureté, où les natures simples lui sont offertes dans leur discrétion originelle, et où l'esprit n'agit que pour se retenir d'agir, se prévient seulement contre sa prévention. Descartes ne fait là que reprendre la vieille pensée d'une raison contemplative, aussi simple et passive que le regard, « l'œil de l'âme » dont parle Platon, s'ouvrant sur un monde de vérités éternelles. Cet accès direct à l'éternel est aussi le travers de la pensée romantique contemporaine de Hegel, de cet illuminisme, de la *Schwärmerei* [enthousiasme] qui prétend remplacer la conception scientifique par l'intuition mystique et se dispense par là de tout effort conceptuel. Enfin c'est sur un donné primitif que s'élaborent les philosophies déductives et analytiques : il leur suffit de tenir ferme à un premier principe, donné dans l'intuition, pour établir la suite de leurs propositions. Un peu comme Spinoza commence par Dieu, et ne fait que développer un contenu qui est déjà donné, un peu comme Descartes commence par l'intuition et construit ensuite ses chaînes d'évidence, le dogmatisme part d'un principe premier qui, n'étant pas déduit ne peut être que donné, n'étant pas posé ne peut être que présupposé. Nous retrouvons ici l'expression philosophique de cette antécédence du donné qui est toujours pensé plus ou moins clairement comme une origine. Reinhold voulait accomplir le kantisme en cherchant comme Archimède et Descartes un point fixe où accrocher la déduction des catégories [77] ; Fichte part aussi en un certain sens d'une intuition primordiale, celle du Moi = Moi dont tout le reste découle ; quant à Schelling l'intuition intellectuelle de la totalité esthétique est non seulement l'origine mais la matière même de sa pensée. On voit donc ce qui est en cause dans la notion naïve du contenu-donné, et toutes les perspectives qu'elle découvre. Il faut les garder à l'esprit pour pénétrer le sens de l'analyse hégélienne.

Le mythe de la chute originelle est au cœur de la réflexion de Hegel sur ce thème [78] et il peut ici servir d'illustration. L'innocence dans laquelle la pensée vit face au donné est celle des premiers hommes dans le premier jardin, c'est aussi celle des animaux qui trouvent leur vie et l'acceptent sans question : le paradis est une animalité heureuse. Adam et Ève y avaient jouissance de l'arbre de vie, et interdiction de porter la main sur l'arbre de la connaissance. Vint la faute d'Ève ; le geste par lequel elle prit la pomme, qui était comme toutes les pommes, *handgreiflich*, à portée de la main, fut aussi le geste par lequel elle prit connaissance de la pomme, et en elle de tout ce qui jusque-là était *donné* : cette révélation fut la fin de l'innocence, la fin de la signification heureuse des choses, la découverte de l'essence même de l'immédiateté de la vie : le donné connu se montra divisé avec soi et différent de soi, sa vérité apparut alors dans sa destruction, et la scission envahit le monde [79].

Cette figure profonde se renouvelle dans la connaissance sensible commune. Que se passe-t-il en effet quand la conscience naïve se figure saisir un objet dans l'intuition sensible ? Le contenu sensible est converti dans son contraire par un saut brusque. Je pense saisir le donné sensible dans sa variété infinie, je le vise tel qu'il est, et je le rate : je vise l'arbre ou la maison ou le soleil en plein midi, et je ne recueille qu'un ici et un maintenant. « Notre *Meinung* [avis], selon laquelle le vrai de la certitude sensible n'est pas la vérité est ce qui seul demeure en face de ce maintenant et de cet ici vides et indifférents [80]. » Je pensais atteindre à la plénitude et l'être, je ne recueille que le vide et le néant. Ici commence le long détour que la connaissance doit entreprendre pour posséder dans la vérité ce qui échappe à sa certitude. Car ce que je vise et rate au début est pourtant là, est déjà là, mais ce déjà là s'éprouve aussi comme ce qui n'est pas encore là : l'être est immédiatement le néant, et pourtant ce n'est pas le néant que je visais mais l'être concret qui ne me sera donné qu'à la fin. Telle est la leçon de la *Phénoménologie* : le contenu donné se détruit dans l'acte même par lequel j'en veux prendre possession, mais il ne m'échappe pas en tant que contenu, il m'échappe seulement en tant que donné, et l'acte même par lequel je détruis le donné en lui est le premier moment d'une dialectique au bout de laquelle le contenu visé sera restitué à la connaissance, non plus comme un donné originaire mais comme un résultat médiatisé. C'est pourquoi l'origine se montre comme la fin, et dès l'humble épreuve de la connaissance sensible nous pouvons discerner l'ébauche de la circularité hégélienne. Elle est tout entière fondée sur le double paradoxe d'un contenu originaire qui se détruit comme originaire, mais qui demeure dans sa destruction, qui est donc à conquérir, à développer et à révéler avant d'être possédé dans son propre résultat. Mais, si en un sens le contenu n'était *déjà là* au commencement, il ne serait pas là au terme de son aventure ; en vérité il est déjà dans le mouvement par lequel il détruit en lui la forme de l'immédiateté et part à la conquête de soi, comme l'homme est déjà dans l'enfant qui doit détruire en lui l'enfant pour mériter l'homme. De même le résultat où il conquiert sa plénitude ne peut être autre chose que le contenu initial lui-même, dépouillé de l'innocence par laquelle il coïncidait naïvement avec la forme du donné, développé, devenu pour soi tel qu'il est en soi. C'est pourquoi la fin est le commencement et le commencement est la fin, le contenu est un cercle, c'est la découverte de soi dans l'extrême autre, reconnu comme l'être même du soi. D'où les figures hégéliennes qui nous présentent, un peu comme Platon l'amour, le contenu à la fois comme la jeunesse et l'âge mûr : « Le contenu est toujours jeune » puisque la poursuite qu'il entreprend est celle de sa propre innocence, qu'il ne détruit sa nature donnée que pour en dégager la vérité ; mais cette jeunesse obstinée se confond aussi avec l'essence de sa nature donnée, cette dignité qui la rend déjà plus âgée qu'elle-même et qui dans la jeunesse découvre déjà la maturité comme sa vérité. C'est pourquoi le contenu est aussi semblable à un homme âgé qui connaît vraiment l'enfant qu'il fut dans sa vieillesse même, et qui possède donc pour l'avoir perdue sa véritable jeunesse. Telles sont les significations qui se dégagent d'un premier examen, et que la suite de l'analyse du donné vont nous permettre d'approfondir.

L'expérience philosophique qui a vécu la brusque destruction du donné est pour Hegel l'empirisme. « C'est de l'empirisme qu'est parti *le cri* : qu'on doit renoncer à courir après des abstractions vides, qu'il faut regarder autour de soi, saisir le présent dans l'homme et dans la nature, et en être satisfait [81]... » Ce profond cri de libération, qui n'a d'égal dans l'histoire de la pensée que le cri de Husserl appelant « aux choses mêmes », retentit seulement dans le silence et retombe sur soi. Sans doute l'intuition de l'empirisme est-elle féconde si on la considère dans son principe : « L'ici, le présent, l'être accessible à l'intelligence, on devrait les substituer à l'être vide, inaccessible, aux toiles d'araignées et aux conceptions nuageuses de l'entendement. Par là on atteint ce point solide, qui échappe à la vieille métaphysique, c'est-à-dire la détermination infinie [82]. » Mais si l'on examine de plus près on observe que la détermination infinie du concret passe dans son contraire dès qu'on veut l'appréhender. Si on ne veut pas sa fin, il faut renoncer à sa connaissance, c'est-à-dire démentir son propre geste. Je puis bien renoncer à mon geste, mais alors ce que je visais n'a plus de sens pour moi et disparaît de mon univers. Le donné de l'empirisme se transforme dans la connaissance que j'en prends, dès l'instant même où j'en prends connaissance : c'est la perception qui décompose le concret, le réduit à des propriétés qui ne sont plus des données mais des universels abstraits. C'est par une réduction analytique que la perception cherche dans le donné sa vérité ; elle pèle l'objet « comme un oignon [83] » et ne voit pas qu'il disparaît dans ses propriétés comme l'oignon dans ses pelures : « L'analyse part de l'être concret ; elle maintient les différences, ce qui est d'une grande importance ; mais ces différences ne sont elles aussi que des déterminations abstraites, c'est-à-dire des pensées [84]. » Si bien que l'empirisme n'échappe pas à sa double tentation, ou bien d'être une pensée engourdie dans la matière, soumise au donné, et elle n'est alors qu'une *servitude* ; ou bien de falsifier le donné en présentant comme donné ce qui dans son appréhension s'est précisément détruit comme donné, et en retombant de la sorte dans l'abstraction. La leçon de l'empirisme est donc la même que celle de la connaissance sensible. Saisir le contenu comme donné *c'est le détruire comme donné*. C'est donc révéler en lui le néant comme son essence même, le définir par ce qu'il n'est pas, et le renvoyer à l'extériorité. Mais par là nous découvrons aussi le sens positif de cette destruction, qui n'est pas un simple anéantissement sans postérité, mais une *Aufhebung* : un dépassement où l'objet nié est en même temps conservé. La fin n'est pas ici une fin absolue, elle est vraiment le commencement. C'est dans sa propre fin que l'objet commence d'être ce qu'il est.

Cependant, cette fin n'est pas la véritable fin, celle où l'objet atteindra la réalité de ce qu'il commence d'être, c'est seulement la fin de l'immédiateté, l'anéantissement du donné. C'est donc aussi une fin dans la forme de l'immédiateté, dans la forme même du commencement. Nous savons ici seulement que le donné est le néant. Il faut attendre le moment de la réflexion pour voir se constituer l'être de ce néant, et voir le vide primitif éprouvé dans le donné se constituer lui-même son propre contenu.

L'anéantissement de toute présupposition qui nous est montré dans la dialectique phénoménologique, dans le sort de l'empirisme, pose cependant le problème de la présupposition à l'intérieur de la pensée hégélienne. Hegel ne rétablit-il pas dans la Logique l'antériorité ontologique qu'il s'acharne à détruire dans ses analyses concrètes ? Le donné qu'il chasse de la connaissance en devenir, Hegel ne le remet-il pas en place dans sa Logique ? Il reproche à Platon d'avoir considéré les idées comme des objets devant l'esprit qui les contemple dans l'entendement divin où ils préexistent à toute vision. N'a-t-il pas lui-même prétendu faire de la Logique « *die Darstellung Gottes* », la représentation de l'entendement de Dieu « tel qu'il était avant la création du monde [85] » ? La Logique n'est-elle pas dans son langage même ce qu'est l'ἀλήθεια du dogmatisme grec : « *Die Wahrheit ohne Hülle* [86] » dans sa vérité éternelle ? Les textes abondent dans ce sens, autorisant cette interprétation théologique de la Logique : elle est elle-même le contenu primordial, originaire, d'où toute vérité est issue, nature et esprit comme dans le platonisme toute existence sort du monde des idées, ou dans le dogmatisme leibnizien tout événement est l'effet de la pensée de Dieu; la Logique est un troisième Testament [87] où nous lirions non seulement la parole de Dieu mais ses calculs, sa pensée, sa manifestation. Hegel n'aurait fait que transposer sous une forme élaborée l'attitude des dogmatiques primitifs qui partent d'un terme premier : l'eau, le feu, la terre · · ou de la pensée religieuse qui est soumise à la révélation dont elle ne fait que développer et expliciter le contenu. Sans doute par la *Phénoménologie* la Logique se présente aussi comme un résultat, et ce résultat n'est sans doute « rien sans son devenir », sinon il serait un cadavre au sol. Mais ce résultat accomplit son devenir, et par là il est découvert comme sa raison d'être : la conscience découvre à la fin de la *Phénoménologie*, dans le savoir absolu, qu'elle n'est pas à elle-même sa propre vérité, qu'elle n'est pas sa propre loi, mais qu'elle est la manifestation de l'Esprit absolu, que sa vérité est donc hors d'elle, lui préexiste pour se manifester en elle, et que le plus haut point où elle puisse atteindre est de contempler et de connaître sa loi. La *Phénoménologie* est aussi sa propre destruction, elle se détruit comme forme, elle anéantit la différence de la conscience et de son objet pour ne plus considérer que *sa vérité* dans son contenu éternel : ce contenu est celui de la Logique où l'Esprit se contemple lui-même. Ne sommes-nous pas ainsi reconduits à une philosophie contemplative, innocente, où l'objet est donné dans l'élément même où il est donné, où son être et son sens coïncident, où l'œil n'a plus besoin de s'interroger pour voir, ni la main de craindre sa prise? On le croirait d'autant plus que Hegel a cessé dans la suite de considérer la *Phénoménologie* comme la première partie du système de la Science, et l'a réduite à un chapitre de la *Philosophie de l'Esprit*, remettant ainsi la manifestation à son rang dans la manifestation, et la subordonnant au Logos, qui est bien comme dans l'Évangile de saint Jean « au commencement », et de qui tout est issu — on pourrait même montrer que la conception hégélienne, qui rompt avec la logique formelle traditionnelle, fortifie cette interprétation : le Logos n'y est pas divisé entre un Logos objectif et un Logos subjectif, la vérité n'est pas écartelée entre le donné et ce qui confère au donné sa nécessité : les formes de la pensée unificatrice, de sorte qu'on aurait affaire à un être réflexif de la Logique, analogue à l'être des lois qui se dégagent des vulgaires objets scientifiques (Kant ne s'est pas élevé au-dessus de cette conception). La Logique serait alors elle-même conditionnée et son contenu présupposerait un autre contenu qui la fonde. Hegel au contraire pense la Logique comme l'unité de la forme et du contenu, dans le sens profond de l'ancienne métaphysique, pour qui le Logos est à la fois la substance qui se manifeste et la forme qui la révèle. Il rapporte volontiers les paroles d'Anaxagore pour qui le νοῦς est le principe du monde : la pensée ne renvoie pas à autre chose qu'à soi quand elle pense le monde. La Logique serait donc bien une ontologie, un contenu absolu constitué, le Royaume primitif de la Vérité.

Cependant, on comprend difficilement alors le développement de ce contenu. Si tout est déjà donné, par quelle nécessité propre le déjà va-t-il sortir de lui-même et se manifester ? Si le Logos est le tout et si le tout est originaire, comment expliquer la naissance des parties, la nature et l'esprit ? Si le hégélianisme est un dogmatisme, on se heurte à l'impuissance de toute philosophie dogmatique, qui pose le *tout* au début, le présuppose, et se voit incapable d'en déduire les différences. Or Hegel a conduit les attaques les plus acharnées contre le dogmatisme, et il n'est pas possible de concevoir cette contradiction fondamentale par laquelle il aurait reconstitué dans la Logique la présupposition que sa pensée a pour mission d'abolir. Si pour lui le donné est le néant, si le commencement est sa propre fin, la Logique doit être à elle-même sa propre négation et montrer dans le commencement moins le contenu que son absence. C'est ce qui se produit en effet si nous considérons non seulement la place de la Logique dans le système hégélien, mais aussi le commencement lui-même dans la Logique. Le mouvement par lequel la Logique devient Nature et Esprit, n'est ni un acte de création qui présupposerait à son tour un sujet créateur, ni une opération analytique, un inventaire, mais le développement par lequel l'Idée logique conquiert son propre contenu. Parlant des catégories kantiennes, Hegel remarque que Kant en un sens eut raison de les tenir pour vides, et que le vide est la raison même de leur développement : « Il ne faut pas s'arrêter à elles et à leur totalité, l'Idée logique, mais pour ainsi dire aller en avant et s'élever aux sphères réelles de la Nature et de l'Esprit. Il ne faudrait pas cependant se représenter cet aller en avant comme si par là l'Idée logique recevait un contenu étranger et qui lui vient du dehors, mais comme un mouvement engendré par l'activité propre de l'Idée logique, qui se développe ultérieurement comme Nature et comme Esprit [88]. » Considérée en elle-même, la sphère logique est donc abstraite, elle n'est pas un donné, elle est le vide primordial qui n'a d'autre existence que par le contenu qu'il se donne. Dans la Logique, le *donné* devient prisonnier du vide comme dans la connaissance sensible : « Le néant, disait Hegel dans *Differenz*, est ce qu'il y a de premier, ce dont tout être, toute diversité procède [89]. » Et il rappelle la théorie de certains anciens qui ont conçu *le vide comme moteur*. Cette génération du contenu par le vide logique explique que la Logique hégélienne ne soit pas une forme opposée à un contenu donné, mais que la nécessité de la génération soit aussi la nécessité du contenu engendré, que la méthode soit « l'âme immanente du contenu ». Elle explique aussi ce renversement qui rejette la totalité à la fin, au lieu de la poser au début. Pour ruiner toute présupposition, Hegel ne peut que débuter par le néant. On le voit dans le commencement de la Logique : Hegel part de l'être comme de la détermination la plus abstraite, *inhaltlos*, sans contenu, et découvre dans le non-être la vérité de l'être. « Le point essentiel qu'il faut bien saisir touchant ce commencement, c'est précisément que ce qui fait ce commencement, ce sont des abstractions vides, et que l'une d'elles est aussi vide que l'autre. Le besoin de trouver dans l'une d'elles ou dans toutes deux une signification déterminée est cette nécessité même qui amène leur détermination ultérieure et qui leur donne une signification véritable, c'est-à-dire concrète [90]. » Enfin, poussant le scrupule à l'extrême, Hegel envisage dans le premier

Livre de la *Grande Logique* qu'on puisse considérer encore l'être comme une présupposition, comme un donné originaire ; il resterait alors à élucider la notion même d'origine, pour savoir ce que signifie l'acte par lequel on commence : « Le commencement n'est rien, et doit devenir quelque chose. Le commencement est un néant pur, mais un néant dont quelque chose doit sortir [91]. » Ou comme le dit Hegel en termes encore plus explicites, « ce qui constitue le commencement, le commencement lui-même comme non analysable, dans sa simple immédiateté non remplie, c'est-à-dire en tant qu'être, doit être pris comme l'absolument vide [92] ».

Ainsi, que ce soit sur le plan de la connaissance sensible, du principe premier, ou de la notion logique d'origine, Hegel détruit la vieille notion de l'*en-soi*. Avant lui, l'*en-soi*, sous la forme des idées ou de l'empirie, est la position conceptuelle d'une totalité constituée, d'un monde originaire, qui absorbe en lui toute réalité. L'Idée platonicienne est un en-soi comme l'atome épicurien, car ils absorbent toutes les significations et les renferment en eux, sous la forme de l'exemplarisme, de la participation, ou de la causalité mécanique. Cette même notion d'une vérité comme monde se retrouve dans la substance cartésienne, et particulièrement dans la notion spinoziste de Dieu. La substance est posée comme l'*ens per se* [être par soi], c'est-à-dire comme une totalité constituée qui comporte à l'intérieur de soi sa propre nécessité, mais sans développement intérieur, de telle sorte que la substance est toujours *déjà là*, qu'elle est elle-même l'origine, et se précède toujours elle-même dans ses modes. Notons ici que cet en-soi peut être aussi bien un *a priori* qu'un *a posteriori*, [selon] que l'on considère le monde de référence dans sa totalité idéelle ou dans sa totalité empirique. Cette notion d'en-soi avait conservé sa primauté ontologique dans la philosophie de Kant, mais Hegel a déjà montré que cet en-soi n'est pensé chez Kant comme totalité accomplie qu'à la condition d'être pensé comme inaccessible, si bien que l'en-soi devient une référence hors de portée, un être sans détermination, sans contenu, un vide pur : la plénitude de l'en-soi est ici le vide.

Mais c'est un vide purement négatif : il joue seulement un rôle limitatif à l'égard du phénomène, et ne parvient même pas à se constituer en totalité authentique dans les idées de la raison qui ont un rôle régulateur et sont un *sollen*. Cet échec de l'en-soi le renvoie donc à sa pure négativité. Le mérite de Hegel est d'avoir pensé la positivité du vide, ou si l'on préfère la positivité du négatif, par quoi d'une part il élimine toute conception « mondaine » de l'en-soi, et assiste à sa génération. On représente souvent la philosophie hégélienne comme une philosophie qui envisage le monde *sub specie aeterni* [du point de vue de l'éternité], comme un système *a priori* de référence. Nous verrons plus loin en quel sens on peut retenir ce jugement. Mais il faut bien entendre ici que le propos de Hegel est de ruiner tout système de référence, de ruiner tout *donné pur*, qu'il soit *a priori* ou *a posteriori*, d'en dénoncer le caractère abstrait. L'en-soi n'est pas pour lui un tout constitué, c'est un vide originaire qui de son propre mouvement se constitue en tout. Si totalité il y a, et nous verrons en quel sens, elle ne peut exister qu'à la fin, de sorte que l'en-soi ne reçoit que par anticipation les caractères qu'il produit dans son développement : ainsi l'on peut soutenir qu'il est un *caché*, un germe, un non-existant qui se manifestera comme existant, un immédiat, un à-venir, on peut lire en lui les promesses du Tout comme on lit dans l'enfant les promesses de l'homme, ou dans le gland les ramures du chêne. Mais cette anticipation même accentue le renversement hégélien. L'en-soi n'y est plus un *déjà-là*, il est un *pas encore*, il est sa propre absence, il n'est en soi qu'en creux ; et notons-le, il n'est pas en creux dans quelque chose d'autre, qui serait alors l'en-soi de référence [93], il est *en creux en lui-même*, et ne se constitue que par la découverte dialectique de soi dans son propre néant. L'en-soi doit conquérir son propre soi. Nous verrons qu'alors l'en-soi conquis, par sa conquête même n'est plus un en-soi mais un *pour soi*, que la substance n'est plus substance mais Sujet, et que l'en-soi conquis, au moins dans le propos de Hegel, n'est pas la reconstitution de l'en-soi primitif, mais l'anéantissement de l'en-soi accompli, et son élévation à la Liberté.

B. Le contenu comme Réflexion

Si le contenu n'est pas un donné pur, cet « *enfermé en lui-même* » dont parle l'*Encyclopédie*, s'il se nie lui-même comme donné, il ne s'anéantit pas cependant comme contenu. Le vide que Hegel veut évacuer dans son propos même n'est pas à lui-même sa propre vérité, sinon la pensée ne parviendrait jamais à sortir du néant, et le néant lui-même serait impensable. La vérité du vide est l'être même du vide, c'est le contenu du nié. Hegel renverse l'axiome spinoziste pour qui toute détermination est une négation : toute négation est pour lui détermination [94]. Autrement dit, la négation a elle-même un contenu, elle est *négation de*, et contient donc en elle le terme qu'elle nie. Ce n'est pas ici le lieu d'insister sur la profondeur de cette intuition, par laquelle est exprimée la révélation que la conscience hégélienne pressentait dans ses méditations sur le vide : autant que la nature dans l'ancienne philosophie, la pensée dans Hegel a horreur du vide, et elle découvre avec bonheur que la nature du vide lui-même est d'avoir horreur de soi, de ne pas se supporter et de s'évacuer lui-même, en voyant qu'il porte en lui sa propre plénitude [95]. D'où le cri de joie de *Glauben und Wissen* sur la mort de Dieu qui est le commencement de la vie, sur la signification du négatif, qui est la vie elle-même, et sur le sourd travail du néant dans l'être [96].

Cette positivité du négatif explique que le contenu se conserve dans son anéantissement. Et par là nous passons du contenu comme donné au contenu comme réflexion. Le donné renvoie à sa négation comme à sa vérité, il cesse donc d'être cet enfermé en soi pour s'ouvrir sur l'extériorité et sur l'autre qui est sa vraie nature. C'est ici le passage de l'*en-soi* dans sa propre négation, qui n'est pas le vide pur, mais le contraire de l'*en-soi*, c'est-à-dire littéralement le *hors-soi*. Le contenu tente dans le donné de trouver sa vérité en soi, mais en soi il ne découvre que son propre néant : il est donc en soi autre que ce qu'il est ; la vérité du donné, au sens hégélien, où la vérité est la révélation de ce qui est caché, est donc l'*extériorité*. C'est dans le dehors qu'il faut chercher la vérité du dedans, dans l'homme développé le vrai de l'enfant, dans l'arbre chargé de fruits le vrai de la graine, dans la nature la vérité de la Logique.

Ici nous retrouvons la positivité du mythe d'Ève dont nous n'avions primitivement retenu que le négatif ; elle exprime la signification de la scission après l'anéantissement de l'innocence immédiate. Le Paradis perdu n'est pas le retour dans le chaos d'avant la création, ce n'est pas l'instauration du vide sur le monde, c'est le passage dans le dehors. Ève connaît la vérité de l'intimité originaire où le geste et l'objet avaient le même âge, au moment même où elle la perd : la vérité du Paradis est d'être perdu. La fuite des premiers hommes n'est que l'image en quelque sorte géographique de cette épreuve : la vérité est désormais l'exil, la vérité habite au-dehors, elle est elle-même le dehors. Hegel ajoute sereinement que cette mésaventure n'est pas une punition, mais une découverte toute naturelle puisqu'elle est la vérité de ce qu'elle détruit. Le vrai n'est donc plus le dedans, mais le dehors où sont chassés les premiers hommes, il est même le dehors de ce dehors puisqu'il est à conquérir sur l'adversité, le froid et les épines, dans le travail et la sueur, dans la lutte aussi par où l'homme connaît qu'il est non seulement l'autre de la nature, mais aussi l'autre de soi-même. C'est cette notion du contenu comme extériorité que nous voudrions dégager de l'ordre logique, naturel et humain.

1 (Logique). Le terme même de contenu peut nous conduire à déterminer sa nature logique. Le mot allemand *In-halt* [97] la désigne sans équivoque à la fois par la forme passive du radical et la préposition adventice : le contenu est un tenu, et ce tenu est *dans*, dans la dépendance d'un autre qui le tient. Le contenu indique un maître, et il en porte la marque jusque dans son nom. Il ne renvoie pas à soi, n'est donc pas un donné dans la forme de l'immédiat, il renvoie à un autre

comme à son constituant. Il n'a donc pas de subsistance par soi, il n'est pas l'Un parménidien compact et suffisant, il ne subsiste que par l'autre, c'est en l'autre qu'il a subsistance et vérité.

En ce sens il se découvre comme *inessentiel* par soi, et reconnaît l'autre comme *essentiel* pour lui ; ce *pour lui* est la mesure de sa médiation : son être ne lui appartient pas, n'est pas *per se* ; l'être qu'il est essentiellement est hors de soi, et il n'est ce qu'il est que par référence à cet être hors de lui, par son détour et sa médiation. L'être de l'inessentiel est un être seulement par la médiation de l'essentiel. Mais cet essentiel lui-même qui lui confère sa signification, quelle en est la nature ? L'essentiel est-il un *ens per se* ? Dans ce cas il serait référence absolue et *ens per se*, mais le simple rapprochement de ces deux définitions ne se conçoit pas. La référence implique des termes extérieurs qui se réfléchissent sur elle, tandis que l'*ens per se* n'a pas d'extérieur. Or l'inessentiel comme tel ne disparaît pas devant l'essentiel puisqu'il subsiste, et que du point de vue de l'inessentiel, l'essentiel est le détour qui lui accorde la subsistance. Dans la réflexion, l'essentiel n'absorbe donc par les termes extérieurs, il n'est donc pas *ens per se*, mais, au moins dans une certaine mesure, il est lui aussi *par autrui*, et il reçoit sa nature du dehors, le caractère d'essence n'est pas de naissance, mais lui vient par le détour de l'inessentiel. C'est en se réfléchissant sur l'inessentiel qu'il connaît son essentialité, c'est donc par la médiation de l'inessentiel que l'essentiel est confirmé en lui-même. D'où une certaine faiblesse de l'essentiel, qui dépend en réalité de l'inessentiel par la relation même où il exerce sa domination sur lui.

Cependant cette dépendance est injurieuse, de quelque extrémité qu'on la considère : la nécessité de la médiation qui réduit l'altérité des termes ne les réduit qu'à leur propre hostilité, elle n'est que la conscience de leur hostilité et de leur dépendance acharnées, elle ne peut aboutir qu'à l'exaspération ; envisagée sous l'angle du rapport réflexif la médiation n'est pas médiation avec l'autre, elle est médiation avec soi par l'autre, elle suppose donc l'antagonisme de l'autre, et la domination absorbante de l'autre dont la présence n'est donc pas reconnue pour elle-même, mais est acceptée par contrainte comme une nécessité haïssable. Pour se réfléchir sur soi, c'est-à-dire pour se découvrir tel qu'il est, l'inessentiel doit passer par la servitude de l'altérité et l'essentiel par l'humiliation de la dépendance. Des deux côtés la médiation (qui n'est ici qu'immédiate) est donc une pure servitude et l'altérité devient l'exercice même de la contrainte et de l'impureté. Le lien de la médiation apparaît dans sa vérité qui est d'être un *non-lien*, il se détruit lui-même pour ne laisser subsister que les termes de la réflexion dans l'épreuve de la contradiction.

Tel est en quelque sorte par transparence le schème de la dialectique du contenu comme réflexion. Comme on le voit, l'altérité n'y a pas toujours la même rigueur : elle est d'abord simple altérité, c'est-à-dire *différence* dans l'appréhension du terme sur qui le contenu se réfléchit; cette position du deuxième terme devient *médiation* quand les deux termes se confèrent mutuellement leur nature et éprouvent cette dépendance mutuelle; mais cette épreuve est insupportable car ce lien médiat n'est que la réflexion de la réflexion sur elle-même, et comme l'élément de la réflexion est l'extériorité, la réflexion se réfléchissant sur soi se réfléchit en réalité hors de soi et se détruit (ou se dégrade en moyen terme – en *Mittelding* qui s'effondre), laissant face à face les termes du contenu dans la *contradiction*, qui est le non-lien pur à l'intérieur du lien et l'hostilité sans médiation, car la médiation par l'hostilité n'est pas encore reconnue. La contradiction est donc ici le contenu développé de la réflexion, elle en est la vérité. Elle en demeure la vérité dans la mesure où la contradiction n'est considérée que comme la vérité du contenu, et non comme sa réalité, tant que la contradiction reste le destin du contenu sans être sa nature même.

La dialectique de la forme et du contenu nous donne un bon exemple de l'être de la réflexion. L'effort de Hegel va ici encore à l'anéantissement de toute matière substrat, qui préexisterait à sa forme comme le marbre préexiste au visage, même comme pure possibilité logique. Le problème de la relation forme-matière, où les termes sont distendus, où, aux extrémités, on peut admettre l'existence d'une matière première sans forme, et d'une forme ultime sans matière, ce problème qui dans son énoncé laxif [*sic*] représente le retour dissimulé d'une conception de l'en soi-référence, Hegel le resserre, et lui donne son authentique expression dans la dialectique de la forme et du contenu, qui est une dialectique de dépendance.

Le contenu n'a pas de subsistance hors de sa forme : « Ce qui distingue le contenu de la matière, c'est que celle-ci, bien qu'elle ne soit pas virtuellement amorphe, se produit cependant dans son existence comme indifférente à l'égard de la forme, tandis que le contenu comme tel n'est ce qu'il est que parce qu'il contient la forme achevée [98]. » Et de même il faut avancer que la forme non plus n'a pas de consistance hors de son contenu, et qu'il n'est pas possible de penser une forme pure sans penser en même temps un certain contenu à l'intérieur de cette forme. Bref, la réflexion hégélienne accentue le rapport dialectique des termes en présence et met en évidence l'opération de bascule par laquelle on passe de la forme au contenu et du contenu à la forme : c'est un *Umschlagen* [renversement]. Ainsi l'essence passe dans le phénomène quand on la considère, le tout se résout en parties, l'intérieur devient l'extérieur, la force sa manifestation. Mais inversement le même *Umschlagen* transforme le phénomène en essence, les parties en tout, l'extérieur en intérieur, la manifestation en force : « Ici se produit en soi le rapport absolu de la forme et du contenu, et comme le renversement de l'un dans l'autre, de telle sorte que le contenu n'est rien d'autre que la forme se changeant en contenu, et la forme rien autre que le contenu se changeant en forme [99]. » Ce que nous appellerions ici une dialectique du sablier nous paraît extrêmement proche des contaminations dialectiques mises en évidence par la *Gestalttheorie*. Entre la forme et le contenu sur le plan de l'essence, s'établissent à peu près les mêmes relations qu'entre les figures et le fond de la *Gestalt* : quand l'esprit cesse de fixer la figure comme figure, elle devient fond, du moins dans certains cas ambigus, et le fond devient lui-même figure. Tel est par exemple le cas de la force : quand je m'interroge sur le contenu de la force, je suis renvoyé à la manifestation, et aussitôt ce dans quoi je cherchais le contenu, c'est-à-dire la force, devient la forme et se sépare de son contenu. De même si j'interroge le tout, je découvre qu'il réside dans les parties, et dès l'instant où l'accent se déplace ainsi d'un terme sur l'autre, le terme visé se transforme et devient extérieur à soi : le tout qui connaît sa vérité dans les parties n'est plus alors que forme, lien extérieur qui les retient dans leur cohésion. Mais si à ce point de division je me demande quel est le contenu des parties, je vois aussitôt qu'il n'est nulle part hors du tout, où il se réfugie derechef comme chez lui, fuyant mon regard, et me laissant face à l'isolement des parties.

On saisit ici l'ambiguïté fondamentale du contenu comme réflexion : cette dialectique du sablier, cet *Umschlagen* de la forme dans le contenu et du contenu dans la forme n'est pas éprouvé comme l'être même du contenu, qui ne se connaît que dans l'extériorité qui est un moment de ce mouvement. Le contenu est ici chassé de soi, et renvoyé hors de soi, mais alors que c'est bien le même qui est à la fois en lui et hors de lui, qui est le dedans et le dehors, il ne se prend pas pour tel. Au plan réflexif le contenu rencontre sa vérité dans l'autre, mais ne se sait pas autre. D'où les relations qui s'établissent à l'intérieur de ce malentendu et où le contenu se débat dans l'indifférence, l'altérité et l'hostilité, sans savoir qu'il ne se débat que contre soi. « Le destin, dit profondément Hegel, est la conscience de soi comme d'un ennemi. » Cet ennemi qu'il rencontre dans la réflexion sur autrui, le contenu n'en pourra venir à bout qu'en se reconnaissant en lui, et en cessant de se déchirer lui-même. Cependant c'est dans le combat qu'il apprend sa dépendance et la nécessité de passer par un autre, donc de contenir la médiation : « Le contenu entraîne une médiation [100]. » Là il découvre que cet autre est un étranger qui exerce sur lui un pouvoir de contrainte, comme l'esclave l'éprouve du maître, ou le phénomène de l'essence. C'est dans l'altérité le grand déchirement de l'entendement dont la philosophie kantienne offre l'exemple accompli, où le contenu et la forme, le donné et la nécessité, le particulier et l'universel, se conditionnent mutuellement dans l'hostilité. D'où l'incapacité de réconcilier dans le combat des adversaires qui se nourrissent du combat même : la philosophie réflexive pose donc la nécessité face au contenu, l'universel face au concret, et n'arrive à établir entre les termes ainsi écartelés que les liens de la réflexion qui les engendrait. Le problème même qui provoqua la méditation de Hume : comment réconcilier la nécessité et le contenu, n'eut d'autre issue que de reposer les termes face à face, dans la position même de la réflexion du philosophe : un contenu sans nécessité face à une nécessité qui n'est qu'habitude. De même Kant ne fit que maintenir, comme nous l'avons noté, sous des artifices intermédiaires, l'opposition fondamentale à l'intérieur de laquelle sa pensée se mouvait. Avec Fichte le problème de Hume se renverse : mais s'il n'est plus question de dégager la forme nécessité du contenu, c'est la forme elle-même qu'il s'agit d'introduire dans le contenu. L'issue de cette tentative qui reste dans le *sollen* prouve que cette hostilité des termes n'est pas surmontable à l'intérieur de leur division, et que tant que le contenu ne se reconnaît pas dans l'autre comme soi, il ne peut se libérer de la domination et de la dépendance. L'homme libre selon Fichte n'est en fait qu'un esclave ignorant, tandis que pour Hegel la liberté commence pour l'esclave avec la conscience de sa servitude. Enfin cette hostilité atteint son paroxysme dans la contradiction où le contenu ne rencontre plus une forme indifférente, une extériorité accidentelle, mais où il se rencontre lui-même dans son contraire. Tel est le paradoxe de la contradiction hégélienne, qu'elle constitue la forme la plus élevée du lien à l'intérieur même du non-lien. On connaît ce mot de jeunesse où Hegel exprime son ambition de penser « le lien du lien et du non-lien ». La pensée de la contradiction est le point où le lien est pensé à l'intérieur du non-lien, et avec une telle intensité qu'il suffirait de peu pour que le non-lien apparût comme la limite du lien et fût lui-même pensé comme lien. Ce peu a manqué à Kant qui dans les antinomies a rencontré la contradiction dans le contenu sans vouloir l'y maintenir. Kant a trouvé devant lui la contradiction mais n'y a vu qu'une déficience de la raison, alors que la contradiction est l'être même du contenu. Sur ce point les textes abondent : il n'y a rien dans le ciel et sur la terre qui ne contienne la contradiction, telle est la vérité que la dissertation sur les planètes de 1801 présentait dans la « *contradictio regula veri* » et que l'on retrouve dans toute l'œuvre de la maturité : « Toute chose est en soi-même contradictoire [101]. » Nous voilà loin, même sur le simple plan de la logique, de ce contenu compact que la conscience sensible visait dans son innocence. La négation, la médiation et la contradiction ont fait sortir de lui-même le contenu et l'ont si bien fixé dans l'extériorité qu'il finit par ne plus reconnaître l'extériorité comme le lieu de son existence, et que littéralement il se *contre-dit*, ou se dit lui-même en repoussant de soi son contraire.

2 (Nature). Cependant, cette analyse logique est aussi une abstraction, comme l'analyse du donné nous l'a montré. L'extériorité logique n'a de sens, même réconciliée avec elle-même, que dans l'accomplissement de la Logique. Paradoxalement, l'analyse de la réflexion est encore un en-soi, en ce qu'elle demeure dans l'élément de la pure pensée. Le pour-soi de cet en-soi ne peut être la réflexion à l'intérieur de l'en-soi, mais l'extérieur même de l'en-soi, c'est-à-dire la Nature. Hegel retrouve ici la vieille intuition d'une nature dont l'extériorité est doublement l'essence : c'est parce que la Nature est extérieure au Logos qu'elle est extérieure à elle-même, et qu'elle demeure *partes extra partes* : « La Nature s'est montrée comme l'Idée selon la forme de l'être autre. Comme l'Idée est aussi en tant que le négatif d'elle-même, autrement dit comme elle est extérieure à elle-même, la Nature est extérieure non seulement par rapport à cette Idée, mais l'extériorité constitue la détermination dans laquelle *elle* est comme Nature [102]. » C'est cette extériorité du contenu vis-à-vis de soi

que Hegel reconstitue dans la *Philosophie de la Nature*, depuis la grande dispersion de la mécanique, jusqu'à la concentration relative de l'organisme, en passant par l'extériorité réflexive de la Physique.

Il n'est pas difficile de saisir cette extériorité dans l'espace, où le contenu est en quelque sorte juxtaposé à soi-même [103], où par conséquent l'universel est une pure abstraction. Mais il est peut-être plus malaisé de comprendre l'extériorité de l'organisme à l'autre extrémité de la dialectique naturelle. Dans l'organisme en effet, comme le montrent les textes de la *Phénoménologie*, se réalise une totalité vivante, où chaque partie ne subsiste qu'en fonction du tout, et le tout lui-même en fonction des parties. Une partie isolée perd son sens : une main coupée, dit Hegel, n'est plus une main. Cependant la totalité de l'organisme est elle-même à un double titre liée à l'extériorité : d'abord l'organisme ne subsiste par soi que formellement puisqu'il tire sa substance de l'inorganique ; ainsi la totalité organique renvoie à un extérieur qui la conditionne. Si l'on envisage l'être vivant sous cet aspect, on peut soutenir indifféremment qu'il contient son but à l'intérieur de soi — mais alors ses moyens lui sont extérieurs, ou qu'il est en possession des moyens — mais le but alors est hors de lui. En un autre sens l'être vivant est un extérieur à soi : en effet il ne renferme pas en soi l'universalité ; l'individu qui se développe engendre un *autre* individu comme son résultat, et il s'anéantit lui-même devant son produit. Remarquant la coutume de certains primitifs qui tuent leurs vieux parents, Hegel note que c'est le sens même de la vie : l'enfant est littéralement la mort de ses parents. Autrement dit, et cela est aussi vrai de la plante que de l'animal, le genre manifeste son extériorité parce qu'il détruit les individus pour se réaliser. La « non-conformité de l'animal avec l'universel est sa maladie fondamentale, et le germe inné de la mort. Le dépassement de cette inadéquation est lui-même l'accomplissement de ce destin. L'individu la dépasse en insérant ses singularités dans l'universalité, mais il n'atteint par là, en tant qu'elle est abstraite et immédiate, qu'une objectivité sans processus, si bien qu'il se tue ainsi par lui-même [104]. » Cette incapacité à posséder à l'intérieur de son propre développement l'universel, et à le conserver dans sa disparition, fait que l'être vivant ne réalise pas une totalité véritable : le cycle de la graine qui croît, acquiert des branches et des feuilles, pousse des fleurs et des fruits, se clôt par une graine qui tombe. Cette graine est sans mémoire, elle ne contient rien de plus que la graine qui lui donna l'occasion de naître et mûrir, elle n'est pas une histoire, mais une aventure qui se répète. Hegel reprend ici la vieille conception aristotélicienne d'une nature cyclique, où l'universel est le cercle organique qui produit à l'arrivée son propre point de départ inaltéré : « La nature est comme elle est ; ses modifications sont donc seulement des répétitions, son mouvement n'est qu'un mouvement circulaire [105]. »

Ce phénomène de la répétition par lequel le développement se coupe de soi, reprend son cours naïvement, comme si le passé sombrait à chaque instant dans le néant, bref se juxtapose, empêche de considérer la nature comme une totalité authentique. Nous en sommes à un point où la totalité est encore dans une certaine mesure extensible, où les parties ne sont pas intériorisées parfaitement, mais combinées dans la dispersion et la répétition. Le plus haut point de concentration où la nature atteigne est la réalité des cycles organiques, où Hegel retrouve cette extériorité fondamentale des *partes extra partes* qui est si évidente dans l'espace. La totalité de la nature est extérieure à soi, et c'est pourquoi Hegel ne peut s'arrêter à cette conception héritée de l'hellénisme, d'une nature comme Tout qui épuiserait en elle toutes les significations, et réaliserait l'unité réflexive des différences. Nous retrouvons ici la tentation de concevoir le contenu comme un tout, non plus originaire mais réflexif, et cependant constitué de telle sorte que la réflexion y soit comme annulée par une aberration qui la représente comme sa propre répétition. Nous avons vu plus haut la signification de cet *Umschlagen* du tout dans les parties, et des parties dans le tout : c'est à ce phénomène que nous assistons dans la conception de la *natura naturans* et de la *natura naturata*, ou dans la pensée d'un Giordano Bruno que Schelling reprend à la fin de sa carrière. Que l'on représente la nature comme une totalité extensive, un grand vivant, ou l'indifférence, on pose toujours la totalité dans son extériorité : les parties hors du tout, la vie hors du vivant; on répète dans un terme ce qu'on pose dans l'autre parce que les termes n'ont pas de sens hors de leur réflexion; la vie n'est qu'un universel face aux individus, mais un universel destructeur : « La nature tombe de son universel, la vie directement dans l'individualité de l'existence externe. Les moments de la simple détermination et de l'activité vivante individuelle réunies dans cette actualisation produisent le devenir seulement comme un mouvement contingent, où chacun est occupé de sa partie, où le tout est conservé. Mais pour elle-même cette agitation est limitée à son point central, car le Tout n'est pas présent en elle, et le Tout n'y est pas présent parce que à ce niveau, le tout n'est pas encore *pour lui* [106]. » Ici donc la totalité réflexive de la nature nous apparaît dans sa déficience : elle appelle une totalité qui ne soit ni un immédiat ni une réflexion, ni un donné ni un cosmos, mais une intériorité. « La nature organique n'a pas d'histoire [107]... », c'est-à-dire ne possède pas cette dimension intérieure par laquelle, cessant d'être réflexion sur un autre, le contenu devient réflexion sur soi-même.

3 (L'Homme). C'est la même extériorité réflexive qui caractérise toute anthropologie édifiée à ce niveau, par exemple celle de la Renaissance et de l'Aufklärung. L'homme n'y est plus défini en soi : sa nature au contraire est d'être une détermination réflexive de la nature, d'être dans la dépendance de la nature tout en étant différent d'elle. En tant que vivant, il est un organisme qui consomme une nature inorganique, et en fait sa propre nature; en tant qu'homme il nie sa nature propre, et cette négation entraîne aussi la négation de la nature inorganique, mais cette négation n'est pas conçue comme une négation retournée en soi qui absorbe sa présupposition; elle est une négation déterminée, ordonnée à la nature qui sert de référence, elle est donc conçue comme une

détermination de la nature elle-même. Ainsi fixée dans un contexte déterminé, située dans un univers constitué, la négativité humaine retombe à l'état de nature, elle est un élémênt de la nature : il y a des lois de la nature humaine comme il y a des lois de la nature tout court. Aristote trouvait dans la politique humaine la même circularité que dans la nature; les philosophes de la Renaissance ont conçu l'homme comme un petit monde. Quant à la science post-cartésienne, elle s'est ingéniée à démonter dans l'homme la rigoureuse machine animale dont le fonctionnement obéit aux lois qui régissent les corps. Enfin les philosophes et juristes du XVIIIᵉ siècle (de Montesquieu à Grotius [*sic*]) ont dégagé la part de nature qui gouverne toutes les entreprises humaines, et fondé la théorie du droit naturel.

Ainsi, considère-t-on l'homme, on se voit renvoyé à la nature. Mais considère-t-on la nature, on n'y découvre que le contraire de l'homme. Hegel à propos de la phrénologie de Gall remarque l'absurdité du jugement qui voit l'homme dans un os du crâne : « L'esprit n'est pas un os », ou d'une façon plus générale aucune détermination naturelle. Les philosophes de la Renaissance avaient déjà curieusement conçu ce renversement de l'homme dans la nature et de la nature dans l'homme : mettant en face l'un de l'autre le petit monde et le grand, ils cherchaient alternativement dans l'univers la signification de l'homme, et dans l'homme la signification de l'univers. Ils reprenaient là la vieille tradition judéo-chrétienne de la pré-éminence d'Adam [108], et de la négativité humaine; on pouvait lire chez certains d'entre eux que la signification du monde est épuisée par l'homme [109], et que l'univers n'existe que pour être assumé, repris, instauré en dignité et vérité par la pensée humaine. Cette excellence de l'homme n'avait pas échappé à la réflexion du XVIIᵉ siècle qui entend bien avec Pascal que « toute la dignité de l'homme est dans la pensée », mais cette nature non naturelle de la pensée était aussitôt retombée dans la substance des cartésiens, qui est bien coupée de l'étendue mais est une chose dont la pensée n'est que l'attribut. Par là la dialectique de l'*Umschlagen* se trouvait intériorisée dans l'idée obscure de l'union de l'âme et du corps : c'est en l'homme même que le renversement s'opère entre les passions et la volonté, entre le déterminisme de la nature et la liberté de l'action. L'antinomie kantienne de la liberté et de la nécessité est la vérité de cette conception de l'homme qui le pose face à sa propre nature et à l'univers dans une négativité toute extérieure, c'est-à-dire dans la domination de la servitude. C'est cette même négativité extérieure qui permit de penser la négation de la nature par l'homme dans le travail sur le type de la transformation organique : comme la modification d'une matière commune et universelle, ou même comme le prolongement des lois biologiques et mécaniques. La nature est soumise à l'homme qui la parcourt, dompte les animaux, laboure les champs et la mer, et « prend les oiseaux dans ses filets [110] ». Mais l'homme est un roi soumis à la servitude de la poussière. L'animal est la ruse qui triomphe du raisonnable et ressaisit l'homme dans sa pourriture, « puis les moissons poussent à nouveau dans le silence ». La seule issue offerte à cette contradiction vivante qui ne sait pas que la contradiction est la réalité de son être, est de penser la réalisation de sa négativité sur le mode de l'au-delà, comme Kant projette dans le *sollen* la conciliation des contradictions réflexives, c'est-à-dire en Dieu. Sur ce plan la réflexivité de l'homme lui interdit de se constituer en totalité, ou plutôt les totalités qu'il tente de réaliser sont défaillantes et avortées.

La première est l'amour, totalité dans laquelle les amants ne sont que l'un par l'autre, se renvoient leur propre image, et cherchent à compléter le manque de leur nature par la nature de l'autre. La vieille théorie de la division du sexe est latente dans cette conception de l'amour qui voit dans l'homme un homme coupé en deux dont les moitiés cherchent à se réunir, et sont vouées à la rencontre par leur division même. Mais cette totalité dans la forme de l'extériorité, dans l'amour naturel ne s'élève pas au-dessus de l'animal, la totalité ne s'accomplit que hors de lui, dans l'enfant qui est un au-delà de l'amour. Ce processus met seulement en évidence la domination de l'espèce qui se sert de l'amour pour perpétuer le genre : l'universel que l'homme engendre n'est pas celui de l'amour, mais celui du genre qui le contraint et règne sur sa mort. Ici encore la médiation est immédiate en ce qu'elle détruit sans conserver, et la négativité est extérieure : la mort est dans le cadavre et l'enfant la vérité de l'amour, et l'universel se trouve refoulé dans le règne de la loi naturelle. L'espèce humaine est une espèce inhumaine.

La deuxième totalité avortée est celle de la vie politique. Dans cette perspective nous retrouvons le même renversement entre la particularité humaine et l'universalité inhumaine de l'État dont l'essence est la loi. Ici encore l'homme n'est pas réconcilié avec l'universel, mais le subit dans la servitude. Le seul lien réflexif qui s'établisse est ici celui du transfert dialectique de bascule : la nature humaine indique la loi comme son essence, mais l'extériorité de la loi à l'homme fait que l'homme subit littéralement sa vérité comme une servitude. La vérité de l'homme n'est pas sa réalité puisqu'elle est hors de lui, la loi n'est pas la chair de sa chair, mais l'étranger qui anéantit sa chair dans sa chair. L'État fichtéen réalise l'essence de cette domination, où une multitude d'atomes humains subit la dictature de l'universel [111], qui est au sens propre un intolérable, puisqu'il est à la fois la vérité et l'écrasement de l'homme.

Enfin si l'homme tente de reconstituer en esprit cette totalité qu'il ne vit pas en réalité, il aboutit au même échec dont l'idéalisme et le réalisme sont la conscience développée, où l'on voit l'universel se déverser alternativement d'un extrême dans l'autre. Tantôt c'est l'objet qui est posé comme universel, et le sujet lui est assujetti comme un contenu particulier brutalement confronté avec une vérité extérieure. Tantôt c'est le moi, l'universel abstrait qui pose l'universel en face de tout contenu particulier ; mais l'objet ne peut pas plus se libérer définitivement du sujet que le sujet de l'objet. Les extrêmes alternatifs sont prisonniers de leur hostilité, des frères ennemis condamnés à la lutte perpétuelle [112]. A cette hétérogénéité de la forme et du contenu, il n'y a que deux issues « idéologiques », qui ne sont en réalité que des simulacres de totalités.

La première tentative, réfléchissant sur la réflexion, aboutit à l'anéantissement progressif de la réflexion dans la substance, où la négativité extérieure à elle-même est réduite à une fausse différence (Spinoza) ou à l'indifférence (Schelling) ; que cette substance soit conçue comme esprit ou comme matière, elle n'est qu'un universel compact reconstitué, qui absorbe jusqu'à la réflexivité de sa constitution – et alors l'idéologie constituée devient un monde absorbant de force le monde. Hegel remarque du système spinoziste qu'il est non un athéisme mais bien plutôt un acosmisme – et là où le monde disparaît l'homme aussi est voué à l'anéantissement ; et comme ni l'homme ni le monde ne disparaissent réellement (ainsi Spinoza n'est pas absorbé réellement par l'*Éthique* qui lui reste extérieure, et qui donc admet en fait l'extériorité), l' « idéologie » reste réflexive en fait jusque dans sa volonté de réduire la réflexion.

C'est cette impossibilité de réduction qui inspire la seconde tentative. Au lieu de concevoir la réalité de la totalité dans la substance, elle s'arrête à l'avortement de la totalité dans la réflexion, et pense la totalité comme non réalisée. Mais la non-réalisation de la totalité est elle-même une détermination réflexive qui renvoie à la totalité, conçue à la fois comme réalité et comme non réalisée, c'est-à-dire comme réalisée au-delà de la réalité naturelle. Le Tout est donc un au-delà où toutes les contradictions s'apaisent : « Dieu est le ruisseau où s'écoulent les contraires » dit Hegel, où l'universel et le particulier sont frères, où la totalité triomphe enfin. Mais cette forme de pensée (la philosophie classique jusqu'à Hegel – les religions) établit en fait une nouvelle contradiction entre ce monde et son au-delà, et la réalité de ce monde devient un terme de cette nouvelle réflexion où la contradiction réelle renvoie à une totalité fictive. D'un côté nous avons réalité sans totalité, de l'autre totalité sans réalité. En fait la dépendance n'est surmontée ni d'un côté ni de l'autre, puisque l'au-delà est esclave de ce monde qui le conditionne, et ce monde se voit imposer, dans la religion et la pensée, la domination d'un au-delà qui est sa vérité sans être sa réalité même. Il n'y a pas de nature heureuse.

Ce malheur même est le pressentiment d'une totalité qui ne soit plus un simulacre mais une réalité. Dans la réflexion le contenu renvoie à un au-delà qui est sa vérité : il faut réconcilier le contenu avec sa vérité et dépasser la réflexion extérieure. La vérité que la réflexion dénonce est l'au-delà d'elle-même : il n'y a pas d'autre totalité possible, et c'est la profondeur de la réflexion de se détruire elle-même dans sa vérité [113], ou plutôt d'amener l'expression de sa vérité à ce point de déséquilibre que la réflexion ne tolère sa vérité qu'en image, ou s'anéantit elle-même dans sa vérité réalisée. La réflexion tient sa vérité à distance de soi, et la contemple dans des images peintes. Elle sent confusément que cette distance et ces images sont le sursis où elle subsiste. Que sa vérité devienne réelle, que ses images se fassent homme, la réflexion se vide et se réduit à une forme inconsistante. Tel est le sens du passage hégélien de la religion dans le savoir absolu, où le contenu est intérieur à soi. Dieu est la vérité où la contradiction du contenu s'apaise, mais cette vérité n'est pas réelle dans les idéologies réflexives. Dieu cependant est posé comme l'au-delà de la réflexion. Cette remarque a une triple signification : d'abord la vérité de la réflexion est proprement son dépassement et son anéantissement ; ensuite cette fin de la réflexion est la réalisation de sa vérité, c'est au sens propre *Dieu fait homme*, la Révélation chrétienne devenue monde ; enfin cette réalisation ne fait que détruire l'extériorité de la forme dans laquelle la vérité était donnée à la réflexion – quant au contenu il est le propre contenu de la vérité réflexive, mais libéré de l'extériorité et rendu à lui-même. Nous voici parvenus au terme de ce processus : le contenu ne se réfléchit pas sur autrui, mais sur lui-même, il ne connaît plus la servitude de l'extériorité, il est libre et n'a plus affaire qu'à soi, il est *Soi*.

C. Le contenu comme Soi

La conception du contenu comme Soi exprime une intuition profonde de la pensée hégélienne qui voit dans la contradiction l'avènement de l'unité et dans la servitude la gestation de la liberté. Le contenu, après avoir détruit l'immédiateté du donné, dans l'altérité réflexive, réalise dans le Soi la vérité de la réflexion, et parvient à la paix et à la totalité. Le néant initial conquiert enfin l'élément de la vérité et de la réalité, l'unité authentique où la totalité est rassemblée, où elle cesse d'être divisée contre soi et de chercher hors de soi sa propre vérité. Le Soi est soi-même dans l'autre, il est à la fois par soi et par autrui, et surmontant la contradiction, se reconnaît lui-même dans son ennemi. Le contraire n'est plus seulement la chair du contraire mais la chair de sa chair, et le combat apaisé devient la méditation de la fraternité. Cependant cette nécessité découverte n'est pas une nouvelle servitude, mais l'exercice de la liberté : le contenu est à soi-même son propre contenu, il est en tout lieu, comme Dieu, et en tout lieu *chez soi*, c'est-à-dire libre. Sans aliénation extérieure, sans aliénation intérieure, le contenu est l'*Absolu*.

Le *concept* (*Begriff*) est pour Hegel l'instrument de la libération du contenu, et sa nature même. Quels sont donc les caractères du concept hégélien ?

Il se distingue non seulement de l'intuition mais encore du concept couramment entendu. Si, très schématiquement, on sépare les philosophies de l'intuition des philosophies du concept, la philosophie hégélienne est résolument une philosophie du concept. Elle nie donc la primauté de l'intuition et de l'évidence, ces vertus cartésiennes par lesquelles l'esprit s'ouvre un accès direct à l'universel : l'intuition chez Descartes est un don de Dieu, et la part humaine y est simplement d'ascèse ; il suffit par le doute d'écarter les préventions et les images impures pour atteindre dans l'intuition la terre ferme de la vérité. Cette atteinte est en quelque sorte de droit [114] et chez Platon comme chez Descartes, tout le problème consiste dans l'approche du vrai, dans une reptation ou escalade de l'esprit, jusqu'au lieu où la face de l'Éternel surgit. Sans doute à ce point l'intuition sensible n'est plus que l'occasion de l'intuition intellectuelle qui en est le modèle — mais elles sont toutes deux conçues sur le même type : comme une vision où la vérité est vue sans distance ni détour. C'est cette appréhension immédiate de l'universel que Hegel combat dans la *Schwärmerei* [enthousiasme] de ses contemporains, et la philosophie religieuse de Jacobi. D'ailleurs les philosophies de l'intuition sont toujours plus ou moins consciemment des philosophes religieuses dans la mesure où l'homme n'a part au vrai que négativement, où il est toute soumission et passivité devant la Révélation : « L'intuition nous place dans un état de dépendance [115] » devant le contenu qu'elle dévoile. Ainsi l'intuition cartésienne comme l'intuition augustinienne livrent l'imparfait au parfait et mettent la création entre les mains de Dieu ; l'universel sans détour est un universel sans recours, d'où l'ambiguïté de l'intuition qui retourne contre l'homme la pureté intransigeante de son regard : la vérité est littéralement un aveuglement, comme le soleil vu les yeux ouverts. La philosophie des yeux ouverts est une philosophie des yeux fermés. Les aveugles seuls voient le soleil en face [116].

Contre cette tendance se sont développées depuis Aristote les philosophies du concept. Elles tiennent qu'il n'est pas de révélation immédiate du vrai, mais que l'universel est le don du détour. Elles remarquent que le cheminement de la pensée est le prix de sa vision, que le but n'a pas de sens hors le chemin, mieux que la médiation du cheminement est la condition de l'universel – que le vrai se donne moins dans le contenu de la prise que dans la prise elle-même, considérée comme le contenu enfin saisi et ressaisi dans sa vérité absolue. « Concept [117] » et « *Begriff* » expriment tous deux cette *capture* de la vérité ; la vérité est un saisissement – mais dans le concept elle est son propre saisissement. On note ici l'ambiguïté du concept : car on pose à la fois la différence et l'unité du concept, sans résoudre clairement ce tiraillement. Toute capture est double, supposant le pris et le prenant. Le concept s'élève au-dessus de l'intuition en ce qu'il connaît et respecte cette dualité, trahie sans scrupule dans l'intuition. Mais ce respect est la tragédie du concept qui ne parvient pas à penser l'unité de cette dualité réelle. C'est pourquoi jusqu'à Hegel le concept est une médiation imparfaite qui n'arrive pas à surmonter l'extériorité de la vérité et de son contenu, du saisissement et du saisi. Le concept est l'autre de son contenu, c'est l'universel abstrait qui nie le contenu et le maintient en fait en le niant dans le *mot*, et qui se nie à son tour dans d'autres mots sans maintenir pour soi ce maintien du contenu dans sa négation − et qui au terme pose une vérité universelle mais vidée, face à un contenu plein mais contingent. Tel est le *genre* ou concept aristotélicien, un universel externe sans médiation intérieure, qui tombe directement dans l'extrême particulier ; tel est le concept kantien, catégorie vide, dépendant d'un contenu extérieur qui est un donné pur : « Le concept sans intuition est vide. » L'idée générale coupée de ses origines, le contenu coupé de sa vérité sont face à face comme des étrangers. C'est cette image que nous avons rencontrée dans le moment de la réflexion. C'est cette contradiction que le concept hégélien dépasse en l'intériorisant.

Le concept hégélien ne se réduit ni à un terme absolu (intuition) ni à deux termes contradictoires (idées générales formelles − contenu concret) mais il s'accomplit dans le troisième terme. C'est la fameuse triplicité, couramment conçue sous le schéma thèse-antithèse-synthèse. Cette juxtaposition verbale n'a pas de sens réel. Pour Hegel il n'y a pas trois termes mais un : c'est le concept. Les deux termes que la réflexion pose hors l'un de l'autre ne sont pas tout d'un coup flanqués d'un troisième qui leur servirait d'intermédiaire (comme chez Platon le démiurge, ou chez Kant l'imagination transcendantale). On sait assez que l'intermédiaire est un existant provisoire qui disparaît une fois sa médiation parfaite ; le démiurge est un accessoire discret ; le troisième terme du syllogisme aristotélicien est introuvable dans la conclusion, comme les constructions de la démonstration mathématique dans son résultat, ou l'inconnue dans l'équation résolue. Avant Hegel la triplicité est un jeu, et le troisième terme montre bien à la fin ce qu'il est : un *non-être résorbé*. Son coup fait, le Dieu remonte au ciel dans sa machine, et on le cherche vainement sur terre [118]. Hegel renverse totalement ce schématisme : le troisième terme n'est pas un non-être, il ne disparaît pas [119], et pour une bonne raison : il est lui-même sa propre scène, il n'est à côté de personne puisqu'il est le tout, il est le seul à être. Le concept hégélien n'est pas troisième du tout puisque trois présuppose un et deux, ou plutôt ce trois est un trois sans un ni deux, c'est un *trois absolu*. Aussi la non-existence retombe sur les deux termes antécédents : au sens propre le un et le deux n'existent pas, ce sont des êtres ambigus qui reçoivent du trois leur vérité, c'est-à-dire le néant. Jusque-là le renversement paraît bien un simple pour-au-contre avec cette différence que le néant concerne maintenant deux termes au lieu d'un. Et si l'on considère ces deux termes, ils paraissent bien jouer vis-à-vis du troisième le même rôle discret que le troisième à leur endroit dans la dialectique médiatrice ci-dessus. Ne sont-ils pas les démiurges jumeaux et provisoires? Ne disparaissent-ils pas eux aussi dans leur résultat? C'est ici que le paradoxe éclate : les dieux ne remontent pas au ciel, ils restent sur terre, les deux termes habitent leur résultat, ils sont des dieux définitifs. Telle est la solution hégélienne [120], qui démontre le trois comme la vérité du un et du deux, c'est-à-dire comme le lieu et le seul lieu où le un et le deux soient *chez eux*, qui résout vraiment le problème de l'extériorité du concept, et qui atteint enfin la totalité, puisqu'il n'y a rien en dehors du trois : le concept est le Tout Absolu. C'est pourquoi le concept est pour Hegel « le royaume de la sub-jectivité », la négativité dans la positivité, le contenu dans la vérité. Il nous reste à développer la signification de cette totalité accomplie.

Le concept hégélien est l'intériorité pure. Ce trait a deux sens : il implique d'abord que le concept est la totalité absolue, qui sans doute ne laisse hors de soi aucun terme déterminé, mais qui résorbe aussi l'extériorité elle-même comme élément. Autrement dit, ce tout n'est pas un cosmos, une figure délimitée suspendue dans le vide, un être compact détaché du néant. La totalité ne surgit ici sur aucun fond, elle ne se constitue d'aucune nature inorganique étrangère; c'est une figure qui est à soi-même son propre fond, le concept est son propre élément [121]. Cette intimité à soi implique ensuite que l'élément même dans lequel on serait tenté de poser le concept ne peut être que le concept même – et en particulier l'extériorité et le néant sont la matière de l'intimité du Soi. Le concept est tentaculaire, et tout saisissement du concept sous quelque espèce que ce soit, n'est que le saisissement du Soi par soi. « Le Soi n'a pas de dehors » signifie donc que le dehors est le dedans du Soi.

Autrement dit l'extériorité n'est pas supprimée, elle est intériorisée. Kroner [122] note que chez Hegel la « Réflexion » devient une *Selbstreflexion* [autoréflexion]. Nous tenons ici nos remarques sur la triplicité : le deux et le un sont présents dans le résultat, la réflexion est réflexion intérieure, et comme le Soi est omniprésent, la réflexion dans le Soi est réflexion du Soi sur lui-même. Tel est le sens du *Selbst*, du *Soi* qui dans le langage indique le pur retour au sujet. Cette réflexion n'est pas détruite, elle est *aufgehoben*, c'est-à-dire conservée mais soumise à sa propre vérité. Aussi l'unité du Soi n'est-elle pas la compacité sans différence de l'être donné, c'est une unité conquise sur la division dans la conversion des termes opposés. Les contraires subsistent dans le contenu comme Soi, ils en sont la réalité parce qu'ils se sont reconnus mutuellement en lui, et qu'ils ont trouvé en lui leur vérité. Ils ne sont pas contraints à une paix imposée, à un arbitrage extérieur, ils ne sont pas réconciliés « pour la forme », ni sous une forme, ils ont trouvé leur vérité dans la conversion à leur vérité. Il faut entendre cette conversion dans le beau sens de la conversion platonicienne; c'est « σύν ὅλῃ τῇ φυχῇ », de toute leur âme, de toute leur substance que les contenus adverses se tournent vers leur véritable nature, car c'est en elle qu'ils conquièrent leur âme et substance. C'est donc des adversaires réconciliés que le Soi saisit à nouveau dans cette réflexion intérieure : le syllogisme spéculatif représente dans la pensée hégélienne ce regard sur soi où, sans sortir de lui, le Soi parcourt sa propre diversité en la ressaisissant. Tel est par exemple le syllogisme cosmologique par où l'existence de Dieu sort de l'existence du monde en la justifiant. Avant cette révélation du concept le prouvé ne peut qu'être dans la dépendance de la preuve : Dieu est l'esclave royal du monde. Mais comment concilier alors cette nature réflexive de Dieu avec les attributs que la pensée lui confère d'autre part, la toute-puissance et la liberté ? Le concept hégélien est le mouvement par lequel le résultat récupère son origine en l'intériorisant, en se montrant l'origine de l'origine. Cet enveloppement suppose que le terme initial et le terme réfléchi soient *aufgehoben* dans le résultat : c'est-à-dire conservés et justifiés. « Ainsi la démonstration rationnelle part bien d'une autre détermination que Dieu : seulement dans sa marche, elle ne laisse pas subsister cette détermination comme un être immédiat, mais elle le montre comme un être médiatisé et posé, et par là Dieu se produit comme l'être qui contient la médiation en tant que moment qui s'est absorbé en lui − et par suite il se produit comme l'être vraiment immédiat, originaire, qui a en lui sa raison d'être » [123]. De même Hegel montre que le concept est l'infini véritable qui absorbe et pose le faux infini qui se dégage de la simple réflexion sur le fini. D'une manière générale tout être est syllogisme et le Soi est le Syllogisme Absolu, où les moments réflexifs de la particularité et de l'universalité sont absorbés et fondés dans l'individualité qui n'est plus moyen terme extérieur mais totalité résultant de sa propre médiation par soi-même. L'extériorité comme telle est donc la médiation de l'intériorité dans le contenu comme Soi.

L'extériorité renvoie naturellement à la négation. Dire que le Soi est sa propre médiation revient à montrer que la négativité est l'âme du tout. En effet c'est par la négativité que la totalité se constitue : elle est dépassement du dépassement, c'est-à-dire négation de la négation. La positivité créatrice de la [négation] est éclatante dans le développement qui conserve le contenu nié dans la forme de la négation, et le rétablit dans la négation de la négation, sous sa vérité authentique. Dire que l'être du Soi est la contradiction et que l'être du Soi est la négativité est une tautologie. Mais cette remarque nous introduit à une réflexion d'importance : si en effet la totalité est la *reprise* médiatisée du contenu primitif, et si ce contenu s'est révélé à nous [124] comme le néant, cette reprise ne peut être d'une certaine manière que la *reprise du néant* dans la totalité, c'est-à-dire la reprise de la totalité par soi-même sous les espèces du néant. En un sens qu'il nous faudra fixer, nous atteignons donc ici la nature du Soi comme la substantialisation du néant. Quoi qu'il en soit, cette réflexion nous éclaire sans équivoque sur deux points : le Soi n'est plus la négativité extérieure qui se définit face à un terme second. Il ne peut être que la négativité intérieure — enfin la positivité du néant est évidente dans cette totalité qui s'est constituée par « le séjour dans la mort » et « le sourd travail du négatif » au cours de son développement.

C'est ici le troisième point où nous conduit l'analyse du Soi : la totalité n'est ni donnée ni réflexive, elle est le syllogisme du donné et de la réflexion dans le Soi, c'est dire qu'elle est résultat. « Le vrai est le tout... le vrai est résultat... Le résultat n'est rien sans son devenir [125]. » Ces phrases de la *Phénoménologie* cernent le problème et montrent bien dans la vérité conceptuelle selon Hegel une capture et non une grâce. Cependant cette capture n'est pas oublieuse, la vérité n'est pas ingrate. Le résultat qui n'est pas la mémoire de son devenir n'est qu'un cadavre sur le sol [126]. C'est un concept sans vie. Le contenu n'est donc pas seulement sa propre intériorité, il est sa propre intériorisation, son *Er-innerung*, dont l'autre nom français est le souvenir. Le concept est mémoire de soi — c'est en ce sens que dans l'homme il est histoire — mais c'est une étrange mémoire qui ne se souvient que de soi sous les figures les plus étranges, et qui ne conquiert la vérité de son enfance qu'au terme de son histoire : le plus étonnant est bien que le plus lointain souvenir ne surgisse qu'à la fin, et qu'en ce sens l'enfance soit un don de l'âge mûr. C'est ainsi qu'il faut entendre le mot profond de Hegel : « Le contenu est toujours jeune » car le Soi ne retrouve la vérité, c'est-à-dire la réalité révélée de son origine, que dans sa fin. La fin est le sens du commencement et le commencement abstrait de la totalité signifiante finale n'est que néant — mais le commencement est la réalité de la fin, autrement dit la réalité du contenu est reconquise dans la fin (par la vertu de la double négation) et loin d'être expulsée du résultat, elle en est l'âme et le corps : le Soi n'est que cette réalité dans le mouvement de sa propre médiation. C'est pourquoi Hegel dit que le Soi est un immédiat, mais c'est un immédiat dans l'élément du concept, et non plus dans l'élément de la réflexion ou de la position absolue. La circularité du concept est sa jeunesse libérée, c'est littéralement « l'enfance retrouvée [127] ». Cette circularité est le signe du concret sauvé et transfiguré, qui instaure dans sa vérité la totalité des moments antérieurs. Au terme de la dialectique du contenu, nous voyons donc réapparaître dans la liberté du soi la générosité de l'immédiat et même la grâce de l'intuition. Mais cet immédiat est aussi un universel, le donné est chargé de tout son sens acquis dans son histoire, et l'intuition n'est plus la part de l'aveuglement. « Les yeux de l'esprit et les yeux du corps coïncident parfaitement [128] » – ou encore, comme le dit Hegel, « de même que l'homme voit dans la femme la chair de sa chair », c'est « l'esprit de son esprit » que le Soi contemple désormais dans le simple être. Cette conaturalité substantielle, cette homogénéité profonde de l'universel conquis, cette substance devenue Soi et ce domaine pénétré par la négativité, c'est la liberté hégélienne.

La conversion du contenu à sa vérité, qui est liberté, éclaire la double parole hégélienne définissant le concept comme le « *royaume de la subjectivité* », et la vérité comme la *substance devenue sujet*. Le Soi en effet n'a jamais affaire qu'à soi sous les espèces de l'autre. Non seulement je est un autre, mais l'autre est je dans l'élément du concept : le Soi se reconnaît dans l'autre. Le contenu est « *bei sich* », le vrai habite enfin sa propre demeure, le Dieu descendu du ciel habite parmi les hommes ; ce n'est plus le Dieu juif que son peuple ne reconnaît pas [129], « l'étranger dans son pays même [130] », c'est la vérité faite homme dans un monde humain devenu vrai. C'est la terre natale reconquise et l'unité profonde du Soi et de la totalité. Dans ce sens la liberté n'est plus conçue sur le type de la domination ou de la servitude, c'est-à-dire de la simple négation extérieure. La liberté n'est pas la pureté : le pur n'est qu'un esclave aveugle; elle n'est pas non plus l'impureté délibérée : l'impur est un royaume nocturne. La liberté hégélienne n'est ni le refus ni l'acceptation de la nécessité, ni le non ni le oui simples – mais le non du non et le oui reconquis sur le non; la liberté est circulaire, et cette circularité est l'avènement du sujet. Dans une dialectique réflexive en effet le sujet n'est pas chez soi dans ses attributs, mais il leur est assujetti. Non seulement l'esclave est esclave, mais le maître est esclave. Ainsi le Dieu de l'ancienne métaphysique n'est qu'une solitude désolée qui attend du métaphysicien qu'il lui rende sa nature dans les attributs de l'être, de la puissance et de la liberté. Ce Dieu est un Roi-Sujet [131], c'est-à-dire un Roi-Esclave. La liberté hégélienne délivre précisément le sujet de son assujettissement et convertit sa servitude en royaume. Le concept est le royaume de la subjectivité, c'est-à-dire le domaine du sujet devenu roi. Le sujet-esclave et le Roi-Sujet trouvent dans le Sujet-Roi leur vérité accomplie, où l'attribut n'est plus la domination de la vérité : l'attribut est le tribut de la vérité, c'est la reconnaissance de la vérité par soi-même, son ingratitude dénoncée (chez Hegel la reconnaissance est toujours un phénomène de gratitude). Telle est la circularité de la liberté dans le concept : elle est la conversion de la servitude, la conversion du sujet en son règne.

On comprend alors le sens de la transformation de la substance en sujet. La substance est le tout, mais c'est le règne de la nécessité et la liberté substantielle n'en est que la conscience [132], c'est-à-dire l'exercice de la servitude dans la résignation. La liberté hégélienne n'est un cercle que par la libération de la substance : le sujet ne peut être libre dans son consentement à la nécessité substantielle, que si cette nécessité est son œuvre, c'est-à-dire s'il règne sur elle, et si la substance n'est que sa propre essence constituée en substance – si régnant sur elle il règne en définitive sur soi. Cette fraternité du vrai est donc le mouvement par lequel la substance devient sujet, mais ce mouvement n'est pas un pur *Umschlagen* qui ferait changer la domination de tête, mettrait l'esclave sur le trône et le prince aux galères, c'est aussi le mouvement dans lequel le sujet devient substance, c'est-à-dire s'approprie sa propre vérité et en fait son propre royaume : « ... ce mouvement du Soi qui s'aliène soi-même et s'enfonce dans sa substance, qui comme Sujet est allé de cette substance en soi-même et la fait objet et contenu [133] ». La totalité du Soi est donc ce double mouvement par lequel la substantialité du sujet et la subjectivité de la substance se constituent en « égalité devenue » [134]. Cette totalité dialectique est pour Hegel l'*Esprit*, ou Totalité Absolue.

Les différentes totalités que nous avons parcourues jusqu'ici ont avoué leur déficience, et se sont défaites d'elles-mêmes. L'en-soi s'est révélé néant, et la totalité réflexive de la nature totalité à deux dimensions, sans médiation totalisante, appelant obscurément la médiation concrète du Soi. Sans doute on peut montrer dans la vie organique les processus qui sont comme l'ébauche du concept réalisé, et Kant ne s'y est pas trompé — bien qu'il ait attribué la réalité du concept au « hasard transcendantal » quand il a fixé son attention sur la finalité de l'organisme vivant. L'esprit humain a toujours été hanté par le spectacle du germe dans l'œuf ou la graine. Ce gland que voici est l'arbre de demain, un *futur* de feuilles et de branches, une nécessité accumulée, toute prête à naître et à se donner son propre contenu, bois et sève — et à produire enfin son propre commencement dans les glands de l'automne. Le gland est un petit concept qui se développe et se reproduit tout seul. « Le germe de la plante achève son développement par une réalité qui lui correspond, par la production de la semence. Il en est de même de l'Esprit, son développement lui aussi a atteint son but lorsque son concept s'est complètement réalisé [135]. » Mais cette ressemblance est imparfaite pour trois raisons : d'abord parce que la graine est dans l'extériorité, elle se nourrit d'une terre étrangère ; ensuite parce que « la semence engendrée n'est pas identique avec l'être par lequel elle est engendrée » [136] ; enfin parce que le schème ovaire est une répétition : la graine n'a pas de mémoire, le contenu qu'elle intériorise est son propre passé, et comme il se répète c'est plutôt un présent. La nature est sans avenir, parce qu'elle n'a pas d'histoire, au sens propre il n'y a rien de nouveau sous le soleil; le chêne est vieux avant de naître, alors que le contenu de l'Esprit est « toujours jeune ». La circularité biologique est une éternité juxtaposée, qui se *reproduit* parce que le contenu subit une nécessité non dominée, alors que la circularité de l'Esprit est une mémoire qui ne peut se reproduire puisqu'elle change sa propre loi en la dominant : l'en-soi développé produit non l'en-soi pur et simple mais une totalité sans déchéance qui absorbe l'en-soi initial dans son mouvement définitif et ne se répète pas. L'Esprit est ce gland qui ne produit pas un autre gland, mais l'arbre même d'où il vient de choir. Ce cercle est infini en ce qu'il se parcourt sans fin [137], mais il est le seul à se produire, et il est cercle parce que c'est à la fin seulement que la vérité se révèle — que le germe (l'en-soi) découvre qu'il est le fruit de l'arbre qui sort de lui. L'arbre du vrai n'a jamais produit qu'une graine : celle dont il est issu — et la graine ne l'apprend que dans la maturité de l'arbre. C'est en ce sens que l'Esprit est Soi, c'est-à-dire auto-développement, création de soi par soi, et qu'il est totalité absolue, puisqu'il est un tout qui ne dépend de rien — posant lui-même l'origine dont il est issu [138]. En ce sens, si l'Esprit présuppose la Nature (de même que la réflexion sur soi présuppose la réflexion tout court), on ne peut dire qu'il est *engendré* par elle, « car c'est bien plutôt l'Esprit qui engendre la Nature et qui est l'être premier et absolu [139] ». En effet, « l'Esprit n'est pas un simple résultat, mais en réalité il se pose lui-même comme résultat, il se produit lui-même et sort des présuppositions qu'il pose lui-même [140]. »

Par là s'éclaire la nature de ces présuppositions elles-mêmes. L'Esprit est la totalité *concrète*, le contenu absolu, la totalité signifiante. La Logique et la Nature, tous les éléments distincts qui le présupposent ne sont que des parties de lui-même, c'est-à-dire des moments, ou éléments constituants, qui hors de lui n'ont pas de raison d'être. Dans la mesure où la totalité n'est pas encore révélée aux éléments constituants, les moments se posent en soi dans une indépendance factice :

ils ne représentent que l'abstraction dont ils sont issus, mais comme la totalité n'existe pas pour eux ils ne l'éprouvent que négativement dans l'inconsistance et la douleur. Les totalités anticipées du Logos et de la Nature sont des totalités souffrantes et malheureuses parce qu'elles expriment obscurément leur limitation et l'extrémité de leur solitude : mais par là elles se dépassent dans leur effort même pour se constituer en totalité, car c'est au moment où elles atteignent leur limite et veulent la saisir qu'elles réalisent l'infini qui est en elles : la conscience de la limite est l'avènement de l'illimité [141]. D'où l'ambiguïté des moments isolés de la totalité : en soi ils sont défaillants, la Logique est le « royaume des ombres », la Nature est un « Esprit déchu », qui ne subsistent point par soi mais par l'Esprit seul. Mais par l'Esprit, ces moments sont restaurés dans leur consistance, ils deviennent le corps et la substance de l'Esprit qui naît de leur développement.

Si on les considère dans l'isolement, l'Esprit leur est transcendant, il est le Dieu de l'ancienne métaphysique, l'Absolu Autre qui les rejette dans le néant – mais si l'on considère l'Esprit, il les porte en lui comme sa naissance même. Tel est le paradoxe de la Logique et de la Philosophie de la Nature hégéliennes : si on ne les tient pas pour des moments abstraits dont l'Esprit est la vérité, si on cherche en eux leur propre vérité ou la vérité absolue, on s'expose aux méprises classiques de l'interprétation post-hégélienne, on fait de la philosophie hégélienne un panlogisme ou un naturalisme. Mais tel est aussi le paradoxe de l'Esprit hégélien : si on le considère comme un terme extérieur au Logos et à la Nature, si on le tient pour un transcendant sans observer qu'il est le contenu même du Logos et de la Nature engendrant leur vérité en lui, et que Logos et Nature sont sa propre substance et réalité, on tombe dans le malentendu d'une philosophie mystico-théologique et créationniste. L'absolu hégélien n'est pas la restitution d'un en-soi transcendant qui, sous les espèces du Verbe, de la Nature, ou de l'Esprit produirait et gouvernerait le monde – c'est la totalité concrète et immanente où le contenu de ses moments est parvenu à sa vérité, c'est le contenu absolu enfanté et accompli dans sa propre histoire. Si l'on envisage cette totalité comme le développement et l'intériorisation simultanée du Soi, l'Esprit est Histoire. Voyons ce point d'un peu plus près.

Avec Hegel l'histoire devient le royaume de l'absolu et sa manifestation, c'est-à-dire proprement une théodicée. Cette expression est ambiguë et inclinerait à penser que Hegel ne fait que reprendre la conception d'une histoire gouvernée de haut par la Providence qui s'y manifeste pour le bien des hommes et sa propre gloire — ou qui ne trahit qu'une loi intérieure et fixée de toute éternité, comme les aventures canines trahissent l'essence de l'espèce chien — ou enfin qui offre un développement linéaire par le jeu d'une causalité évolutive s'appliquant à un contenu donné. L'histoire hégélienne n'est ni biologique, ni providentielle, ni mécanique, car ces trois schèmes impliquent l'extériorité. La dimension négative par laquelle l'histoire se constitue par et pour soi (cette distance projetée du dehors dans la Providence devient Dieu, ou l'œil pur qui voit) n'est pas hors de l'histoire, elle est à l'intérieur de soi : le néant par lequel l'histoire s'engendre et par qui elle se ressaisit dans sa génération est en elle : ce néant est l'homme.

Il est très remarquable que Hegel représente dans la *Philosophie de la Nature* l'avènement de l'homme comme *la naissance de la mort.* Dans la nature en effet l'universel n'existe en soi que dans l'individu, mais l'individu n'est pas l'universel pour soi : le concept est extérieur à soi, la mort est la sanction de cette contradiction. L'universel ne meurt pas (le genre est éternel) mais il parvient à soi dans la mort des individus. Et inversement, du point de vue de l'individu toute tentative d'appréhension de l'universel (par l'accouplement qui engendre l'enfant « mort des parents », par la maladie, par la lutte des espèces) se résout dans la mort : la mort est bien la contradiction en acte où l'universel s'élève sur un cadavre [142], l'avènement de l'universel est la mort de l'individu. Cette servitude ne peut être surmontée que si l'individu ne disparaît pas dans sa mort, mais vit et « séjourne dans la mort », puisque pour lui la mort est la patrie de l'universel. La maladie, « mort anticipée », est le plus haut effort animal pour posséder la mort dans la vie même et réaliser de force l'universel pour soi. C'est pourquoi Hegel y voit la naissance de l'Esprit. Mais la maladie est une contradiction vivante, elle ne peut être qu'un universel anticipé, puisqu'elle n'est qu'une mort anticipée qui persiste dans l'être. L'universel véritable ne souffre pas d'anticipation, c'est pourquoi le malade guérit ou meurt. En vérité, l'individu ne peut atteindre et maintenir l'universel qu'en séjournant dans l'universel en acte, c'est-à-dire dans la mort en acte. Naturellement parlant, l'homme est une mort vivante.

Hegel n'est pas le premier à avoir conçu l'essence de l'homme comme la mort. Le platonisme se donnait déjà pour une méditation de la mort, mais il faisait de la mort un objet, alors que Hegel, reprenant la tradition chrétienne, tient la mort pour un sujet. Cependant, alors que le christianisme fixait la mort humaine sur le fond de la vie divine, et réclamait la mort du vieil homme et la naissance de l'homme nouveau à l'image du Christ, c'est-à-dire retenait de la mort sa négativité et sa capacité médiatrice, Hegel s'attache surtout à la positivité de la mort, c'est-à-dire à la positivité de l'universel qui est maintenu en elle. Pour lui c'est la vie qui se détache sur un fond de mort, comme le particulier sur le fond de l'universel — et c'est bien le manque de mort qui fait la déficience de la nature. Le royaume de Dieu est pour Hegel le royaume de la mort, et c'est l'avènement de la mort, la constitution du néant en royaume, bref la mort de Dieu (non comme événement mais comme substance : la mort étant désormais l'être même de Dieu) que Hegel annonce dans la naissance de l'homme. L'Esprit est pour lui le néant devenu être, ou, dans son langage romantique, « la nuit devenue jour [143] », et cette nuit est l'universel en acte dans l'homme : « l'homme est cette Nuit, ce néant vide [144]... » et posé comme néant dans son être même — « c'est cette nuit qu'on aperçoit quand on regarde un homme dans les yeux [145] », cette mort qui affecte l'homme dans sa propre nature. Il est le seul être à vouloir vivre [146] et à vouloir sa propre mort dans le suicide. Cette volonté en acte est l'homme debout, redressé dans un monde courbé. Ce néant n'est pas en soi une négativité extérieure qui s'exercerait sur un être préexistant, son désir humain n'est pas désir d'une chose mais désir d'un désir, comme on le voit dans l'amour où l'amant cherche sa propre nuit dans les yeux de l'aimée — dans la lutte où l'homme veut de l'autre la reconnaissance de son individualité irremplaçable — dans la connaissance où la conscience entend retrouver dans l'objet l'universel du *je pense*. L'histoire n'est que cette profonde lutte pour la reconnaissance du néant par soi, c'est-à-dire de l'individu universel par la totalité des individus. Autrement dit, l'histoire est la réalisation de l'essence humaine qui est le Soi. Cette réalisation implique que l'universel, qui est en soi l'individu humain dans sa négativité, devienne la réalité du tout, c'est-à-dire la substance non seulement de l'individu comme tel, mais de l'élément dans lequel il existe comme tel, de façon que l'homme ne soit pas seulement la volonté du néant mais son actualisation, et que le monde de l'Esprit accompli lui soit consubstantiel. L'Esprit veut sa propre liberté, il est liberté réalisée et non liberté velléitaire.

C'est là le premier mouvement du Soi dans le syllogisme absolu où le sujet se fait substance : l'histoire est la réalisation de l'individu universel ou de l'universel concret dans la lutte et le travail. Cette réalisation est longue et douloureuse, c'est « le travail du négatif... le sérieux, la patience et la douleur [147] ». Car l'homme qui veut dans la lutte imposer directement la reconnaissance de soi se heurte à la profondeur de sa propre négativité. S'il lutte, il accepte le risque de mourir, domine le tremblement de son corps, manifestant que ces bras et ce cœur ne sont pas de sa race; s'il tue l'adversaire dont il attend d'être reconnu, il tue sa propre volonté, et reste seul comme devant — et par là voit confusément qu'autrui est lui-même; s'il le dompte et l'asservit, le forçant au travail pour son plaisir, c'est lui-même qu'il asservit, car il n'est que l'esclave qui le reconnaît et son plaisir même est dans sa main; s'il est dompté, le voilà contraint au travail pour avoir préféré son corps à sa mort, dans la soumission consentie – mais il découvre peu à peu que le maître est l'esclave de son travail qui le nourrit, et que la nature pétrie, labourée, forgée, devient sa liberté en acte, son royaume, et le moyen de sa libération. C'est par la médiation du travail que le sujet se substantialise : d'abord parce qu'il nie la nature et la constitue à l'image de l'homme ; ensuite parce que l'œuvre de l'esclave est sa propre libération, c'est elle qui lui permet de dominer non le maître mais la domination du maître, et de réaliser dans la vérité de son contenu la totalité humaine. L'histoire de la conversion à soi-même de cette totalité immédiate et contradictoire que l'homme constitue dans la lutte est le développement de l'État jusqu'à l'avènement de l'État universel, où le citoyen réalise la vérité du maître et de l'esclave. Dans l'État total qui est l'Esprit en acte, l'individu est « immédiatement universel », et son universalité est universellement reconnue. L'universel qui se « ressaisit » dans la mort a imposé sa loi : la négativité est la substance même de l'État homogène. L'Esprit triomphant est bien le triomphe de la mort [148].

Cependant, cette totalité accomplie n'est sa propre génération que dans le cercle de l'Esprit. L'homme « animal malade » ou « mort vivante » n'a de sens que face à la nature sur laquelle il se détache, même quand il se pose comme sa propre négativité. On ne triomphe que d'un adversaire et ce triomphe de la mort sous-entend l'adversité de la vie naturelle, qui n'est qu'un moment de l'Esprit. En réalité, l'Esprit ne triomphe que de soi dans la mort, et la génération du Soi comme substance dans l'histoire effective, les révolutions et les guerres, ne sont que la génération de la totalité par soi : tous les moments de l'histoire universelle sont « dans la forme du libre événement contingent [149] » si on les examine isolément, mais selon le contenu ils ne sont que des moments de la totalité accomplie. En ce sens l'histoire est une ruse qui ne livre son secret qu'à la fin, se joue des individus qui la font dans les douleurs et les travaux. Elle est vraiment le triomphe de la Nuit et de la Mort, car c'est dans la nuit que les hommes meurent sans comprendre. Elle serait une duperie si elle n'était que cette totalité brutale non révélée, cette divinité close et sourde, galère aveugle que des forçats humains mènent Dieu sait où. Cette totalité serait monstrueuse si sa génération n'était aussi sa révélation, si le mouvement par lequel l'Esprit se fait n'était aussi le mouvement par lequel l'Esprit se saisit. Nous touchons ici au second aspect du contenu absolu, celui par lequel « la substance est *aussi* sujet [150] », c'est-à-dire celui par lequel, dans l'histoire, l'Esprit prend conscience de soi.

« L'Esprit est esprit qui se sait soi-même [151]. » Et l'histoire n'est de ce point de vue que la phénoménologie de l'Esprit, le développement des formes de conscience de soi où l'Esprit se saisit lui-même : « Le processus par lequel l'Esprit parvient à son soi, à son concept est précisément l'histoire. » Envisagée sous ce rapport l'histoire devient la génération du pour-soi de l'Esprit dans les différentes formes concrètes *(Gestalten)* de la conscience, jusqu'au Savoir Absolu, à la Science définitive où le contenu n'est plus que le savoir de soi, un *sich wissen* sans distance intérieure. Cette conquête n'est possible que par la résolution de la contradiction qui est l'essence du savoir : tout savoir est dans la forme de la conscience, et se donne d'abord comme contenu de conscience. Le devenir de la conscience de soi de l'Esprit est donc la conversion de la forme de la conscience dans son contenu, et la conversion du contenu dans la conscience, de telle sorte que cette « éducation » soit la conaturalité devenue de la conscience et de son objet, que la conscience non seulement soit *bei sich* dans son objet, mais le sache, et découvre que la totalité spirituelle n'est accomplie que dans cette prise de conscience du tout par lui-même. Nous retrouvons ici la volonté hégélienne de « révéler » et de tenir *captive* la profondeur. « Le but de l'histoire est la révéla-tion de la profondeur [152]. » La totalité spirituelle serait compacte et plate sans la présence reconnue de sa propre pro-fondeur qui est conscience de soi, elle serait totalité pour un absent, c'est-à-dire totalité pour un étranger, que ce soit Dieu ou Hegel, ou pour personne, c'est-à-dire pour un pur témoin contradictoire – et il serait tout simplement absurde d'en parler. Le discours est déjà cette profondeur victorieuse, parce qu'il est le domaine de la conscience parlante, mais il n'est qu'une conquête limitée : l'Esprit doit dégager de soi sa propre distance en devenant un discours victorieux, c'est-à-dire en parlant réellement de soi et non d'autre chose. Il doit donc être *pour soi*, conduire la totalité à la conscience de soi, dégager le sujet de la compacité de la Moralité primitive où l'individu se trouve immergé dans un monde épais d'obligations sans commentaires (la contrainte de l'universel, loi humaine de la cité – et l'exigence du particulier muet, loi divine de la famille) ; il doit amener le sujet à la prise de conscience de la conscience de soi abstraite dans la liberté stoïcienne, à la revendication révolutionnaire du christianisme, par la contradiction vécue de la conscience malheureuse, c'est-à-dire d'un sujet qui se sait universel en soi, mais qu'un monde hostile écrase ; l'aliénation est alors le lieu de la conscience de soi de l'Esprit. L'Esprit parlant du monde de l'aliénation dans les philosophies et la religion, ignore qu'il ne parle que de soi, car il n'a pas encore surmonté la contradiction de la conscience et de son contenu : la totalité est pensée comme non réalisée et la prise de conscience de l'aliénation n'est pas encore l'aliénation consciente de soi, puisque sa vérité est son au-delà. Le contenu de la vérité est bien la totalité de l'Esprit (c'est-à-dire solution, l'Esprit est bien la solution dont la totalité historique est grosse), mais ce contenu n'est pas encore *pour soi*, l'Esprit reste dans la forme de la conscience extérieure, jusqu'au moment où la conscience de soi ressaisit ce contenu absolu comme sa propre essence. Cette dernière étape est le passage de la Religion dans le Savoir Absolu, où l'Esprit contemple Dieu en lui, où la liberté est dans la forme de la liberté [153], où la conscience de soi s'est enfin réalisée.

Donc, envisagée sous cet aspect (la substance devenant Sujet), l'histoire est le développement des formes de la conscience de soi, c'est l'histoire des « idéologies ». Ces tentatives avortées de la libération de la conscience de soi constituent l'histoire des doctrines, et l'on comprend alors que Hegel proclame que l'histoire se réduise en définitive à l'histoire de la philosophie. Cette formule serait scandaleuse si ∪n la considérait isolément. En réalité, elle n'est que le second aspect de la totalité absolue, car l'Esprit est non seulement le devenir de la substance en sujet, mais aussi, comme nous l'avons vu, le devenir du sujet en substance, non seulement l'Histoire « idéologique » mais l'histoire réelle – et la totalité est la rencontre de ces deux mouvements où le sujet et la substance sont convertis en eux-mêmes dans le contenu absolu. L'histoire est le troisième terme concret, le lieu véritable de la génération de cette conversion. Elle n'est que cette conversion, et jusque dans son détail c'est cette conversion qui la meut : la circularité de l'histoire est réelle, en ce que la conscience de soi (c'est-à-dire l'histoire idéologique) est l'effet des contradictions de la totalité et le moteur des révolutions de l'histoire réelle ; la vérité n'est que la réalité révélée, mais c'est la vérité qui hante la réalité, l'empêche de dormir et la stimule jusqu'à ce qu'elle ait conquis son bien. La vérité est le remords du réel [154], et le pardon n'est que le remords réalisé. Le cercle clos est un autre cercle ouvert que la contradiction du réel et du vrai clôt à son tour jusqu'au cercle absolu où les extrêmes sont chez eux, habitent réellement leur propre vérité, sont enfin convertis dans leur contenu éternel. Dans ce royaume de Dieu la liberté est à la fois réelle (substance), et conscience de soi (sujet), l'État est homogène, peuplé non de maîtres et d'esclaves mais de citoyens se reconnaissant mutuellement, cette libération réelle est aussi la liberté réalisée : si l'essence de la conscience de soi est liberté, la liberté voit en face la liberté qu'elle veut [155], l'objet est homogène au sujet, et la pensée, parvenue au terme du calvaire, est enfin dans son propre élément. L'idéologie a trouvé dans le *Savoir Absolu* sa vérité – et le développement concret a conquis sa vérité dans le *Contenu Absolu* de l'État universel. Le Savoir Absolu n'est plus une forme opposée au Contenu Absolu, mais le Contenu Absolu conscient de soi, et le Contenu Absolu n'est plus dans la dépendance du Savoir, mais contient en soi sa propre conscience de soi. L'histoire est bien la conquête du contenu total par soi, accompli et révélé par soi, qui dans son éternité se contemple lui-même [156].

III

Méconnaissance du concept

> « Il en est de l'histoire des hommes comme du blé...
> Malheur à qui ne sera pas broyé. »
>
> Vincent Van Gogh.

La profonde nécessité du contenu, qui sous nos yeux naît et se convertit en liberté dans Hegel même, ce royaume éternel où l'homme est Dieu pour l'homme, cette église réelle que Dieu fait homme habite, ce Dieu même, à la fois Père et Fils de l'homme, cette *plenitudo temporum* accomplie, cet Avènement dont Hegel est le prophète, s'imposent à nous avec une telle rigueur que la possibilité de leur déchéance nous paraîtrait impensable si l'histoire ne nous la donnait en spectacle. D'un autre côté, cette rigueur inflexible heurte le sens, et la démesure de l'accomplissement est presque insoutenable : l'esprit entend mal cette Parousie qu'on lui dévoile d'un coup comme une statue et ressent l'évidence finale comme une violence. Le « brusque lever de soleil, qui dans un éclair dessine en une fois la forme du nouveau monde [157] » est une clarté qui brûle les yeux. Depuis Platon l'homme sait que la face du Vrai est aveuglante, devant Hegel le vieux réflexe joue encore, l'esprit fait malgré soi retraite dans sa nuit où il sauve du moins ses yeux ouverts. Le soleil à portée de la main est un rêve d'enfant, comme la Terre promise : l'homme majeur croit à l'enfance qu'il cherche mais ne reconnaît pas l'enfance qu'il retrouve. Aussi l'histoire où le soleil tombe en morceaux dissipe son malaise et lui donne raison. Cependant elle est un événement taciturne, un fait décisif mais muet. Du silence de l'histoire surgit alors l'autre inquiétude : celle de la nuit. L'esprit cherche une lueur dans l'ombre reconquise, veut tenir

143

la rigueur de cette rigueur défaite; l'homme bavard parle, puisque l'histoire se tait, et compose un discours où sa frayeur soit prise dans les raisons de l'événement captif. Si Hegel est une mésaventure, que ce soit du moins une mésaventure rigoureuse. Tel est le sens des tentatives post-hégéliennes, qui veulent substituer à Hegel sa propre fatalité. Nous verrons que cette réduction ne va pas sans mal, que la vérité hégélienne ressaisit souvent ses maîtres et que, dans le nouvel esclave des temps modernes, c'est peut-être la liberté qui naît.

A. La mauvaise forme

La totalité hégélienne ne peut se défaire comme telle : si elle s'effondre, ses parties deviennent étrangères à sa nécessité, son contenu à sa forme. Prouver la nécessité de sa décomposition revient donc à montrer l'aliénation du contenu et de la forme, c'est-à-dire à dénoncer soit la malice de la forme, soit la malice du contenu. La compacité du contenu est telle, qu'on est d'abord tenté de chercher hors de la totalité ainsi donnée la forme médiatrice de cette totalité. C'est ici sous le bon droit de l'évidence la revanche de l'esprit artisan de l'homme, qui ne se résigne pas à identifier le producteur et le produit, conçoit l'idée sur le modèle de l'ouvrage, et cherche l'ouvrier. La chasse à la forme est ici la chasse au démiurge, que nous allons voir se développer sous les espèces de Hegel lui-même, de sa parole et de la dialectique.

1. *Hegel médiateur*

La première atteinte à Hegel est de détour. Comme on ne peut heurter de front le système, on s'en prend à son auteur, et l'on formule l'innocente aporie kierkegaardienne du compte et du comptable. Le système n'a qu'une faille, et c'est son auteur. Sa perfection est de confection, dans le sens le plus haut : il y a *fait* dans *parfait*. Mais le faire montre le faiseur, tout modeste qu'il soit : celui-ci est toujours dehors. Le cercle qu'il trace ne prend pas le géomètre aux chevilles, et quand le total du jour est fait le comptable rentre chez lui, on ne le retrouve pas dans ses comptes. Tel est l'artifice de Hegel : nous avions cru qu'il avait rompu avec la tradition du troisième terme d'Aristote ; en vérité cette rupture est verbale : il nous montre une totalité absolue se constituer sous nos yeux et la force de son discours est telle, qu'on finit par oublier qu'il le prononce. Il est lui-même ce troisième terme vivant qui disparaît de la conclusion, son silence n'est que la discrétion de rigueur. Le vrai médiateur est donc à l'extérieur, et son génie est de prendre sur lui sans le dire la totalité de la médiation, qui n'est plus qu'ombre dans le système. Nous voilà du coup renvoyés par l'antinomie du tout à la conception classique de Dieu : il n'y a de totalité que pour un tiers, comme dans Descartes même il n'y a d'arc-en-ciel que pour un promeneur, ou dans la physique moderne de système de référence que pour un observateur [158]. Le tiers absolu de la philosophie classique est Dieu où tous les sens convergent. Hegel est un malin génie qui cache son Dieu, ou plutôt il est ce « Dieu caché » et mime dans son œuvre la création divine : « Au septième jour Il vit que tout était bien et se reposa. » Le repos de ce créateur est dans ses cours et dans ses élèves. Pourtant Hegel n'a pas toujours su se tenir en bride. Et en vérité il ne le pouvait guère : la révélation totale qu'il apportait montrait en lui le Dieu qui se cachait et, faute d'avouer que tout était son œuvre, il devait bien laisser percer la dignité du Révélateur — comme on le voit dans la *Phénoménologie* où il donne pour *der Erscheinende Gott* [le Dieu se manifestant] le penseur qui comprend l'œuvre de l'unificateur, dans la *Philosophie de l'Histoire* où il nous met si bien dans les secrets de Dieu qu'on se passerait de lui. Voilà le démiurge dans la demeure de Dieu et sur son siège ; n'est-ce pas le comble de l'imposture — et de l'habile — que de donner pour Dieu ce qui de l'artisan ne passe pas inaperçu ? Dieu n'est-il pas l'alibi de Hegel qui sous lui se cache dans sa propre demeure — pour qu'on ne le trouve pas au-dehors ? Hegel crie à Dieu comme d'autres au voleur, pour qu'on ne le prenne pas. Mais, cette fois, nous le tenons.

Le malheur de ces raisons est qu'elles sont dans Hegel même, et qu'elles y sont dépassées sans autre raison que leur simple présence. Hegel dit ouvertement qu'il n'est pas hors de la totalité, mais dedans, à la fois comme philosophe, comme homme historique conditionné par son propre temps, et comme individu particulier. Voyons ces points.

1. Hegel est le premier qui par un prodigieux effort de retour ait pensé le penseur dans la vérité pensée. Cet *Umbiegen* [retournement] est proprement le Soi, c'est-à-dire la réflexion sur soi, dans laquelle le sujet s'atteint lui-même dans l'objet qu'il pense. Cette tentative peut paraître démesurée, elle est le fond de la révélation hégélienne et ce qui sépare sans recours Hegel, dans son propos, de tous ses prédécesseurs.

Jusqu'à Hegel la réflexion philosophique ne parvient pas à résorber le philosophe, elle n'y songe que rarement, et pour sa confusion. Ou bien elle ignore résolument le problème, comme le font Parménide et Spinoza dans une totalité sans fissure, ou bien elle l'attaque, mais c'est pour anéantir le tout. Ainsi Platon, qu'on voit bien réagir contre Parménide, et casser cette sphère d'où le divers, le temps et la pensée sont exclus, tente bien ensuite de loger le philosophe dans l'univers recomposé, mais se heurte à l'insurmontable énigme du temps, par où la totalité fuit : le philosophe contemple le vrai qu'il révèle, mais c'est un homme soumis au devenir, et dont le discours passe. La position n'est pas tenable : le philosophe n'est pas du monde où il aspire, et ses pensées ne sont pas du monde où il respire, il n'a droit qu'à l'entre-deux que Platon appelle μεταξύ, mais cette extériorité est encore plus défaillante qu'il ne paraît car le statut du philosophe n'est pas dans Platon le statut de Platon face à sa philosophie. La pensée de Platon n'est pas pensée sous cette ambiguïté mais l'ambiguïté y est soumise à la pensée, et l'on comprend ce coup d'État hors duquel nous serions renvoyés à l'infini; le silence nous sauve de l'argument du troisième homme. En fait Platon est aussi un démiurge discret qui n'a pensé qu'un faux démiurge dans une totalité décomposée par lui.

La même mésaventure advient à Spinoza, où l'écriture de l'*Éthique*, donc la contingence (ou la nécessité) du spinozisme comme doctrine paraissant dans le temps par la médiation d'un marchand de lentilles, sont introuvables dans aucun livre du maître. Plus simplement, la vérité y est dévorante et consume en effigie un auteur vivace. La consubstantialité de la pensée et de l'étendue (ou du sujet et de l'objet) y est un coup d'État où la pensée de cette consubstantialité disparaît sans appel. Kant s'est efforcé au contraire de penser l'acte même de sa pensée, mais il n'est parvenu qu'à l'abstraction du Je transcendantal dans une philosophie réflexive, et cette pensée du recul de la pensée l'a conduit au recul indéfini, dont la progression du *sollen* n'est que l'image inversée. Les philosophes pré-hégéliens n'avaient donc que le choix entre deux possibles : ou penser la totalité, et ignorer le penseur – ou penser le penseur, mais détruire la totalité. Ce renversement même est éloquent, car il démontre la réflexivité du penseur et de sa pensée en même temps que la négativité du penseur devant qui la totalité défaille. Hegel est le premier qui ait pris conscience à la fois de la réflexivité comme totalité et de la négativité du penseur, et qui ait résolu cette contradiction par l'extension de la négativité à la totalité. Littéralement il a mis le philosophe à la question, et n'a eu de cesse qu'après avoir pensé la signification de sa question même dans la vérité qu'il annonce.

Et là, il a découvert d'abord la signification de cette question, et montré que cette question (ou la négativité du penseur) n'était pas distraite de la vérité mais liée à elle par les liens du sang et de la naissance, puisque la négativité de la pensée est la génération de la vérité. Puis il a montré que la vérité développée, loin d'être le rejet du penseur, en est l'accomplissement. « Le tout contient le négatif » signifie qu'il contient le penseur. L'objet et le sujet sont convertis dans leur vérité qui est la liberté de l'Esprit. Cette vérité est la réalité révélée, l'άλήθεία des grecs où le α– n'est plus le simple privatif, mais la négativité libératrice, qui non seulement laisse sa trace sur l'objet délivré, comme on voit le pouce du potier sous l'anse de la cruche, mais est transformée dans l'objet qui devient sa chair. La phénoménologie et l'histoire de la philosophie dans Hegel sont donc littéralement l'histoire de la métamorphose du philosophe en vérité. C'est pourquoi Hegel est le dernier philosophe puisque en lui la race philosophique atteint son entéléchie, et le premier qui connaisse enfin l'intimité du Vrai : il n'attend pas sur le seuil « ἐν προθυροῖς τοῦ ἀγάθου », vivant du seul désir, il ne disparaît pas dans la substance comme le peintre de la légende chinoise dans le paysage peint, il circule dans la fraternité divine et habite dans le tout son véritable royaume.

2. Marquons encore ceci que le penseur n'est pas ici l'abstraction du penseur, comme dans tous les philosophes pré-hégéliens, un personnage sans âge, mais l'homme concret historique qui habite l'éternité dans son temps, et son temps dans l'éternité. Hegel rompt ici clairement avec Platon qui tire son philosophe du monde et le jette dans un temps suspendu. Il n'y a point chez lui d'ἐποχή comme chez Descartes, enfoui dans la chaleur de sa pensée, toutes fenêtres closes sur l'hiver et la guerre, ou le sourd vieillard de Rembrandt tout occupé d'escaliers intérieurs. Dans Hegel, Iéna entre par la fenêtre ouverte, le canon de la bataille, la défaite et Napoléon couvert de sa victoire, et le regroupement lointain de l'Europe éveillée. Point de barrages ni de parenthèses qui tiennent contre cette ruée de l'histoire ; l'enfant qui ferme les yeux croit qu'il provoque la nuit universelle, ainsi le philosophe quand il ne pense pas le midi de l'histoire, et ne pénètre pas dans son œuvre comme chez lui. Ce propos a fermement tenu Hegel jusqu'à la fin, et il n'a jamais abandonné le dessein que nous vîmes naître dans les débuts de sa conscience [159], de chercher dans son temps les traces de la vérité perdue, et de découvrir dans la vérité la splendeur de son temps retrouvé. Plus précisément, le moment de l'Aufklärung où il a vécu sa jeunesse dépaysée non seulement trouve sa place dans le système mais encore y reçoit corps et sens : le vide que nous avons vu se dégager et livrer son essence dans la conscience, y reçoit non

seulement satisfaction dans la plénitude de la totalité définitive, mais encore justification puisque c'est grâce à lui que le monde de l'ancien régime a pu se convertir dans la Révolution. Ici se montre une autre dimension de la vacuité juvénile, et cette dimension ne peut transparaître qu'à la fin, puisqu'elle est la reprise du monde de l'Aufklärung par sa vérité. L'Aufklärung était pour Hegel un fait brutal, et il a douloureusement ressenti le poids d'une situation historique qu'il n'avait pas choisie : ses analyses de jeunesse, sa critique de la vie religieuse, politique et philosophique, sont la conscience de cette servitude, qui pouvait paraître sans appel. Mais, nous l'avons vu, il n'en est pas resté au sentiment explicité de son écrasement. Il a gagné la connaissance de sa servitude dans le vide de la conscience, dont Kant est l'expression théorique. Ce qu'il n'a fait que pressentir, savoir la positivité du vide, il ne le comprenait pas encore comme la reprise de sa jeunesse historique par la vérité de l'âge mûr. C'est dans la *Phénoménologie* seulement, c'est-à-dire du haut de la vérité conquise, que le chemin reçoit du but son sens − et par là est justifiée la servitude du commencement, et les origines historiques du philosophe. Les présuppositions n'étaient pas un absolu irrémédiable, ni un vide étant-là, mais la médiation de la liberté en devenir. Aussi l'histoire n'est pas un esclavage : Hegel n'est pas un sourd changé en bruit, il ne passe pas du mépris à la servilité, il ne conçoit pas de relativisme historique − mais il libère l'histoire, et se libère en elle dans la totalité accomplie.

3. Mais à ce point, le libéré n'est pas seulement le philosophe ou l'homme historique, c'est encore l'individu concret Hegel, sous la forme du sage-citoyen-écrivain. Hegel en effet est le dernier des philosophes, en ce qu'il atteint le Savoir Absolu, et remplace l'amour du savoir par le savoir; il est donc le Savant, ou le Sage, le premier − et le dernier −, puisqu'on ne peut que reprendre après lui le contenu du Système de la Science, dont la *Phénoménologie* était dans l'esprit de 1806 la première partie [160]. Mais il ne peut être ce Sage

que si l'Esprit a surmonté toute opposition, si l'histoire est mûre, s'il se contemple lui-même dans le monde, c'est-à-dire si le monde est liberté, si l'État universel est homogène, et si le Sage est *citoyen*. Alors l'individu n'est plus exclu du monde véritable, puisqu'il est à la fois particulier et universel, un syllogisme vivant où l'universel l'atteint par la médiation de sa particularité. En bref, le particulier n'est plus étranger, et cette médiation est dans l'élément de la médiation, c'est-à-dire dans l'immédiateté du Soi : ce qui signifie que le particulier n'a plus besoin de sacrifier sa particularité pour parvenir au Vrai, comme font les ascètes, et d'anéantir en lui toute déterminabilité, il peut affronter sans honte ou mépris de soi (de son corps, de sa taille, de son caractère ou de sa race, etc.) un monde amical où l'on reconnaît directement dans sa particularité même l'universel de l'homme. « Il est Moi qui est ce Moi-ci et pas un autre, et qui en même temps aussi immédiatement est médiat ou est Moi supprimé ou universel [161]. »

Par le Sage Hegel, l'individu Hegel rejoint donc dans la totalité le personnage historique Hegel. Il reste à fixer un point difficile où le cercle se clôt : nous avons tout cela par l'œuvre écrite de Hegel, mais quelle est la place de cette écriture dans la totalité? Pourquoi l'individu – sage – Hegel a-t-il éprouvé le besoin de publier la bonne nouvelle? Est-ce par pur caprice, ou n'a-t-il fait qu'accomplir un dessein de l'Esprit, et quel manque a-t-il donc comblé dans ce Tout sans défaut? Hegel a réponse à ces questions en montrant que la liberté n'est pas vraie quand elle ne se connaît pas, et que la conscience du tout parfait seule le tout. Voilà qui est bien, mais pourquoi cette proclamation? Elle ne peut être justifiée que pour une seule raison : Hegel ne conçoit pas que la conscience du tout réalisé soit vivace dans un homme et endormie dans ses frères, qui sont « lui-même ». L'œuvre écrite de Hegel est donc la conscience étendue, le *Sich wissen* [se savoir] universel où chacun se reconnaît. L'imprimerie, a noté Hegel, est l'expansion de l'Esprit : ses livres sont l'universel écrit, lisible pour tous. A ce titre, le livre est aussi un événement, comme sont événements les différentes figures de la conscience dans l'histoire, un événement décisif qui est pour l'Esprit l'autre côté de l'Esprit qui se fait dans les guerres. Aussi devons-nous tenir pour miraculeux, comme fit Hegel, que Napoléon achevât l'Europe sous ses fenêtres, quand lui-même achevait sur ses cahiers le Savoir Absolu de la *Phénoménologie de l'Esprit*.

2. *Le langage médiateur*

Ces dernières remarques nous ouvrent un autre horizon : si Hegel et la signification de son œuvre sont résorbés dans le tout, c'est par la force de ses raisons. Mais ses raisons, avant d'être un *sens* sont écrites, et sont des *signes* agglomérés. Nous cherchions en Hegel le médiateur; il disparaît dans la totalité signifiante qu'il désigne en paroles. Il reste cependant un médiateur pour nous, par qui la signification naît et demeure : la réalité de la Parole. Ici s'accumulent les objections qui vont du verbalisme au panlogisme. Quand le Hegel de la *Philosophie de l'Esprit* nous représente l'Amérique, un syllogisme « dont le moyen terme est très mince [162] », ou déduit la nécessité des armes à feu [163] et des races [164], on a bien le sentiment que le problème réel est converti par lui en problème verbal. De même quand il annonce le royaume de l'universel véritable, et fait retour sur l'universel verbal de la Révolution à ses débuts, sur ses formules vides et son « œuvre de papier », on se demande par quelle aberration il n'a pas considéré qu'il tombait dans le travers dénoncé − et Marx, nous le verrons, ne s'est pas fait faute de rejeter sur lui le reproche de logomachie. Plus profondément, au-delà des simples jeux de mots, on peut tenir son œuvre pour une méditation de l'unité de toute chose dans le mot, pour une philosophie du Logos ou du Verbe. Alors la médiation prendrait vraiment tout son sens − et son sens hégélien − en ce que la révélation par le langage serait non seulement la Parole qui annonce Dieu, mais le Dieu fait Parole, et éclairant toute chose. On voit ici les prolongements religieux d'une telle position, et ils ne sont point absents de Hegel : pour lui le Christ ou le Verbe est la totalité accomplie qui réconcilie Dieu et l'homme, et en retour cette révélation est à soi sa propre origine ; le Verbe qui s'accomplit était avant toutes choses, et comme dit saint Jean, il était auprès de Dieu, il était Dieu. Il était donc déjà ce qu'il devait être, il était donc virtuellement la totalité et la raison de toutes choses, Logos dans le double sens grec : Parole et Raison. N'est-ce pas exactement le propos de Hegel dans sa *Logique*, où il nous montre « la représentation de Dieu avant la création du monde – et la Vérité sans voiles [165] » ? La totalité n'est-elle pas le développement du Logos ? Tel est dans ses grandes lignes, le fond de l'interprétation panlogique, qui défigura Hegel au cours du XIXe siècle, en France particulièrement. Nous en avons envisagé l'aspect négatif dans le deuxième chapitre. Allons au fait, et tâchons de saisir la nature de cette médiation par la Parole, dans la nature de la parole même.

Il suffit de lire Hegel pour y trouver une philosophie du langage qui répond à notre propos. Le premier chapitre de la *Phénoménologie* nous offre en spectacle l'expérience fondamentale du mot. S'il fait nuit, dit Hegel, et qu'on me questionne : qu'est-ce que le maintenant ? je réponds : « le maintenant est la nuit », et je note par écrit cette vérité : « Une vérité ne perd rien à être écrite, et aussi peu à être conservée. Revoyons à midi cette vérité écrite, nous devrons dire alors qu'elle s'est éventée [166]. » Nous saisissons en ce miracle la puissance du mot qui change le jour en nuit : par lui le particulier que je vise devient l'universel que je prononce : « Dans le langage, nous allons jusqu'à réfuter notre avis [167]. » Car la parole « a la puissance divine de l'inverser immédiatement pour le transformer en universel [168] ». Et à l'intérieur de cet universel, je ne me heurte qu'à l'universel tenace des mots : « Si je dis : une chose singulière, je l'exprime plutôt comme entièrement universelle [169]. » Quelle est donc cette puissance extraordinaire qui détruit le particulier et engendre l'universel ?

C'est, dit Hegel, « le négatif [170] », et nous éprouvons à chaque pas dans Hegel que le tenir « est ce qu'il y a de plus difficile ». Or nous voici précisément avec le mot devant un *néant* qui se maintient, et ce néant nous voudrions le prendre dans d'autres mots qui sont aussi un néant se maintenant. C'est pourquoi la réflexion hégélienne sur le langage est peut-être la plus proche de nous, parce qu'elle est une épreuve intérieure, et que par elle nous sommes à la question jusque dans les mots de notre écrit. La parole est donc un néant qui dure : cette survie est l'universel du mot. Ce rapprochement nous rappelle que nous avons déjà conçu cette alliance de l'universel et de la mort : c'était dans l'homme. L'homme est l'être par qui l'universel de la mort est fermement tenu dans la vie, aussi le propre de l'homme est la parole. Hegel note que les animaux ont des cris, qui sont l'expression de l'instant, la fureur ou la joie, mais qui ne se survivent pas, et ne se haussent pas au-dessus du temps. Le chant des oiseaux n'est que jouissance immédiate, sans savoir ni recul, littéralement il est perdu, comme l'Esprit fait Nature. L'homme est donc un animal bavard. Mais le spectacle animal va plus loin : l'oiseau ne sait pas qu'il chante, ni le chien qu'il gronde ; l'homme au contraire sait qu'il parle, car le mot est le recul qui lui permet de toucher ce qui de lui n'est plus. Par la parole il se ressaisit donc lui-même, c'est-à-dire ressaisit ce qu'il était dans un mot qui n'est pas ce qu'il est, et qui pourtant est lui. L'homme, dit Hegel, est *ce qui se ressaisit*, il est le seul être à dire *moi*, et à réfléchir dans la parole l'universel qu'il est [171].

Cette double prise de possession éclaire la nature du langage : par la Parole l'homme saisit dans le mot-concept le néant de l'être, c'est-à-dire l'universel, et par la parole il se saisit lui-même comme l'universel réfléchi, c'est-à-dire comme le *sujet*. Dans le Soi, le langage ne renvoie qu'à soi, et c'est pourquoi Hegel dit que des êtres sans langage ne seraient pas libres, car sans le néant du discours ils ne pourraient ni se libérer de la nature, ni *saisir* leur propre nature ; c'est pourquoi la liberté est *prise*, saisie de soi, autrement dit *Begriff*, concept, où éclate l'identité du Logos et de la liberté. Déjà les stoïciens avaient proclamé cette rencontre, mais le Logos n'était pour eux que la loi immanente de la totalité vivante, et non la négativité en acte. « Le langage est en effet l'être-là du pur Soi comme soi [172]. »

Ce *Dasein* du langage est donc le corps de l'universel du Soi dans sa *pureté*, c'est-à-dire dans son élément comme tel, qui est l'immédiateté de l'universel. Même quand il devient moyen terme où deux consciences se reconnaissent, il n'exprime pas ce moi-ci ou ce moi-là, mais l'universel de la conscience de soi : « Moi est ce moi ci, mais aussi bien moi universel. Sa manifestation est aussi immédiatement l'aliénation et la disparition de ce moi ci et est donc sa permanence dans son universalité [173]. » Nous voilà fixés quand nous identifions la pensée à cet universel. « L'animal ne peut pas *dire* moi. L'homme seul le peut et parce qu'il est la pensée [174]. » Le langage est donc l'existence empirique de la pensée dans l'immédiateté de son universalité. C'est pourquoi la contradiction du langage et du réel éclate tant que l'universalité de la conscience de soi demeure abstraite, et ne s'est pas réalisée dans le monde, c'est pourquoi les philosophes parlent et les caravanes passent, la belle âme proteste, et les prières montent vers le ciel — quand la flatterie ne vient pas battre le trône. Telle est la limite inhérente à tous les discours philosophiques, et la contradiction des « idéologies » pré-hégéliennes : le discours traite d'un monde qui n'est pas le discours réalisé, l'universel de la parole n'est pas le concret de l'univers, bref le discours n'est pas *bei sich* dans l'aliénation du monde inachevé. C'est pourquoi la parole cherche en soi une issue, en soi la médiation entre elle et le monde, mais ne produit jamais qu'un démiurge de mots, car elle ne sort de soi que dans la fiction verbale. Hegel échappe à ce travers, en ce que son discours est homogène au monde accompli qu'il décrit : la substance est sujet, autrement dit la pensée est dans son propre élément, la parole, qui est liberté, est accordée au monde où elle retentit. Littéralement, le monde est devenu discours, chaque terme y est immédiatement universel comme dans le langage, les hommes s'y tiennent comme des mots, appuyés les uns sur les autres, et recevant d'autrui leur être et leur sens. Le monde, langue mal faite, s'est fait Science, c'est-à-dire langue bien faite. Ceci nous livre l'aboutissement de Hegel : le langage n'est pas en tiers entre le monde et nous, puisqu'il est l'existence empirique de l'universel fait monde. Le discours de Hegel est la Parole du monde.

Et voilà qui nous donne aussi réponse au second point. Si le langage n'est pas médiateur, ne peut-on dire qu'il absorbe le monde dans sa totalité ? Hegel reprend ici l'intuition grecque de la circularité des mots, et de leur négativité. Platon a bien vu le lien du mot et de l'Idée : c'est leur complicité qui fait échec au temps, et Aristote l'a fixée dans une grammaire ontologique. Face au monde du devenir, le langage crée un second monde stable, un cosmos véritable, éternel et articulé, qui épuise la totalité des significations. Sans doute cette intuition se modifie, et Platon tend à chercher dans un cosmos de proportions géométriques, l'essence du cosmos logique. Il reste que ce Logos silencieux lui-même est l'origine et la fin de toutes choses, et qu'il est *articulé*, καθ'ἄρθρα, comme tout langage. La Logique hégélienne n'est-elle pas aussi ce Tout articulé qui est l'essence et la structure du monde ? Sous les espèces de la Logique, le monde ne livre-t-il pas son secret ?

Ici la nature du langage nous retient : il n'est que l'*être-là* de la pensée comme universel abstrait, c'est-à-dire la présence réelle de la pensée pour la pensée, le pour-soi de l'universel abstrait, « le moi dans sa pureté » : il n'est pas la substance, et le développement du monde se fait « derrière son dos ». Le premier homme qui parle prophétise l'universel parce qu'il le pro-nonce (c'est pourquoi le Verbe est au commencement), mais il ne sait pas qu'il anticipe l'histoire, et il ne le peut car l'universel prononcé n'est pas réel. Ou plutôt sa réalité est celle du *mot*. Il est remarquable que Hegel ait tenu qu'il n'y a pas de développement véritable des langues, cela implique l'éternité du langage comme tel : une langue est, si simple soit-elle, une totalité organique, c'est-à-dire un monde circulaire et fraternel. La république des mots précède donc de toute (son) éternité la république des hommes, et le langage qui entre par la voie royale de la Science dans l'État universel est le corps immobile de la langue humaine. Il n'est que l'existence empirique de l'universel comme tel, c'est-à-dire de l'universel dans sa pureté et son abstraction, l'autre côté de l'universel étant l'existence empirique de son impureté dans le concret. La véritable médiation de l'universel est l'individu parlant comme figure concrète de la conscience, dont Hegel est le premier exemple. Son discours comme acte est donc bien le fond des choses, c'est-à-dire l'universel dans sa liberté parlant de soi pour soi : une incantation – mais cet acte est le syllogisme vivant par lequel la totalité parcourt ses propres moments. Hors de ce syllogisme, le corps des mots retombe dans le cercle du langage, qui n'est que l'être là de l'universel *pur*. Le jeu de mots classique trouve ici son sens profond : σῶμα/σῆμα, le signe est un tombeau, le mot un mort, le langage un fantôme. Hegel n'a rien avancé d'autre quand il proclama que la « science de l'idée dans l'élément abstrait de la pensée [175] » ou « le système de la Logique est le Royaume des ombres ». La logique hégélienne est caverneuse, et voilà devant nous Platon à la renverse, et le monde en bascule. Le Logos n'est plus le corps du vrai dont le monde est l'ombre murale, mais l'ombre intérieure du monde véritable. Platon va de l'ombre au corps, Hegel du corps à l'ombre, qui n'est reconnue pour ombre qu'à la fin [176]. Ainsi la négativité de la logique [que] nous avons saisie dans nos premières analyses reçoit au terme son *être*. Car les mots sont d'une réalité empirique et sont le néant dans un certain être. Si la logique est abstaite du tout qui lui donne sens, nous voyons maintenant quel est son être : c'est celui du langage, c'est-à-dire le corps articulé de l'universel pur – et la nature de son anticipation : cette « représentation de Dieu avant la création du monde » n'est que l'universel des mots appelant la conversion créatrice du monde en universel concret ; cet *avant* n'est que l'en-soi de l'universel dans l'homme qui parle, et ne sait pas encore qu'il annonce la *fin* du monde dans son discours, c'est aussi la création en ce que la figure concrète du langage, qui est l'homme parlant, est l'homme historique, qui dans le travail et la lutte crée un monde conforme à son discours, accomplit le monde terminal dont la Parole est la Terre promise. La totalité est

une parole tenue; le monde accompli qui parle est alors célé-
bration de soi. La pro-messe est devenue messe. La philosophie, dit Hegel, est un « service divin [177] ».

Nous voilà donc rejetés d'entre les mots, qui ne sont que la
pureté du monde hors du syllogisme total du contenu absolu.
Le Logos comme tout abstrait a sa vérité hors de soi, et Hegel
montre bien l'ambiguïté du langage, qui est un cercle, mais se
détruit comme totalité dans la Nature et l'Esprit. Le panlogisme est un contraire dans les termes, puisque, si le Logos
est premier, le tout est dernier dans Hegel, et si l'on doit retenir que l'Esprit se précède dans les mots, les mots, comme
réalité constituée n'ont pas de sens en dehors de l'Esprit.

3. *La dialectique médiatrice*

Il reste cependant un point qu'il faut bien aborder. Si le
corps du langage est résorbé par le tout, et ne lui est pas une
forme extérieure, son *mouvement* paraît bien décisif dans l'élaboration du contenu. Il n'y aurait rien à reprendre à cela, si
l'éternité du langage n'affectait aussi son mouvement de telle
sorte que le Logos, non comme substance mais comme *loi*,
paraît gouverner la totalité. L'être du langage s'est résorbé
mais sa structure interne subsiste, comme un mouvement
silencieux et absolu qui domine le monde. Quel est le lien de
cette loi au monde, n'est-ce pas une nouvelle extériorité de la
forme au contenu? Et si nous nommons dialectique cette loi,
la dialectique hégélienne est-elle formelle ou réelle?

1. En ce qui touche Hegel, ce débat est aggravé par la tradition qui ne voit dans la dialectique que l'activité du dialecticien, c'est-à-dire du discours actif. « D'habitude, on considère
la dialectique comme une activité externe et négative, qui
n'appartient pas à la chose elle-même, qui a son fondement
dans un effort subjectif et vain pour ébranler et dissoudre le
solide et le vrai [178]. » Telle est du moins pour ses contemporains la vertu dissolvante de Socrate, ce promeneur acide et
assidu, qui heurte les opinions reçues et n'a de cesse qu'il

laisse son homme dans l'embarras de son propre néant. Les bourgeois athéniens du Vᵉ siècle ont bien compris qu'il s'agissait de vie et de mort, mais ils n'eurent pas l'esprit de comprendre la fécondité de cette mort verbale : ils ont gardé la vie pour eux et condamné Socrate à sa vérité. C'est pourquoi la mort de Socrate est devenue la vie de Platon, hanté par ce fantôme vivace. Et dans ses dialogues, l'autre côté, le positif de la dialectique éclate : le discours socratique ne détruit que pour édifier, ce refus n'est que le désir du vrai, et la réfutation des ombres. La dialectique platonicienne est conversion et ascension, c'est le dégagement de l'erreur et le cheminement vers le vrai parmi les opinions contraires. D'où son ambiguïté, car la vérité est aussi le terme d'un discours bien conduit, c'est-à-dire d'un discours victorieux. La polémique socratique n'est pas un luxe, Platon est un combat dont la forme est le dialogue, où le vrai ne se sépare pas de l'habile. Le dialecticien est le savoir dire et le savoir faire triomphants : il trouve du premier coup l'articulation vraie, comme le bon boucher. Or cette rencontre est troublante, car on peut balancer si l'articulation est seulement du discours, ce point verbal où les opinions culbutent – ou si elle est aussi du vrai, en sorte que Socrate, Calliclès et l'Étranger ne seraient que les personnages par qui la vérité ne parle que de soi, et la structure du dialogue ne serait alors que l'épiphanie de la structure de l'absolu.

2. Ce passage, obscur dans Platon, est revêtu par Hegel de la conscience de soi [179]. La dialectique n'est discours triomphant que parce qu'elle est loi triomphante : « La dialectique n'est pas activité extérieure d'une pensée subjective, mais l'âme propre du contenu... la pensée en tant que subjective ne fait qu'*assister* à ce développement de l'idée en tant qu'activité de la raison ; elle n'y ajoute rien de son côté. » Alors seulement nous affrontons le vrai problème, qui est le lieu des attaques contre Hegel : quelle est la nature de cette *âme* et de cette *activité intérieure* ? La dialectique n'est-elle pas l'âme du contenu comme la gravitation est l'âme des pierres et des astres ? Une loi qui se développe, ou même simplement une

loi qui se répète? Il faut convenir que les apparences de la pensée hégélienne ne heurtent pas cette interprétation. Si l'on considère la *Phénoménologie* elle-même qui est l'œuvre la plus concrète et la plus dense, nous y découvrons que la conscience est soumise à une nécessité qui la dirige et la forme « derrière son dos [180] ». Cette nécessité comparable à celle de Spinoza [181] est sans doute celle du *pour nous*, et on peut accorder à Hegel parvenu au terme, que la conscience finale est le dos de la conscience naissante, mais ce *point de vue* ne fait pas que le caractère dorsal de la *Phénoménologie* se confonde avec sa nécessité. En vérité, cette confusion est impossible si la manifestation de l'Esprit à travers les formes de la conscience n'est pas la manifestation d'une loi éternelle, qui ne peut présider à sa naissance que si elle est *déjà là* et active. On l'a dit heureusement, la *Phénoménologie* est une nouménologie [182], il y a un en-soi de la dialectique hégélienne, et si l'on fixe de près les avatars de la conscience, cette loi finira bien par se livrer et sortir de son corps comme des pommes et des étoiles la gravitation de Newton. L'*Encyclopédie* nous indique cette loi dans la triplicité. La nécessité dialectique et la loi de conversion de la thèse dans l'antithèse, et de l'antithèse dans la synthèse, et, sous cette forme schématique, le développement de cette loi n'est que sa répétition. Le troisième terme devient le premier d'un autre ensemble d'où sort un troisième terme qui engendre à son tour un autre ensemble. L'usage systématique de ce schéma, et particulièrement dans la *Philosophie de la Nature* ou dans la *Philosophie de l'Histoire*, donne l'impression que Hegel retombe dans une philosophie de la loi et dans le formalisme, et qu'il « manipule le contenu de l'extérieur [183] ». Le discrédit qui le frappa au cours du XIXe siècle tient pour une bonne part au formalisme ternaire de la *Philosophie de la Nature*, et a contribué à édifier le renom de son panlogisme. Enfin, les formules ambiguës qu'il énonce dans le dernier chapitre de la *Grande Logique* sur la méthode absolue, où l'essence de la loi ternaire est soigneusement détaillée, ont, pour avoir été mal entendues, accentué l'équivoque. Devons-nous reconnaître que Hegel est tombé dans le formalisme qu'il a plus que tout autre dénoncé?

« Le formalisme s'est emparé même de la triplicité, et s'est attaché à son schéma vide [184]. » Cette réflexion acerbe de la *Grande Logique* rejoint les attaques de la *Phénoménologie* plus jeunes de dix ans. Hegel y visait Schelling, et avec quelle verdeur ! « Le résultat de cette méthode consistant à revêtir tout le céleste et le terrestre, toutes les figures naturelles et spirituelles, du couple de déterminations du schéma universel [185] » lui inspire les comparaisons les plus désobligeantes tirées de la cuisine, de la peinture, de la pelleterie, du barbouillage, de l'escamotage, du reboutage, de l'équarrissage, du jeu, du cartonnage et de l'épicerie. On a peine à croire que Hegel ait montré de telles ressources verbales contre le formalisme pour le restaurer dans tous ses états. Il en veut à ce savoir superficiel, qui n'atteint que l'illusion du concept sous les espèces d'une loi extérieure au contenu. Selon lui, au contraire, « la déterminabilité tirée du schéma et appliquée de l'extérieur à l'être-là, est dans la science, l'âme se mouvant elle-même du contenu plein [186] ». Et par contenu il faut entendre non l'abstraction de toute diversité empirique, mais l'objet lui-même dans ses déterminations propres : « La connaissance scientifique exige qu'on s'abandonne à la vie de l'objet... qu'on exprime la nécessité intérieure de cet objet... [elle est] enfoncée dans la matière, procédant selon le mouvement propre de cette matière [187]. » Bien plus, il faut dire qu'il n'y a d'autre méthode scientifique que celle qui « ne diffère pas de son objet et de son contenu — car c'est le contenu en lui-même, la dialectique qu'il a en lui-même qui le fait progresser [188] ». Ce texte est fondamental car il exprime l'exigence hégélienne la plus profonde et identifie la dialectique au contenu. Voyons ce point de plus près.

Les pénétrantes analyses de Hartmann ont rappelé l'attention sur l'« abandon » *(Hingegebenheit)* de la dialectique hégélienne. « Ce mouvement dialectique que la conscience exerce en elle-même, dit Hegel, en son savoir aussi bien qu'en son objet en tant que devant elle le nouvel objet vrai en jaillit, est proprement ce qu'on appelle *expérience* [189]. » S'aidant de ce texte, Hartmann a montré que la dialectique qui est chez

Fichte un schéma déductif, est chez Hegel la forme de la consécration à l'objet; et plus précisément, que la dialectique n'est ni règle, ni loi fixes, puisque l'objet et son *Maßstab* [corrélat] changent dans le cours du processus [190]. Il ne peut donc s'agir de déduire le contenu ou de le soumettre à un schéma étranger, mais d'être contemporain de sa propre naissance. L'expérience serait donc, selon le mot heureux de Claudel, une « co-naissance » où la part de l'esprit est l'effacement attentif dans lequel il prend sur soi l'effort de la conception, « *die Anstrengung des Begriffs* ». Cette capture par l'esprit n'est que la capture du contenu par soi : le concept même. C'est pourquoi Hartmann soutient avec raison « qu'on peut sans hésiter ranger l'intuition dialectique hégélienne sous le terme d'*intuition d'essence (Wesenschau)* [191], et que la description phénoménologique de Hegel est, quoi qu'en ait dit Husserl, la pure description d'essence husserlienne. Tout l'effort de Hartmann s'applique à faire ressortir cette pureté de l'objet : si la dialectique en est le mouvement spécifique, il n'y a pas de dialectique universelle; à chaque contenu sa dialectique, et puisque les objets réels ne se répètent pas, il n'y a pas deux fois la même dialectique dans Hegel [192]. Toute ressemblance est superficielle comme celle des yeux et des oreilles dans des visages différents. Ni selon le contenu ni selon la forme on ne peut transposer dans le maître-esclave la dialectique de la perception, ni dans la conscience malheureuse la dialectique de la maîtrise et de la servitude. Il y a donc une certaine discrétion des objets, à quoi répond une discrétion de la dialectique. Si elle n'est pas une loi, c'est qu'elle ne s'atteint pas en tant que telle, elle manque, dit Hartmann, du moment du pour-soi. L'aberration de Hegel est d'avoir voulu formuler ce pour-soi, la loi de la dialectique, sans voir qu'il n'est pas possible de précéder l'expérience par aucune règle, puisque dans l'expérience le contenu reprend son bien en transformant la règle elle-même. Aussi ne peut-il y avoir de pour-soi que pour Dieu, qui provoque en nous ces mouvements dont seul il sait la loi, et qui *se pense* dans notre expérience abandonnée.

Cet aboutissement de Hartmann rétablit dans Hegel, sous

un aspect séduisant, une philosophie de l'intuition avec ses prolongements théologiques – et l'on sait que Hegel est à l'opposé de cette forme de pensée qu'il a dénoncée chez Jacobi. Les difficultés de Hartmann sont d'ailleurs significatives : comme il ne peut faire porter à la dialectique le poids de l'erreur, il prononce qu'il y a de bons et de mauvais objets dans les analyses de Hegel. Ainsi [193] la description du crime ou de la servitude sont bonnes, celle du devenir est mauvaise, Hegel est à trier, et Hartmann ne cache pas qu'il faudra longtemps encore attendre avant d'y voir clair. Ce scrupule étonne, quel que soit le génie qu'on accorde à Hegel, car enfin on peut au moins le suivre, et juger avec lui de ses « analyses d'essence » sans délai ; ce malaise cache une autre difficulté : c'est la nature de ces essences elles-mêmes. Elles ne sont pas si discrètes qu'elles ne dépendent l'une de l'autre, et l'esprit n'est pas libre de les prolonger à sa guise dans tous les sens : elles poussent dans une direction et tendent vers un tout irréductible, en sorte que le contenu de l'intuition est instable ; c'est un être et un mouvement, et Hartmann ne peut trancher cette ambiguïté à satisfaction, car s'il reconnaît que le mouvement est un [*Ab*]*hängen* et non un *Aufbau* [construction], téléologique et non additionnel, il ne parvient pas à sortir du mouvement et à penser la totalité achevée. « Le vrai est le tout signifie sous ce rapport : la conscience n'est ni commencement ni fin du processus, mais le processus lui-même [194]. » La totalité est selon lui présente dans le mouvement, mais par procuration, puisque le mouvement la réalise sans l'atteindre.

On voit donc les difficultés où les extrêmes nous portent : la dialectique de Hegel n'est pas une forme pure, de son propre aveu délibéré ; elle ne peut être non plus le contenu saisi dans la pureté d'une analyse d'essence, car bientôt la dialectique réelle échappe à l'intuition en tendant vers sa fin. Comment donc entendre la thèse hégélienne identifiant la dialectique et le contenu ? Si le contenu est un pur mouvement, ou bien sa loi le domine, et nous retombons dans le formalisme, ou bien elle est en lui, mais « derrière son dos », et comme le dit Hartmann, il n'y a pas de pour-soi de la dialec-

tique. En vérité, il n'est pas possible de sortir de cette contradiction, si l'on n'admet pas que pour Hegel le contenu est
parvenu au Soi, c'est-à-dire [que] le mouvement est accompli,
la totalité réalisée, et si l'on omet que le problème de la dialectique ne se pose que sur le fond du contenu absolu. Les
hésitations de Hartmann, qui fixe la totalité sur le processus
en devenir, parce qu'il veut à la fois sauver le caractère intuitif
de l'expérience dialectique et son incomplétude téléologique,
c'est-à-dire poser le contenu comme total et non-total, n'ont
d'autre origine que cette négligence. Dans le Savoir Absolu où
Hegel siège, il est exact que l'*expérience* règne dans son acception husserlienne pure : comme une pure intuition d'un
contenu qui est à lui-même sa loi; à ce point on peut dire que
la dialectique est l'« âme du contenu » ou même affirmer
qu'il n'y a pas de dialectique du tout [195], puisque ce dedans
absolu n'a pas de dehors. Mais nous savons déjà que le dehors
de ce dedans est sa profondeur dominée, que le pour-soi de ce
contenu n'est pas « dans son dos » mais dans son cœur, que
l'intuition est le concept parvenu à son royaume, et que la
totalité contient sa propre histoire : autrement dit la dialectique n'est pas aveugle, elle se saisit dans le concept absolu en
même temps qu'elle se dessaisit en lui dans l'intuition du
contenu absolu.

Nous tenons ici les deux aspects de la totalité hégélienne :
dans la substance, l'aspect compact et homogène du contenu
et l'obscurité de son âme dominent − en ce sens il n'y a pas de
dialectique; *dans le sujet* au contraire c'est l'âme qui
triomphe, c'est-à-dire le processus conscient, mais toujours
dans la forme de l'extériorité − en ce sens il y a une dialectique, mais formelle. La constitution de la totalité est le développement, l'accomplissement et la reconnaissance mutuelle
de ces deux côtés : en elle l'intuition et le concept coïncident
profondément, la substance et le sujet, le contenu et la forme,
la dialectique et la non-dialectique. La dialecticité est alors la
profondeur de la non-dialecticité, l'« âme du contenu », c'est-
à-dire son propre concept. « La méthode a surgi comme le
concept se connaissant lui-même, s'ayant lui-même comme

objet [196]. » Et nous savons que la négativité est l'âme du concept. On peut donc avancer que la dialectique hégélienne est le concept de la négativité, c'est-à-dire la prise de conscience de la négativité par soi : aussi la dialectique n'atteint le pour-soi que dans la négativité humaine parvenue à sa propre conscience, c'est-à-dire dans Hegel qui le premier « ressaisit ce saisissement de soi [197] ». La fameuse triplicité n'est que la capture de la négativité par soi, c'est-à-dire la négation de la négation dans le troisième terme qui délivre et accomplit le premier. C'est pourquoi toute la dialectique hégélienne tient dans la négativité hégélienne — laquelle ne parvient au pour-soi que lorsqu'elle s'est niée elle-même, c'est-à-dire lorsque le concept est parvenu à se saisir lui-même dans la totalité finale : Hartmann avait raison de dire que la dialectique ne se hausse pas au pour-soi, parce qu'il refusait que le Tout fût réalisé. Mais il faut aussi observer que ce concept du concept est conditionné par l'homogénéité du concept et de son élément, autrement dit que la dialectique se saisit comme telle (= négativité *pour soi*) lorsqu'elle a réalisé l'homogénéité de sa conscience de soi et de son être, quand le sujet est devenu substance.

A ce sommet éclate la toute-puissance de la « méthode ». Car elle était la loi obscure de la substance, c'est-à-dire le mouvement aveugle qui la poussait vers son terme, mouvement qui ne savait pas, et qui allait à reculons vers la lumière, « l'âme aveugle du contenu » ; mais elle était aussi la négativité du pour-soi, se constituant une totalité à sa propre image, où il pût se saisir non comme une négativité extérieure mais comme négativité intérieure, et qui voulait que la lumière se fît monde. La méthode absolue est la méthode se rencontrant elle-même ; et reconnaissant en soi « la force absolument infinie [198] » qui gouverne le monde parvenu au contenu absolu. Elle n'est donc que la négativité parvenue à soi dans la totalité du contenu absolu.

B. Le mauvais contenu

Si donc la conception hégélienne n'est attaquable que par méprise sous le rapport de la forme, il ne reste plus qu'à rapporter le malaise critique au contenu lui-même, et à établir si ce contenu est bien digne de sa forme, et s'il atteint dans Hegel même l'universalité concrète qui est sa fin. Nous venons de voir en effet que les médiations formelles invoquées sont factices, et appartiennent réellement à l'intériorité du contenu. C'est donc au contenu accompli que l'esprit doit s'attaquer s'il veut justifier et expliciter ses réserves. Les analyses qui précèdent auront du moins dégagé la validité de l'aspect formel du système hégélien, en montrant que la forme n'est rien d'étranger au contenu. Voyons maintenant si l'existence empirique de la totalité est bien la forme réalisée, la négativité en acte, la liberté réelle, si le concret est véritablement universel – si le contenu est conforme à son concept.

On ne peut mieux établir ce point qu'en examinant le royaume où l'Idée existe dans sa réalité empirique, où l'universel se donne un corps concret : l'État. Or, c'est la conception hégélienne de l'État qui a provoqué les plus vives attaques. La bureaucratie prussienne proposée au monde de la Sainte-Alliance, comme la réalisation de l'Idée divine! Quels que fussent le poids de ce régime et la force du fait accompli, aucun esprit honnête ne pouvait accepter sans malaise la bénédiction hégélienne. La rigueur même de la pensée de Hegel rendait plus dérisoire cet enfantement. Les paroles hégéliennes, dont la profondeur étonne quand on les tire de ce texte, rendaient devant l'histoire un son bien terne : on ne peut décrire que ce qui est, le philosophe est l'enfant de son temps et ne saute point par-dessus, le vieil hibou qui se lève dans le soir comme la sagesse – tous ces propos dissimulaient mal une résignation contrainte. Marx a eu le mérite d'exprimer clairement ce malaise, de mettre le contenu en accusation, et de pénétrer au cœur de la contradiction hégélienne au nom de Hegel lui-même. Voyons où cela nous porte.

1. *L'erreur*

La critique marxiste, contenue dans un manuscrit qui date des années 1841-1842, dont la préface seule parut du vivant de Marx, est un commentaire cursif des *Principes de la Philosophie du Droit*, que Hegel composa pour expliciter le chapitre de l'*Encyclopédie* consacré à l'État, et qu'il fit paraître à Berlin en 1821 [199]. Nous voudrions reprendre en les groupant les arguments de Marx.

1. Il faut d'abord entendre que Marx n'en a pas à Hegel pour avoir décrit « ce qui est », car la primauté de l'actuel est au même titre un impératif marxiste et un impératif hégélien. Le jeune Marx cherche « l'idée dans le réel [200] », le Dieu sur terre et non dans le ciel, comme Hegel lui-même refuse tout au-delà et toute Idée qui n'est pas réalisée. L'Idée est concrète ou elle n'est pas. Aussi « Hegel n'est pas à blâmer parce qu'il décrit l'être de l'État moderne tel qu'il est, mais parce qu'il donne pour l'être de l'État ce qui est. Que le rationnel est réel, cela est précisément en contradiction avec la réalité irrationnelle, qui est partout le contraire de ce qu'elle exprime, et exprime le contraire de ce qu'elle est [201] ». Et de fait, l'imposture hégélienne est non d'avoir décrit l'État prussien réel, mais de l'avoir présenté comme l'Idée réelle, c'est-à-dire d'avoir accordé à un contenu irrationnel le prestige et la justification rationnelle de l'Idée.

Il n'est pas inutile de rappeler ici que l'État est pour Hegel le sommet et le corps glorieux de l'histoire, dont le destin est la réalisation de la liberté. L'État (dont il salue la naissance dans les chevauchées unificatrices de Napoléon) est la libération du concret et la réalisation de l'universel : en lui l'antinomie de l'universel et du particulier, la contradiction de la domination et de la servitude, non seulement s'apaisent mais se satisfont dans la profonde paix de la cité unanime. Dans l'État l'homme est enfin *chez soi*, ni maître ni esclave mais citoyen; non plus « étranger dans son pays même », mais pleinement satisfait dans la reconnaissance universelle, justifié dans son être par la liberté des hommes qui est sa vraie terre natale. L'État réalise enfin l'essence de l'Esprit : « Un Moi qui est un Nous et un Nous qui est un Moi [202]. » Aussi l'universel de l'État homogène n'est pas hors de l'homme, mais dans son existence empirique même : le citoyen est immédiatement universel, en ce qu'il n'a plus à se garder d'un maître, et ne garde pas en lui ses forces en réserve. Il est tout entier élevé dans sa dignité nouvelle, son corps, ses gestes, son génie, sont dans la fonction le bien de tous les hommes. Sa liberté cependant ne circule pas dans la cité comme le sang dans le corps ou l'air dans les arbres : elle est une liberté pour-soi, consciente de soi, et heureuse de connaître ses mouvements silencieux, ce « jour spirituel de la présence [203] ». L'universel est non seulement concret dans l'État, il est aussi pour-soi. Cette limpidité explique d'ailleurs comme le pressentait Hegel dans l'avènement d'une Europe unie, que l'État soit vraiment universel, c'est-à-dire soit seul à être la totalité unique et définitive. Il n'y a qu'un Dieu, et l'État est l'Idée divine réalisée.

Voyons ce qu'il nous reste de cette vision dans l'État de la *Philosophie du Droit*, si l'être empirique de l'État prussien est à la hauteur de son être rationnel. Or il est trop clair que dans l'État décrit, le concret n'est pas universel, et que l'universel n'est pas concret.

La structure même de l'État trahit le premier point. Hegel, au lieu de nous proposer la totalité circulaire, hors de laquelle il n'est pas de liberté, ni naissante ni accomplie [204], nous donne la pyramide prussienne. En place d'égalité, la hiérarchie d'ordres et de pouvoirs ; au lieu de la circulation réelle de l'Idée, les cloisons des corporations, des bureaux et des polices. Cette structure même est inquiétante, puisque le haut et le bas dans leur fixité constituée, ne peuvent prétendre à se rejoindre que par la réflexion : le haut n'est pas le bas, mais il n'est haut que par le bas. Nous en savons assez pour voir dans la réflexivité la promesse de l'aliénation et de la servitude. Le détail le montre bien : cette hiérarchie est d'abord celle des sphères de la famille, de la société civile et de l'État, qui existent côte à côte et littéralement se considèrent comme des étrangers. Il n'y aurait rien à reprendre à ces différences comme telles si leur aliénation n'était la matière de leur hiérarchie ; car nous savons que le contenu absolu « contient en lui ses propres différences », et l'État absolu ne peut être le bloc parménidien, ou la substance ensommeillée, mais il faut, pour que ces différences échappent à la servitude, qu'elles conquièrent leur vérité dans leur propre liberté, et qu'elles soient posées dans la totalité comme immédiatement universelles. Or les premières expressions hégéliennes n'entretiennent pas cette évidence : « Vis-à-vis des sphères du droit privé, de la famille et de la société civile, l'État est d'un côté leur *nécessité extérieure* et leur puissance supérieure, à la nature de laquelle leurs lois et leurs intérêts sont subordonnés et dont ils dépendent... » Cette dépendance n'échappe pas à Marx qui note : « Cette nécessité va contre l'être intérieur de la chose [205]. »

Et en effet nous heurtons ici l'ambiguïté qui commande tout le reste : si la structure de la cité est pyramidale, on y découvrira dans le meilleur des cas que le mouvement d'un extrême à l'autre est son retour : mais les extrêmes ne s'y toucheront pas, sinon par une figure c'est-à-dire par une défiguration. Autrement dit, le mouvement qui du haut gagne le bas, ne touche pas le haut sitôt qu'il repart du bas, mais l'atteint seulement après avoir retraversé tous les intermédiaires. Le propre du cercle au contraire est d'échapper à la médiation extérieure : le mouvement qui le parcourt atteint son commencement dans sa propre fin. Il reste en soi dans son déploiement entier, car il est toujours à sa propre hauteur ; c'est pourquoi le cercle est une figure digne de l'individualité immédiatement universelle, la seule figure possible de la liberté hégélienne. Tout le paradoxe de la philosophie de l'État de Berlin tient donc dans ce problème : comment convertir une pyramide en cercle, recourber le va-et-vient prussien dans la circularité de l'universel, bref douer un contenu donné d'une signification qu'il n'a pas. Hegel a bien adopté la seule solution possible : la contrebande, mais il a compté sans le douanier Marx qui le prend en « flagrant délit » de faux contenu.

L'extériorité de la structure de l'État est extrêmement concrète. Si l'on fait abstraction de la sphère famille que Marx néglige délibérément, la cité prussienne est composée de deux extrêmes : l'État et la société civile, et de leurs moyens termes, le gouvernement, les fonctionnaires, la Chambre des pairs et la Chambre des députés. L'État est pour Hegel le corps et l'âme de l'universel, mais cet universel en soi et pour soi n'est pas la totalité : il n'en est qu'un moment, et en face de lui se retrouvent les mondes ouvrier et financier organisés dans les corporations et les communes de la société civile. « Les intérêts particuliers communs qui ressortissent à la société civile et sont situés hors de l'universel en soi et pour soi de l'État lui-même ont leur administration dans les corporations [206]. » Cette phrase de Hegel que Marx reprend découvre sans équivoque le fond de sa pensée : la société civile trouve l'universel en dehors de soi. Quant à la raison de cette aliénation, on aurait quelque peine à la dégager : elle tient d'abord au fait brutal de l'État prussien ; mais elle n'est pas sans lien avec l'être même de la société civile ; Hegel décrit cette dernière comme le Système des Besoins, le déchaînement des instincts égoïstes, le système fluctuant de l'atomisme économique, c'est-à-dire le non-organisme même. La société civile est contradiction vivante en ce que l'universel n'y est pas une Idée mais la somme des besoins particuliers, et en ce que l'universel n'y est pas *pour soi*, puisque chacun n'y poursuit qu'une poussière de buts égoïstes. Hegel n'a pas accepté cette contradiction comme devait le faire Marx, y voir l'être même du contenu pour en dégager la vérité. Il en retient seulement que la société civile est un faux contenu, qui ne peut trouver sa vérité en soi-même, et il la justifie donc de la chercher hors de soi dans l'universel de l'État. Si l'on préfère, la société civile est un contenu qui n'arrive pas à atteindre en-soi-et-pour-soi l'universel de sa vérité – et qui le trouve dans les institutions extérieures du gouvernement : « Hegel ne voit pas, dit Marx, qu'avec cet élément – l'universel en et pour soi – il fait sauter les deux premiers et inversement [207]. » Ou bien en effet la vérité est hors de la société civile, qui est alors un faux contenu, ou elle est en elle, et l'État est un faux universel. « Dans un organisme rationnel, la tête ne peut être de fer et le corps de chair. Pour que les membres se conservent, il faut qu'ils soient de même nature, et qu'ils aient même chair, même sang [208]. » Cette profonde parole de Marx reprend les termes mêmes de Hegel qui voulait que l'Esprit fût la consubstantialité du tout – et que dans l'organisme politique l'homme rencontrât comme dans la première femme « la chair de sa chair et l'esprit de son esprit ».

Cependant le faux du monde civil paraît dans une autre remarque de Hegel, qui montre que le peuple n'est pas capable d'atteindre au pour soi de l'universel. En effet, on pourrait concevoir qu'à défaut de le réaliser, les « nombreux » pussent se représenter l'universel et l'indiquer à la sollicitude du souverain. Il n'en est rien : « Savoir ce que l'on veut, dit Hegel, ou mieux encore ce que veut la volonté en et pour soi, la Raison, est le fruit d'une connaissance profonde et d'une intelligence qui ne sont justement pas le fait du peuple [209]. »

Cette double aliénation de l'en soi et du pour soi de l'universel dans le peuple est l'anéantissement de la liberté dans l'individu de la société civile. L'individu est aliéné en effet dans son activité économique directe. Le monde économique est bien le produit du travail de l'homme, mais ce n'est pas un produit voulu ni ressaisi par l'homme. Le concept est absent de la société civile, ou plutôt il se referme derrière son dos. L'individu qui travaille et vend ne suit que sa faim et ne veut satisfaire que ses désirs et ses besoins. Il ne sait pas que la ruse de la raison constitue ces besoins en système, et forme un monde circulaire : les produits de l'un répondent aux besoins de l'autre, et dans l'échange où chacun ne voit que ce qu'il tient s'établit le profond équilibre des égoïsmes inconscients. Ce système est donc un universel dans son être, mais il manque du pour-soi et n'atteint pas le vrai. Marx devait reprendre cette idée et dégager la vérité de cette compensation élémentaire des liens économiques, en montrant que le concept, c'est-à-dire le saisissement de ce lien, ne peut être que la transformation révolutionnaire de l'ordre social. Tel qu'il est développé dans Hegel, non seulement donc cet universel manque du pour-soi, mais son en-soi se trouve anéanti par la simple présence du prince et de son gouvernement. La sphère de la société civile est rabaissée à la simple matière d'un universel imposé. Cette dégradation est la seconde aliénation de l'individu dans l'État prussien. En effet, la première atteignait au premier chef le *pour-soi* de l'individu. Ici elle atteint son *être* même et sépare dans l'homme le citoyen du civil. L'artisan n'avait pas conscience dans la société d'engendrer l'universel dans son activité économique même. De l'État rejaillit sur lui la conscience de l'universel, mais elle touche l'individu en lui sans atteindre l'artisan. Le citoyen de l'État prussien n'est pas l'homme total, mais l'homme divisé en soi, mettant de côté son activité réelle, et doué d'une attribution vide. « Le citoyen de l'État et le citoyen simple membre de la société civile sont également séparés... Pour se comporter... en citoyen réel de l'État, acquérir de la signification et de l'activité politiques, il est obligé de sortir de sa réalité civique, d'en faire abstraction [210]. » Si donc l'individu parvient à l'activité politique (qui n'est que de délégation), et veut éprouver le fond de ce nouvel ordre, dans lequel selon Hegel il parvient à la satisfaction totale de soi, il voit qu'il a payé sa vérité de son être même. Il se voit coupé comme une pomme, et deux êtres en lui. La cordonnerie et l'existence concrète du cordonnier n'ont rien à voir dans le citoyen cordonnier. La vérité du citoyen est vidée de sa réalité. L'individu ne trouve pas dans l'État son accomplissement et sa libération, mais la reconnaissance officielle de sa servitude et de son aliénation. « L'État a de façon générale la signification que la séparation, la différence, sont l'existence de l'individu. Sa façon de vivre, d'agir, au lieu d'en faire un membre, une fonction de la société, en fait une exception à la société et constitue son privilège [211]. » Mais, si l'homme réel ne trouve sa vérité que hors de soi, cette vérité ne peut être que non réelle c'est-à-dire l'aliénation en acte. La réalité de cette vérité ne doit pas être sa propre réalité. C'est précisément ce qu'on nous offre à l'autre extrême.

2. Ici nous pénétrons dans l'universel en-et-pour-soi de l'État, nous sommes d'abord face au Prince. Mais le Prince, n'est-ce pas enfin l'Idée poursuivie? Nous la tenons en lui : il est libre, puisque rien ne le limite que la raison, surabondamment libre puisqu'il dispose même de la vie de ses semblables par le droit de grâce, actif puisqu'il choisit ses ministres, ses agents, et gouverne, universel puisqu'il est reconnu par tous, et comme il n'est pas de bois il connaît sa majesté : c'est un universel pour-soi. Ce trait-là justement est inquiétant; tous les attributs décomptés se ramènent à un seul, au pour-soi. Le Prince souffre d'une hypertrophie du pour-soi, et pour une bonne raison, c'est qu'il n'a pas d'en-soi. Ou plutôt il est doté d'un en-soi dérisoire. Marx est impitoyable : ce roi, quelle est donc sa nature? Est-il roi d'être reconnu par consentement, ou est-il reconnu [parce] qu'il est roi, par nature? Par nature. Soit. Toutes les bonnes raisons du début n'étaient alors que faux-semblants, des attributs allant au roi et non à l'individu sur le trône, au personnage et non à la personne. On touche ici le malentendu de l'individu roi : rien n'appartient à l'individu, mais tout au roi, jusqu'à l'individu même, qui sans repos, « entend venir le roi » comme disait Frédéric lorsqu'il se laissait aller à être homme. Voilà le roi coupé en deux comme l'homme du peuple, et cela nous éclaire sur l'esclave dans le Prince.

Allons plus loin : si le roi n'est pas tel par sa fonction humaine, si ses vertus lui viennent sous la couronne, sa couronne vient d'ailleurs. Hegel le dit : de naissance. Nous sommes enfin au but. L'en-soi du roi est de naître roi. La merveille, dit Marx, nous naissons tous. « Le roi est né roi comme le cheval est né cheval [212]. » Voilà où se réfugie l'immédiat de l'universel : dans l'irrationnel de la détermination naturelle. On pense amèrement à la *Phénoménologie*, qui montre que l'Esprit n'est pas un os. Le plus haut de l'Esprit est ici la naissance d'un crâne. Ce ne peut être qu'une méprise – ou bien la couronne fait passer le crâne. Le Prince est de contrebande ; quant à l'universel, il couvre un homme de rencontre : son contenu n'est pas à sa hauteur, et si l'on y regarde par l'autre bout, ce même contenu est contraint à la supercherie, c'est un universel malgré lui. C'est la profonde raison de la coupure dans l'homme, que l'État en haut comme en bas le force à jouer, à contre-nature, un personnage qui le dévore. Ou plutôt, ce qui dévore Hegel, c'est dans le haut ce qu'il refuse du bas : pour n'avoir pas sauvé la nature presque animale du système des besoins mais l'avoir sacrifiée à un universel vide, c'est la brutalité naturelle qui ressaisit le roi. « L'État, dans ses plus hautes fonctions, prend une réalité animale. La nature se venge sur Hegel du mépris qu'il lui a témoigné. Si la matière ne devait plus rien être en-soi contre la volonté humaine, la volonté humaine ne conserverait ici plus rien pour soi en dehors de la matière [213]. »

3. Entre les deux extrêmes du Prince et de la société civile se pose alors le problème de la médiation. Elle se réalise dans le sens descendant par le gouvernement (ministres, fonctionnaires), et dans le sens ascendant par les états. Mais quelle peut être la nature des moyens termes pris entre un monde réel incapable de dégager sa vérité, et une vérité incapable de justifier sa réalité ? « Le moyen terme, dit Marx, est le fer couleur de bois, l'opposition masquée entre la généralité et l'individualité [214]. » Cela est clair des états, sur qui Marx s'exerce à cœur joie. Quelle est en effet leur origine ? Ils ne sont que la délégation de la société civile, les représentants des corporations, ils défendent donc des intérêts privés étrangers à l'universel que l'État incarne. Que sont-ils donc de plus que la société civile constituée en délégation, réglant ses comptes avec l'État comme on les règle avec un adversaire ? De fait, cette concentration parlementaire ne dissout pas le monde économique. La chambre n'est que le « peuple en miniature [215] », s'approchant de l'adversaire. Mais cette réduction n'est pas une reddition. Le moyen terme n'est que la contra-

diction répétée : « Les états sont la contradiction posée de l'État et de la société civile dans l'État [216]. » Le gouvernement cependant, tenant les états pour moyen terme, va également au-devant d'eux, et se sert d'eux pour parvenir au peuple. En ce sens les états sont « le gouvernement amplifié [217] » et, comme dit Marx, « ils sont eux-mêmes une partie du gouvernement contre le peuple, mais de telle façon qu'ils ont en même temps la signification d'être le peuple contre le gouvernement [218] ».

On voit l'ambiguïté de ce moyen terme, qui n'est pas médiation réelle, puisqu'il ne fait que reprendre sur lui l'opposition qu'il voulait réduire : l'antagonisme est posé comme factice dans sa réalité même : « C'est une société qui au fond du cœur est batailleuse, mais qui a trop peur des bleus pour se battre réellement [219]. » Ce combat, que Hegel refuse, est celui de la vérité qui ne paraît pas dans cette médiation imaginaire. Le troisième terme hégélien qui est totalité concrète est ici le misérable compromis de deux forces adverses qui n'ont pas le cœur de s'affronter ; au lieu de porter et accomplir les extrêmes, le troisième terme s'entremet, et comme il ne réussit qu'à moitié, il reste entre les deux, coincé dans la conclusion ou plutôt dans le débat. Tout l'effort de Hegel consiste à nous représenter cette juxtaposition comme un cercle et cette médiation non réelle comme une véritable médiation idéelle. Marx dévoile la supercherie, et contre Hegel lui-même, reprend la véritable conception hégélienne du troisième terme : la médiation vraie est la totalité, et si « les états sont la contradiction... ils sont en même temps la réclamation de la solution de cette contradiction [220] ». Ce n'est que de l'être même de la contradiction que la solution peut naître, au niveau de la médiation que la totalité peut se constituer. Ce troisième terme authentique est pour Marx la représentation populaire constituante et législative, l'assemblée populaire souveraine, la circularité du pouvoir et de la multitude, l'universel concret animant un corps digne de lui, c'est-à-dire la démocratie véritable. La médiation prussienne n'est, comme le disait Hegel dans la *Phénoménologie*, qu'un bout de bois ficelé sur une jambe.

2. *La nécessité de l'erreur*

La critique de Marx nous découvre donc une perversion étonnante. Car l'État prussien nous est décrit dans sa brutalité empirique, et il saute aux yeux que cette monarchie constitutionnelle dans sa structure hiérarchique n'est pas la totalité circulaire du vrai. Le contenu n'est pas la réalité de son concept, le contenu est faux. Cependant cette perversion nous est présentée en même temps comme la vérité. A la réalité concrète du contenu qui ne parvient pas à s'accorder avec soi se superpose une signification seconde. L'universel de la Prusse est non pas la médiation intérieure au contenu, mais un concept du dehors qui donne aux institutions un sens autre qu'elles-mêmes, qui les dépasse et les justifie. « La réalité empirique apparaîtra donc telle qu'elle est ; elle est également énoncée comme rationnelle, mais elle n'est pas rationnelle à cause de sa propre raison ; elle l'est parce que le fait empirique a dans son existence empirique une signification autre que soi-même [221]. »

Mais il y a plus dans l'État prussien de Hegel qu'une simple juxtaposition de sens, on y perçoit le sens de cette juxtaposition, dans une obscure nécessité de la juxtaposition. Le Prince et le peuple co-existent dans une fausse indifférence, et le lien que Hegel veut établir entre eux ne leur est pas tellement étranger qu'ils ne pourraient le découvrir dans leur être même. C'est parce que le peuple n'a pas sa vérité en lui qu'il la contemple dans le roi, c'est parce que le roi n'est pas un homme réel qu'il cherche sa raison d'être dans le peuple. La « signification autre » que Marx dénonce dans la supercherie présente est au contraire terriblement intérieure : c'est celle qui hante le réel, et qui aspire à s'accomplir en lui, qui dans l'échec même anticipe pourtant sa réalisation. Parce que le peuple n'a pu dégager l'universel qui sommeille en lui, ni reprendre comme sa volonté ce monde économique dont il subit la loi, il ressent cette volonté universelle comme un manque, la projette sur le Prince où il la vénère sans le savoir.

La signification est compensatoire ; tel est le lien profond de l'aliénation prussienne, qui nous rappelle les analyses hégéliennes de la réflexivité kantienne. Dieu habite son peuple prussien comme il faisait le juif – mais son peuple ne le reconnaît point. Cette signification autre, ce ciel, est la vérité du contenu qui, comme il ne la connaît pas, renonce à la ressaisir et à la modeler à son image.

On dirait cependant que Hegel a renoncé à la force de sa pensée, et que loin d'aider à cette conversion du peuple à sa vérité, c'est un autre sens qu'il tente de projeter sur la contradiction. Car la compensation, dès qu'elle est connue, devient une force dissolvante et révolutionnaire. Tout se passe comme si Hegel, se faisant complice de la nuit, voulait cacher au peuple son propre Dieu, et justifier de Dieu qu'il soit caché. Aussi est-ce la signification totale du contenu qu'il dérobe au contenu, en pervertissant sa signification réelle. Il dit que l'État est le vrai du peuple, mais il ne montre pas que le vrai habite un peuple qui l'ignore ; il déclare au contraire que le peuple ne peut pas le connaître, et cette raison est forte : comment le vrai naîtrait-il de l'anarchie économique, de la pauvreté spirituelle du monde de l'artisan et du bourgeois, comment le vrai naîtrait-il dans une étable ? Et, s'il n'est pas dans le peuple, comment s'étonner que par nature le peuple ait l'esprit trop bas pour le saisir ? Il dit donc que la vérité a une tout autre signification, que loin de naître dans la réalité même des parties, et loin d'accomplir en la leur révélant leur propre vérité, qu'elles reconnaîtraient au premier regard comme on reconnaît son père et son frère, elle transforme brusquement cette réalité dans une vérité étrangère – qu'elles ont peu de chances de jamais reconnaître, car il faut désormais une longue patience philosophique pour discerner le vrai, une longue préparation et un long apprentissage pour reconnaître son frère. On ne peut même pas dire que le peuple porte sa vérité dans son dos comme fait la conscience phénoménologique, ou le captif de Platon, qu'il lui suffirait de se retourner – de se convertir avec l'âme et le corps entiers – pour être face au soleil et au vrai. Le roi, le ministre, le fonctionnaire, sont toujours devant, et leur être est lui-même dévoré par un sens qui les épuise : le sang du roi n'est pas le sens du roi. C'est par là que la signification de l'État prussien échappe à la vertu compensatoire, par là que le peuple et le roi sont dépouillés de leur sens réflexif réel et revêtus de la « robe et la couronne de l'universel [222] ». La raison de l'État n'est que la raison d'État, une raison d'un autre monde couvrant la déraison de ce monde.

Cet autre monde est l'Idée, qui devient paradoxalement la vérité de la non vérité du contenu. Nous voilà rendus à une conception où la profondeur est une dimension évasive du concept : le sens de l'État prussien n'est pas l'être même de sa contradiction, il n'est pas à son niveau, mais s'élève au-dessus de lui. Hegel retrouve la verticalité du vrai qu'il s'acharnait pourtant à rendre à l'immanence : « L'erreur principale de Hegel, dit Marx, c'est de prendre la contradiction du phénomène comme unité dans l'être, alors que cette contradiction a comme essence quelque chose de plus profond, savoir une contradiction essentielle, comme par exemple la contradiction du pouvoir législatif en lui-même n'est que la contradiction du pouvoir politique avec lui-même, donc ausi de la société civile avec elle-même [223]. » C'est pourquoi l'appel à l'Idée ne se sépare pas du refus de la compensation réflexive. Hegel ne développe pas le contenu du peuple, car il n'aurait besoin que du roi, et non de l'Idée qui chez lui fonde également le double fait accompli du peuple et du roi. « La critique vraiment philosophique de la constitution actuelle de l'État, dit Marx, ne se contente pas de montrer que des contradictions existent, mais elle les explique, elle en comprend la genèse, la nécessité. Elle les prend dans leur signification propre. Mais cette compréhension ne consiste pas, ainsi que Hegel le pense, à reconnaître partout les déterminations de la notion logique, mais à concevoir la logique spéciale de l'objet spécial [224]. » Ce dernier grief précise les positions : Hegel renverse l'ordre et la valeur, il ne peut penser d'un contenu donné une vérité étrangère qu'en donnant à ce contenu un autre sens que le sien, en faisant du réel le phénomène de l'Idée.

Il ne faut pas découvrir simplement cette bascule dans le détail de la cité décrite, comme fait Marx, bien que ce spectacle soit déjà plein d'enseignements : on y voit en effet les êtres réels vidés de leur être et revêtus d'un universel dérisoire, les faux êtres chargés d'une nature d'emprunt qui les écrase, car ce déguisement devient nature, et l'État prussien dans sa durée n'est que cette perversion stabilisée : la couronne finit par faire le roi, les dossiers le fonctionnaire, le bulletin de vote le citoyen. Il y a donc un être du déguisement, et un sens du déguisement qui ne sont pas la propriété des masques. La totalité de la perversion ne s'entend que par le recours à l'être de la perversion, c'est-à-dire selon Marx à la logique hégélienne.

Ce recours permanent fait que constamment Hegel transpose les êtres dans leur signification logico-idéale et incarne les moments de l'Idée logique dans des êtres d'emprunt. Le va-et-vient réflexif au niveau de la contradiction se trouve remplacé par un mouvement ininterrompu entre le réel et l'Idée, par une rédemption et une incarnation permanentes. L'essence de cette imposture est pour Marx la conversion hégélienne du sujet dans l'attribut. Le véritable sujet y est concret, Hegel en fait l'attribut qui n'est qu'idéal. Ainsi, au lieu que l'universel soit l'attribut des hommes réels de ce peuple historique, c'est-à-dire l'élément et le pain de leur vie, ils ne sont eux-mêmes que l'instrument d'une nécessité idéale qui les berne et les écrase. Au lieu que les hommes réels soient réellement libres, ils sont asservis à la liberté de l'Idée dont les voies sont insondables. Au lieu que l'État soit leur État, « *Tun aller und jeder* » [le fait de tous et chacun] c'est eux qui appartiennent à l'État, lui doivent service, impôts et respect — ou plutôt ils appartiennent à l'Idée dont la monarchie constitutionnelle n'est que le corps visible. Car s'ils avaient affaire réellement au sujet concret qui les domine, ils pourraient peut-être tirer de lui raison, et lui reprendre non seulement leurs biens, mais leur dignité, abattre le Prince et s'emparer de leurs propres attributs : puissance, universalité, liberté. Mais ici Hegel tient trop fermement à son aberration pour qu'on puisse la détruire par ses armes. Le Prince n'est que le corps d'une Idée qu'on ne tue ni ne renverse, il n'est lui-même qu'un sujet assujetti, un homme concret comme tous les autres que l'Idée force à jouer le faux pouvoir, et qui est dans Sa main. Le sujet qui est l'homme concret dans le roi reçoit jusque dans la naissance sa propre nature comme une manifestation de l'Idée. Voilà donc restaurée dans une œuvre hégélienne le dualisme de la vérité et de la réalité que Hegel s'était donné à tâche de réduire, et voici ressurgir l'au-delà comme totalité signifiante en face du réel. Il est vrai que cet au-delà est à portée de la main, puisqu'il est l'Idée qui a livré son secret dans la logique hégélienne. Dans la Philosophie de l'État « nous nous trouvons, dit Marx, en présence d'un chapitre de logique [225] ».

Ici l'analyse marxiste atteint un point critique. En effet, on peut estimer que Hegel n'est pas resté fidèle à soi dans le système de l'État : « Il y a ici de la part de Hegel, dit Marx, une inconséquence dans sa propre manière de voir, et une telle inconséquence est une accommodation [226]. » Cette attitude implique le redressement tacite de l'erreur dans la pensée du critique, qui juge Hegel au nom de sa propre manière de voir. Mais on peut également céder à la fascination de l'erreur et, tout démonté qu'il soit, croire que le système est aussi nécessaire à l'erreur que l'erreur même. La vertu du contenu est telle dans Hegel, qu'un contenu perverti déborde, et veut une forme pervertie. Le contenu a la forme qu'il mérite. L'État prussien est l'incarnation d'une idée logique digne de lui, et si nous renversons les termes, le passage est étroit qui nous conduit à cette seconde proposition : l'Idée logique ne pouvait engendrer que cet État bâtard. La perversion du contenu n'est pas une rencontre ou une inconséquence, mais bien le plus conséquent des phénomènes ; le contenu faux n'est alors que la vérité d'une Idée faussée. Il y aurait dans Hegel une nécessité de l'erreur, et c'est jusqu'à elle qu'il faut remonter pour comprendre comment au nom de la plus haute raison Hegel justifie la monarchie la plus basse.

Marx s'est attardé sur ce point avec une sorte de complaisance vengeresse, et, retournant l'usage de ses propres paroles contre Hegel, on peut dire de lui qu'il « s'abandonne au plaisir de démontrer l'irrationnel comme purement rationnel [227] ». La falsification hégélienne n'est pas un accident à ses yeux, mais bien une nécessité. Il le dit sans détour : « C'est ici qu'est la racine du faux positivisme de Hegel... la raison est chez soi dans la déraison comme déraison. L'homme qui a reconnu que dans le droit, la politique, etc., il mène une vie extériorisée, mène dans sa vie extériorisée comme telle sa véritable vie. L'affirmation de soi-même, la manifestation de soi-même en contradiction avec soi-même... est donc le vrai savoir, la vraie vie. Il ne peut donc plus être question d'un accommodement de Hegel avec la religion, l'État, etc., ce mensonge étant le mensonge de son principe [228]. »

Allons donc au cœur du principe, c'est-à-dire non seulement de la Logique, car la Logique n'est qu'une partie du système, mais au cœur du mouvement par quoi la Logique elle-même est posée et justifiée, c'est-à-dire à la circularité du concept. Par là doit nous apparaître non seulement l'essence de la Logique, mais aussi la raison pour laquelle elle est invoquée comme l'essence de la réalité empirique de l'État. Or la nature du concept est la triplicité, c'est-à-dire le mouvement par lequel il sort de soi, pose ses différences, les reconnaît pour siennes, se reconnaît en elles, et les ressaisit dans l'intérieur de soi. Dans ce mouvement les différences du concept occupent une position étrange : elles sont à la fois posées comme réelles et supprimées comme non réelles, leur raison d'être n'est donc pas en elles mais dans le concept qui les pose pour les reprendre. Si on les considère dans leur isolement, elles sont ou bien consistantes mais sans signification, ou bien inconsistantes mais pleines de sens, de telle sorte que si on laisse agir le concept, il les affecte curieusement : il doit les supprimer en les conservant. Mais tout se passe comme s'il supprimait la non-signification dans la consistance sans signification, et l'inconsistance dans l'inconstance signifiante, si bien qu'on se trouverait dans la totalité en présence d'une consistance signifiante. Mais la consistance n'est pas de même nature que la signification, c'est pourquoi cette promotion ne la touche guère : elle est tout simplement confirmée dans son extériorité par un sens qui la coiffe. La solution est absolution [229]. L'État prussien peut dormir en paix, s'il a jamais eu la conscience troublée. « La suppression de l'extériorisation devient une confirmation de l'extériorisation [230]. » Mais quelle peut être la raison de cette sécurité paradoxale, sinon la toute-puissance du concept qui a tout simplement engendré ces mêmes différences? Regardons par l'autre bout, et nous voyons le concept faire mine de sortir de soi et poser des différences qui hors de son acte de les poser sont vent et néant, qui en soi ne sont donc pas réelles mais d'occasion. Tout est là : on peut absoudre le cœur léger, on n'absout dans le réel que des ombres. La nature est supprimée avant de naître [231], sa consistance est fantomale comme celle de l'État. Sans doute, au niveau des différences elles-mêmes, il ne paraît pas qu'État ou Nature soient des ombres peintes. Pour saisir l'inconsistance de leur consistance, il faut le regard de Dieu, qui voit périr avant de naître les différences dont les hommes s'acharnent à vivre. Il faut se situer par la connaisance philosophique à l'origine du concept pour découvrir cette perspective apaisante : « C'est pour cela que ma vraie existence religieuse est mon existence philosophico-religieuse, ma vraie existence naturelle l'existence philosophico-naturelle, ma vraie existence artistique mon existence philosophico-artistique [232]. »

Or que trouvons-nous à l'origine du concept? « Le pur acte de poser », dont la *Phénoménologie de l'Esprit* nous donne la description abstraite à propos de la conscience de soi. « La matérialité, dit Marx, n'est absolument rien d'autonome, d'essentiel par rapport à la conscience de soi, mais une simple chose créée, quelque chose posée par elle, et cette chose posée au lieu de se manifester elle-même, n'est qu'une manifestation de l'acte de poser [233]. » Cet acte est proprement la puissance divine, et c'est pourquoi Marx qualifie la philosophie hégélienne de mystique, magique, créationniste. Hegel n'a fait que reprendre sous des mots nouveaux et avec une rigueur conséquente les vieux mythes théologiques de l'émanation où l'on voit se répandre dans les attributs concrets la causalité concentrée dans le sujet divin : le concept est *causa sui*, comme Dieu, et le monde découle de lui comme les modes de la substance. Le mérite de Hegel est d'avoir pensé le contenu de cette mystification; son erreur est d'y avoir cru simplement, sans chercher à en dégager le sens.

Ce sens, Marx nous l'apporte. Cet « acte de poser » n'est que l'abstraction pensée d'un « acte vivant réel [234] » qui est le travail humain. Dans le concept (ou dans la création divine) l'homme projette le schéma de son activité substantielle. Dans le travail en effet, il sort de soi et pose donc des différences réelles qui demeurent. Cette extériorité est consistante (le maçon se cogne contre son mur) – mais elle est, dès que posée, virtuellement reprise par sa dépendance génératrice (le maçon avait le mur dans sa tête – inconsistant – avant de s'y cogner), en attendant que l'appropriation révolutionnaire rende vraiment le produit au producteur. Telle est l'origine concrète du concept, qui pense seulement le travail et le déifie. On voit par là pourquoi Dieu est architecte, horloger, jardinier, et fait le monde en sept jours. On voit aussi pourquoi Hegel, s'il a bien pensé l'essence de l'homme dans le travail, l'a cependant pensée comme l'acte qui est sa propre origine, alors que le travailleur est un être concret dans un monde qui le dépasse. C'est pourquoi « le seul travail que Hegel connaisse et reconnaisse est le travail spirituel abstrait [235] », c'est-à-dire un travail dans l'élément de la pensée, une créativité coupée de ses origines, libérée du réel par l'abstraction et la pureté, confondant libération et liberté, et ne rapportant qu'à soi l'indépendance qu'elle doit au monde même qui la permet. Cette liberté de la pensée n'est qu'un lien méconnu. C'est pourquoi Hegel est dans l'aliénation comme tout philosophe, parce qu'il ne pense pas la réalité de sa propre liberté de pensée. C'est pourquoi il est littéralement enfermé dans l'univers sans limite où il circule : l'abstraction en effet est illimitée. Il reste ici un mérite à Hegel, et Marx ne le dispute pas : c'est d'avoir parcouru en tout sens le royaume de la pensée, d'en avoir recensé les formes, fixé la circularité, et dégagé l'essence. Au lieu de nous donner les propositions classiques de la métaphysique, sans nous éclairer sur leurs origines, « Hegel met l'acte concentrique de l'abstraction à la place de ses abstractions fixes [236] ». Cet acte, nous le savons, est la naissance du concept.

On comprend alors en retour la perversion descendante de la nécessité hégélienne. Quand le philosophe veut quitter le royaume de l'Idée et retrouver le réel, c'est-à-dire passer « de l'abstraction à l'intuition [237] », il tente de mimer à rebours le processus par lequel il s'est installé dans l'abstrait : il en sort donc, mais sans abandonner son bien, en sauvant les apparences, comme s'il consentait à l'être par un surcroît de liberté. Ainsi l'Idée se « déploie librement » dans la Nature, sa chute est gracieuse, et comme d'un souverain qui descend du trône. Mais sous les espèces de l'être, le philosophe ne fait que transposer sa propre aliénation : c'est parce qu'il est aliéné à soi dans sa pensée, que sa pensée est l'être de l'aliénation, et que tout être où la pensée se complaît reçoit d'elle la fatalité de l'aliénation. C'est pourquoi Marx dénonce la nécessité de l'erreur, et retrouve dans le contenu la perversion de l'Idée : l'Idée a dans Hegel le contenu qu'elle mérite. Aussi l'analyse hégélienne de l'État revêt pour nous un sens dérisoire et dramatique : pour y chercher et trouver sa propre image, Hegel avait effectivement besoin de la Prusse.

Par là nous touchons au dernier point. Le faux contenu dans Hegel nous renvoie à une nécessité dans le principe : à l'abstraction. Mais l'abstraction n'est que le lieu de l'aliénation hégélienne. Les faux contenus se tiennent. La raison de l'aberration hégélienne est Hegel aliéné dans l'abstraction de sa pensée. Le philosophe a pensé, mais n'a point pensé qu'il pensait, il n'a pas reconquis en réalité la distance qu'il prenait au regard du monde, il s'est établi dans une maturité factice et ne s'est pas approprié ses origines : son enfance retrouvée n'est qu'enfantillage. Il a exalté la liberté, mais comme le prisonnier chante dans les camps : sous la servitude d'une condition qui n'était pas lui-même. Et quand il l'a pensée et décrite, il a dépeint son propre visage. Nous voilà pris dans un système impitoyable.

3. *Revanche de la nécessité*

Cependant, à y regarder de près, nous avons déjà reconnu ce système. Avant Marx, Hegel a défini le philosophe comme un être aliéné, c'est-à-dire comme un homme qui pense sous la totalité l'aliénation de sa propre situation – et qui pense donc sous les espèces de l'Idée l'aliénation du monde qui le nourrit. C'est pourquoi le contenu de toutes les philosophies est la contradiction de la pensée, qui ne parvient que tardivement à la conscience de soi dans la pensée de la contradiction. Par là selon Hegel, la philosophie qui est la conscience de soi de l'Esprit dans les divers moments de son développement, et donc dans son aliénation, n'est que la réalité pensée de la contradiction du monde.

La nécessité de l'aliénation philosophique est donc aussi fortement marquée dans la *Phénoménologie* que dans Marx : la contradiction dans la pensée, qui est l'essence de toute philosophie, renvoie à la contradiction fondamentale du philosophe et du monde historique dont il s'abstrait en le pensant – et cette contradiction n'est en définitive que la contradiction du monde avec lui-même, qui n'est pas encore parvenu à surmonter son aliénation – dont l'aliénation de la pensée philosophique n'est que la conscience aliénée. Dans le chapitre « Certitude et Vérité de la Raison », Hegel montre dans l'idéalisme la genèse de l'aliénation du penseur qui se retire sans le dire, et pense le monde comme s'il naissait dans sa pensée. Le penseur néglige dans sa pensée le *chemin* qui conduit à sa pensée. Or, « ce chemin oublié est justement la justification conceptuelle de cette affirmation exprimée immédiatement [238] ». Le propre de l'idéalisme est le refus de penser la naissance du philosophe – et c'est là que gît l'aliénation du penseur comme penseur. Mais ce refus n'est pas lui-même sans raison, il n'est que le recours d'un homme contre son temps. En refusant d'admettre son origine concrète, le philosophe refuse de reconnaître la réalité du monde qui l'engendre. Il y a une nécessité dans cette mauvaise humeur inconsciente : il repousse le monde comme le lieu où il ne peut être en accord avec soi-même et par là dénonce l'aliénation du monde. C'est parce qu'il n'est pas chez lui dans le monde aliéné que le philosophe se réfugie dans l'aliénation de la pensée, où il tente de refaire un monde amical. C'est parce que l'esclave pensant subit le poids du monde romain où l'empereur seul est paradoxalement libre (et enchaîné en vérité à son propre rôle et à l'empire), qu'il se fait stoïcien et cherche dans la pensée la liberté que le monde lui refuse. C'est parce que l'individu ne reconnaît pas dans la cité médiévale la profonde paix de l'universel réconcilié avec la particularité, qu'il est chrétien et produit dans la théologie l'image paisible d'un monde déchiré. C'est parce que les hommes du XVIIIe siècle ne se sentent pas chez eux dans la monarchie décadente qu'ils se retirent dans les Lumières où ils possèdent par le savoir encyclopédique la substance d'un monde qui leur échappe. Nous voici rendus à Marx : l'aliénation du philosophe n'est que l'aspect d'un monde aliéné. Ou comme dit Hegel, dans les philosophies et les religions, l'Esprit (c'est-à-dire l'histoire) pense sa propre aliénation.

Cependant Hegel a bien vu un autre point, que Marx néglige. Comment penser l'essence de la philosophie, c'est-à-dire l'aliénation de la pensée, sans être soi-même prisonnier de l'essence de sa propre pensée? Le juge est ici jugé par son jugement, nous sommes au rouet, et rejetés à l'infini. C'est le sort de tous les penseurs qui ont tenté de se penser dans leur pensée, comme on voit chez Platon et Kant : ils ne se rattrapent qu'en Dieu, le terme d'une course indéfinie. La pensée de l'aliénation dans le penseur ne conduit qu'à l'échec, le contraire serait la négation de l'essence de la philosophie et l'accomplissement du désir inavoué du philosophe. Si la pensée pouvait réellement ressaisir l'aliénation dont elle est née, et reprendre réellement ce qu'elle s'efforce de reprendre en figure, elle parviendrait à détruire l'aliénation réelle du monde, et à le réconcilier avec soi par la force de son verbe. Cette aspiration enfantine est au cœur de toute philosophie, et Marx la dénonce comme magique. La grandeur de Hegel est d'y avoir consciemment (au moins dans la *Phénoménologie*) renoncé, et d'avoir démontré la nécessité de ce renoncement, c'est-à-dire d'avoir montré que l'aliénation ne peut être ni réduite en figure, ni même simplement pensée comme essence de la pensée, avant d'être concrètement dominée dans l'histoire. C'est parce que le temps est venu, parce que l'histoire est accomplie, l'Esprit parvenu à la totalité homogène, que la pensée de la réduction de l'aliénation est l'aliénation réduite, et que la pensée sur l'aliénation n'est plus une pensée aliénée. Hegel, dit Marx, vivait dans un monde aliéné, c'est pourquoi il n'a pu « sauter par-dessus son temps », et sa pensée n'est que l'aliénation pensée de son être aliéné dans le monde. Or Hegel n'a pas prétendu échapper à la loi qu'il avait découverte. Il a simplement avancé que dans la totalité accomplie le monde révolutionnaire avait reconquis son être aliéné, et que cet avènement de la Vérité marquait la fin de la philosophie, c'est-à-dire de la pensée aliénée. Aussi Hegel ne revendique pas dans la *Phénoménologie* le nom de philosophe : le philosophe ne peut survivre à son aliénation ressaisie. La mort du philosophe est la naissance du Savant, qui est la figure concrète du Savoir Absolu. Cette science-là n'est plus au rouet, elle connaît non seulement sa propre essence, mais encore l'essence de la vérité qui meurt en elle, c'est-à-dire l'aliénation – sans être pour cela rejetée à l'infini. Car (comme Descartes l'avait pressenti) l'imparfait n'a de prise véritable ni sur soi ni sur le parfait : seul le parfait connaît l'imparfait parce qu'il se connaît soi-même [239].

Ainsi non seulement Hegel a pensé l'essence du philosophe dans l'aliénation, mais il a concrètement posé la condition de la non-aliénation de cette pensée, c'est-à-dire l'issue véritable qui permît à la pensée d'atteindre une terre ferme où elle fût à la fois pensée et pensée de la vérité dans l'élément de la vérité. Enfin il n'a pas pensé cette condition comme une pensée, c'est-à-dire une idée à réaliser, donc non réelle – il a définitivement échappé au cercle de l'aliénation en annonçant la réalité actuelle de cette condition. Ces gardes sont fortes et Marx, loin de les forcer, paraît bien pris à son tour. Car s'il est d'accord avec Hegel, il ne paraît pas, au moins explicitement, avoir réalisé concrètement l'accord des conditions de la pensée avec la pensée. Au contraire, ayant dénoncé l'aliénation du monde bourgeois où il vivait et n'ayant qu'annoncé dans la révolution à venir la fin de l'aliénation, il n'a pu sauter lui non plus par-dessus son temps, et ses propres vérités se voient ressaisies par ce qu'elles dénoncent. Marx philosophe est donc captif de son temps et donc captif de Hegel, qui a par avance dénoncé cette captivité. Marx subit en un sens la nécessité de l'erreur qu'il voulait reconstruire dans Hegel, dans la mesure où Hegel a dénoncé cette nécessité dans le philosophe, et l'a détruite en lui pour engendrer le Sage. L'erreur de Marx est de n'être pas un Sage.

Ou plutôt c'est de l'être sans le dire. Et c'est ici la plus éclatante revanche de Hegel, que de ressaisir sans bruit Marx par le dedans. Non seulement Hegel reprend son bien dans la définition que Marx donne de lui, mais c'est lui qui la lui inspire, et il lui inspire donc sa vérité. Marx ne dénonce en Hegel la nécessité de l'erreur que par la présence de Hegel même, devenu dans Marx la nécessité du vrai. Hegel est la rigueur silencieuse de Marx, la vérité vivante d'une pensée que les circonstances pressent trop pour qu'elle se saisisse dans la conscience de soi, mais qui se trahit dans ses moindres mouvements. C'est de Marx qu'il faut prononcer ce que Hartmann disait de la dialectique hégélienne : la pensée marxiste manque de pour-soi. C'est peut-être ce que Engels entendait en proclamant qu'il conservait de Hegel sa dialectique, qui n'est dans Hegel que la négativité parvenue à se ressaisir. Il affirmait ainsi confusément une reconnaissance obscure : Hegel est la conscience de Marx, en lui Marx se ressaisit comme en soi-même.

On ne peut en effet s'y tromper : dès qu'on tente de dégager le pour-soi des développements marxistes, c'est la nécessité hégélienne qu'on retrouve, et dans sa forme la plus rigoureuse : celle du concept.

Considérons par exemple le contenu de l'histoire selon Marx. Marx commence par un rappel au donné, qui semble contredire la démarche de Hegel : « les présuppositions par quoi nous commençons... sont des présuppositions réelles... ce sont les individus réels, leur action et leurs conditions d'existence matérielles, soit existantes déjà, soit produites par leur propre action. Ces présuppositions sont donc constatables par la voie purement empirique [240]. » Marx opère donc au niveau de son temps une coupe phénoménologique, et littéralement une analyse d'essence où le contenu lui livre sa structure. En cela il n'applique point une forme à un contenu, mais conçoit « la logique spéciale de l'objet spécial [241] ». Or l'essence décrite, c'est-à-dire la strucure économico-sociale du monde capitaliste au XIXᵉ siècle, est une réalité contradictoire : elle est donnée mais elle n'est pas un être *par-soi*, elle est un résultat qui renvoie donc à son développement comme à son origine. Par là le donné sort littéralement de soi, il cherche hors de soi sa raison d'être dans le processus de l'histoire. Le plus remarquable est que ce hors-soi n'est pas un étranger qui lui conférerait un sens miraculeux, une providence dispensatrice qui dans une soudaine illumination éclairerait ses origines. Ce hors-soi est en lui, l'extériorité du processus est l'intérieur du contenu : c'est le présent qui montre en lui le souvenir intériorisé du passé, qui dénonce le processus comme ce qui s'est intériorisé, donc comme l'extérieur devenu intérieur, et qui renverse les termes de l'enveloppement. Par le souvenir le processus est dans le contenu, mais selon le sens c'est le contenu qui est à l'intérieur du processus. L'enveloppant est donc enveloppé par l'enveloppé, le dedans est le dehors du dedans. Marx opère ici proprement un renversement du sujet dans l'attribut qu'il reproche à Hegel. Le présent-sujet devient l'attribut de son propre attribut-passé, et c'est l'intériorité du contenu qui est posée comme l'origine du contenu. L'histoire comme idée réelle ressaisit donc ses propres présuppositions, elle est le véritable sujet, c'est elle qui donne sens à chacun de ses moments, et les pousse à accomplir leur vérité, qui est sa vérité. Aussi les hommes d'un moment concret de l'histoire, et Marx lui-même en 1844, n'obtiennent la connaissance de leur vérité que de l'histoire, c'est-à-dire du processus total qui les enveloppe, contenant à la fois leur servitude et leur liberté.

Allons plus loin : l'histoire ne serait sous cette forme qu'un concept hégélien abstrait. Or pour Marx le concept de l'histoire nous renvoie au concept du travail : « Pour l'homme socialiste, toute la prétendue histoire du monde n'est rien d'autre que la production de l'homme par le travail humain [242]. » Ceci est assez remarquable. Nous supposons accompli bien entendu le renversement sujet-attribut, nous nous trouvons donc face au travail, qui est d'abord posé comme *unité du travailleur et de son produit* (premier moment), mais cette unité est encore enveloppée et pour ainsi dire abstraite. Elle est un implicite qui doit s'expliciter, un en-soi qui doit parvenir au pour-soi, un concept qui doit poser ses différences hors de soi et les reprendre. Sans doute cette nécessité est partiellement rétrospective, mais elle est posée par Marx comme une nécessité qui dépasse le contenu présent, qui anticipe son propre avenir, et qui découvre sa nature anticipatrice précisément dans l'avenir qu'elle gouverne avant même qu'il paraisse. Aussi est-ce à bon droit que l'on peut refouler dans l'origine toute la nécessité qui se développe dans l'histoire, et parler avec Marx du « *développement nécessaire du travail* [243] ».

Or l'unité originaire du travail, c'est-à-dire l'unité originaire de l'homme et de son produit, se développe dans *la scission ou l'aliénation* (deuxième moment). L'origine de cette scission est la division du travail. Dans l'unité originaire, le produit ne se sépare pas du producteur, qui consomme ce qu'il produit, et produit ce qu'il consomme (stade de l'économie domestique sans échange). Avec l'apparition de la division du travail, le travailleur, qui s'est spécialisé, ne consomme plus tous ses produits et *a fortiori* ne produit plus tout ce qu'il consomme : il se procure les uns, et écoule les autres dans l'échange (stade de l'économie industrielle et commerciale). Le produit se sépare donc du travailleur, le *pour-soi* (produit) échappe à l'*en-soi* (producteur) et s'oppose à lui dans l'aliénation.

En effet le produit qui n'est plus contrôlé par le travailleur acquiert dans l'échange une liberté, qui peu à peu tend à confondre ses limites avec celles du monde : le produit tend à se constituer en un universel dont la limite est le *marché mondial*. C'est une totalité abstraite dont l'être n'est plus le corps matériel du produit, mais la signification réflexive ou valeur condensée dans l'argent, et dont la circulation intérieure est le libre-échange. Ce terme n'est atteint qu'après un long développement historique. C'est dans le capitalisme libéral que le produit séparé du travailleur parvient enfin à l'extrémité de la séparation dans l'universel abstrait de l'argent. Et Marx insiste sur la nécessité de ce développement. Parlant du capital il écrit : « Il faut qu'au cours de son évolution il arrive à son expression abstraite, c'est-à-dire pure [244]. »

A l'autre extrémité, le travailleur connaît une aventure semblable qui précipite son évolution. Dans le produit, qui lui échappe, il perd sa personnalité, son bien, et se voit menacé jusque dans son corps. Peu à peu il atteint la condition du prolétaire, c'est-à-dire du travailleur pur qui ne consomme la plupart du temps rien de ce qu'il produit, et ne reçoit sous forme de salaire que la reconnaissance de la nécessité de sa survie biologique. A mesure que le pour-soi du produit tend vers l'universel, l'en-soi du travailleur tend vers le particulier : face à la loi de l'argent, le travailleur n'est plus qu'un corps anonyme perdu dans une foule indifférente. Littéralement il ne lui reste plus que son corps, c'est-à-dire la pure détermination naturelle de la particularité.

Ce moment est l'aliénation dans toute sa rigueur. L'en-soi et le pour-soi sont face à face comme des étrangers. La propre puissance du travailleur est devenue la brutale domination de l'argent, c'est-à-dire le pouvoir d'un universel maître qui le tient à merci et le réduit au travail forcé. La réalité humaine du travailleur est devenue un corps usé qui lutte contre la mort. « Le travail a perdu chez eux, dit Marx, toute apparence d'activité personnelle et ne se maintient en vie qu'en végétant [245]. » Cependant ce n'est pas seulement le produit de son travail qui échappe au travailleur, mais la raison même de sa déchéance. Voilà le comble de l'aliénation : la nécessité y est absente pour soi, et l'homme ne peut plus penser sa propre histoire sans le recours à la fatalité. Il subit la domination des lois économiques et sa déchéance comme un destin aveugle et capricieux. La limpidité si simple du travail, où le travailleur voit naître entre ses mains, et tient dans ses mains un produit docile, est devenue la nuit de la servitude et de la misère sans raison. Ce résultat de l'histoire est un immédiat pour l'ouvrier qui dans un monde incompréhensible et inhumain accomplit chaque jour le simple miracle du travail, et ne comprend pas la monstrueuse perversion de ses gestes.

Cependant si l'on considère ces deux extrêmes dans leur totalité, on voit qu'ils tentent déjà de se rejoindre : l'universel du monde économique est abstrait, son abstraction le marque à mort. Il ne possède pas sa loi qui n'est que le système du hasard : la force qui le pousse à la domination n'est que la nécessité provisoire d'une anarchie heureuse et qui ne survit pas à son ordre. (Cet universel n'est que la forme abstraite de l'individualisme économique.) À l'autre bout, la division du travail a engendré la foule des prolétaires réduits à leurs corps, et sans âme. Mais elle a lié les corps dans la dépendance étroite de la chaîne industrielle, et dans la même condition misérable : le particularisme se renverse dans le prolétariat, qui est déjà en fait le corps réel d'un universel sans âme. Ces extrêmes adverses ne sont que le développement du travail qui forme dans la contradiction l'élément de la totalité unie.

C'est ici le troisième moment du concept : après l'unité originaire, et la scission, surgit *l'unité reconquise*, l'en-soi-et-pour-soi, l'universel concret, l'identité du sujet et de l'attribut, le monde libre et humain. On connaît le procès de cette génération : c'est l'extrémité de la contradiction qui le provoque dans la crise du capitalisme, la prise de conscience du prolétariat, qui, comprenant le sens de son aliénation, ressaisit dans l'action révolutionnaire sa propre nature qu'il subissait comme un destin, et « anéantit l'extériorité dans laquelle les hommes se trouvent vis-à-vis de leur propre produit [246] ». Quant à la puissance des forces économiques, elle est réduite à la docilité : « La dépendance universelle, cette forme naturelle de la collaboration universelle des individus, est transformée par cette révolution communiste en contrôle et domination consciente exercée sur ces puissances [247]. » Bref, la totalité historique définitive, qui marque la fin de l'aliénation, n'est que l'identité reconquise du travailleur et de son produit. Cette fin n'est que la restauration de l'origine, l'amitié primitive reconquise au terme d'une aventure tragique. L'en-soi est donc restauré dans sa primauté.

Cependant l'unité finale n'est que formellement la restauration de l'unité originaire. Le travailleur qui ressaisit son produit n'est plus le travailleur primitif, et le produit qu'il ressaisit n'est plus son produit primitif. L'homme ne retourne pas à la solitude de l'économie domestique, et le produit ne redevient pas l'objet de ses seuls besoins. Cette unité *naturelle* est détruite, l'unité qui la remplace est *humaine*. L'homme socialiste ne démolit pas les usines, n'anéantit pas la technique, ne renonce pas à la civilisation, à la domination matérielle de l'univers qui, sans la division du travail, n'eussent pu se concevoir : il conserve dans la technique et la concentration industrielles l'universalité de fait que le produit a réalisée contre l'homme dans le capitalisme. Mais il la convertit en la ressaisissant : d'un universel inhumain, dont la loi est l'anarchie impersonnelle, il fait un universel humain soumis aux projets de l'homme. Quant au travailleur, il n'est plus le travailleur primitif, et ne retourne pas « cultiver son jardin ». Il conserve le plus souvent sa spécialité, mais le sens de son être a changé : il n'est plus le solitaire de l'économie domestique ni l'esclave d'un système irresponsable, il a conquis dans sa misère même sa véritable nature qui est d'être homme et non nature. Dans le prolétariat implicite ou développé, il accomplit son être, qui est la fraternité humaine : l'humanité est désormais pour lui l'universel concret qui donne sens à sa vie et à son travail. Et cet universel n'est ni le destin ni un au-delà rêvé, l'homme est la fin de l'homme ; Marx voyait l'émouvante naissance de cette vérité dans la fraternité des socialistes français : « Chez eux la fraternité des hommes n'est pas une simple formule mais la vérité, et la noblesse de la nature humaine ressort de ces figures durcies par le travail [248]. »

Cette transformation de l'unité naturelle dans l'unité humaine est capitale, car elle permet de mieux entendre la nécessité du concept. On voit d'abord une nécessité dans le détail, comme celle qui engendre l'humanité socialiste dans les contradictions du capitalisme : « Le communisme, dit Marx, n'est pas pour nous... un idéal d'après lequel la nécessité doit se comporter. Nous appelons communisme le mouvement réel qui supprime l'état de choses actuel. Les conditions de ce mouvement découlent de la présupposition actuellement existante [249]. » Mais ce n'est là qu'une nécessité de conséquence, qu'on pourrait tirer d'une situation donnée – sans dégager la nécessité de la situation donnée elle-même. C'est l'aspect déterministe du marxisme, et c'est pourquoi on réserve si souvent à Marx les reproches qu'on adresse à tout système du déterminisme naturel. Mais le déterminisme marxiste n'a rien à voir avec le déterminisme naturel pur. Sa nécessité est plus profonde. C'est la nature de l'unité reconstituée qui nous en livre le sens. La nécessité *dans* l'aliénation est en effet enveloppée par la nécessité *de* l'aliénation elle-même. Il y a chez Marx une *positivité* du capitalisme qui n'est pas un paradoxe, mais une rigueur de pensée. Sans le capitalisme, c'est-à-dire sans l'extrémité de l'aliénation, l'homme ne serait point parvenu à constituer sa puissance matérielle en universel, ni surtout à ressaisir l'universel de son essence dans la fraternité humaine. Sans le capitalisme, l'homme ne saurait pas ce qu'est l'homme, et surtout il ne serait pas devenu homme : l'aliénation capitaliste est la naissance de l'humanité [250]. Il ne faudrait pas beaucoup forcer les termes pour identifier cette fécondité de la scission avec la Passion de l'Esprit hégélien, qui sort de soi non par accident mais pour saisir sa véritable nature, et qui dans la chute atteint à la révélation d'une profondeur que la totalité réalise. C'est au fond de la misère humaine que le prolétaire découvre la vérité humaine.

On peut même ajouter ceci, qui est de simple conséquence. C'est que le déterminisme intérieur, la loi du développement du monde présent, est conditionné dans Marx par cette autre nécessité profonde qui éclaire le présent non seulement sur son avenir, mais sur la raison qui le fait présent. D'où l'ambiguïté du déterminisme économique dans le marxisme. D'une part, *il est naturel* et donc sans recours apparent, il faut connaître sa loi – et à ce niveau [la liberté] marxiste n'est que la liberté spinoziste « conscience de la nécessité [251] ». Mais d'autre part, *il est humain*, autrement dit enveloppé par une nécessité qui le fonde, hors de laquelle il n'a pas de sens ni d'être : la réalisation de la liberté humaine. Il n'est pas possible d'entendre ce point, où la nécessité naturelle est ressaisie par la nécessité humaine, si on ne comprend pas que cette nécessité naturelle est elle-même une nécessité humaine, et qu'elle se présente à l'homme comme nécessité naturelle parce qu'elle est une nécessité humaine aliénée.

Cette métamorphose se produit dans le travail même. La nature pour Marx est une chute : littéralement le produit qui tombe des mains de l'homme et lui échappe, devient nature dans le moment même où il se sépare du producteur [252]. Le travailleur réalise à chaque instant le miracle de l'Idée hégélienne. L'unité profonde du producteur et du produit se défait dans la scission, et cette aliénation est la naissance de la nature. Dans le produit aliéné, l'homme sort de soi, se fait corps naturel, et dans la mesure où il ne sait pas que le corps du produit n'est que son propre corps, il traite son produit comme une nature, c'est-à-dire comme une substance donnée, une matière en soi, régie par des lois et une nécessité naturelles. Ce sont ces lois objectives que les théoriciens de l'économie libérale ont dégagées; ils n'ont vu dans l'ordre économique que la fatalité d'un déterminisme inexorable, proprement naturel, et résorbant ses crises comme la nature résorbe ses malades et ses monstres.

Bien plus, comme l'homme subit la domination de ses produits, le rapport primitif se renverse : c'est l'homme qui est dans la main de la loi naturelle, produit et gouverné par elle. Ainsi le prolétaire est le produit du capital, qui l'engendre par la même nécessité naturelle qui engendre les crises et les dénoue : elle fixe son niveau de vie, ses habitudes, lui donne son pain et ses pensées, elle pénètre jusque dans le cœur de l'homme, dont elle définit l'essence par les besoins, et la morale par la mathématique des plaisirs. Enfin elle engendre sa libération même, puisque c'est par une nécessité inexorable que l'ordre capitaliste se détruit et se convertit dans l'économie socialiste. C'est bien ici la pointe extrême de l'aliénation que de penser comme une nécessité purement naturelle le mouvement par lequel l'homme atteint enfin la dignité humaine.

En vérité, dans Marx également, la nature est une ruse. L'homme est soumis à ses produits, c'est-à-dire mené par des forces humaines, dont la ruse est de se présenter à lui comme inhumaines, comme matérielles (dans le sens mécaniste) et naturelles. La révélation de Marx est en ce sens que le matériel pur ou le naturel n'existe pas : la nature est l'homme caché, ou selon sa parole, le naturalisme marxiste est un humanisme. C'est pourquoi il faut dévoiler cette matérialisation de l'homme, et libérer l'homme, non en l'arrachant à la nécessité naturelle, mais en l'invitant à ressaisir dans la nature l'obscure liberté humaine devenue nature.

Le capitalisme est l'homme devenu nature : le capitalisme est l'humanité (l'Esprit) cachée qui doit se ressaisir ; et de même que la Nature hégélienne produit naturellement en elle, dans l'homme, l'être naturel qui doit la ressaisir, de même que l'Esprit, bien qu'il soit la fin de la Nature, naît cependant de la Nature et en elle – ainsi le capitalisme produit naturellement en lui, dans le prolétariat, l'être naturel qui doit le ressaisir, ainsi le prolétariat, bien qu'il soit la fin du capitalisme, naît cependant du capitalisme et en lui. C'est pourquoi la liberté humaine paraît sortir du déterminisme économico-naturel, comme l'Esprit de la Nature. C'est pourquoi il y a chez Marx comme une nécessité de la liberté. En vérité, cette liberté issue de la nécessité serait impensable si la liberté n'était déjà la vérité de la nécessité, et si la liberté ne se ressaisissait elle-même sous la figure aliénée de la nécessité naturelle. Si, dans Hegel, la Nature n'était déjà l'Esprit sous la forme de l'aliénation, l'Esprit n'en pourrait sortir pour établir son Règne.

On pourrait pousser plus avant ces réflexions. On n'obtiendrait pas pour l'essentiel d'autre résultat que cette profonde animation de Marx par la vérité hégélienne. Hegel s'en trouve d'ailleurs éclairé par le dedans, d'une manière parfois inattendue – mais qui ne le dessert pas. Voilà donc une épreuve décisive : si nous reprenons l'objet de ce débat à son origine, nous venons de voir que la nécessité hégélienne est trop présente au cœur de la pensée marxiste pour que Marx se soit servi par occasion seulement des armes de Hegel pour le combattre : il n'a pu établir à propos de la *Philosophie du Droit* la fatalité de l'erreur hégélienne, sans se trouver captif de la vérité hégélienne. Cette capture n'est pas un hasard malheureux, et comme accidentel – elle est substantielle et profonde. Et Marx ne pouvait consentir à elle aussi profondément, sans tenir ce *saisissement* pour la vérité.

Il faut néanmoins ajouter ceci : dans la mesure où Marx et Engels ont ressenti, connu, et reconnu cette validité de Hegel dans leur propre pensée, ils ont accentué la contradiction de la *Philosophie du Droit* ; dans la dialectique, la triplicité, l'aliénation, la négativité, ils ne prétendent retenir que la *forme* de la vérité hégélienne. Quant au contenu spécifique (Philosophie de la Nature, Philosophie du Droit, Philosophie de la Religion), ils le rejettent. La distinction d'Engels entre la bonne dialectique et le mauvais système, n'exprime que cette contradiction entre la forme et le contenu. Et cette discrimination n'est pas seulement verbale, puisque la Prusse confirmée par Hegel, devient l'objet des plus violentes attaques de Marx, conduites sous les armes mêmes de Hegel. Ce n'est donc pas le moindre paradoxe du marxisme, qui a fait maintes fois à Hegel le reproche de formalisme, de retenir dans Hegel la validité de la forme et d'y condamner la perversion du contenu.

La critique du mauvais contenu nous renvoie donc à la bonne forme, mais c'est une forme solitaire que sa qualité rend étrangère au contenu qu'on lui impose. Elle ne peut être sauvée qu'en abandonnant sa dépouille. Voilà donc la Prusse hégélienne devant nous, et notre embarras accru. Quelle peut être la signification de ce corps étranger dans Hegel? Si l'on ne peut conclure à la nécessité de cette erreur, y aurait-il dans Hegel une erreur de la nécessité, et comme une déchéance de la Vérité?

C. LA BONNE CONTENANCE

Nous paraissons bien parvenus ici au terme de cette entreprise critique où l'esprit post-hégélien tente d'exorciser l'obscur malaise que lui inspire l'entreprise totale de Hegel. A la prétention de Hegel, qui révèle le contenu absolu de la totalité accomplie, nous avons d'abord opposé les arguments de la mauvaise forme (A) et tour à tour nous avons vu que les médiations suspectes de Hegel, du Logos et de la dialectique, avaient été conçues par Hegel même comme des médiations internes, qu'elles n'avaient pas d'existence hors de la totalité, et rentraient donc dans le contenu absolu. Ce retour nous portait à considérer ce contenu lui-même dans une de ses parties les plus contestables, et à le penser comme mauvais contenu (B). La critique marxiste nous a aidés à prendre conscience de la perversion de l'État hégélien, mais nous avons vu que, loin de réussir à étendre la perversion du contenu à la forme, elle était elle-même ressaisie par la nécessité hégélienne, jusque dans le plus profond de son être. Cependant, le *retour* que nous observions dans le premier point ne s'est pas produit ici : alors que la mauvaise forme rentrait dans le contenu (A), le mauvais contenu ne rentre pas dans la bonne forme (B). Notre analyse nous a donc permis d'isoler un irréductible apparent qui se présente désormais à nous comme un contenu résiduel. Voici le point auquel la réflexion peut s'attacher, pour tirer de Hegel les raisons de ce malaise, et l'exorciser enfin.

1. Quelle est donc dans Hegel la nécessité de ce résidu, qui s'est montré étranger à la nécessité de Hegel? Il se définit par cette contradiction même, et Marx a prononcé le mot : « c'est une inconséquence [253] ». Nous n'avons pu trouver

dans le système la raison de cette inconséquence : c'est donc que la raison en est hors du système, et ce recours qui suppose un dehors non ressaisi est paradoxalement le cours de l'histoire vécue par Hegel, c'est-à-dire selon sa pensée l'intériorité même de l'Esprit. Cette raison atteindrait donc la totalité hégélienne dans son être même. Voyons cela de plus près.

Dans notre analyse du contenu (deuxième chapitre), nous nous sommes délibérément maintenus au niveau de la *Phénoménologie de l'Esprit*, qui nous offre une pensée remarquablement cohérente. C'est la pensée de Hegel aux environs de 1806. Les *Principes de la Philosophie du Droit*, dont nous avons tiré la conception de l'État, datent au contraire de 1821. La perversion hégélienne est peu compréhensible si l'on néglige ces dates. 1806 est l'année d'Iéna, c'est l'expansion victorieuse des armées napoléoniennes à travers l'Europe. Tous les esprits éclairés voient dans les victoires des Français la Révolution qui gagne le monde. 1821 au contraire est la méditation d'une illusion, ou plutôt le lendemain d'une méditation. L'Europe est débarrassée non seulement de l'empereur, mais des Français, et de la Révolution. L'insurrection de 1813 a libéré des forces nationalistes, que les hiérarchies traditionnelles se sont hâtées de contrôler, et qu'elles ont soumises à l'ordre réactionnaire de la Sainte-Alliance. Autant en 1806 la Révolution dominait les esprits par sa grandeur soudaine et ses promesses victorieuses, autant en 1821 la déception des meilleurs renforce l'évidence de l'écrasement.

Il est vraisemblable que le fonctionnaire Hegel n'a pas manqué de raisons pour enseigner au penseur Hegel la force du fait accompli. La liberté du professeur d'Iéna est certes la jeunesse de sa pensée, mais aussi Napoléon sous ses fenêtres. Le maître berlinois de 1821 au contraire ne nourrit plus sa liberté que de souvenirs sous la garde d'une police avertie, en face d'un souverain assis dont il justifie le trône [254]. Il ne faut pas entendre au premier chef cette puissance du présent sur Hegel comme un manque de cœur. Il vaut mieux au contraire la considérer comme l'acceptation par Hegel de sa vocation concrète dans toute sa rigueur : il ne serait pas fidèle à soi s'il ne pensait le présent réel de l'histoire. Ne pouvoir sauter au-dessus de son temps n'est pas pour le philosophe une limitation restrictive : c'est non seulement sa condition mais encore sa volonté, puisque la philosophie « est la pensée de la réalité ». C'est aussi le lieu de sa liberté concrète, puisque la liberté qui n'est pas la liberté du contenu présent, est seulement la fuite dans un au-delà pensé, ou le retrait dans le vide de la subjectivité. C'est pourquoi il n'est pas légitime d'opposer sur ce point le philosophe de la *Phénoménologie de l'Esprit* au philosophe de la *Philosophie du Droit*, et de faire grief au second de la volonté qu'on accepte dans le premier. On ne peut pas parler honnêtement d'un sursis de la vérité dans la *Phénoménologie* et d'une échéance de la vérité dans la *Philosophie du Droit*. C'est pour nous seulement, c'est-à-dire dans le recul de l'histoire, que cette évidence rétrospective est valable. Telle serait sur ce point l'interprétation de Lukács. La *Phénoménologie* serait révolutionnaire par son inachèvement même, et c'est pourquoi on peut tirer d'elle une philosophie de l'action. En 1806 tout est en mouvement, et la fin n'est pas connue. En 1821 nous connaissons le terme, et tout est accompli : les travaux et le jour sont clos quand l'oiseau se lève. La vérité est une totalité défunte, et la sagesse n'est, comme le dira Nietzsche, que « des corbeaux sur un cadavre ». Aussi n'est-il plus question d'espérance ni d'action ; la pensée, révolutionnaire en 1806, devient conservatrice en 1821 : cette échéance est une déchéance.

Ce retour suppose que la pensée de 1806 soit donnée par Hegel comme une attente, et que la vérité y soit à venir. Sans doute quelques textes prêtent à l'équivoque, quand on les tire de l'ensemble ; ainsi le temps nouveau qui est accomplissement de l'Esprit n'est d'abord que l'aurore et le pressentiment du soleil : mais ce petit matin est plus qu'une promesse puisque le soleil se lève tout d'un coup sur le monde nouveau [255]. Ce grand jour est le Savoir Absolu qui clôt la *Phénoménologie*, et son Contenu Absolu. La vérité dans Hegel est un soleil qui ne se couche pas – la nuit abolie et le règne de la lumière, mieux encore la nuit devenue lumière [256]. Aussi le caractère auroral de l'Esprit dans la *Phénoménologie* tient seulement à la reprise de la lumière par soi. Le mouvement des choses n'est alors dans la totalité accomplie que le contenu prenant possession de son élément absolu : « La réalité effective de ce tout simple consiste dans le processus par lequel les précédentes formations, devenues maintenant des moments, se développent de nouveau et se donnent une nouvelle configuration, et ce dans leur nouvel élément, avec le sens nouveau qu'elles ont acquis par là [257]. » Ce mouvement n'affecte donc pas la totalité comme telle, c'est le mouvement apparent de la totalité qui se recense elle-même dans la Logique : dans le Savoir Absolu « la diversité des moments est seulement une diversité du contenu [258] ». La connaissance n'est alors que l'inventaire de la Vérité absolue. C'est pourquoi on peut aussi dire que dans la *Phénoménologie* la vérité est crépusculaire, puisque en ce sens l'histoire est finie [259]. Mais ce crépuscule n'est qu'une image rétrospective, car le soir où s'élève la pensée est bien plutôt le midi du Savoir Absolu. De toute façon la *Phénoménologie* n'est pas l'attente du vrai, et son pressentiment : elle est la bonne nouvelle, les temps sont accomplis, Dieu est fait homme, le contenu absolu est atteint. Mais si la *Phénoménologie* et la *Philosophie du Droit* indiquent toutes deux dans la réalité présente l'Avènement de l'Absolu, sont donc toutes deux *la vérité* échue, comment comprendre ce dualisme du vrai, et quelle raison peut bien le fonder ? Comment concevoir cette double identité de la réalité et de la vérité ?

Considérons d'abord la *Phénoménologie*. Il ne fait pas de doute que Hegel y exprime, à la faveur d'événements heureux, sa pensée la plus profonde dans l'identité de la vérité et de la réalité. S'il se distingue des philosophes classiques, c'est par son intelligence des événements, mais aussi par la vertu des événements eux-mêmes qui, pour la première fois dans l'histoire, sont à la hauteur de leur propre vérité. Hegel ne se pense pas comme le philosophe platonicien qui fuit ce monde pour le ciel des idées, il conçoit sa condition temporelle, et il voit s'accomplir dans ce temps qui le porte la maturité qu'il annonce. Jusqu'à lui, la vérité était un recours contre le réel, un refuge, une essence cachée, ou une loi dominatrice ; le réel une déchéance du vrai, sous l'aspect du devenir, de l'accident et du mode. Dans cette aliénation (le vrai étranger au réel) les philosophes ne faisaient que penser l'aliénation de la totalité historique. C'est pourquoi Hegel justifie leur dualisme : dans un monde historique où la vérité est étrangère à la réalité, le philosophe ne pouvait penser leur unité que comme un au-delà ou comme une contradiction. Cette conception est si rigoureuse, que Hegel lui-même n'aurait pu y échapper par son seul génie, si l'histoire n'avait accompli la réconciliation qu'il annonce. Tel est le sens véritable de la prétendue complicité de l'histoire. Avant d'être le philosophe des cours de Berlin, qui déchiffre l'obscurité des événements, et paraît dans les secrets d'une histoire complaisante, Hegel est d'abord le citoyen d'un temps apocalyptique où les contradictions sont résolues et les voiles déchirés. Hegel est un homme heureux, le complice involontaire de l'Avènement de l'Absolu. Sa modestie n'est pas en cause. Il n'est que le dernier acteur d'un drame que l'humanité entière mène à son terme, il n'est que la voix qui annonce l'accomplissement de la Fin. Si la totalité ne s'achevait sous ses yeux, si le royaume de Dieu ne s'élevait dans son siècle, il ne pourrait prétendre ramener dans son œuvre le ciel sur la terre, et prononcer l'identité toujours déçue de la vérité et de la réalité. Il n'échappe à l'aliénation classique, ne tue le philosophe en lui, et ne se dit Savant, que parce que l'objet de sa conscience philosophique a fait de la conscience philosophique son propre élément, parce que *par* le prodigieux travail de l'histoire, la réalité a enfin conquis dans la vérité son propre élément en surmontant le dualisme de l'aliénation. Vérité et réalité sont donc *accordées* dans la totalité historique qu'il vit : « La fin la plus haute de la Science consiste à opérer par la *connaissance de cet accord* la concilia-tion de la raison réfléchie et de la raison existante[260]. »

Cet accord concret, grâce auquel Hegel abolit la philo-sophie et fonde la Science, est donc fondamental, et il faut tout simplement le chercher dans les événements historiques dont Hegel est le contemporain : la Révolution française réalise l'universel abstrait de l'Aufklärung, détruit la monarchie que la littérature du XVIIIᵉ siècle avait ébranlée dans les esprits, tue le roi (et là où Sade voyait un simulacre du parricide, Hegel voit la destruction de la Maîtrise – structure organique de la société –, donc la fin virtuelle de l'aliénation), instaure l'autre extrême dans la dictature de la loi, dont la Terreur est la présence jusque dans l'intimité des consciences – et par cette intériorisation dramatique réalise enfin la reconnaissance universelle. L'État révolutionnaire, dont Bonaparte prend la tête, est dominé par la dialectique symbolique de la liberté, de l'égalité et de la fraternité : la fraternité est la totalité où l'extrême de la subjectivité (liberté) se réconcilie avec l'extrême de l'objectivité (égalité). La totalité de l'État est alors organique, un *Tun aller und jeder*, à soi-même raison et substance. Non seulement le moment de la dualité maître-esclave est anéanti, mais encore l'abstraite dictature de l'universel (Robespierre) et la possibilité même d'une conception contractuelle, comme celle de Rousseau, où les individus s'accorderaient sur une structure conventionnelle. La volonté n'est plus d'un seul, mais du peuple, où chacun reçoit en liberté la reconnaissance de son être, et se consacre au bien commun. La révolution organisant le régime tout en le mobilisant contre le dehors, transformant les sujets en citoyens, légalement et réellement puisque le Français travaillait et se battait [261], ce prodigieux spectacle était pour Hegel la Présence Réelle de cette totalité organique rêvée dans la Grèce de sa jeunesse, et vainement cherchée dans le monde historique et idéologique de l'Aufklärung. Le dernier acte de cet avènement miraculeux éclatait enfin dans Napoléon étendant la Révolution à l'Europe, et faisant du monde l'universel concret. « Ce fut, disait Hegel à la fin de sa vie, une splendide aurore. Tous les êtres pensants ont fêté cette époque, un attendrissement sublime régna dans ce temps. L'enthousiasme pour l'Esprit a passé comme un frémissement sur le monde, comme si c'était alors seulement qu'on parvenait à la conciliation réelle du divin et du monde [262]. » On imagine mal la profonde répercussion de ces événements sur les esprits les plus purs, qui furent littéralement comme frappés de révélation. Que l'on pense à Kant vieilli troublé dans sa solitude, à Goethe annonçant dans le crépuscule de Valmy la naissance d'un monde nouveau, et l'on comprendra mieux la prétention de Hegel : sa voix n'ajoutait rien à ces prodigieux événements, que la conscience de leur grandeur définitive.

Tel est le fondement de l'audace hégélienne. Ce n'est pas le monde où il vit qui renvoie à Hegel sa propre audace, c'est lui qui renvoie au monde la révélation de l'audace du monde, c'est-à-dire sa vérité. La vérité hégélienne est *bei sich* dans la réalité, parce qu'elle se heurte à elle-même dans un monde qui a fait d'elle son propre corps. C'est pourquoi Hegel dépasse l'idéalisme, de son propre aveu, et s'il fonde l'idéalisme absolu, ce ne peut être que sur le réalisme absolu. Cet absolu est le troisième terme où la vérité absolue se confond avec la réalité absolue. « Tout ce qui est réel est rationnel, et tout ce qui est rationnel est réel [263]. » Cette parole tardive de Hegel, comme la plupart de ses aphorismes de l'âge mûr, trouve son sens le plus profond au niveau de la totalité concrète de 1806. On peut dire que le système entier s'est édifié à ce niveau, et sans ce conditionnement, sans l'intuition d'une totalité à la fois réelle et vraie, il est fort difficile d'entendre la structure de la pensée hégélienne, et en particulier la Logique, son lien avec la Nature et l'Esprit, la dialectique, et la légitimité du système comme forme, c'est-à-dire la circularité. C'est au nom de cette profonde identité de la circularité réelle et de la circularité formelle que nous avons pu réduire les objections de la mauvaise forme. Hegel ne pouvait abandonner l'identité de la vérité et de la réalité, condition absolue de la cohérence du système, sans que le système tombât en pièces. En revanche, le maintien de la circularité jusque dans les derniers textes prouve que cette identité n'a point passé dans Hegel comme une idée de jeunesse, mais qu'il l'a défendue jusqu'à la fin, jusque dans les malheureux textes de la *Philosophie du Droit* et de la *Philosophie de l'Histoire*.

2. Cependant, qu'était devenue cette identité en 1821 ? L'Europe napoléonienne défaite, l'État universel résolu dans des nationalismes étroits, les promesses révolutionnaires étouffées, la monarchie restaurée, l'alliance universelle des polices, constituaient une évidence éloquente. De la totalité napoléonienne, il ne restait que des traces de guerre dans les ruines et les misères, mais la paix avait poussé sur tout cela. De la Révolution, il restait quelques codes, quelques concessions des princes pour l'apparence et la sécurité des trônes dans les constitutions et le gouvernement des Chambres. Si l'État universel n'existait pas, l'universel existait mal dans l'État – un compromis qui « sauvait les formes » et dupait le peuple –, un universel d'imposture, Marx l'a bien vu. La totalité de 1806, l'Europe homogène, cette fraternité de libres égaux, pouvait-elle se reconnaître dans cette poussière d'états hiérarchiques et tracassiers, barricadés derrière frontières et garanties, nourrissant pairs considérés, bourgeois enrichis et ouvriers misérables, de l'illusion d'une égalité et d'une liberté verbales ? En d'autres termes, Hegel pouvait-il encore en 1821 contempler dans cette déchéance l'union substantielle de la réalité et de la vérité qu'il découvrait à Iéna ?

C'est ici le tragique de sa position. Reconnaître l'évidence prussienne, c'était non seulement dénoncer le mauvais contenu de l'État prussien (et nous passons ici sur la possibilité concrète et les suites d'un tel désaveu – qui engageait non seulement la carrière, mais peut-être la liberté de l'individu Hegel), mais c'était surtout ébranler le système entier. En effet, s'il n'y a pas une nécessité de l'erreur dans la pensée de Hegel, la nécessité du vrai y est sans appel. Penser la vérité de l'État prussien, c'est-à-dire penser dans la contradiction l'essence de ce mauvais contenu, contraignait Hegel à reconnaître la défection de la totalité, c'est-à-dire l'aliénation du contenu absolu. Voir dans la bureaucratie et la constitution prussiennes un formalisme politique étranger au peuple réel, astreint à des travaux réels, occupé de soucis réels, et d'ailleurs déchiré en lui-même par les contradictions économiques, ressuscitait le dualisme de la forme et du contenu, reconduisait à la réflexion, quand Hegel prétendait avoir atteint le sujet. Avouer que l'ouvrier, le bourgeois ou le pair lui-même n'étaient pas citoyens, c'est-à-dire immédiatement universels, « ressortissant à l'histoire universelle » comme dit Marx [264], parce qu'ils étaient divisés dans leur vie entre une existence politique d'occasion ou d'apparat, et leur existence quotidienne de soucis, de travaux et de plaisirs – admettre ce simple fait équivalait à nier que l'individu eût acquis la liberté véritable, que l'universel fût concret, et que la reconnaissance fût universelle. Ce mauvais contenu rejetait Hegel en deçà de lui-même. Il le renvoyait à l'État de Fichte et de Kant, et à peu de détails près à la structure générale du monde politique qui faisait le désespoir de sa jeunesse.

Et, à travers l'État, le système entier se trouvait atteint. L'aliénation devenait alors non seulement l'élément de la réalité historique, mais aussi l'élément de la pensée hégélienne. Or la circularité du vrai ne reposait que sur la circularité de l'Esprit absolu, c'est-à-dire sur l'aliénation résorbée. La circularité elle-même se trouvait donc atteinte, et par elle le profond lien du système, où Hegel prétendait saisir la totalité historique et idéologique du monde. Le lien défait, le système tombait en morceaux, ou plutôt les morceaux se reconstituaient pour eux dans la suite d'une histoire sans échéance ; Kant lui-même, si bien investi, retrouvait son indépendance. Quant au lien, ou dialectique, s'il prétendait à la vérité, ce ne pouvait être désormais que dans l'extériorité. Nous étions en face d'une vérité distincte du réel, d'une loi intérieure, ou d'un au-delà. La Science retombait dans la simple philosophie, le Savoir Absolu dans l'amour du savoir, usant humblement de méthode, de moyens termes discrets, de ruses et d'épreuves. Dans cette « chasse du vrai » le penseur de nouveau jouait son rôle sans le penser, prenant le lièvre mais oubliant sa course et le chasseur même dans la chasse publiée.

Hegel pouvait-il donc renoncer à sa propre pensée, et la détruire de ses mains ? Ou devait-il encore, jusque dans la nécessité de cette destruction, reconnaître la présence de sa propre vérité, le poussant à une mort rigoureuse, dont la raison du moins fût sienne? Devait-il renaître de cette raison et reprendre une course indéfinie où, pensant se saisir, il ne prendrait dans l'épreuve du faux infini que l'ombre de soi? Cette conséquence l'eût forcé à un idéalisme du type kantien, à nier la réalité de l'Idée et à dénoncer la non-vérité du réel. Il fallait, ou bien renoncer à la circularité absolue, et se soumettre à la réalité présente, ou bien renoncer au contenu présent, et sauver à ce prix le système de la vérité absolue. Dans ce monde déchiré, il n'était plus possible de tenir à la fois les deux extrêmes.

Tout montre au contraire que Hegel s'est proposé cette tâche absurde. Il a maintenu dans l'aliénation les exigences de l'unité – mais comme l'aliénation redevenait l'élément de son existence et de sa pensée, son effort s'est heurté aux limites mêmes de la contradiction dans laquelle il pensait l'unité, alors captive de la contradiction qu'elle entendait résoudre. Nous avons vu chez Kant un processus semblable. La même aventure advient à Hegel. Il n'a pas consenti à renoncer au système circulaire, à l'unité absolue du réel et du vrai, il a coûte que coûte maintenu la prétention de cette unité, et comme cette unité n'était plus réelle, elle est devenue l'unité idéelle, le moyen terme inconsistant, que Marx démasque dans la Philosophie de l'État.

Cependant Hegel a persisté dans son exigence primitive. Il a tenu à penser la vérité au niveau du réel, la forme au niveau du contenu : la nécessité est alors devenue une *ruse*. Le concept de ruse est dans Hegel la contradiction en acte, la nécessité de la non-nécessité, la revanche de la déraison sur la raison. La ruse en effet veut des victimes, et des victimes perpétuelles : la ruse découverte n'est plus une ruse, mais une naïveté désarmée. L'élément de la ruse est le secret; en ce sens la ruse est un secret absolu pour ses victimes, et Hegel ne le cache pas quand il montre que le peuple est trop borné par essence pour saisir la raison de l'histoire. Ces aveugles, bourgeois ou travailleurs, sont en bonne compagnie, il en est d'autres plus illustres, mais aussi bornés. Le prince et ses fonctionnaires, qui sont la malice de l'État, croient être dans les secrets de l'universel : leur sécurité n'est qu'une ruse de plus. Ils ne font qu'engendrer dans les guerres un universel qu'ils ne voient pas, et qui les berne. Le drame du fonctionnaire de 1806 était du moins réel : le fonctionnaire d'Iéna, incarnant l'universel de la Prusse, voyait soudain surgir dans l'ennemi le véritable universel, et le connaissant, pouvait se convertir à lui ; la situation était sans ombre, le faux cédait devant le vrai, le débat ne pouvait être que de conscience ou de scrupule, l'universel était du moins un universel honnête. En 1821 le drame devient bouffonnerie : le fonctionnaire de Berlin est en deçà de cette crise, dans le service il ne lui vient pas à l'idée qu'il célèbre un mystère ; sa bonne conscience n'est pas une pure suffisance, elle est de nécessité, puisque c'est dans le heurt de ces causes universelles que l'histoire universelle développe ses ruses. Littéralement l'Esprit est dans l'Histoire comme dans la Nature un Esprit caché, et ce serait un Esprit enseveli, enterré, un Mort absolu, si la tromperie n'avait pas de pour-soi. C'est ici l'autre terme de la contradiction, où la nature de la ruse se dévoile : la ruse absolue qui ne se saurait pas ruse serait proprement impensable. C'est cette monstrueuse tentation que Descartes déjà rejetait dans le Malin Génie, où Hamelin voyait justement l'hypothèse de l'irrationalité absolue du monde. Il n'y a pas de tromperie universelle, car, si le trompeur se berne le voilà pris à son jeu, et la règle du jeu convertie dans la règle tout court : la ruse universelle se détruit elle-même dans la nécessité universelle. Pour qu'elle subsiste comme ruse, il faut qu'elle sauve cette distance par où elle se pose et se confirme comme ruse. A la limite, cette connaissance de la ruse n'est que la pure conscience rusée, ou la Providence « ruse absolue [265] ». Ce recours est donc la reconnaissance de la contradiction constituée au niveau du mauvais contenu, entre la réalité et la vérité – et cette issue évasive n'est que la reconnaissance de cette contradiction sans issue.

Voilà donc par la ruse la vérité pensée comme le secret de la réalité, et ce secret refoulé dans l'au-delà. Il est vrai que Hegel du moins est dans la familiarité de Dieu, et cet ésotérisme vieillot contraste étrangement avec les protestations de la *Phénomé-*

nologie. Hegel ne prétend plus qu'à une bonne fortune, et il l'attend du Prince : qu'on répande les mystères, que sa philosophie devienne d'État, puisqu'on ne peut rendre l'État philosophique. Voilà Hegel dans les traces de Platon, mais bien en arrière : il ne se sert plus du Prince pour réaliser le vrai, mais pour le prêcher. Que le Prince se rassure, cette vérité n'est pas dangereuse, elle justifie l'État, le roi, la hiérarchie, et jusqu'aux misères présentes. Elle voit « la rose dans la croix de la souffrance, et se réjouit d'elle [266] ». Il faut faire bonne contenance au mauvais contenu. Mais pendant que le philosophe officiel s'emploie à rendre de force à ce monde une vérité qui n'en est pas [une], sa propre vérité s'éloigne de lui, et, faute d'être chez soi dans le résultat, se réfugie dans ses origines. Alors que dans la *Phénoménologie* la totalité historique absorbe toutes les significations et les provoque, l'ordre se renverse dans les derniers ouvrages, et de plus en plus c'est la Logique qui joue le rôle de l'Esprit. Le malentendu critique du panlogisme hégélien a son origine dans ce renversement, qui reproduit à l'intérieur du système le repli de la vérité devant le monde.

Ce retrait transforme l'unité hégélienne en une totalité contradictoire : le système devient la vérité absolue d'un contenu qui lui est extérieur, et qui éprouve son extériorité dans ses contradictions. La circularité se voit refoulée dans l'élément de la pensée, mais la réalité n'est pas dans l'élément de la pensée : l'Idée hégélienne redevient une idée kantienne, c'est-à-dire un idéal. Mais c'est un idéal qui a découvert son propre élément, et dans cet élément recouvré ses origines ; c'est dans la pensée une circularité réelle, alors que l'idée kantienne n'est qu'un au-delà de la pensée même. C'est pourquoi cet idéal concret ne peut être philosophiquement dépassé et peut être proposé à l'action. En ce sens, Marx a raison de dire que Hegel est le dernier philosophe – mais il ne l'entend pas comme faisait Hegel : Hegel est le dernier philosophe sans être le Savant de la *Phénoménologie* ; il est le dernier philosophe pour avoir conquis à la philosophie son propre royaume dans la circularité du concept. Il ne reste plus qu'à réaliser la circularité hégélienne, à transformer la philosophie en monde, et à chercher pour cela dans le monde historique donné l'élément dialectique qui permettra à l'homme de surmonter l'aliénation et de rendre l'histoire circulaire. C'est le passage marxiste de la contemplation à l'action, la transformation de l'histoire en histoire universelle [267], c'est-à-dire l'élévation du contenu à la liberté.

Mais ce passage même pose le problème de la circularité pensée, et montre son ambiguïté. Car la réalisation du vrai n'est pas possible si le vrai n'est pas une anticipation réelle, c'est-à-dire un universel implicite que l'action révolutionnaire et l'histoire développent, et si la réalisation du vrai n'est pas d'une certaine manière le développement de la réalité dans sa propre vérité. Il faut, dit Marx, non pas amener la vérité à l'existence empirique, mais amener l'existence empirique à sa vérité. Cette volonté ne serait donc que l'autre côté de l'avènement du contenu absolu : il resterait à l'histoire à conquérir dans le concret sa propre vérité que Hegel n'a dégagée que dans l'élément abstrait de la pensée. Hegel n'aurait atteint que l'extrémité de la conscience de soi dans son propre élément, et cette extrémité circulaire serait l'allégorie annonciatrice de la totalité circulaire du contenu absolu, l'Idée vide exigeant une réalité qui ne soit pas de hasard, mais qui, en même temps qu'elle réalise l'Idée, en justifie l'élément propre (c'est-à-dire l'abstraction de la pensée). A cette ambiguïté de la vérité correspond chez Marx l'ambiguïté du réel. Marx s'attache au contenu empirique de son temps, donc au concret, à la totalité signifiante réelle. Or cette totalité n'est pas accomplie, les significations seraient donc en sursis et indéchiffrables, si elles n'étaient déjà dans cet état contradictoire comme appelées à naître à leur propre vérité ; elles portent en elles leur vérité dans une nécessité obscure, qui demande à être conçue. Si l'on préfère, elles ont atteint ce point de maturité et de déséquilibre, où l'avenir révolutionnaire est déjà visible dans le présent. Le monde, avec un peu d'attention, peut contempler en lui l'universel implicite qui va grandir et prendre possession de son royaume. Parlant des ouvriers communistes, Marx déclare : « Ils n'ont pas à réaliser d'idéal, mais à libérer les éléments de la nouvelle société dont la vieille société bourgeoise qui s'affaisse est *enceinte* [268]. » Le prolétariat est cet universel implicite, il contient dans sa condition présente l'avenir et la liberté de l'humanité totale. Il est virtuellement la circularité du contenu absolu.

3. Cette virtualité du réel pose précisément le problème fondamental de notre temps, vis-à-vis de la révélation et de la déchéance hégélienne. Comme nous le disions en introduisant cette étude, nous sommes pris tout entiers dans la décomposition de Hegel, et dans un double sens.

D'une part toute tentative philosophique ne peut guère que reprendre et développer dans l'abstraction un des moments libérés de la totalité hégélienne. Ainsi Kierkegaard et les existentialistes modernes se sont approprié la négativité hégélienne dans sa forme subjective, et la philosophie contemporaine s'est paradoxalement constituée en système sur cet élément abstrait du système, négligeant l'autre aspect de Hegel, qui est la substance. Ainsi la pensée marxiste aurait tendance à retenir de Hegel le côté substantiel, la nécessité objective, la loi de développement de l'histoire conçue comme une totalité objective, à conserver « au moins idéologiquement » la négativité objective, et à négliger la profondeur de la négativité subjective. Ainsi la phénoménologie contemporaine reprendrait l'inspiration d'une totalité dialectique et d'une dialectique « abandonnée », très proches de l' « expérience » phénoménologique hégélienne, mais sans atteindre à la circularité. Qu'elle soit ou non consciente de sa dépendance, la pensée contemporaine s'est constituée dans la déchéance de Hegel, et se nourrit de lui. Idéologiquement parlant, nous sommes donc sous la domination de Hegel qui reprend son bien dans les tentatives modernes : et cette dépendance est authentique, puisqu'elle ne rompt pas avec la déchéance de Hegel, c'est-à-dire avec la transformation de la vérité hégélienne en idéologie. Les *idéologies* modernes sont reprises par l'*idéologie* hégélienne, jusque dans leur ingratitude délibérée, comme par leur vérité-mère.

Cette restitution ne transformerait pas le statut de la vérité hégélienne, si la décomposition de Hegel avait seulement produit des *idéologies*. Or, dans un certaine mesure elle a aussi engendré un *monde réel* dans les mouvements ouvriers et l'action révolutionnaire. Nous disions au début de ce texte : Hegel devenu est notre monde. Tout le problème présent est que ce monde n'est pas seulement un monde idéologique, mais aussi un monde politique réel. Hegel est présent parmi nous non seulement comme vérité mais encore comme réalité. Cependant la décomposition de Hegel ne permet plus que nous pensions les rapports de cette vérité et de cette réalité dans des termes hégéliens : la part de Hegel devenue réalité ne coïncide pas avec la circularité hégélienne refoulée dans la vérité-idéologie. En d'autres termes la nécessité hégélienne que nous avons décrite comme le pour-soi de Marx, se voit contrainte dans Marx lui-même au même recul que dans le monde. C'est pourquoi dans le marxisme le statut de cette nécessité est si obscur, c'est pourquoi le marxisme la reprend et la rejette à la fois, comme on le voit dans cette image du « renversement » de la dialectique, où la réalité marxiste n'accepte qu'une vérité hégélienne « remise sur ses pieds » (que peut être une circularité remise sur pied ?) On peut donc dire que dans le marxisme le statut réel de la nécessité hégélienne ne coïncide pas avec son statut idéologique, autrement dit que le comportement marxiste, qui est réel et fécond, n'a pas encore ressaisi sa propre structure, parce qu'il n'a pas clairement conçu la place de la vérité hégélienne dans sa propre réalité. Cette défaillance nous renvoie à notre temps et pose, même idéologiquement, pour les philosophies « abstraites » contemporaines, le problème du statut de Hegel dans notre monde. Nous vivons en effet dans un monde où d'un côté la vérité hégélienne déborde son statut purement idéologique, et d'un autre côté la réalité hégélienne refuse de reconnaître l'idéologie hégélienne pour sa vérité. Ce dualisme, cette contradiction, posent à notre réflexion le problème même de la structure spirituelle de notre temps.

Il serait déplacé d'aborder ici ce problème, qui passe largement notre propos et nos forces. Nous voudrions seulement fixer un certain nombre d'éléments qui se dégagent de notre étude, et qui permettent peut-être de pressentir les traits généraux de cette structure.

Les implications de la déchéance hégélienne et les contradictions de sa postérité fixent un premier point : la structure totale de ce monde réel n'est pas la circularité, ou du moins, la totalité n'étant pas accomplie, la circularité n'est pas en acte ; elle peut être pensée comme la vérité, elle n'est pas la réalité présente. Nous sommes donc voués à un certain dualisme de la vérité et de la réalité.

Et par là nous retombons dans une structure spirituelle analogue à certains égards à celle de la période immédiatement pré-hégélienne, c'est-à-dire dans le transcendantalisme. Le comportement marxiste peut nous éclairer sur ce point, par la primauté que l'action révolutionnaire attache au conditionnement, et d'une façon plus générale sur la prééminence de la totalité historique concrète, qui devient littéralement la condition *a priori* de toute entreprise. C'est un des thèmes majeurs de la pratique révolutionnaire, qu'on ne peut pas tenter n'importe quoi à n'importe quel moment, que la révolution ne se confond pas avec la révolte, que si « la présupposition existante » n'est pas favorable, toute activité immédiate n'est qu'agitation dangereuse. Cette même structure se dégage de la pratique scientifique, qui conçoit une sorte de nécessité de la découverte. La recherche n'est plus une activité heureuse, livrée au seul génie du chercheur. La recherche et les résultats sont soumis comme à leur condition *a priori* à la totalité scientifique pré-existante, c'est-à-dire à l'ensemble organique des hypothèses, des théories, des instruments et des résultats pré-existant à un moment donné de l'histoire scientifique. C'est cette totalité conditionnante qui donne un sens à l'activité révolutionnaire comme à la recherche scientifique, elle se présente donc à un moment donné comme la condition et la forme *a priori*, où toute matière scientifique et politique est donnée.

Cette structure ne rappelle cependant que de loin le transcendantalisme kantien, ou plutôt elle l'éclaire parce qu'elle le dépasse. Le transcendantal politique ou scientifique est à la fois *a priori*, puisqu'il est la condition de tout événement, mais il est aussi *a posteriori*, puisqu'il n'est pas déduit mais trouvé. La nécessité de la structure objective de l'*a priori* scientifique ou marxiste est de l'ordre de ce que les phénoménologues modernes appellent une « nécessité de fait ». Cette remarque nous rappelle le paradoxe de la nature des catégories kantiennes, qui n'avait pas échappé à Hegel. Les catégories de la logique transcendantale sont tirées de la table des jugements, et donc *trouvées*. Kant a ainsi subi le caractère empirique du contenu de la logique transcendantale, mais il ne l'a pas pensé. Il n'a pas consenti à reconnaître que l'*a priori* fût *a posteriori*. Cette reconnaissance l'aurait contraint à penser la réalité d'un transcendantal empirique, l'a-priorité de l'*a posteriori*, c'est-à-dire littéralement, au niveau de son abstraction, la circularité hégélienne. Il eût par là été conduit à abandonner non pas la structure du transcendantal, mais son caractère absolu, c'est-à-dire son éternité, à penser le temps non seulement comme une forme *a priori*, mais comme l'élément de toute forme : il eût été contraint à concevoir l'histoire.

C'est là une acquisition majeure que nous devons à Hegel. En interprétant librement sa pensée, l'histoire (ou l'Esprit) devient la totalité absolue absorbant toute signification. Si nous renonçons à la fin de l'histoire et à l'éternité des significations, c'est-à-dire à la circularité absolue du réel, l'histoire devient l'*élément* général où nous avons le mouvement et la vie, le transcendantal concret, le seul lieu où naissent les êtres et les sens, qui nous conditionne et nous détermine. Mais puisque l'histoire n'est pas finie, il n'y a pas de logique transcendantale éternelle, mais à chaque instant une structure historique articulée qui domine le monde comme un *a priori* et le conditionne. La réalité de l'histoire réside à ce niveau dans le caractère dialectique de la structure qui conditionne les événements, mais en retour est transformé par eux. La totalité historique est un transcendantal concret et dialectique, une condition modifiée par son conditionné. Ainsi la découverte scientifique, dominée par la totalité des théories et des instruments, les modifie à son tour, la « logique transcendantale » des sciences change au cours de l'histoire par l'effet des acquisitions de la science. De même la structure économico-politique qui conditionne l'action révolutionnaire est à son tour modifiée par elle.

Il reste un point, cependant, qu'il faut éclairer. Nos exemples nous montrent des structures analogiques, mais ne nous renseignent pas si l'être de la totalité historique se confond avec la structure de la raison transcendantale, autrement dit si la totalité historique est homogène à la raison. Ici encore Hegel nous ouvre la voie. Il a définitivement acquis à notre temps la vérité fondamentale qu'il n'y pas de raison hors de la communauté des consciences, qui s'affrontent dans la lutte et la reconnaissance. En ce sens, Hegel a repris et pensé le contenu positif de la réserve kantienne, qui faisait de la raison « notre raison », il a dégagé le sens plein de ce « notre » en échappant au solipsisme comme à l'idéalisme abstrait, et en montrant que la raison est elle-même dominée par la totalité humaine, par le monde des consciences dans leurs rapports concrets. Si l'esclave de Platon la trouve au fond de lui, si Descartes la cherche dans la solitude, et connaît pourtant qu'elle est bien partagée, c'est parce que la nature de la raison est soumise à la nature de l'inter-dépendance humaine, ou plutôt [que] la raison, au sens large, est la structure concrète de l'inter-dépendance humaine. C'est pourquoi la connaissance de l'histoire n'est pas une connaissance extérieure à l'histoire, c'est pourquoi la temporalité n'est pas une catégorie ou une forme, c'est pourquoi toute pensée qui donnerait le Je comme forme transcendantale et ne concevrait pas la totalité concrète conditionnant tout discours rationnel, est une pensée abstraite. Si nous devons toujours concevoir le transcendantal comme raison, ce ne peut être que la raison organique de la totalité historique donnée, c'est-à-dire un élément de la structure humaine du monde.

Nous voici rendus à notre propos. La déchéance hégélienne nous rejette dans le transcendantalisme. Mais le transcendantal qui conditionne *a priori* l'activité (théorique ou pratique) de l'homme, a désormais conquis sa nature : c'est la totalité historique concrète. Nous devons à Hegel cette conception de l'histoire comme élément fondamental et totalité signifiante. Nous lui devons aussi de pouvoir identifier la nature rationnelle de cette totalité avec la nature de la totalité humaine. Mais c'est là une vérité de passage, enfouie dans la *Phénoménologie*, et dont

Hegel n'a pas tiré lui-même la conséquence majeure. Dire que la totalité humaine historique est la totalité de référence, et la condition *a priori* de toute activité humaine, est une vérité aussi abstraite et vide que le serait dans Kant la domination du Je transcendantal sans la table des catégories. Marx nous donne la table des catégories humaines, qui gouvernent notre temps, dans la structure fondamentale de la totalité humaine. *Le Capital* est notre analytique transcendantale. Tel serait le sens de l'œuvre de Marx : la découverte et la prise de possession des catégories humaines dans la structure économico-sociale de notre temps.

Il faut entendre cette tentative dans un sens très large : puisque la raison est la conscience de soi de la totalité humaine, cette structure sociale déterminée est la condition *a priori* de toute activité humaine, esthétique, scientifique, politique, etc. Ainsi le temps présent met bien en évidence la condition de la science, qui, dans les vastes entreprises collectives indispensables aux recherches récentes, découvre sa dépendance de la capacité industrielle, c'est-à-dire de la totalité économique du monde. Les « catégories scientifiques » modernes sont extrêmement concrètes : la science contemporaine est dominée par la production de ses instruments (cyclotron) ou de sa matière expérimentale (uranium, eau lourde etc.), qui renvoient à l'effort ouvrier de l'humanité, et à sa structure. Marx n'a fait qu'indiquer ces perspectives, et il reste un travail énorme de recherches épistémologiques à accomplir pour établir la table des catégories scientifiques modernes. Cet inventaire cependant ne suffirait pas, si on ne tentait en même temps de dégager la relation des catégories épistémologiques aux catégories économico-sociales qui les commandent. Ici les indications marxistes sont à l'état embryonnaire. Elles paraissent cependant conduire à une conception de la science dominée par le caractère humain de l'appropriation scientifique. Quand il parlait de l'expérience, Kant insistait que l'expérience était *notre* expérience ; mais il ne disait pas quelle était la nature de ce *notre*. La science contemporaine, dans la conception marxiste, a tendance à ressaisir ce *notre* et à le penser comme sa nature dominante. L'être de la science serait donc historique et non naturel, et l'objet de la science lui-même serait soumis à la domination des catégories historiques. On voit dans les formules marxistes sur la nature se reproduire l'ambiguïté kantienne du *donné* de la sensibilité. La nature n'existe pas à l'état pur, elle n'est donnée que dans l'appréhension humaine qui est historique (il n'y a, ironise Engels, que les atolls surgis de la mer qui soient une pure nature), et pourtant les catégories scientifiques n'épuisent pas le donné naturel, puisque sans lui elles seraient d'un usage vain. Ce qu'on retrouve dans cette ambiguïté n'est que la contradiction de la déchéance hégélienne de la réalité et de la vérité.

Si le monde scientifique est mal exploré, le monde politique est grâce à Marx infiniment plus clair, et comme on y atteint la structure fondamentale de la totalité humaine, c'est là que se joue le destin de notre temps. Si nos indications ne sont pas trop infidèles, c'est à ce niveau qu'il faudrait tenter de dégager la structure du comportement marxiste. Marx a compris que le transcendantal était l'histoire, mais il n'a pas conçu qu'on pût penser l'histoire en général en dehors du *contenu concret* de la totalité historique dominante. Il a donc dégagé la structure économico-sociale de la société capitaliste, et posé ce monde comme une totalité contradictoire, où des catégories économiques dominent le pur divers de la matière humaine. Cependant, il n'a pas posé la totalité catégoriale comme éternelle (ainsi faisait Kant, ainsi faisait Hegel, inconsciemment, quand il proclamait la fin de l'histoire ou la validité de l'État prussien dans une histoire continuée). Il l'a conçue comme dialectique, c'est-à-dire modifiée par le divers même qu'elle conditionne. Enfin il a maintenu à l'intérieur même de la contradiction l'évidence de l'unité concrète des catégories et du divers dans le travail concret. Kant faisait de même dans l'imagination transcendantale. Mais dans Kant la totalité n'était pas dialectique. C'est pourquoi cette unité médiane demeure chez lui une unité médiate. Chez Marx au contraire la dialectique catégoriale permet l'avènement de l'unité immédiate du travailleur et de son produit, qui s'opère au niveau de la diversité. Ainsi tout l'effort révolutionnaire pourrait être considéré comme la reprise des catégories économiques par le divers de la matière humaine, c'est-à-dire comme la prise de possession du transcendantal par l'empirique, de la forme par le contenu. C'est pourquoi le mouvement marxiste est un matérialisme, puisqu'il veut la domination de la matière, mais c'est aussi un humanisme, puisque cette matière est une matière humaine luttant contre des formes inhumaines. C'est pourquoi cette lutte pourrait être envisagée autrement que la « tâche infinie » de l'Idée kantienne, et l'État socialiste autrement qu'un « hasard transcendantal ». L'action révolutionnaire peut concevoir, au moins formellement, l'avènement de la totalité humaine réconciliée avec sa propre structure.

Cependant ses significations ne sont pas réductibles à de pures déterminations dans l'élément de la pensée. Nous ne sommes pas dans la circularité limpide de la vérité hégélienne, mais dans un monde concret où les significations sont enveloppées par des réalités concrètes. Le mouvement marxiste *est* sa propre signification, il n'est pas nécessairement celle qu'il présente comme la sienne. La déchéance hégélienne est sensible jusque dans la difficulté où la réalité se trouve de concevoir sa propre vérité. Si nous pouvons tenter de dégager la structure spirituelle de ce monde post-hégélien, ce ne peut être pour rétablir un schéma définitif. L'avenir est pour nous dans les mouvements secrets du contenu présent, nous sommes pris dans une totalité encore obscure qu'il nous faut conduire à la lumière.

Notes *

1. Moses Hess : *Gegenwärtige Krisis der Deutschen Philosophie* — in Groethuysen : « Origines du Socialisme en Allemagne », *Revue philosophique*, 1923, p. 382.

2. *Philosophie du Droit*, ajout au paragraphe 21 [trad. française Robert Derathé, Paris, Vrin, 2ᵉ édition 1986, p. 85].

3. *Encyclopédie*, paragraphe 60 [trad. française Bernard Bourgeois : *Encyclopédie des sciences philosophiques*, t. I, *La Science de la logique*, Paris, Vrin, 1970, p. 321].

4. « La Philosophie est l'intelligence du présent et du réel », *Ph. D.* p. 29.

5. Groethuysen.

6. « La folie n'est que la limite extrême de l'état maladif dans lequel l'entendement peut tomber. » *Ph. Esprit Véra* I, 390 [trad. française Bernard Bourgeois, *op. cit.*, t. III, *Philosophie de l'Esprit*, Paris, Vrin, 1988, p. 497].

7. *Phn.* I, 341.

* Nous avons conservé dans ces notes le système d'abréviations utilisé par Louis Althusser dans ses références à certains ouvrages de Hegel :

— *Phn* : *Phénoménologie de l'esprit* (2 volumes), traduction de Jean Hyppolite, Paris, Aubier, 1939.

— *Ph. D.* : *Principes de la philosophie du droit*, Paris, Gallimard, 1940.

— *Log. Véra* : *Logique* (2 volumes), traduction d'Auguste Véra, deuxième édition Paris, Germer Baillère, 1874, réédition en fac-similé Culture Civilisation, 1969 (il s'agit de la traduction de la *Science de la Logique* de l'*Encyclopédie*).

— *Ph. Esprit Véra* : *Philosophie de l'esprit* (2 volumes), traduction d'Auguste Véra, Paris, Germer Baillère, 1867-1869, réédition en fac-similé Culture Civilisation 1969 (il s'agit de la *Philosophie de l'esprit* de l'*Encyclopédie*).

— *Nohl* : *Theologische Jugendschriften*, Éditions Hermann Nohl, Tübingen, 1907.

8. *Phn.* II, 200.

9. Karl Marx, *Œuvres philosophiques*, traduction Molitor, Paris, Costes, 1937, VI, p. 91 [*Manuscrits de 1844*, Éditions sociales 1962, p. 146].

10. *Phn.* I, 171.

11. On pourrait rapprocher de cette attitude la démarche des philosophes contemporains de l'existence et de l'engagement. Philosophie, existence, engagement, ces termes assemblés font un curieux ménage, et leur jonction serait absurde, si elle ne désignait une raison [plus] profonde que le paradoxe : seul le dégagé pense l'engagement, et s'en fait un système. Son discours est d'abord la reconnaissance de son aliénation, et sa conjuration verbale – sa consécration magique par la parole, et la justification du parleur, qui croit avoir exorcisé son malaise quand il lui a donné un nom.

12. Lettre à Malesherbes, 26 janvier 1762 [cf. Rousseau, *Œuvres*, Paris, Gallimard, La Pléiade, t. I, p. 1140].

13. *Xénie* 170.

14. Novalis, *Schriften*, Editions Kuckhohn, Leipzig, 1929. I. Band p. 179 [trad. française Marcel Camus, réédition, Paris, Garnier-Flammarion 1992, p. 189].

15. Hegel : discours du 22.10.1818 à l'Université de Berlin [in *Encyclopédie*, trad. française Bernard Bourgeois, *op. cit.*, t. I, p. 14].

16. *Phn.* II, 121.

17. *Ibid.*, II, 113.

18. *Ibid.*, II, 133.

19. Cité par Vermeil : « La pensée philosophique de Hegel », *Revue de métaphysique et de morale*, 1931, p. 447.

20. *Ibid.*, p. 449.

21. *Ibid.*, p. 447.

22. Jean Hyppolite, *Genèse et Structure de la Phénoménologie de l'Esprit de Hegel*, Paris, Aubier, 1946, p. 417.

23. Hölderlin [« Où chacun frôlait la terre comme un Dieu »].

24. Cf. *Theologische Jugendschriften*, éd. Hermann Nohl, Tübingen 1907, pp. 23, 47, 207, 215, 358, 359, 375.

25. Hölderlin, au contraire, en fait l'objet de ses poèmes et elle devient réelle pour lui dans l'évocation de sa seule absence. Hegel sait que l'évocation ne comble pas une absence. Aussi vou-

dra-t-il *réaliser* son intuition fondamentale, c'est-à-dire refaire dans la réalité l'unité perdue par le temps. Mais alors il lui faudra céder à l'évidence : l'unité définitive ne peut être l'unité originaire.

26. Cf. *Nohl*, pp. 33, 57.

27. *Nohl*, p. 25, traduit dans Jean Wahl : *Le Malheur de la Conscience dans la philosophie de Hegel*, Paris, Rieder, 1929, p. 69.

28. C'est en ce sens que Hegel entend la parole de saint Paul, sur l'amour, qui est l'accomplissement de la loi, le terme *Aufhebung* reprenant le πλήρωμα du texte grec.

29. *Phn.* I, 29.

30. *Nohl*, p. 328 [trad. française Jacques Martin : *L'Esprit du christianisme et son destin*, Paris, Vrin, 1948, p. 108].

31. *Nohl*, p. 330 [*ibid.*, p. 110].

32. *Nohl*, p. 399 [*ibid.*, p. 170].

33. « La philosophie kantienne c'est l'Aufklärung exprimée théoriquement et rendue méthodique », *Geschichte der Philosophie* [cf. trad. française de Pierre Garniron, *Histoire de la philosophie*, Paris, Vrin, 1991, t. 7, p. 1853].

34. Cf. Kroner, citant ce mot de Windelband (Richard Kroner : *Von Kant bis Hegel,* Tübingen, 1921-1924, II, Introduction) : « *Kant verstehen heißt über ihn hinausgehen* » [« comprendre Kant, c'est le dépasser »]. Notre remarque ne signifie pas que la tentative de Hegel soit parfaitement réductible à un développement en quelque sorte logique du kantisme (telle est l'interprétation de Kroner), bien que l'exposition de Hegel lui-même dans son *Histoire de la Philosophie* tende à restituer la continuité des formes et des systèmes. Il nous semble qu'il faut entendre le rôle du kantisme dans la pensée de Hegel sous deux aspects : d'abord, Kant représente la vérité d'un certain moment de la conscience hégélienne. Cette thèse n'exclut pas l'originalité de l'intuition hégélienne, sur laquelle ont insisté les auteurs les plus autorisés (Dilthey, Jean Wahl), mais tente de faire saisir, dans le développement de cette intuition nourrie de méditations religieuses, le moment de la rencontre de Kant comme le moment où la conscience hégélienne rencontre sa vérité, c'est-à-dire se rencontre elle-même. Cette rencontre n'est qu'une rencontre, elle ne pourrait être résultat que si la vérité de Kant coïncidait avec la certitude kantienne, coïncidence que l'analyse hégélienne rejette

dans l'illusoire. A l'épreuve, elle apparaît ainsi comme un dépassement. Ici intervient le second aspect de la position hégélienne. Nous dirions volontiers avec Kroner que comprendre Kant c'est le dépasser, mais cette formule est assez vague pour couvrir toutes les équivoques : toute compréhension est toujours dépassement, mais jusqu'où, et dans quel sens, face à une pensée que l'on traite comme un objet, et qui comme tout cadavre se survit jusque dans la mort? Ce dépassement pour Hegel a un autre sens, plus concret : Hegel traite Kant non comme un objet, mais littéralement comme un sujet. Ce que Hegel comprend dans Kant, ce n'est pas Kant, c'est Hegel. Pour Hegel, comprendre Kant c'est donc *se dépasser*, c'est développer sa propre vérité dans des moments successifs qui se dévoilent comme vérité des moments antérieurs, et se dénoncent comme moments dans leur développement même. Kant est un de ces moments, dont la présence demeure intériorisée dans toute la pensée hégélienne (on trouve des références à Kant dans les *Theologische Jugendschriften*, et on en trouve encore dans les cours de Berlin). Cette absorption, cette espèce de manducation de Kant, qui devient sang et chair de Hegel, renverse les termes de Windelband. Pour le Hegel qui considère l'ensemble de son développement, ce qui ressort de la rencontre de Kant est moins l'aspect compréhension que l'aspect dépassement. C'est parce qu'il a dépassé Kant en se dépassant lui-même que Hegel en a dégagé le sens. Après avoir représenté la vérité de la conscience hégélienne, Kant reçoit ainsi sa vérité de Hegel même, et sa place dans l'histoire. *Dépasser Kant, c'est le comprendre*. Cette ambiguïté des rapports de Kant à Hegel est un exemple concret de la double dialectique phénoménologique du pour-soi et du pour-nous, et de la circularité des moyens et des fins. Il n'est pas possible historiquement de négliger cette appropriation de Kant par Hegel, qui, consciemment s'en empare comme de soi, se dépouille de lui-même en lui, et par là le dévoile dans la nudité de son vrai. Historiquement, et d'un simple point de vue critique, notre intelligence de Kant ne peut pas plus s'abstraire de la révélation hégélienne que notre plaisir de la musique ancienne des révélations sur elle de la musique moderne. De plus cette rencontre nous renseigne sur le comportement fondamental de la pensée hégélienne, qui absorbe l'objet dans le sujet, et se contemple elle-même dans l'autre.

35. « Vouloir connaître avant de connaître est aussi absurde

que la sage précaution de ce scolastique qui voulait apprendre à nager avant de se jeter à l'eau. » *Log. Véra* I, 193 [*Encyclopédie*, trad. française Bernard Bourgeois, *op. cit.*, t. I, p. 175].

36. *Geschichte der Philosophie*, éd. Bolland, Leyde, 1908, p. 993. [Cf. trad. française, *Histoire de la philosophie*, *op. cit.*, t. 7, p. 1854.]

37. Pour Hegel on n'échappe pas à la vérité. Quand on ne la connaît pas, on la rencontre dans l'acte même par lequel on ne la reconnaît pas : « Ce qui se proclame crainte de l'erreur est la simple crainte de la vérité. » *Phn.*, I, 67.

38. *Phn.* I, 66.

39. *Phn.* I, 66-67.

40. *Glauben und Wissen* [trad. française Marcel Méry : *Foi et Savoir*, in Hegel, *Premières publications*, Gap, éd. Ophrys, rééd. 1975, p. 217].

41. *Geschichte der Philosophie,* p. 997 [trad. française, *op. cit.*, p. 1860).

42. *Glauben und Wissen*, p. 25 [trad. française, *op. cit.*, p. 210].

43. *Log. Véra* I, 301 [*Encyclopédie*, trad. française Bernard Bourgeois, *op. cit.*, t. I, p. 304].

44. Ils ne sont étrangers l'un à l'autre, que parce qu'ils sont étrangers à eux-mêmes, c'est sa propre aliénation que chaque terme rencontre dans l'autre terme.

45. *Ph. Esprit Véra,* II, 32 [*Encyclopédie*, trad. française Bernard Bourgeois, *op. cit.*, t. III, p. 225].

46. *Ibid.*, 15 [*ibid.*, p. 222].

47. Ici paraît une notion majeure du hégélianisme : celle de l'élément; il faut l'entendre en un sens très large, de milieu, champ. L'élément enveloppe les termes distincts qu'il renferme, est donc l'unité dans laquelle ils sont donnés; relativement aux termes cette unité est la vérité des termes.

48. *Glauben und Wissen*, p. 33 [trad. française, *op. cit.*, p. 215].

49. Alors qu'elle en est l'*en-soi* (*Geschichte der Philosophie, op. cit.*, p. 1003) [trad. française, *op. cit.*, t. 7, p. 1865].

50. *Glauben und Wissen*, p. 27 [trad. française, *op. cit.*, p. 212].

51. *Ibid.*, p. 28 [*ibid.*, p. 212].

52. On pense aux trois masques, aux trois musiciens de Picasso.

53. *Glauben und Wissen*, p. 29 [trad. française, *op. cit.*, p. 213]. Goethe : *Werke*. Jubiläum Ausgabe. Band 16, pp. 275 et 298-299. Notons que Hegel paraît faire une confusion en parlant d'un roi de bronze. Le roi sans consistance était d'or, d'argent et de bronze, du métal des trois autres : le vrai roi de bronze ne s'effondre pas.

54. *Encyclopédie*, ajout au § 52 [trad. française Bernard Bourgeois, *op. cit.*, t. I, p. 506].

55. *Glauben und Wissen*, p. 35 [trad. française, *op. cit.*, p. 216].

56. L'unité du *sollen* est une unité nostalgique et intentionnelle à la fois ; l'intention équilibre mystérieusement la nostalgie dans une sorte de compensation : l'impuissance est transférée de l'*expression* d'une réalité originaire qui existe mais que Kant ne parvient pas à concevoir, à la *réalisation* d'une unité finale que Kant conçoit dans le *sollen*, mais qui n'existe pas et n'est pas réalisable. Tous les termes de la totalité sont bien ici présents, mais ils sont *répartis* aux deux extrémités : l'unité, la réalité, le concept. D'un côté nous avons l'unité et la réalité, mais pas le concept. De l'autre, l'unité et le concept, mais pas la réalité. Enfin au milieu, dans l'entre-deux occupé par la pensée kantienne, nous avons le concept et la réalité mais pas l'unité. On voit ici deux choses :

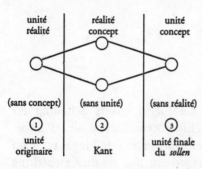

1. que la présence même obscure de la totalité subsiste toujours, même dans une pensée de l'extériorité, et qu'il lui faut trouver une fixation (comme chez Freud la totalité de la libido subsiste toujours, et quand elle n'a pas plein emploi et reconnaissance, se cherche une issue dans des symptômes morbides ou traumatiques), pour compenser sa mutilation et pour figurer, même symboliquement (origine du mythe et des idéologies), la totalité méprisée.

2. que cette réconciliation mythique s'opère chez Kant au prix d'un glissement où l'on reconnaît la naissance même de l'idéologie dans la suppression de la catégorie de réalité : la totalité passant de 1 à 3 perd la réalité et gagne le concept. C'est une idéolo-

gie type, consciente de soi, c'est-à-dire consciente de soi comme étant une réalité différée, se donnant, elle-même comme un *sollen*, un au-delà, une « tâche infinie ». Le mérite de Kant est d'avoir donné à l'idéologie la conscience de soi comme idéologie, celui de Hegel d'avoir dégagé la signification de l'idéologie et de lui avoir assigné sa vérité, c'est-à-dire de l'avoir détruite en l'accomplissant.

57. *Glauben und Wissen*, p. 126 [trad. française, *op. cit.*, p. 280].

58. *Ibid.*, p. 47 [*ibid.*, p. 225].

59. *Wissenschaft der Logik*, éd. Georg Lasson, t. I, p. 12, préface à la seconde édition [cf. *Science de la logique*, trad. française de Samuel Jankélévitch, Paris, Aubier, 1947, t. I, p. 15].

60. *Phn.*. I, 58.

61. *Ibid.*

62. *Ibid.* I, 8.

63. *Log. Véra*, I, 134 [*Encyclopédie...*, trad. française Bernard Bourgeois, *op. cit.*, t. II, p. 168].

64. *Phn.* I, 36.

65. *Phn.* I, 37.

66. *Ibid.* I, 37.

67. *Ibid.* I, 37.

68. *Phn.* I, 45.

69. *Phn.* I, 44.

70. *Phn.* I, 45. La position de Hegel envers Schelling est ambiguë, dans la mesure où Schelling occupe une position ambiguë. La *Differenz* semble marquer l'inclination de Hegel pour un philosophe qui refuse le *sollen* et atteint une totalité esthétique dans la Nature. Même sur le tard Hegel a reconnu la contribution de Schelling : Fichte a poussé la dialectique kantienne dans le sens de la nécessité, Schelling dans le sens du contenu (*Geschichte der Philosophie, op. cit.*, p. 1030 [trad. française, *op. cit.*, t. 7, p. 1977]). Il ne fait pas de doute que cette intuition d'une plénitude accomplie appartient aussi aux aspirations de la jeunesse hégélienne dans la forme esthétique de la totalité grecque, à la fois religieuse et politique. Cependant, nous avons vu que ce point de vue est absorbé dans la méditation même de Hegel par la découverte de la profondeur de la subjectivité. De la sorte Schelling est en quelque manière en deçà de Kant, puisqu'il représente une conception de la totalité objective (l'idée d'orga-

nisme-univers où l'Esprit n'est pas le Tout mais une partie du Tout) que la critique kantienne des antinomies avait exclue de la réflexion. Aussi Hegel reconnaît dans la préface de la *Phénoménologie* le formalisme de l'Absolu schellingien qui ne *pense pas* la totalité qu'il pose et qui, faute de cet enveloppement du contenu par la nécessité même du contenu, pose le contenu et la nécessité dans l'équilibre, sur les plateaux de l'Indifférence. Il resterait alors à expliquer cette sorte de retour en arrière de l'article de la *Differenz*, et du *System der Sittlichkeit* que M. Hyppolite estime en dehors du développement de la pensée hégélienne. Nous inclinerions à croire, suivant en cela Kroner, que malgré les similitudes de langage, l'article de la *Differenz* est déjà au-delà de Schelling, qui joue à l'égard de Fichte un rôle de contradicteur muet. Quant au *System der Sittlichkeit*, il nous paraît être un retour de la tentation de totalité sous une forme brutale, qui pose le problème de la tentative hégélienne : peut-on penser la totalité dans la dimension de la subjectivité sans la détruire comme totalité, autrement dit quel sens peut encore avoir une totalité qui prétend absorber la subjectivité ?

71. *Phn.* I, 45.

72. *Phn.* I, 47.

73. *Phn.* I, 7.

74. *Log. Véra* I, 172 [*Encyclopédie*, trad. française Bernard Bourgeois, *op. cit.*, t. I, p. 138].

75. *Phn.* I, 51.

76. *Phn.* I, 48.

77. Cf. Boutroux : *Les Post-Kantiens*.

78. *Log. Véra* I, 246 : « Dans ce mythe il s'agit de la connaissance de son origine et de sa signification ».

79. Avec la chute commence « la révélation de la profondeur » dont parle le chapitre 8 de la *Phénoménologie*. Cette intuition de la profondeur et sa capture sont la réussite propre de Hegel. Cette œuvre extraordinaire n'a peut-être pas d'autre équivalent que la capture de la profondeur dans la peinture de Cézanne. Le pêcheur de l'Aufklärung pêchait comme d'autres peignent, en surface. Hegel pêche au fond de l'eau – c'est la mer entière, la profondeur de la mer qu'il prend dans son filet. Le sens de la chute nous enseigne aussi qu'il n'y a d'autre profondeur que celle où l'on tombe soi-même, et que la vérité ne se donne qu'à celui qui la prend, se laisse prendre par elle. C'est la leçon du concept.

80. *Phn.*, I, 85.

81. *Log. Véra* I, 281 [trad. française Bernard Bourgeois, *op. cit.*, t. I, p. 494].

82. *Ibid.*, I, 282 [*ibid.*, p. 494].

83. *Ibid.*, I, 283 [*ibid.*, p. 495].

84. *Ibid.*, I, 283 sq. [*ibid.*, p. 495].

85. *Wissenschaft der Logik, op. cit.*, t. 1, p. 31 [cf. *Science de la logique*, trad. française Pierre-Jean Labarrière et Gwendoline Jarczyk, Paris, Aubier-Montaigne, 1972-1981, vol. I, p. 19.

86. *Ibid.* [« la vérité sans voile »].

87. Nicolaï Hartmann. *Die Philosophie des deutschen Idealismus*, Berlin-Leipzig, t. 2, p. 38.

88. *Log. Véra* I, 300, *op. cit.*, t. 1, p. 502.

89. *Differenz*, p. 41 [*Différence des systèmes de Fichte et Schelling*, in *Premières publications, op. cit.*, p. 90]. Cf. également *Wissenschaft der Logik, op. cit.*, t. I, p. 157 [trad. française Labarrière-Jarczyk, *op. cit.*, vol. I, p. 137] : « Le vide contient aussi l'idée profonde que dans le négatif tout court est contenu le fondement du devenir, de l'inquiétude, du mouvement interne. »

90. *Log. Véra* I, 401 [*Encyclopédie*, trad. française Bernard Bourgeois, *op. cit.*, t. I, p. 350].

91. *Wissenschaft der Logik, op. cit.*, t. I, p. 58 [trad. française Labarrière-Jarczyk, *op. cit.*, vol. I, p. 45].

92. *Ibid.*, p. 60 [*ibid.*, p. 48].

93. Ou plutôt il faut dire qu'il est en creux dans la totalité finale qui dénonce précisément son caractère abstrait; par là nous entrevoyons que Hegel détruit la référence originaire pour constituer la référence finale. Que toutes les significations, de quelque nature qu'elles soient, sont chez lui ordonnées à la totalité finale, — et nous notons aussi dès maintenant cette étrange proposition qui ressort de nos remarques : l'homogénéité du néant et du tout. Si l'en-soi est *en creux en lui-même*, et s'il ne reçoit de signification que de la totalité, il faut que la totalité soit précisément ce *lui-même*, ce *Selbst*, ce Soi (cf. *Phn.* I, 20 « le négatif est le soi »), qui est l'élément même de sa génération et de l'apparition de son sens. Cela suppose que le Tout soit fait de la substance même du néant, ou puisque le Tout est la vérité *(das Wahre ist das Ganze)* que la Vérité soit consubstantielle au néant, que la vérité soit le néant devenu substance. Le scandale de Hegel est dans ce paradoxe, qui blesse toute la tradition philosophique : au lieu d'iden-

tifier l'être et le vrai, il énonce que *le néant est la substance du vrai*. Nous essaierons de dégager le sens de cette étonnante proposition.

94. Baillie, *The Origin and Significance of Hegel's Logic*, Londres, 1901, p. 375.

95. Nous touchons ici à une ambiguïté : la positivité du négatif ne peut avoir de sens sans une certaine extériorité. Pour être nié un contenu donné doit être autre que le néant qui le nie, antérieur à l'action négatrice et extérieur à elle ; d'autre part, il semble bien que dans Hegel c'est l'action négatrice, autrement dit la positivité du néant, qui fonde l'extériorité, puisque c'est par le néant que la scission vient au monde ; autrement dit c'est la négativité qui constitue toute détermination, donc toute extériorité. Nous avons ici l'indication de deux tendances dans la pensée hégélienne. 1. On est tenté de croire d'un côté que l'action négatrice suppose une matière première, une nature d'avant le néant, un donné d'avant la négativité, et devant elle. 2. Mais d'un autre côté les textes de Hegel sont formels : « Le néant est ce qu'il y a de premier et dont toute diversité procède. » Et tout l'effort de Hegel que nous venons de résumer nous rappelle qu'il n'admet aucun système de références originaires, ni matière première, ni nature, ni substance, mais il nous laisse entrevoir au contraire la constitution du néant en totalité. 3. Reste donc à trouver le sens de cette contradiction : nous n'avons pas le choix. La seule façon d'entendre que le néant soit à la fois premier et second, condition et conditionné, est de poser qu'il n'est conditionné que par lui-même, autrement dit que le donné qu'il présuppose (comme manger présuppose la pomme) soit constitué de la même matière que lui (s'il est permis d'employer ce langage), lui soit homogène – en sorte que le néant n'ait jamais affaire qu'à soi-même sous les espèces de l'extériorité, et dévoile donc l'extériorité comme telle en se dévoilant, avant de découvrir en elle cette identité fondamentale qu'elle présuppose. Bien entendu cette révélation n'est possible qu'à la fin, c'est à la fin seulement que le néant découvre la conaturalité du donné qu'il nie et de soi, et cette révélation n'est possible que par la totalité de référence dont la substance est le néant, et qui contemple sa génération dans les mouvements obscurs de l'être et du néant, jumeaux du même sang et chair de sa chair.

96. Les prolongements de l'intuition hégélienne sur la positi-

vité du négatif sont incalculables. Notons en passant comme la dialectique freudienne s'éclaire par cette idée que le contenu nié est porté dans sa négation même, ce qui permet de comprendre par exemple l'inconscient à la fois comme une réalité et cependant comme une réalité refusée. Les vieux arguments de la psychologie classique, qui considère la pure négativité du négatif, n'entendent pas que ce qui n'est pas puisse être, que le non-conscient puisse exister pour la conscience. En cela ils traitent à la fois la conscience comme un être et l'inconscient comme un non-être, c'est-à-dire comme des *choses* sans rapport dialectique. Freud lui-même paraît être tombé dans le schématisme chosiste quand il tente de faire de l'inconscient un en-soi de référence où il distingue même des couches « géologiques », et quand il veut penser selon la causalité les rapports de cet en-soi avec la conscience. La réflexion hégélienne éclaire de haut ce débat, en montrant que la négation, le refus, le refoulement ne sont pas le pur néant, des états négatifs purs dont on ne peut rien dire, mais qu'ils ont un contenu, et que la forme de la suppression affecte seulement l'*en-soi* de l'inconscient, non le contenu même qui subsiste comme nié dans le refus et le refoulement. Sur tous ces points les analyses de Politzer dans la *Critique des fondements de la Psychologie* sont manifestement inspirées de la dialectique hégélienne.

97. A distinguer de *Gehalt*, qui est assez rarement employé par Hegel, et qui a en allemand une nuance qualitative, désignant la teneur du contenu, sa valeur, plus que sa nature. Hegel a employé le terme *Inhalt* avec une fréquence étonnante : il revient près de trois mille fois dans la *Phénoménologie*.

98. *Log. Véra* II, p. 82 [*Encyclopédie,* trad. française Bernard Bourgeois, *op. cit.*, t. I, p. 566].

99. *Log. Véra* II, 80 [*ibid.*, p. 387].

100. *Ibid.*, 361 [*ibid.*, p. 456].

101. *Logik*, édit. Glokner t. IV, p. 545 [trad. française Labarrière-Jarczyk, vol. II, p. 81].

102. *Encyclopédie*, paragraphe 247 [trad. française Maurice de Gandillac, Paris, Gallimard 1970, p. 244].

103. « La première ou immédiate détermination de la nature est l'universalité abstraite de son extériorité, son indifférence sans médiation... Il est la juxtaposition tout à fait idéelle car il est l'être extérieur à lui. » *Ibid.*, paragraphe 254 [*ibid.*, p. 244].

104. *Ibid.*, paragraphe 375 [*ibid.*, p. 345 sq.].

105. *Geschichte der Philosophie*, p. 45 [*Leçons sur l'histoire de la philosophie. Introduction : système et histoire de la philosophie*, trad. française Jules Gibelin, Paris, Gallimard, 1954, p. 41].

106. *Phn.*, éd. Georg Lasson, Leipzig 1928, p. 219-220 [la traduction est de Louis Althusser. Cf. traduction Hyppolite, t. I, p. 247].

107. *Ibid.*

108. C'est à lui que le monde est donné dans la *Genèse*, c'est lui qui baptise les animaux.

109. Carolus Bovillus, cf. Bernard Groethuysen, *Mythes et Portraits*, Paris, Gallimard, 1947, pp. 43-56.

110. Sophocle, *Antigone* : stances.

111. « Le droit qu'ils obtiennent est pour eux un destin extérieur. » *Ph. D.*, 178.

112. Quant à la paix perpétuelle, elle n'est qu'en « projet » chez Kant lui-même.

113. Cette gestation de la vérité dans le milieu même de l'erreur, cette sorte de compensation mythique par le vrai ou de compensation véritable par le mythe, est la réalité positive de la transition hégélienne. Lucien Herr disait que chez Hegel le passage est de sentiment. Nous dirions plutôt : de pressentiment, en notant fermement ce point que le pressentiment est inscrit en toutes lettres dans le monde en mutation. Ce pressentiment est la vérité non réalisée du monde considéré, c'est-à-dire son mythe, ou si l'on préfère son idéologie. Nous devons à Hegel sur ce point des indications qui dépassent les thèses de Feuerbach. Ce dernier n'a guère vu que la négativité des idéologies, Hegel a fondé la positivité du mythe.

114. Comme on le voit dans le platonisme élémentaire et dans Bergson où, en droit, l'intuition est la forme naturelle de la vision du vrai, et se passe donc d'explication, tandis que la non-intuition, l'erreur, la perversion, l'extériorité sont le scandale même qui a besoin d'être, sinon justifié, du moins expliqué et déploré.

115. *Ph. Esprit Véra* II, 146 [*Encyclopédie*, trad. française Bernard Bourgeois, *op. cit.*, t. III, p. 552].

116. Cf. Kant « L'intuition... est aveugle. » Et Hegel : « La lumière pure est la pure obscurité. » *Log. Véra* I, 276 [*ibid.*, t. I, p. 192].

117. Traduire *Begriff* par *notion* est une trahison inutile qui vide le *Begriff* de son sens concret et actif, et lui substitue un terme abstrait et énervé, où tout élément positif de la prise a disparu au profit d'un terme neutre où domine le caractère passif du connu. Cette traduction de *Begriff* par notion a été vulgarisée par Véra et Noël, et l'on comprend mieux alors l'utilité de cette infidélité qui servait leur interprétation panlogique de Hegel. M. Hyppolite a fort justement rétabli le terme de concept dans ses traductions. Si l'on a tendance à dégager le sens concret de la pensée hégélienne, il faut d'abord rendre à sa langue son nerf.

118. La discrétion du médiateur est un des thèmes majeurs de l'imagerie religieuse, philosophique et littéraire. Dans l'*Iliade*, les dieux tombent du ciel, provoquent une catastrophe, usent le héros à la course, forcent la victoire et se dissolvent dans l'air comme une petite brume. C'est aussi le schème des révélations de la conscience malheureuse dans le judaïsme : Iaweh parle dans le feu ou sur la montagne puis se retire dans le silence. Le Christ lui-même « retourne au Père » et les hommes demeurent devant le tombeau vide. Il est vrai qu'il ressuscite, se laisse toucher, mais il disparaît à nouveau d'entre les hommes que l'Esprit seul habite. Le thème de la disparition du démiurge est une des satisfactions littéraires les plus sûres : le troisième larron disparaît avant la fin, Jean Valjean redresse le monde et s'enfonce dans la nuit, Sherlock Holmes perce l'énigme, démasque le meurtrier, rend aux amoureux leur amour, allume sa pipe et s'en va : il est de trop. Parfois aussi on voit naître un démiurge malgré lui qui se retire contre son cœur, avant de découvrir que « le silence est d'or ».

119. Le troisième terme hégélien est mal élevé : il ne sait pas partir. Cette mauvaise éducation est le moteur de la dialectique hégélienne : l'homme est un animal perverti que la nature ne parvient pas à résorber, un enfant mal élevé qui établit sa loi et fait de sa perversion un universel en l'imposant. Avant d'être la mesure il est la démesure de toutes choses, et son entêtement transforme la démesure en mesure. La vérité est un enfant terrible.

120. Il resterait à voir si Hegel n'est pas son propre démiurge, et si la solution elle-même n'est pas un moyen terme. (Cf. chapitre III, A.)

121. *Phn.* II, 309.

122. Kroner : *Von Kant bis Hegel, op. cit.*, t. I, p. 143-144. Kroner s'inspire d'Ebbinghaus. Cf. Julius Ebbinghaus, *Relativer und Absoluter Idealismus*, Leipzig 1911, pp. 11 et suivantes.

123. *Log. Véra* I, 277 [*Encyclopédie*, trad. française Bernard Bourgeois, *op. cit.*, t. I, p. 492].

124. Cf. chapitre II, A.

125. *Phn.* I, 18-19.

126. *Phn.* I, 7.

127. Rimbaud ajoute : « à volonté ». Nous verrons que ce mot n'est pas déplacé. On trouve d'ailleurs chez Rimbaud d'étonnantes images qui éclairent les intuitions hégéliennes. On sait que Hegel voyait dans la mer l'image de la liberté et que le soleil est pour lui la vérité. Cf. Rimbaud : « L'Éternité, la mer mêlée au soleil. »

128. *System der Sittlichkeit*, éd. Lasson, t. 7, p. 466 [trad. française *Système de la vie éthique*, Paris, Payot, 1976].

129. Cf. chapitre I, C.

130. Aragon.

131. Il faut toujours prendre la langue de Hegel au sens le plus concret, le plus fort : ce royaume est le domaine d'un Roi, et ce Roi est le Sujet. Cette paisible formule est explosive.

132. Spinoza.

133. *Phn.* II, 308.

134. *Phn.* I, 34.

135. *Ph. Esprit Véra* I, 14 [*Encyclopédie*, trad. française Bernard Bourgeois, *op. cit.*, t. III, p. 385].

136. *Ibid.* p. 15. [*Ibid.*, p. 383].

137. Dans le Savoir Absolu.

138. L'Esprit est chute en soi – le gland tombe au-dedans de soi. Cf. les pressentiments de la circularité hégélienne dans la circularité grecque du serpent, la recherche du mouvement perpétuel – et les images de l'art, qui est une opération à partir de soi récupérant ses origines; cf. la fascination enfantine devant le cirque, rentrant ses bêtes, ses clowns et son soleil dans ses fourgons, totalité ambulante qui se déploie sur les places et qui « possède ses propres bateaux et ses trains » – ou le théâtre qui monte ses décors, pose ses lumières, fait de tréteaux une scène où le drame grandit, la tragédie « faite de rien », et s'emporte lui-même dans ses bagages. Il reste cependant une extériorité insurmontable : si le théâtre est un monde ambulant, le monde n'est

que la scène obscure où l'on dresse la scène dans la complicité de la nuit. Le petit soleil du matin se lève sur une place vide.

139. *Ph. Esprit Véra* I, 38 [*Encyclopédie*, trad. française Bernard Bourgeois, *op. cit.* t. III, p. 391].

140. *Ibid.*

141. *Encyclopédie*, paragraphe 60 [trad. française, *op. cit.*, t. I, p. 321].

142. L'universel est toujours « le soir d'une bataille ».

143. Citée par Alain : *Idées*, Paris, Hartmann, 1939, p. 236.

144. *Hegels Sämtliche Werke*, éd. Georg Lasson, t. XX, p. 180, cité par Kojève dans *Introduction à la lecture de Hegel* [Paris, Gallimard, 1947, p. 573]. Le triomphe de l'individu universel est pour Hegel le triomphe de la nuit. La nuit hégélienne est la nuit devenue lumière, « la nuit devenue le midi du jour » *(Differenz)*, translucide et claire. Dans la nuit de Schelling les vaches sont noires. Hegel, ou la nuit des vaches blanches.

145. Phrase que J.-P. Sartre eût dû mettre en exergue de son chapitre sur le *regard*...

146. *Ph. D.*, 65.

147. *Phn.* I, 18.

148. *Phn.* II, 286. « La mort est transfigurée dans l'universalité de l'Esprit qui vit dans sa communauté. »

149. *Phn.* II, 311.

150. *Phn.* I, 17.

151. *Phn.* II, 288.

152. *Ibid.*, 312.

153. « Tout se ramène à la prise de conscience de soi par l'Esprit. Quand l'Esprit sait qu'il est libre, c'est tout autre chose que quand il ne le sait pas. Quand il ne le sait pas il est esclave », *Geschichte der Philosophie*, Introduction.

154. Le concept est morsure, prise, meurtre fictif. *Phn.*, chapitre VII.

155. « La volonté vraie consiste à vouloir que son contenu soit identique avec elle, que la liberté veuille la liberté. » *Ph.* D., paragraphe 21.

156. Nous nous sommes jusqu'ici volontairement tenus à une conception de la totalité qui se dégage de la *Phénoménologie de l'Esprit*. Le troisième chapitre donnera la raison de notre propos.

157. *Phn.* I, 12.

158. C'est l'idéal du « tenseur universel ».

159. Cf. chapitre premier.

160. Ce point a bien été marqué par Alexandre Kojève dans son *Introduction à la lecture de Hegel, op. cit.*

161. *Phn.* II, 303.

162. *Ph. Esprit Véra* I, 123.

163. *Ph. D.* 261.

164. *Ph. Esprit Véra* I, 130 [*Encyclopédie,* trad. française Bernard Bourgeois, *op. cit.*, t. III, p. 418].

165. *Wissenschaft der Logik, op. cit.*, p. 31 [trad. française Labarrière-Jarczyk, *op. cit.*, vol. I, p. 19].

166. *Phn.* I, 83.

167. *Ibid.*, 84.

168. *Ibid.*

169. *Ibid.*, 91.

170. *Ibid.*, 84.

171. « Le langage contient le Moi dans sa pureté », *Phn.* II, 69.

172. *Phn.* II, 70.

173. *Ibid.*, 69.

174. *Encyclopédie,* addition au paragraphe 24 [trad. française Bernard Bourgeois, *op. cit.*, t. I, p. 476].

175. *Ibid.*, paragraphe 19 [*ibid.*, p. 283].

176. C'est pourquoi la logique spéculative n'a pas été découverte avant Hegel. C'est en ce sens que l'ombre de la Logique est le royaume des morts. Elle est l'ombre d'un corps vivant après sa vie, c'est-à-dire l'ombre d'un mort, ou l'ombre d'un mort vivant. Nous retrouvons ici l'écho de nos réflexions sur la totalité ou le règne de la mort. Si le tout est accompli, la vie (créatrice et négatrice dans l'extériorité) est suspendue, il n'advient plus rien, la substance est compacte, Dieu est mort (= Dieu est la mort). Il faut entendre cette mort comme la fin de l'histoire dont Marx a parlé.

177. [Cf. *Leçons sur l'Histoire de la philosophie. Introduction : système et histoire de la philosophie,* trad. Jules Gibelin, Paris, Gallimard, 1954, p. 152 : « C'est un continuel service divin. »]

178. *Wissenschaft der Logik, op. cit.*, t. I, p. 37-38 [trad. française Labarrière-Jarczyk, *op. cit.*, vol. 1, pp. 27-28].

179. Hegel en rend le mérite premier à Kant, qui « a débarrassé la dialectique de l'apparence arbitraire qu'elle a selon l'opinion ordinaire, en la représentant comme une activité nécessaire de la raison. » (*Wissenschaft der Logik, op. cit.*, t. I, p. 38.) Mais

nous savons aussi que la raison kantienne est un *sollen*, et non la raison des choses hégéliennes, en sorte que Kant a découvert la dialectique, mais ne l'a pas reconnue. En ce sens il est demeuré en deçà de Platon, que son ambiguïté sauve.

180. *Phn.* I, 77.

181. Dans Spinoza la conscience subit une loi qu'elle ne connaît qu'à la fin (cf. *Éthique*, Livre V, théorèmes [*sic*] 31-33, Scolie), de sorte que la connaissance éternelle n'est pas la fin mais le commencement, et le développement de la conscience devient une illusion.

182. Hyppolite. [Althusser procède à un raccourci saisissant. La phrase exacte est : « La *Phénoménologie* n'est pas une nouménologie; cependant elle reste encore une connaissance de l'Absolu », Jean Hyppolite, *Genèse et Structure de la Phénoménologie de l'Esprit de Hegel, op. cit.*, p. 10.]

183. *Phn.* I, 42.

184. *Wissenschaft der Logik, op. cit.*, t. II, p. 498 [trad. française Labarrière-Jarczyk, *op. cit.*, vol. 3, p. 384].

185. *Phn.* I, 44.

186. *Ibid.*, 46.

187. *Ibid.*, 47.

188. *Wissenschaft der Logik, op. cit.*, t. I, p. 36 [trad. française Labarrière-Jarczyk, *op. cit.*, vol. 1, p. 26].

189. *Phn.* I, 75.

190. Nicolaï Hartmann, *Philosophie des deutschen Idealismus, op. cit.*, t. 2, p. 88.

191. *Ibid.*, p. 161.

192. *Ibid.*, p. 188.

193. Cf. l'article de Hartmann : « Hegel et le problème de la dialectique du réel », *Revue de métaphysique et de morale*, 1931.

194. Nicolaï Hartmann : *Philosophie des deutschen Idealismus, op. cit.*, t. 2, p. 89.

195. Ce paradoxe a été brillamment soutenu par Alexandre Kojève, qui paraît cependant avoir négligé l'aspect conceptuel de la dialectique. [A. Kojève, *op. cit.*, appendice I.]

196. *Wissenschaft der Logik, op. cit.*, t. II, p. 486, [trad. française Labarrière-Jarczyk, *op. cit.*, vol. 3, p. 370].

197. *Ibid.*, p. 486 [*ibid.*, p. 371].

198. *Ibid.*

199. Nous reviendrons sur la signification de cette date. Cf. chapitre III, C.

200. Lettre à son père. *Œuvres philosophiques*, trad. Molitor, t. IV, p. 10.

201. Karl Marx, *Œuvres philosophiques, op. cit.*, t. IV, p. 134 [*Critique de la philosophie politique de Hegel*, in *Œuvres philosophiques*, Paris, Gallimard, La Pléiade, 1982, p. 941].

202. *Phn.* I, 154.

203. *Ibid.*

204. Cf. chapitre II, C.

205. Karl Marx, *Œuvres, op. cit.*, t. IV, p. 19 [Pléiade, *op. cit.*, p. 872].

206. *Ibid.*, p. 89-90 [*ibid.*, p. 915].

207. *Ibid.*, p. 82 [*ibid.*, p. 911].

208. *Ibid.*, p. 82 [*ibid.*, p. 911].

209. *Ibid.*, p. 132 [*ibid.*, p. 940].

210. *Ibid.*, p. 161 [*ibid.*, p. 957].

211. *Ibid.*, p. 169 [*ibid.*, p. 961].

212. *Ibid.*, p. 196 [*ibid.*, p. 978].

213. *Ibid.*, p. 216 [*ibid.*, p. 990].

214. *Ibid.*, p. 175 [*ibid.*, p. 965].

215. *Ibid.*, p. 145 [*ibid.*, p. 948].

216. *Ibid.*, p. 141 [*ibid.*, p. 945].

217. *Ibid.*, p. 145 [*ibid.*, p. 948].

218. *Ibid.*, p. 145 [*ibid.*, p. 948].

219. *Ibid.*, p. 182 [*ibid.*, p. 969].

220. *Ibid.*, p. 141 [*ibid.*, p. 945].

221. *Ibid.*, p. 25 *sq.* [*ibid.*, p. 876 *sq.*].

222. *Ibid.*, p. 136 [*ibid.*, p. 942].

223. *Ibid.*, p. 188 [*ibid.*, p. 973 *sq.*].

224. *Ibid.*, p. 189 [*ibid.*, p. 974].

225. *Ibid.*, p. 43 [*ibid.*, p. 887].

226. *Ibid.*, p. 197 [*ibid.*, p. 979].

227. *Ibid.*, p. 74 [*ibid.*, p. 906].

228. Karl Marx, *Œuvres philosophiques, op. cit.*, t. VI, p. 82 [*Manuscrits de 1844*, Paris, Éditions sociales, 1962, p. 140].

229. Jean Wahl.

230. Karl Marx, *Œuvres philosophiques, op. cit.*, t. VI, p. 87 [*Manuscrits de 1844, op. cit.*, p. 144].

231. *Ibid.*, p. 95 [*ibid.*, p. 149].

232. *Ibid.*, p. 84 [*ibid.*, p. 142].

233. *Ibid.*, p. 75 [*ibid.*, p. 136].

234. *Ibid.,* p. 89 [*ibid.,* p. 145].

235. *Ibid.,* p. 70 [*ibid.,* p. 133].

236. *Ibid.,* p. 91 [*ibid.,* p. 147].

237. *Ibid.*

238. *Phn.* I, 198.

239. « De même que l'on dit avec raison de la vérité qu'elle est *index sui et falsi* [la marque d'elle-même et du faux], mais que le faux ne peut nous donner la conscience du vrai, ainsi le concept s'entend lui-même et il entend aussi la forme où il n'est pas, tandis que cette dernière n'entend pas le concept. » *Encyclopédie,* préface de la deuxième édition [trad. française Bernard Bougeois, *op. cit.,* t. I, p. 138].

240. Karl Marx, *Œuvres philosophiques, op. cit.,* t. VI, p. 154 [Marx-Engels, l'*Idéologie allemande,* Éd. sociales, 1968, p. 45].

241. *Ibid.,* t. IV, p. 189 [*Critique de la philosophie politique de Hegel, op. cit.,* p. 974].

242. *Ibid.,* t. VI, p. 40 [*Manuscrits de 1844, op. cit.,* p. 99].

243. *Ibid.,* p. 120 [*ibid.,* p. 74].

244. *Ibid.,* p. 125 [*ibid.,* p. 77].

245. *Ibid.,* p. 241 [l'*Idéologie allemande, op. cit.,* p. 102].

246. *Ibid.,* p. 178 [*ibid.,* p. 65].

247. *Ibid.,* p. 182 [*ibid.,* p. 67].

248. *Ibid.,* p. 64 [*Manuscrits de 1844, op. cit.,* p. 108].

249. *Ibid.,* p. 175 [l'*Idéologie allemande, op. cit.,* p. 164].

250. « L'industrie fut la première à créer l'histoire universelle en ce sens qu'elle rendit toute nation civilisée et tout individu de cette nation dépendants, pour la satisfation de leurs besoins, du monde entier, et réduisit à néant l'ancienne exclusivité naturelle des différentes nations... Elle anéantit en somme le caractère naturel. » (*ibid.,* p. 218) [*ibid.,* p. 90].

251. Cette absence de recours paraît enfermer le marxisme dans une nécessité de fer. C'est généralement là qu'achoppent les critiques superficielles qui ne dépassent pas l'antinomie de la nécessité et de la liberté (ainsi Sartre, dans l'article récent « Matérialisme et Révolution » [*Les Temps modernes,* n°s 9 et 10. juin-juillet 1946]. Pour beaucoup la liberté marxiste n'est, suivant le mot de Malraux, que « la conscience et l'organisation des fatalités humaines ».

252. Cette chute du produit dans la nature, qui intervient dès que le produit échappe à l'ouvrier, et n'est plus posé comme

identique à lui, permet de mieux saisir le mythe créationniste. Dieu, dans son concept le plus pur, est la circularité de l'Amour, qui se suffit et n'a pas de dehors. La création est littéralement une rupture de la circularité : Dieu n'a pas besoin de la création, aussi est-elle par essence différente de lui. Cette non-identité du créateur et de la créature est l'apparition de la nature. Le produit du Dieu ouvrier lui échappe (parce qu'il est de trop pour lui). Cette chute est la nature ou le dehors de Dieu. Dans la création l'homme refoule donc sans le savoir l'essence du travail. Mais il fait plus encore : il tente d'éliminer l'origine même du travail, qui dans son exercice quotidien se présente à lui comme une nécessité naturelle (il faut travailler pour vivre, le travail est une loi naturelle prise dans la chute — comme on le voit dans le mythe d'Eve : « Tu gagneras ton pain à la sueur de ton front »), et qui est lui-même conditionné par la nature, puisque le travailleur transforme une nature donnée. Dans la création cette naturalité du travail est éliminée, puisque le créateur n'est soumis à aucune loi et tire le monde du néant. En Dieu créateur, l'homme non seulement pense la naissance de la nature, mais tente de surmonter la naturalité de cette naissance, en montrant que la création n'a pas d'origine (puisque Dieu crée sans nécessité ni besoin), que la chute n'a pas de nature, et que la nature même qui paraît dominer le travail a la même nécessité fondamentale que la nature (produite) qui sort du travail. L'approfondissement de ce mythe permettrait peut-être de pressentir ce que Marx entend par « l'identité de l'homme et de la nature dans le travail ». L'identité aurait alors deux faces. D'une part l'homme est identique à la nature en ce qu'il est identique à son produit qui devient nature pour lui (cette identité immédiate dans le travail est reprise dans l'action révolutionnaire, on peut donc dire que cette aliénation est déjà résorbée en pensée — l'homme n'a plus besoin du mythe pour se la représenter, elle est l'objet de la science économique). Mais d'autre part, l'homme serait aussi identique à la nature qui le force au travail, et qu'il transforme dans le travail, et cette seconde identité serait éclairée par le reflet de la première. Ici cependant nous n'aurions qu'un pressentiment non développé car l'évidence brutale de l'identité n'est pas ressaisie : l'homme voit bien que ce monde naturel lui est accordé, qu'il est lui-même puisqu'il a prise sur lui par la connaissance et l'industrie, mais il n'a pas surmonté totalement l'aliénation naturelle, il subit la domination des éléments, des maladies et de la vieillesse, il est forcé de travailler pour vivre. Et si ce travail de connaissance scientifique et de transformation du monde est déjà la reprise de l'aliénation naturelle, ce n'est pas une reprise totale, la circularité n'est pas rétablie et la circularité humaine précédera sans doute la circularité naturelle (dans le monde socialiste, disent les marxistes, il restera toujours l'aliénation naturelle à surmonter). Cette défaillance explique que le recours au mythe soit nécessaire pour penser une totalité qui n'est pas encore parvenue au concept, et c'est dans la création que l'homme contemplerait alors la reprise de l'aliénation naturelle.

253. Karl Marx, *Œuvres philosophiques, op. cit.,* t. IV, p. 197 [*Critique de la philosophie politique de Hegel, op. cit.,* p. 979].

254. Cf. le discours de Hegel en tête de la *Philosophie de l'Histoire* : Hegel attend du Prince qu'il permette à sa pensée de se répandre. C'est une pensée soumise.

255. *Phn.* I, 12.

256. Cf. chapitre 2 C.

257. *Phn.* I, 13.

258. *Ibid.,* 33.

259. Alexandre Kojève a brillamment insisté sur ce point dans son *Introduction à la lecture de Hegel.*

260. *Logique Véra* I, 184 [*Encyclopédie,* trad. française Bernard Bourgeois, *op. cit.,* t. I, p. 168].

261. C'est-à-dire réunissait en lui les attributs du maître et de l'esclave hormis la servitude [de] l'un et de l'autre.

262. *Philosophie der Geschichte* [*Leçons sur la philosophie de l'histoire,* Paris, Vrin, 1963, p. 340].

263. *Ph. D.* préface, p. 30.

264. Karl Marx, *Œuvres philosophiques, op. cit.,* t. VI, p. 178 [l'*Idéologie allemande, op. cit.,* p. 65].

265. *Logique Véra* II, 325 [*Encyclopédie,* trad. française Bernard Bourgeois, *op. cit.,* t. I, p. 614].

266. *Ph. D.,* p. 31.

267. Karl Marx, *Œuvres philosophiques, op. cit.,* t. VI, p. 181 [l'*Idéologie allemande, op. cit.,* p. 67].

268. Karl Marx, *Sur la guerre civile en France,* p. 56. [Éd. sociales, collection « Classiques du marxisme », p. 68.]

L'homme, cette nuit [a]
(1947)

Les thèmes les plus profonds du nocturne romantique habitent la pensée de Hegel. Mais au lieu que la Nuit y soit la paix aveugle de l'obscurité, où se meuvent des êtres discrets à jamais séparés d'eux-mêmes, elle est dans Hegel la naissance de la Lumière par la grâce de l'homme. Avant Nietzsche, et avec quelle rigueur, Hegel a vu dans l'homme cet animal malade qui ne meurt ni ne guérit, mais s'entête à vivre dans une nature effarée. L'animalité résorbe ses monstres, l'économie ses crises : l'homme seul est une erreur triomphante qui fait de son aberration la loi du monde. Au niveau de la nature, l'homme est un absurde, un trou dans l'être, un « néant vide », une « nuit ». « C'est cette Nuit, dit profondément Hegel, qu'on aperçoit quand on regarde un homme dans les yeux : une Nuit qui devient terrible, la Nuit du Monde qui se présente à nous... » Ce texte, qu'on eût aimé

---

a. Cf. Alexandre Kojève : *Introduction à la lecture de Hegel*, Paris, Gallimard, 1947, p. 573. Il s'agit d'une citation d'une des conférences de Hegel de 1805-1806 : « L'homme est cette nuit, ce Néant vide, qui contient tout dans sa simplicité-indivise : une richesse d'un nombre de représentations, d'images, dont aucune ne lui vient précisément à l'esprit, ou qui ne sont pas en tant que réellement-présentes. C'est la nuit, l'intériorité-ou-l'intimité de la Nature, qui existe ici : *le Moi-personnel pur*. Dans des représentations fantasmagoriques il fait nuit tout autour : ici surgit alors brusquement une tête ensanglantée, là − une autre apparition blanche; et elles disparaissent tout aussi brusquement. C'est cette nuit qu'on aperçoit lorsqu'on regarde un homme dans les yeux : en une nuit qui devient *terrible*; c'est la nuit du monde qui se présente à nous. »

239

lire en exergue du chapitre de Sartre sur le Regard, domine de haut toute l'anthropologie contemporaine. La naissance de l'homme est dans Hegel la mort de la nature. Le désir animal se nourrit d'êtres naturels dans la faim, la soif, la sexualité. L'homme, au contraire, naît dans un néant humain. On le voit dans l'amour, où l'amant cherche sa propre nuit dans les yeux de l'aimée, dans la lutte où l'homme ne dispute pas une terre ou des armes, mais la reconnaissance de soi par l'adversaire, dans la science où l'homme cherche dans le monde ses propres traces et lui veut arracher la preuve qu'il existe, dans le travail enfin, où l'artisan impose à la terre ou au bois la servitude d'une idée fragile. L'histoire n'est que le triomphe et la reconnaissance du néant de l'homme par les armes de la lutte et du travail. Par le travail en effet, l'homme soumet la nature et fait d'elle sa demeure ; par la lutte, il provoque la reconnaissance des humains et se construit une demeure humaine. L'Esprit hégélien, ce troisième terme mystérieux, n'est que le royaume triomphant de l'humanité circulaire, le Règne de la Liberté, où l'homme a surmonté l'aliénation humaine, voit son frère dans l'homme, et dans la démocratie de l'État universel « la chair de sa chair et l'esprit de son esprit ». Ce troisième terme est le Terme, puisque dans la totalité transparente, l'histoire contemple sa propre fin et l'humanité heureuse jouit alors du triomphe de sa propre « Nuit devenue Lumière ».

Personne n'avait traité ces thèmes avec autant de bonheur qu'Alexandre Kojève. Son livre est plus qu'une *Introduction à la lecture de Hegel*. C'est la résurrection d'un mort, ou plutôt la révélation que Hegel, ce penseur décomposé, mis en pièces, piétiné, trahi, habite profondément et domine un siècle renégat. Sans Heidegger, dit quelque part Kojève, on n'eût jamais compris la *Phénoménologie de l'Esprit*. On peut sans peine renverser le propos, et montrer dans Hegel la vérité-mère de la pensée contemporaine. A lire Kojève, on en dirait autant de Marx, qui devant nous surgit de Hegel tout armé de la dialectique du maître et de l'esclave, et frère à s'y méprendre des « existentialistes » modernes, si ce paradoxe ne heurtait le sens. C'est peut-être là que la brillante interprétation de Kojève atteint ses limites.

Kojève, en effet, tire de Hegel une anthropologie, il développe la négativité hégélienne dans son aspect subjectif, mais en néglige délibérément l'aspect objectif. Cette partialité le conduit à un dualisme : il retrouve en face de lui dans la nature, l'objectivité qu'il a délaissée dans la négativité hégélienne. Si l'erreur est le propre de l'homme, si l'homme est une erreur heureuse, il faut rendre raison de la nature où cette aberration paraît. Si l'homme est un néant dans l'être, et s'il triomphe de l'être, il faut penser le statut de cet adversaire malheureux. Hegel a bien senti cette exigence obscure, et c'est pourquoi il a montré que la totalité n'était pas seulement le Royaume du néant (ou du Sujet), mais aussi de l'être (ou de la Substance). C'est pourquoi la nature n'est ni une ombre, la rencontre des projets humains (comme dans Sartre par exemple), ni le contraire de l'homme, un autre monde gouverné par des lois propres (comme dans Kojève). La totalité hégélienne est la totalité Substance-Sujet. Kojève en détache le Sujet (la négativité humaine) et montre avec bonheur que l'histoire n'est que le devenir-Substance du Sujet qui, dans la lutte et le travail, fait de son propre néant la chair d'un monde humain, cesse d'être « étranger dans son pays même [1] », et habite enfin *chez soi* dans la liberté faite monde. Mais ce n'est là que le premier aspect de la totalité hégélienne. L'autre côté est le devenir-Sujet de la Substance, la production de l'Esprit par une Nature réelle, c'est-à-dire la production de l'homme par la nature, et le dégagement objectif de la liberté humaine dans une histoire rigoureuse. Le triomphe de la liberté n'est pas dans Hegel le triomphe de n'importe quelle liberté : ce n'est pas le plus fort qui prévaut [2], l'histoire montre au contraire que c'est l'esclave qui engendre la liberté humaine. Le règne de l'erreur enfin n'est pas le règne d'une

1. Aragon.
2. Comme dans Nietzsche ou les fascismes. L'avenir n'est pas < à ceux qui le prennent > comme le dit naïvement un candidat célèbre.

erreur hasardeuse : la Nature hégélienne est pré-accordée à l'homme et elle engendre dans l'homme la seule erreur qu'elle puisse reconnaître pour sa vérité. C'est pourquoi dans l'erreur triomphante, c'est la vérité qui règne. L'erreur hégélienne ne se convertit en vérité que parce que la nature de cette erreur est déjà profondément une vérité, mais une vérité obscure, cachée, qui a besoin pour se connaître et se ressaisir, d'édifier un monde où elle contemple enfin sa propre présence. C'est là le second aspect de la totalité hégélienne, aussi décisif que le premier. Hegel est depuis cent cinquante ans un malentendu parce qu'on a négligé de tenir fermement les deux côtés de la nécessité. Pendant un siècle, on a retenu de Hegel la Substance. Alexandre Kojève nous rappelle que la Substance hégélienne est *Sujet*. C'est couper Hegel comme une pomme, et renoncer à joindre les morceaux. Si l'on veut saisir la totalité hégélienne, il faut entendre que « la Substance est *aussi* Sujet », que la totalité est donc la réconciliation de la Substance et du Sujet, qui coïncident dans la vérité absolue.

Que ce propos soit démesuré ne nous concerne pas ici. Nous voulons seulement noter que son mépris nous livre à des paradoxes brillants mais fragiles. Ainsi, le Marx existentialiste d'Alexandre Kojève est un travesti, où les marxistes ne peuvent reconnaître leur bien. Marx s'entend mal si on néglige, comme le fait Kojève, l'aspect objectif (ou substantiel) de la négativité hégélienne. Mais il faut lire ce livre agressif et brillant qui ne réduit le mérite de la pensée contemporaine que pour rendre à Hegel une part de sa vraie grandeur.

Texte paru dans les *Cahiers du Sud*, n° 286, deuxième semestre 1947.

Le retour à Hegel

Dernier mot du révisionnisme universitaire [a]
(1950)

> « Mon but est surtout ici d'essayer de penser la synthèse
> marxiste à partir de la philosophie hégélienne... Nous pré-
> tendons découvrir un certain idéalisme dans la pensée
> marxiste... Des révisions peuvent s'imposer aujourd'hui
> auxquelles Marx n'avait point songé. »
>
> HYPPOLITE,
> *Bulletin de la Société française de Philosophie,*
> 1948, pp. 173, 179, 188 [b].

> « Il y a longtemps que la question de Hegel est réso-
> lue. »
>
> A. JDANOV [c].

L'apparition de Hegel dans la philosophie bourgeoise en
France depuis une vingtaine d'années constitue un phénomène que nous ne pouvons traiter à la légère. Avant 1930, la
pensée bourgeoise française a montré dans le mépris et l'ignorance de Hegel une ténacité sans exemple. Les vieilles traductions de Véra [d] (l'*Encyclopédie*), truffées de contresens savou-
reux, dormaient au fond des bibliothèques. Les seuls à
s'intéresser à Hegel étaient les socialistes (comme Jaurès dans
sa thèse latine, Lucien Herr et Andler [e]). La bonne philosophie bourgeoise n'avait qu'injures à son adresse. Hegel était
allemand, le mauvais Allemand... de la guerre de 14, le père

Notes d'édition p. 257 à 260.

spirituel de Bismarck et Guillaume II, la force primant le droit, etc. Toutes les sottises du chauvinisme de la première guerre impérialiste trouvaient écho dans l'entendement de nos Boutroux, de nos Bergson, de nos Brunschvicg. Foin de cette philosophie obscure, de cette « violence à la raison », de cette horrible dialectique ! Nos philosophes avaient pour eux Descartes et l'évidence, le simple geste de l'esprit clair et « la grande tradition du spiritualisme français ». Le tout finissait dans les imprécations du vieux Brunschvicg sur l'âge mental de Hegel, l'infantilisme et la mythologie [1].

Or, voici que ce dieu mort, cent fois couvert d'injures et de terre, sort de sa tombe.

L'affaire a commencé en France autour des années 30, timidement, par la thèse de Jean Wahl sur *Le Malheur de la Conscience* [a], le développement d'Alain sur Hegel dans *Idées* (1931), le numéro spécial de la *Revue de Métaphysique* (1931, articles de Hartmann, Croce). Elle s'est poursuivie par le cours de Kojève aux Hautes Études (de 1933 à 1939), cours que fréquentait une équipe semi-silencieuse alors, bien tapageuse depuis (Sartre, Merleau-Ponty, Raymond Aron, R. P. Fessard, Brice Parain, Caillois, etc.). Kojève parlait de la philosophie religieuse de Hegel, de la phénoménologie de l'Esprit, de maître et d'esclave, de lutte de prestige, d'en-soi, de pour-soi, de néant, de projet, de l'essence humaine qui se révèle dans la lutte à mort et dans la transformation de l'erreur en vérité. Étranges thèses dans un monde assiégé par le fascisme ! Vint le temps de la guerre où Hyppolite fit paraître ses traductions (1939 et 1941 : *Phénoménologie de l'Esprit*; 1940 : *Introduction* à la *Philosophie du Droit*), l'après-guerre où sortirent *Genèse et Structure de la Phénoménologie de l'Esprit*, thèse d'Hyppolite (1946), *Introduction à la lecture de Hegel* de Kojève (1947), le livre du père Niel sur Hegel [b], les élucubrations du R. P. Fessard [c] dans dix revues. Et voici maintenant la consécration : Hyppolite en

---

1. Cf. Brunschvicg, et particulièrement *Le Progrès de la conscience dans la Philosophie occidentale*, t. I, pp. 396 *sqq.*

Sorbonne, Hegel reconnu dans son commentateur comme un maître de la pensée bourgeoise, les commentaires dans toutes les vitrines, le « travail du négatif » dans toutes les dissertations, le maître et l'esclave dans tous les exposés, la lutte des consciences chez Jean Lacroix [a], nos théologiens sur la *Petite Logique* [b], et tout ce bruit de la jubilation universitaire et religieuse autour d'un cadavre qui reprend vie.

Que signifie tout ce tapage ? Pour y répondre, il nous faut prendre quelque recul et replacer l'événement dans le contexte de l'histoire de l'idéologie bourgeoise. Si nous considérons en effet les cent vingt années qui nous séparent de la mort de Hegel, nous voyons la pensée bourgeoise adopter face à Hegel deux attitudes contradictoires : l'hostilité, l'ignorance ou le mépris jusqu'aux dernières décades du XIXe siècle ; au début du XXe et depuis un intérêt croissant. Comment comprendre ce revirement ?

La philosophie bourgeoise ne s'est jamais sérieusement intéressée à la pensée de Hegel avant la fin du XIXe siècle. Par sa nature, en effet, la philosophie hégélienne ne pouvait pas satisfaire la bourgeoisie montante du milieu du siècle. La philosophie de Hegel (et principalement la philosophie du Droit et de la Religion) servit en Allemagne de 1820 à 1848 de caution aux éléments les plus réactionnaires de la monarchie prussienne, appuyée sur les hobereaux et la structure à demi féodale d'un pays attardé qui n'avait pas connu sa révolution bourgeoise : le système hégélien justifiait le roi, la noblesse, la grande propriété foncière, l'Église, la police ; elle justifiait les ordres de l'ancien régime, et la soumission du tiers état (celui de la « société civile », de l'activité économique de la bourgeoisie) aux autres ordres.

Mais la philosophie hégélienne, par les exigences de sa méthode rationnelle, sa conception de l'histoire comme processus, sa réflexion sur le travail et la dialectique, pouvait aussi nourrir une « pensée critique et révolutionnaire », capable de mettre en question non seulement l'ordre féodal, mais l'ordre bourgeois lui-même réalisé en France et en Angleterre et qui déjà minait sourdement les assises de l'État féodal allemand. Marx et Engels ont reconnu le rôle important que Hegel joua dans leur évolution et, tout en le critiquant fondamentalement, ont montré dans quelle mesure la pensée de Hegel débarrassée de sa mystification aida à la constitution du socialisme scientifique.

« Dans sa forme mystifiée, la dialectique fut à la mode en Allemagne parce qu'elle semblait transfigurer ce qui existait (*cela pour les féodaux réactionnaires, NDLR*). Dans sa forme rationnelle, elle est un scandale et un objet d'horreur aux yeux des bourgeois et de leurs porte-parole doctrinaires, et cela pour différentes raisons : dans l'intelligence positive des choses existantes, elle implique en même temps l'intelligence de leur négation, de leur destruction nécessaire ; elle conçoit toute forme en cours de mouvement, et par conséquent d'après son côté périssable ; elle ne se laisse imposer par rien, et est de par son essence critique et révolutionnaire. » (Marx, préface du *Capital*, 2ᵉ édition.)

Le contenu du système et la « dialectique-bénédiction » pouvaient servir l'État réactionnaire féodal. La méthode critique et révolutionnaire pouvait aider à engendrer une théorie scientifique de l'histoire. Quant à la bourgeoisie, elle n'y trouvait pas son compte. Réduite à la portion congrue et aux corporations médiévales dans le système, menacée dans son avenir par la méthode, elle n'avait pas de quoi se reconnaître dans Hegel. Il avait la rage. Elle le traita de « chien crevé [1] » (comme Mendelssohn avait fait de Spinoza), et chercha d'autres maîtres.

Cette attitude de la bourgeoisie vis-à-vis de Hegel est caractéristique des tendances d'une classe déjà sûre de soi, de sa puissance économique et de son avenir. La bourgeoisie ne se retrouvait pas dans une philosophie qui avait réfléchi, toujours à distance, mais souvent avec profondeur, la terrible dialectique réelle de la lutte des classes pendant la Révolution et

---

1. Ce refus de Hegel est très manifeste dans les Œuvres de Haym, qui critique la pensée de Hegel comme irrationnelle et réactionnaire et lui oppose une philosophie libérale néokantienne [R. Haym : *Hegel und seine Zeit*, Berlin, 1857.]

l'Empire. Ou plutôt elle ne voulait pas s'y retrouver, refusant de s'interroger sur l'origine réelle de son pouvoir dans la crainte d'y découvrir l'annonce de sa chute. Hegel lui offrait soit la justification d'institutions rétrogrades (de type féodal absolutiste), soit la menace d'une révolution. La bourgeoisie avait alors besoin d'une philosophie *libérale*, contrepoint idéologique du libéralisme économique, d'une philosophie de l'avenir grand ouvert, de l'accord de l'activité et de la loi.

Il faut noter ici avec insistance que le *libéralisme* a constitué l'idéologie spécifique de la bourgeoisie naissante et grandissante, le « point d'honneur », la justification idéale de la bourgeoisie, sa religion – et que la bourgeoisie n'a pratiquement renoncé à se justifier dans le libéralisme que dans la grande crise de l'impérialisme dont nous vivons les derniers temps.

Le libéralisme *des philosophes du XVIIIe siècle,* précurseurs de la révolution, a constitué le premier moment de cette idéologie, le moment critique, utopique et revendicatif. C'était un moment abstrait où la revendication morale et politique recouvrait des revendications économiques et juridiques de la classe bourgeoise à l'étroit dans les cadres de la vieille féodalité. Quand ces cadres furent brisés, quand la bourgeoisie eut imposé à la société les lois mêmes de son activité économique (liberté de l'industrie, du commerce et du travail), le libéralisme bourgeois prit une autre forme. Il était critique, il devint positif ; il était philosophique, il devint économique. *Les économistes devinrent alors les philosophes de la bourgeoisie* (Smith, Say et leurs disciples de l'école libérale, les utilitaristes, etc.) ; leur optimisme ne traduisait que l'assurance de la bourgeoisie, qui, en eux, pensait les lois de son activité comme des lois providentielles et universelles.

Mais ce libéralisme triomphant ne dura pas longtemps dans sa forme primitive : pour se survivre, il dut restreindre ses prétentions et se déguiser. Après le premier assaut ouvrier de 1848, après les premières crises, la bourgeoisie dut faire la « part du feu ». Elle se donna à des « hommes forts » (Napoléon III, Bismarck) et se consacra aux « affaires ». Le positivisme fut en quelque sorte la philosophie « descriptive » de ce repli. Renonçant à l'économie, il s'efforçait de lier la réflexion sur les formes les plus abstraites des sciences de la nature en plein essor, à la justification de l'ordre bourgeois. Le libéralisme ne disparut point. Chassé progressivement de la vie économique et de la vie politique par le développement inexorable de la concentration capitaliste, les crises, les formes de plus en plus violentes de la lutte des classes (en France : journées de juin, répression de la Commune), *il se réfugia dans la philosophie*. C'est là le sens profond de ce « retour à Kant » qui s'est manifesté dans toute l'Europe occidentale dans la seconde moitié du XIXe siècle.

Mais ce *libéralisme philosophique* n'avait plus alors le même sens positif qu'au XVIIIe siècle. La philosophie libérale du XVIIIe siècle était utopiste. Elle traduisait les revendications économiques de la bourgeoisie montante dans une philosophie *morale* et idéaliste (comme on le voit chez les Encyclopédistes eux-mêmes, Rousseau et Kant), parce que les forces de production bourgeoises n'étaient pas assez développées pour apparaître comme le moteur de ces revendications. Au XVIIIe siècle la philosophie libérale n'était donc que la traduction idéale des lois réelles (libérales) du capitalisme naissant. Les économistes libéraux bourgeois n'ont fait qu'exprimer dans le langage réel de l'économie, les revendications utopiques des philosophes du XVIIIe siècle. Dans la seconde moitié du XIXe siècle au contraire, le libéralisme abandonne le terrain réel de l'économie pour se réfugier dans la philosophie. Ce retour du libéralisme à la philosophie revêt alors dans le monde bourgeois un caractère réactionnaire. Le libéralisme philosophique était au XVIIIe siècle la philosophie des prophètes ; il devint au XIXe la philosophie des aveugles. Si au XIXe siècle la bourgeoisie pense le libéralisme en termes moraux ou en termes d' « activité de l'esprit » (dans le néokantisme), ce n'est plus par ignorance involontaire de l'économie, c'est tout simplement parce que l'économie n'est plus libérale.

A ce titre le libéralisme néokantien joua un double rôle : il constitua à la fois la position de repli de la justification idéologique de la bourgeoisie, et la philosophie naturelle de l'aveuglement des intellectuels petits-bourgeois. C'est pourquoi ce repli idéologique eut non seulement une signification tactique, mais encore un sens social précis. La bourgeoisie, désespérant de trouver le libéralisme dans son monde réel, le découvrit avec bonheur dans l'espoir irréel des petits-bourgeois. Incapable de se justifier par ce qu'elle était vraiment, elle fit chanter ses louanges par ses soupirants, et pour qu'ils chantassent mieux, les logea dans ses Facultés. Dans ce libéralisme des professeurs on trouvait, non plus les exigences réelles de l'activité économique et politique de la bourgeoisie montante, mais les aspirations d'une petite bourgeoisie, que le développement de l'économie bourgeoise écrasait et rejetait vers le prolétariat — mais qui aspirait contre l'évidence à s'élever à la bourgeoisie. L'histoire de ce libéralisme n'est que celle de l'opération par laquelle la bourgeoisie put faire de ses victimes ses propres justificateurs.

Mais avec l'avènement de l'économie de monopole, la croissance et l'organisation du prolétariat, les guerres impérialistes, la victoire de la classe ouvrière en URSS, la crise grandissante de l'impérialisme, la dictature politique de la bourgeoisie, le recours au fascisme, la bourgeoisie dut renoncer progressivement à l'idéologie libérale où elle avait cherché coûte que coûte jusque-là sa propre justification. Ce pas ne fut pas franchi d'un coup, et les « philosophes » bourgeois ne renoncèrent pas d'un coup à leurs vieilles amours [1]. Mais on vit peu à peu naître et s'imposer dans la pensée bourgeoise des mythes et des maîtres qui répondaient aux besoins d'un monde en pleine crise. En gros, on peut dire que les philosophes bourgeois ont changé de maîtres quand

---

1. Ils tentèrent jusqu'au désespoir de couvrir leur retraite et leur renoncement sous le vocabulaire même de la philosophie à laquelle ils renonçaient : c'est ainsi que les philosophes réactionnaires de l'impérialisme, que ce soit Bergson, la phénoménologie, le pragmatisme, la *Lebensphilosophie* [cf. en particulier l'œuvre de Dilthey], invoquent encore la *liberté*, s'ils renoncent au *libéralisme*. Mais cette *liberté* n'a plus rien à voir avec *un système libéral rationnel et universel* de type kantien : c'est l'exercice aveugle de la puissance et de la vie ou de leurs succédanés.

leur monde eut changé de forme et qu'ils sont passés de Kant à Hegel quand le capitalisme eut passé du libéralisme à l'impérialisme. Alors la bourgeoisie ne put même plus se permettre de faire « la part du feu ». A partir de la fin du XIXe siècle, devant la montée menaçante de la classe ouvrière, dans le déchaînement des guerres mondiales, elle vit que pour se survivre il lui fallait plus que l'espoir dérisoire de la petite bourgeoisie – mais des soldats, des policiers, des fonctionnaires et des magistrats aux ordres, une classe ouvrière domptée ; plus que des intellectuels attardés dans un libéralisme classique – mais des philosophes de l'aveuglement, créant des mythes à la mesure de sa crise, et à l'usage de ses victimes, une idéologie de servitude pour mystifier et mobiliser ses victimes dans la défense de ses dernières positions. On vit alors disparaître peu à peu la philosophie du libéralisme où subsistait malgré tout un certain optimisme et une certaine confiance dans la science et l'histoire, et naître des philosophies de l' « expérience », de l' « action », de l' « intuition » , de l' « existence », de la « vie », du « héros », et bientôt du « sang ». On vidait le monde de sa raison pour le peupler de ces mythes.

Hors de ce contexte, il est difficile d'entendre comment on fit « retour à Hegel », et comment on l'interpréta.

Il faut noter d'abord que ce retour fut général dans l'Europe de la fin du XIXe siècle, et dans le demi-siècle que nous venons de vivre. Les débats du Premier Congrès Hegel (1930 ^a) où le point fut fait des études hégéliennes en Allemagne, Hollande, Grande-Bretagne, Italie, France, confirment cette concordance impressionnante. La France seule se mit en retard, pour des raisons qui tiennent à l'extraordinaire chauvinisme philosophique provoqué dans notre pays par les conflits impérialistes de la fin du XIXe siècle et du début du XXe siècle, à l'exaltation de la « grande tradition du spiritualisme français » que l'on opposa à la « mauvaise » philosophie allemande, à la survivance de philosophies « libérales » de type cartésien et kantien, à la faveur de l'euphorie de la victoire de 1918, du retard relatif de la concentration, de la soupape coloniale, etc. Il n'est pas étranger à notre thèse que les pays qui développèrent le plus le recours à Hegel furent l'Allemagne et l'Italie. L'état « avancé » des études hégéliennes en Allemagne et en Italie n'y est évidemment pas sans rapport avec l'état « avancé » du développement de la crise et l'avènement du fascisme dans ces pays.

Il faut noter ensuite que dans cet événement, l'interprétation de Hegel et le « retour » à Hegel sont étroitement liés. La bourgeoisie ne revint pas à Hegel pour tenter de comprendre le sens historique réel de sa pensée, ni pour trouver dans la dialectique rationnelle, les promesses d'une méthode révolutionnaire. Elle ne fit pas, comme les théoriciens du socialisme scientifique, la critique du système pour en dégager le noyau rationnel et révolutionnaire. Elle alla droit aux aspects réactionnaires de la philosophie hégélienne, et comme elle ne pouvait désormais couper le maître en deux, elle entreprit de montrer que le révolutionnaire n'était en lui que le réactionnaire déguisé. Il se fit alors toute une exégèse édifiante dont Dilthey, Haering, Kroner et Glockner furent en Allemagne les initiateurs, Jean Wahl et Hyppolite en France les répétiteurs. Toute l'opération avait pour but de montrer, selon les fortes paroles de Dilthey, que la dialectique n'est pas scientifique, que « la dialectique n'est que l'irrationalisme constitué en méthode », qu'il faut donc chercher le vrai de la dialectique « rationnelle » dans un « irrationalisme primitif » ou encore le vrai du « panlogisme » hégélien dans un « pantragisme » fondamental [a]. Quant à l' « irrationalisme », au « pantragisme » primitifs, il fallut bien les trouver quelque part, autant que possible *avant* le « rationalisme » et le « logisme ». Si jamais la jeunesse servit à quelque chose, ce fut dans cette géniale opération. Ce fut l'âge d'or des œuvres de jeunesse hégéliennes. On les publia (Nohl 1907, Lasson 1923, Hoffmeister 1931 et 1936, œuvres de Berne, Francfort et Iéna), on les décortiqua. Elles étaient obscures, on les dit irrationnelles ; elles parlaient de religion, on décida qu'elles étaient religieuses [1] ; elles décrivaient des conflits, on décréta qu'elles étaient le déchirement même. Il n'y avait plus qu'à entonner un couplet sur les « intuitions de jeunesse [a] » (dont on sait bien qu'un homme mûr ne se défait jamais, mais qu'il passe son existence à développer, expliquer, traduire, comme nous passons tous notre vie à courir après notre premier amour adolescent), et à proclamer que toute la puissante dialectique de la maturité n'était que la monnaie de ces intuitions fondamentales, de ces intuitions religieuses, irrationnelles, tragiques. Le tour était joué, et pour comprendre la *Phénoménologie* et l'*Encyclopédie*, on nous renvoie sans rire à Abraham, son fils et le désert. Il est trop clair désormais que cette exégèse n'est qu'une opération.

Cette interprétation permet de mieux comprendre le sens du « retour ». Il est assez remarquable tout d'abord que la bourgeoisie revient à Hegel depuis un demi-siècle pour des raisons qui, toutes proportions gardées, font songer à celles qui, un siècle plus tôt, l'en détournèrent. Cette rencontre n'est pas de hasard. La philosophie hégélienne de l'État par exemple, dans son sens politique général, sinon dans son contenu déterminé, peut en effet rendre à la bourgeoisie impérialiste à peu près le même service qu'elle rendit, un siècle plus tôt, à la féodalité prussienne. La théologie hégélienne de l'État soumettait en effet une jeune classe en pleine croissance (alors la bourgeoisie de la « société civile ») aux volontés d'une classe d'autant plus réactionnaire qu'elle était à l'agonie (la féodalité prussienne). Aujourd'hui les rôles sont changés. C'est la bourgeoisie impérialiste qui est à l'agonie, dépassée et condamnée par la classe ouvrière montante. Rien d'étonnant que la bourgeoisie moribonde se retourne avec émotion vers l'exemple hégélien d'une « philosophie de

---

1. Lukács a mis au jour cette mystification dans son ouvrage : *Le Jeune Hegel* (en allemand) [trad. française, Paris, Gallimard, 1981. Signalons qu'Althusser semble avoir assisté à la conférence prononcée par Lukács le 29 janvier 1949 à la Sorbonne : « Les nouveaux problèmes de la recherche hégélienne », dont un compte rendu dactylographié, sans doute écrit par lui, a été diffusé par le cercle Politzer de l'École normale supérieure].

l'État » ou d'une « philosophie de l'histoire » qui veulent mettre la classe montante en servitude, et le monde qui naît aux pieds du monde qui meurt. Ce n'est pas un hasard si le philosophe historien allemand de l'impérialisme Meinecke [a] faisait de Hegel le précurseur génial de la politique réactionnaire de Guillaume II, si les doctrinaires italiens comme Gentile et Costamagna refirent pour le fascisme une philosophie hégélienne de l'État, si Mussolini prit des leçons de Sorel qui « révisait » Marx en revenant à Hegel, et si nos modernes Raymond Aron, Fessard [b] et consorts trouvent dans Hegel de quoi bénir les entreprises de la réaction en France.

On peut non seulement reprendre aujourd'hui la phrase de Marx : « *La dialectique dans sa forme mystifiée* » est de nouveau « *à la mode parce qu'elle semble transfigurer ce qui existe* », parce qu'elle permet de baptiser liberté la servitude, bien commun l'exploitation, défense de la personne humaine les mesures de police et de guerre. Mais il faut aller plus loin encore et reconnaître *dans la violence et la guerre le fond véritable de cette dialectique mystifiée*. Les événements présents s'accordent à l'interprétation bourgeoise de Hegel et aux résonances véritables de la philosophie prussienne de Hegel. Il est extraordinaire de constater aujourd'hui que Marx est allé au fond du problème, quand il écrivait dans sa *Critique de la Philosophie du Droit de Hegel* :

« Sa réalité propre, cet idéalisme [*l'idéalisme hégélien*, NDLR] ne l'a qu'en temps de guerre ou de détresse, de sorte que son essence s'exprime ici comme un état de guerre ou de détresse de l'état réellement existant, tandis que son état de paix est justement la guerre et la détresse de l'organisme [c]. »

Finie la belle époque *libérale* où l'histoire devait conclure l'accord de l'activité et de la loi! Avec la crise générale de l'impérialisme, la bourgeoisie est entrée dans un monde tragique, dans la *détresse réelle de l'organisme*, dont la guerre est l'expression.

La dialectique « mystifiée » donne précisément à la bourgeoisie les concepts « tragiques » de la crise où elle retrouve son propre monde, les seuls concepts qui justifient les derniers degrés de sa dictature : ceux de la violence et de la guerre. Ce n'est en particulier pas un hasard si nos modernes hégéliens ont mis au centre de leur pensée la « robinsonnade » hégélienne du maître et de l'esclave, si Fessard, Riquet [a], Hyppolite, Kojève et Cie font leur joie de ce mythe. Ils y trouvent en effet l'idée que la « condition humaine » a pour fonds l'angoisse et la violence, la « lutte de prestige », la « lutte à mort », une nouvelle « volonté de puissance » qui devient tout bonnement la clé universelle de tous les problèmes humains. En cela ils ne font que projeter dans le mythe hégélien les thèmes fascistes contemporains, et penser comme « condition humaine universelle » la condition de leur propre classe à l'agonie.

Mais cet usage de Hegel n'est pas seulement « descriptif »; il n'a pas non plus pour seul objet de produire des concepts et des références pour nourrir la bonne conscience des policiers, des mercenaires et des aventuriers dont la bourgeoisie a besoin aujourd'hui. Il a encore une autre fin : *la « révision » de Marx* [b].

Marx, cette fois, n'est plus un simple auteur qu'on peut, comme ce fut le cas des décades durant, traiter par prétérition. La classe ouvrière a reconnu dans la pensée du fondateur du socialisme scientifique, l'arme théorique de sa libération. Le marxisme est aujourd'hui la pensée de millions d'êtres humains organisés dans les partis communistes du monde entier, pensée qui triomphe dans le pays du socialisme, dans les démocraties populaires, et dans les combats quotidiens de la classe ouvrière et des peuples coloniaux encore soumis à l'exploitation capitaliste. Dans cette pensée s'est développé l'aspect « rationnel » de la dialectique, l'intelligence véritable de l'histoire dans son contenu matériel, qui montre – dans la science et les événements inséparables – la faillite assurée de la bourgeoisie et la victoire de la classe ouvrière libérant l'humanité entière. Face à cet assaut général, dans cet ultime combat, la bourgeoisie n'a pas trop d'armes à engager. Et c'est pourquoi ses philosophes, comme ses patrons et ses ministres, sont désormais des philosophes « de combat », qui tentent sur les maîtres du socialisme scientifique, les plus anciens de préférence, les mêmes opérations de détournement, sinon de « provocation », que ses policiers voudraient réussir sur le mouvement ouvrier. Ces termes paraîtront peut-être excessifs. Ils ne passent pas la vérité. Le temps est venu en effet *où la préoccupation dominante des philosophes et des littérateurs bourgeois est le problème suivant : « Que doit être la vérité pour que les communistes aient tort ? Que doit être Marx pour que les communistes aient tort ? »* C'est ainsi que nos politiques et nos philosophes bourgeois *fabriquent* la vérité et l'événement qui leur manquent pour mieux condamner leur adversaire. Et nous pensions à ce propos au fameux déraillement qui survint dans le Nord pendant la grève des mineurs de 1948. Il relevait de la même logique démonstrative : « (pour mériter la troupe et les balles – ce membre étant sous-entendu) les grévistes *doivent* être des criminels – pour l'être, ils *doivent* par exemple faire dérailler des trains ; ils ne le font pas ? *faisons-le pour eux.* » C'est ainsi qu'on est en train de nous *fabriquer un Marx-pour-que...* Le Hegel de nos philosophes bourgeois joue actuellement un rôle important dans cette opération qui doit montrer à l'évidence *ce que doit être le vrai Marx pour que* : 1° les communistes aient tort ; 2° la bourgeoisie impérialiste ait raison de les traiter comme elle fait et de poursuivre sa politique de violence.

Voici donc Hegel père des hommes et des dieux, notre père à tous – et père de Marx, bien entendu. Marx l'a mal compris – bien entendu. Il a tenté de lui échapper en fondant une théorie scientifique et matérialiste de l'histoire. Mais en vérité, Marx ne lui a pas échappé. Sa vérité est dans Hegel, il est donc tout aussi idéaliste que lui, il n'a fait qu'intégrer au mouvement de l'Idée un contenu économique qu'il faut bien accorder – accordons-le... Il reste que Marx est un utopiste qui a voulu réaliser l'impossible *Idée* du communisme, et à cette fin s'est servi comme d'un « instrument » du prolétariat [a] (ici un couplet, qui rejoint comme par hasard les homélies trotskistes : malheureux prolétariat, « trompé », « abusé », « exploité », par cet utopiste et ses impitoyables successeurs!), il l'a jeté dans la lutte des classes en lui promettant la Terre au nom de la Science; mais le prolétariat abusé n'a pas trouvé dans ces luttes la solution des problèmes économiques et politiques; il n'y a trouvé que la vérité de la condition humaine universelle : le tragique de la lutte à mort et de la violence qu'on peut déjà lire dans Hegel — de cette lutte à mort et de cette violence si bien liées à la condition humaine que la bourgeoisie en fait chaque jour la démonstration sur le dos des grévistes, des Combattants de la Paix et des Coréens! — si bien liées à la condition humaine que le fascisme peut en être une expression parmi d'autres, une expression plus achevée que les autres, après tout...

Nous tenons là le dernier mot de cette résurrection bourgeoise de Hegel. Les thèmes que la philosophie bourgeoise « trouve » dans Hegel sont, comme par hasard, les mythes dont la bourgeoisie a besoin pour armer et désarmer les consciences dans sa lutte désespérée. Glockner disait en 1931 que ce qui était en cause derrière le « retour » à Hegel, c'était Kant. C'était une demi-vérité, la seule qu'il pût avouer. Nous voyons aujourd'hui que la cause bourgeoise de Hegel n'est que la mise en cause de Marx. Ce Grand Retour à Hegel n'est qu'un recours désespéré contre Marx, dans la forme spécifique que prend le révisionnisme dans la crise finale de l'impérialisme : *un révisionnisme de caractère fasciste.*

Texte paru dans *La Nouvelle Critique*, n° 20, novembre 1950.

Notes d'édition de « Le retour à Hegel »

Page 243

a. La version dactylographiée par Louis Althusser a pour titre *Hegel, Marx et Hyppolite ou le dernier mot du révisionnisme universitaire* et commence par le paragraphe suivant, qui n'a pas été publié dans *La Nouvelle Critique* : « Nous destinons particulièrement cet article aux étudiants en philosophie communistes et non communistes. Nous entendons aborder à propos des ouvrages de M. Hyppolite le problème de l'apparition de Hegel dans la philosophie bourgeoise en France. Nous nous proposons de montrer : 1. que la redécouverte ou la découverte de Hegel par la pensée bourgeoise est spécifiquement liée à l'idéologie bourgeoise de la période impérialiste ; 2. que les penseurs bourgeois doivent falsifier la véritable signification historique de Hegel pour l'utiliser à leurs propres fins ; 3. que cette falsification est destinée à alimenter une critique et une révision, un « dépassement » du marxisme, à détourner les intellectuels de la lutte des classes dans sa phase la plus violente, et à servir d'argument à une idéologie de type fasciste ; 4. que le problème de Hegel est pour la classe ouvrière " résolu depuis longtemps " ».

b. Repris dans *Études sur Marx et Hegel* (Paris, Librairie Marcel Rivière et Cie, 1955).

c. Andréi Jdanov, « Sur l'histoire de la philosophie », *Europe* n° 23, novembre 1947. Cf. p. 295 du présent volume.

d. Auguste Véra, auteur de la seule traduction de l'*Encyclopédie* alors disponible, publia également *Le Hégélianisme et la philosophie* (Paris, 1863).

e. La thèse latine de Jaurès a été éditée en 1892 ; traduction

257

française : Jean Jaurès, *Les Origines du socialisme allemand chez Luther, Kant, Fichte et Hegel* (réédition Paris, Maspero, 1960). Lucien Herr écrivit l'article *Hegel* de la *Grande Encyclopédie,* Paris, 1885-1902, t. XIX, p. 997 *sq.* Charles Andler écrivit entre autres : « Le fondement du savoir dans la *Phénoménologie de l'Esprit* », *Revue de métaphysique et de morale,* 1931.

Page 244

a. Le *Malheur de la conscience dans la philosophie de Hegel* (Paris, Rieder, 1929).

b. Henri Niel : *De la médiation dans la philosophie de Hegel* (Paris, Aubier, 1945). Alexandre Kojève fit un long compte rendu de ce livre : « Hegel, Marx et le christianisme », *Critique* n° 3-4, août-septembre 1946.

c. Bon connaisseur de Hegel, le théologien jésuite Gaston Fessard est notamment l'auteur de *France, prends garde de perdre ta liberté,* Éditions du Témoignage chrétien, 1946. Dans un compte rendu par ailleurs très critique de ce pamphlet anti-communiste, Alexandre Kojève écrit que « s'il l'avait voulu, l'auteur serait certainement, et de loin, le meilleur théoricien du marxisme en France » (*Critique* n° 3-4, août-septembre 1946, p. 308). Le Révérend Père Fessard est également l'auteur de plusieurs articles dans la revue des jésuites *Études,* dont « Le communisme va-t-il dans le sens de l'Histoire? » (février 1948), ou « Le christianisme des chrétiens progressistes » (janvier 1949), violente attaque contre l'Union des chrétiens progressistes, et plus particulièrement contre André Mandouze, mais également contre *Esprit.* Un exemplaire très annoté de ce dernier article a été retrouvé dans la bibliothèque de Louis Althusser; parmi les « élucubrations » ici évoquées, on trouve par exemple le passage suivant, ponctué dans la marge par Althusser d'un « Hegel-Marx et *saint Ignace!* » : « Pour dépister les confusions de Mounier, je me suis référé explicitement aux *Exercices spirituels* de saint Ignace et notamment à ses fameuses *Règles pour le Discernement des Esprits.* Je ne désespère pas de montrer quelque jour que ce livre contient une technique d'action qui, en fait de dialectique historique, ne le cède en rien ni à Marx ni même à Hegel. »

Page 245

a. Cf. la *Lettre à Jean Lacroix* publiée dans ce volume.

b. La « Petite Logique » est la Logique de l'*Encyclopédie,* par opposition à la « Grande Logique ».

Page 250

a. Cf. *Verhandlungen des ersten Hegelkongresses* (Tübingen, 1931).

Page 251

a. Cf. Wilhelm Dilthey : *Die Jugendgeschichte Hegels* (Berlin, 1905), *Introduction à l'étude des sciences humaines* (trad. française Paris, PUF, 1942, dont le livre I a été longuement annoté par Louis Althusser) ; Theodor Haering : *Hegel, sein Wollen und sein Werk* (Leipzig-Berlin, 1929-1938), *Hölderlin und Hegel in Frankfurt* (Tübingen, 1943) ; Richard Kroner : *Von Kant bis Hegel* (Tübingen, 1921-1924) ; Hermann Glockner : *Der Begriff in Hegels Philosophie* (Tübingen, 1924), *Hegel* (Stuttgart, 1929-1940).

Page 252

a. Dans son mémoire de DES retrouvé dans la bibliothèque d'Althusser *(Remarques sur la notion d'individu dans la philosophie de Hegel)*, Jacques Martin, l'ami auquel est dédié *Pour Marx*, critique longuement, en 1947, cette idée d' « intuition originaire » dont la philosophie hégélienne serait le développement — s'en prenant en particulier aux interprétations de Jean Wahl et de Dilthey.

Page 253

a. Voir par exemple en français : Friedrich Meinecke, *L'Idée de la raison d'État dans l'histoire des temps modernes* (Droz, 1973).

b. Dans ses notes de lecture préparatoires au présent article, Althusser associe systématiquement les noms de Raymond Aron et du R. P. Fessard. Le numéro d'*Études* de janvier 1949 contient un compte rendu extrêmement élogieux par Gaston Fessard du livre de Raymond Aron : *Le Grand Schisme*.

c. Cf. Karl Marx, *Critique de la philosophie politique de Hegel*, in *Œuvres*, Paris, Gallimard, La Pléiade, t. III, « Philosophie », p. 893.

Page 254

a. Cf. R. P. Michel Riquet, *Le Chrétien face aux athéismes* (Paris, Éditions Spes, 1950), recueil de « Conférences de Notre-Dame de Paris », dont les conférences « Prétextes scientistes à l'irréligion », et « Une religion sans Dieu, le marxisme » ont été soigneusement annotées par Louis Althusser. On peut lire dans le numéro de juin 1950 de *La Nouvelle Critique* un violent article de Francis Cohen : « Le R. P. Riquet, la théologie et le dernier stade du capitalisme ».

b. Cf. Jean Hyppolite, *Études sur Marx et Hegel, op. cit.,* p. 165.

Page 255

a. Cf. Jean Hyppolite, « La conception hégélienne de l'État et sa critique par Karl Marx », repris dans *Études sur Marx et Hegel, op. cit.,* p. 140 *sq.* : « Quel sera donc l'instrument qui réalisera cette idée – une idée de l'homme social que, répétons-le, Marx n'a pas pleinement élucidée – et ainsi mettra fin complètement à l'aliénation humaine? Cet instrument, Marx lui donne son nom propre, c'est le *prolétariat...* Le prolétariat est chez Marx le sujet qui porte à son point extrême la contradiction de la condition humaine et devient ainsi capable de la résoudre effectivement. Mais cette résolution de toute transcendance est-elle possible aussi bien sur le plan de l'histoire que sur celui de la pensée? La condition humaine contient-elle avec son problème la solution même du problème? »

Une question de faits
(1949)

La seule façon valable de répondre à votre question « La bonne nouvelle est-elle annoncée aux hommes de notre temps? » est de réfléchir sur la question elle-même, sur la signification de cette question, c'est-à-dire sur ses origines réelles. Seules ces origines réelles peuvent nous livrer les éléments d'une réponse qui soit à la mesure de cette question.

Je m'explique : l'Église est comme un homme malade, qui, par les plus libres et les plus inquiets de ses fidèles, interroge ses amis : « Puis-je avoir de l'espoir? Est-ce que vraiment les hommes se détournent de moi? Suis-je encore entendue?... », etc. Lorsqu'un malade se demande quand il va se lever et marcher, si la vie va reprendre, et s'il peut espérer retrouver place entre les hommes, lorsqu'il pose autour de lui ces questions, il est clair que :

1. Son mal est *réellement* devenu pour lui une question, il le met réellement à la question, et il ne peut désormais vivre son présent et son avenir qu'à travers cette question.

2. Ses demandes à l'entourage sont la façon dont son mal s'interroge sur soi, c'est-à-dire sur son *terme* (qui seul peut mettre fin à l'intolérable), et non sur son origine.

3. Les amis du malade, pris au dépourvu, n'auront pas le cœur de laisser ces questions sans réponse, et, à supposer qu'ils ne dissimulent pas, prendront au sérieux ses questions, et y répondront par le meilleur de leur expérience individuelle, c'est-à-dire encore par des *résultats*, sans remonter à

261

l'origine de leur propre existence, et, à plus forte raison, à l'origine des questions du malade. En cette affaire, l'amitié pas plus que l'amour n'est médecin.

4. Le médecin, lui, ne prend pas au sérieux les questions du malade; le sens qu'elles ont pour lui n'est pas le sens qu'elles ont pour le malade : pour le malade elles sont toute sa vie présente, pour le médecin elles ne sont que signes, le discours d'un homme asservi par le mal, une servitude intolérable qui proteste et aspire à finir. Le médecin sait qu'on ne guérit pas un malade en répondant à ses questions, mais en supprimant le mal qui les provoque. La vraie réponse est celle qui à la fois réduit la question à son origine réelle, et détruit réllement son origine. Dans le guéri, le malade se tait, l'existence cesse d'être un problème. La vraie réponse est celle qui rend la question superflue.

Cette « réduction » réelle comporte deux moments :

1. La réduction théorique de la question à son origine réelle;

2. La réduction pratique de l'origine même.

I. RÉDUCTION THÉORIQUE

Quelle est donc l'origine réelle de votre question?

Votre question a d'abord un caractère universel. Elle exprime l'expérience d'une situation historique fondamentale : d'un côté, l'Église n'est plus entendue dans le monde, son langage n'atteint pas les hommes de ce temps, elle est devenue pratiquement étrangère à de larges masses humaines qui sont déjà le présent et l'avenir de ce monde; d'un autre côté, quand on se tourne vers le peuple qui lui est fidèle, on peut se demander si la fidélité de ce peuple est encore religieuse. Cette situation historique est à la fois l'élément historique dans lequel les chrétiens vivent, et une réalité que tous les hommes, chrétiens ou non, rencontrent à chaque pas. De même que jadis tous les chemins menaient à Rome, tous les chemins mènent aujourd'hui à l'expérience de cette double évidence : *l'Église moderne n'est plus chez elle dans notre temps, et la grande masse des fidèles sont dans l'Église pour des raisons qui ne sont pas vraiment de l'Église.*

Ce divorce historique exprime la nature des relations sociales, idéologiques, politiques, que l'Église entretient avec des structures étrangères à notre temps. Ce divorce est essentiellement un divorce social, idéologique et politique. Alors que nous avons assisté en 1789 pour la France, en 1848 pour l'Europe de l'Ouest, en 1917 pour la Russie, et tout récemment pour l'Europe centrale, à l'anéantissement des *structures féodales* (structures économiques, sociales, juridiques et politiques); alors que la *bourgeoisie capitaliste* qui, en général, a succédé au monde féodal, s'est, elle aussi, effondrée dans certaines régions du monde, et se sent déjà frappée à mort dans de nombreux pays, même quand elle proclame, comme l'américaine, que le siècle lui appartient; alors donc que notre monde vit sur les ruines de la féodalité, et vit la ruine de la bourgeoisie capitaliste, l'Église contemporaine est encore profondément attachée aux structures féodales et capitalistes, dans ses positions sociales, idéologiques et politiques.

Situation sociologique de l'Église

Au point de vue sociologique, le corps des fidèles comprend en gros :

a) Les populations paysannes de « pays neufs » où les structures féodales n'ont pas encore été entamées par le développement industriel (Amérique du Sud), de « pays neufs » où le développement industriel s'est manifesté sous la forme de la mécanisation agricole et en dehors des zones de peuplement (Canada), des vieux pays restés en dehors du mouvement industriel (Irlande, Espagne, Italie du Sud, Hongrie et Europe centrale en général, jusqu'à ces dernières années).

b) La nouvelle bourgeoisie, qui, *grosso modo*, après une période où la lutte contre la féodalité la contraignait à la lutte contre la religion, s'est accommodée, pour des raisons souvent fort peu religieuses, du ralliement de l'Église officielle (France, Belgique, Italie, USA).

On peut estimer à 50 pour cent du corps de l'Église la masse des fidèles rattachés à l'Église par la médiation des structures féodales survivantes, et à 40 pour cent la masse des fidèles qui sont liés à l'Église par l'intermédiaire d'une bourgeoisie capitaliste déjà dépossédée, ou en passe de l'être. Au point de vue sociologique, l'Église est donc profondément engagée par 90 pour cent de son corps humain dans des structures qui ne sont plus celles de notre monde. Il faut ajouter que dans certains pays l'Église se trouve encore reliée *directement*, par l'importance des terres qu'elle possède, aux structures économiques du monde féodal et capitaliste. En général, l'Église ne peut se comprendre, à la fois dans son corps, son audience, son rôle (cf. l'enseignement, quand ce n'est pas le service hospitalier ou l'état civil, etc.), qu'en référence à ces structures anachroniques.

Situation idéologique de l'Église

Au point de vue idéologique, le caractère archaïque des positions de l'Église est, si possible, encore plus manifeste. Tout se passe comme si l'Église, par une inertie qui exprime à sa manière ses attaches réelles à un monde dépassé, ne pouvait renoncer aux concepts que ce monde a engendrés. En gros, on peut dire que les édifices conceptuels où l'Église se reconnaît reposent sur une philosophie (susceptible de variantes) dépassée à la fois dans sa forme (en tant que philosophie) et dans le contenu concret, qui, à l'origine, était sa justification historique. La théologie, qu'elle soit thomiste ou augustinienne, repose sur une « conception du monde », où elle se reconnaît si bien qu'elle charge consciemment ou non cette philosophie, en tant que philosophie, de la conduire au terme où elle retrouve la révélation, comme si le Christ était venu parmi les concepts, et non parmi les hommes. Qu'il soit « au commencement », ou qu'il soit « au terme », qu'on parte de lui ou qu'on affecte de cheminer vers lui, Dieu est dans la théologie classique un concept parmi d'autres, prisonnier d'un univers conceptuel qui n'a plus de sens pour un moderne.

En fait, l'Église vit dans un univers conceptuel fixé au XIIIᵉ siècle, et qui repose sur les philosophies de Platon et d'Aristote, « accommodées » par la tradition augustinienne et saint Thomas. Depuis le XIIIᵉ siècle, l'Église, dans sa théologie, sa morale et sa politique, se réfère constamment à ces concepts majeurs, en les « accommodant » quand le divorce est trop éclatant ; mais cet ajustement, loin de remettre en question les concepts thomistes ou augustiniens, joue sur leur différence : ainsi Malebranche, chez qui Dieu le Père, « sur ses vieux jours », se fit cartésien, retrouvait en fait à travers Descartes la tradition platonicienne. Le « jeu » des concepts thomistes et augustiniens permet ainsi des variations opportunistes qui, bien loin de détruire le contenu et les références implicites des concepts employés, bien loin de détruire, à plus forte raison, la philosophie en tant que philosophie qui autorise ces exercices, les fortifient et les justifient pratiquement.

1. Le *contenu* des concepts, malgré les protestations des théologiens qui affectent de donner à des concepts anciens un sens nouveau, est encore réellement vivant, dans la mesure où ces concepts sont encore reliés aux survivances des mondes qui les ont produits. Sans doute, il n'y a plus de physique ni de physiciens aristotéliciens pour justifier les concepts thomistes. Mais il n'en faut pas déduire que ceux-ci ne soient soutenus aujourd'hui que par la seule théologie, comme si elle tenait en l'air par sa propre vertu. Cet édifice conceptuel a des assises réelles, qui justifient implicitement sa structure et sa validité, et qui empêchent encore l'Église de céder à la critique que le monde moderne exerce sur ces concepts dépassés. Nous croyons que cet univers conceptuel est à détruire, mais il dure, et il faut bien qu'il ait des attaches dans la vie pour durer même comme illusion. Ces attaches sont extrêmement complexes, mais réelles. On peut montrer en particulier que les conceptions économiques, politiques, morales et éducatives de l'Église, non seulement ne peuvent être justifiées par soi, bien sûr, mais encore ne seraient pas justifiées par la théologie elle-même (elle ne se suffit pas), si d'autres motivations réelles et silencieuses ne

les justifiaient avant tout argument dans notre monde même. Ce n'est plus la physique aristotélicienne qui sauve les concepts thomistes, ce sont, dans notre monde, les restes du monde médiéval. Ces concepts ne vivent pas de la grâce de Dieu, mais de la vie d'hommes qui, soumis à des structures archaïques, conçoivent et vivent le monde et leur existence, la politique et l'économie, leur morale pratique et l'éducation de leurs enfants, sans parler de leur théologie naïve, dans les concepts que ces structures ont provoqués quand elles étaient triomphantes. Ainsi le concept de la loi naturelle, qui est au cœur de toute la morale et de la politique de l'Église, se rattache bien comme concept à l'univers conceptuel d'un monde historiquement dépassé, qui, faute d'en saisir l'origine réelle, pense l'activité, la société, l'histoire et la morale humaines comme une nature d'institution divine ; mais ce n'est pas de ce monde conceptuel seul qu'il tire ce qui lui reste de vie. Le concept de loi naturelle et tous les concepts qu'il enfante sont bien plutôt maintenus dans l'existence par des structures concrètes, encore vécues par nombre d'hommes de notre temps, qui ont précisément besoin de ces concepts pour justifier, défendre et perpétuer les structures où ils naissent, grandissent et meurent.

Il faut remonter à ces structures concrètes pour comprendre la ténacité des concepts archaïques dans l'idéologie religieuse. Il faut aussi déceler ces structures pour aider à leur accomplissement, pour aider les hommes qui croissent en elles à les dépasser et à s'accorder avec leur temps. Il faut enfin se convaincre que ces structures économiques, politiques, familiales, morales, ne sont liées à l'édifice conceptuel des théologiens que dans la mesure où l'Église, dans son ensemble, est elle-même rattachée, par ce qui lui reste de positions économiques et par l'existence sociale de la grande masse de ses fidèles, à des mondes que notre temps rejette irrévocablement dans le passé.

2. Un mot encore sur la *forme* même des « philosophies », qui soutiennent l'édifice conceptuel de l'Église. Par l'usage qu'elle en fait, l'Église défend effectivement dans la philosophie le mode par excellence d'appropriation humaine de la vérité. Or, notre temps est en train de réaliser la parole de Marx, et de

« détruire la philosophie ». N'ayons pas peur du mot : dans la philosophie, l'homme ne détruit que des illusions, mais c'est pour conquérir dans l'origine même de ces illusions une part de son activité réelle. Même si ce prodigieux événement échappe encore à beaucoup de nos contemporains, il nous faut reconnaître dans notre temps (grâce à l'action de la classe ouvrière prenant possession de soi) *l'avènement d'une forme d'existence humaine où l'appropriation humaine de la vérité cesse de s'exercer dans la forme d'une philosophie, c'est-à-dire d'une contemplation ou d'une réflexion, pour s'exercer dans la forme de l'activité réelle* [1]. L'appropriation est alors reprise réelle, par l'activité humaine elle-même, de l'activité humaine et de ses produits. La philosophie est un de ces produits : elle est donc à « reprendre », mais sa reprise se double d'une réduction critique qui détruit en elle la forme philosophique elle-même, c'est-à-dire l'illusion que la vérité humaine peut être donnée originairement à l'homme dans une appropriation contemplative ou réflexive. Or, l'Église, qui emploie et défend par là même la philosophie comme telle, se sépare des hommes de ce temps, qui sont en train de détruire concrètement la forme même de la philosophie, en détruisant les structures humaines qui l'ont jadis provoquée et la justifient encore. Là aussi, l'Église ne peut défendre avec quelque apparence une forme d'appropriation de la vérité aussi étrangère à notre temps que parce qu'elle est elle-même soumise, par ses positions et ses fidèles, aux structures archaïques qui ont donné naissance à la philosophie, et lui assurent une survie paradoxale, mais tenace.

Situation politique de l'Église

L'engagement du corps et de l'idéologie de l'Église dans ces structures féodales et capitalistes, ou dans ce qui survit de

---

1. Cette activité réelle produit concrètement, dans le travail et l'histoire, la vie même des hommes dans sa totalité; elle produit aussi les objets que la philosophie croit se donner, les contradictions que la philosophie croit résoudre, et la philosophie elle-même — pour accommoder en pensée des contradictions qui se portent trop bien pour ne pas être gênantes.

ces structures, le fait que, bon gré, mal gré, la très grande majorité des fidèles est liée réellement à des formes de civilisation anachroniques, qui luttent contre un monde qui les condamne, enchaînent l'Église à la défense de positions politiques réactionnaires contre les jeunes forces de libération. On ne saurait prétendre *a priori* que la religion soit de forme réactionnaire ; mais on ne peut s'empêcher de constater *à l'épreuve* que, dans le monde contemporain, les positions économiques conservées par l'Église dans certains pays, les attaches et les tendances de la très grande masse des fidèles, ne soient en fait les raisons déterminantes de la politique que l'Église, au grand jour comme à couvert, pratique actuellement.

Cette politique est nettement réactionnaire, quelles que soient les protestations et précautions oratoires des plus sincères et des plus habiles parmi les fidèles et les prêtres. Les manifestations les plus audacieuses de la papauté, qui souvent a devancé, heurté même l'opinion générale des masses catholiques (comme le « ralliement », les « encycliques sociales » [a], etc.), ne sont que des accommodements dans un sens réformiste. La prétendue « doctrine sociale de l'Église » exprime en fait le pacte silencieux que, dans ses fidèles et ses attachements, l'Église a passé avec des structures défaillantes : ce compromis de corporatisme médiéval et de réformisme libéral, qui dénonce les « abus » du libéralisme économique, ignore en fait les causes réelles de ces abus, et, par son silence, les confirme. Dénoncer des effets scandaleux sans dénoncer les causes réelles du scandale est bien une diversion scandaleuse, puisqu'elle détourne les hommes de la lutte réelle. Comme la Croix-Rouge est la confirmation de la guerre et sa législation

a. Louis Althusser évoque ici le ralliement des catholiques français à la République préconisé par le pape Léon XIII et manifesté pour la première fois en 1890 à Alger par le « toast » du cardinal Lavigerie. Cf. l'encyclique *Au milieu des sollicitudes* (1892). Les « encycliques sociales » sont, entre autres : *Rerum novarum*, sur la condition des ouvriers (1891), *Il firmo proposito* (1905), *Singulari quadam*, sur les syndicats (1912), *Urbi arcano* (1922), *Quadragesimo anno* (1931). Un exemplaire d'une édition de 1947 de *Rerum novarum* a été retrouvé dans la bibliothèque d'Althusser, assorti de nombreux commentaires critiques. Il avait initialement prévu d'appuyer son article sur quelques citations de *Rerum novarum* et *Quadragesimo anno*, finalement abandonnées.

morale, la doctrine sociale de l'Église n'est que la reconnaissance du capitalisme et son savoir-vivre.

Si les propositions les plus avancées de l'Église ne représentent qu'un réformisme réactionnaire, on imagine sans
peine ce que peut être sa politique « non avancée ». L'Église,
par sa hiérarchie, ses fidèles, ses exhortations, a récemment
soutenu des gouvernements fascistes (au moins par ses silences
comme en Allemagne, quand ce n'est pas par ses actes comme
en Italie, en Espagne et à Vichy), ou des gouvernements profondément réactionnaires (Irlande, Canada, Amérique du
Sud). En Europe centrale, elle est une des principales forces
contre-révolutionnaires ; en Europe occidentale, où la crise
religieuse force chaque jour de nouveaux fidèles à remettre en
question ses positions traditionnelles, l'Église n'en soutient pas
moins le réformisme moralisateur et stérile des démocrates
chrétiens qui, comme l'a lumineusement montré M. Hours [1],
se rattachent au centre allemand, et à ses nostalgies médiévales.

En résumé, si l'on considère la politique mondiale, on doit
reconnaître qu'à part de petits groupes actifs, mais isolés,
l'Église, par ses positions, ses fidèles, son idéologie, et par le
poids des masses de l'« hémisphère occidental », constitue
dans son ensemble une force objective et non négligeable qui,
profondément compromise dans la réaction mondiale, lutte
aux côtés du capitalisme international, contre les forces
ouvrières et l'avènement du socialisme.

L'Église est donc objectivement liée à des structures
archaïques en voie de disparition.

D'un côté, ce sont ces structures qui conditionnent et déterminent le caractère archaïque et réactionnaire de la position
sociale, idéologique et politique de l'Église dans le monde.

D'un autre côté, c'est par la médiation de ces structures que
la grande masse des fidèles accède à la vie religieuse, et

---

1. Cf. *Vie intellectuelle*, numéro de mai 1948. [Rappelons que Joseph Hours fut le
professeur d'histoire du khâgneux Louis Althusser.]

l'Église se trouve à ce point engagée en elles, elles pèsent d'un tel poids sur l'existence concrète, l'orientation, les convictions des hommes qui vivent en elles, qu'on peut se demander à bon droit si cette masse de fidèles, dans son ensemble, ne conçoit et ne vit pas effectivement sa religion comme un des éléments majeurs, et comme la raison, la justification, la théorie de ces structures.

Cette situation permettrait de comprendre l'origine de la double inquiétude que l'enquête de *Jeunesse de l'Église* exprime devant nous :

1. D'une part, « la bonne nouvelle n'est plus annoncée aux hommes de notre temps », parce que l'Église annonce la bonne nouvelle dans un langage que les hommes n'entendent plus. Un langage ne se laisse pas réduire à un lexique ; c'est une totalité de significations réelles, vécues, éprouvées chaque jour dans la vie et ses gestes, et que la langue parlée évoque par allusions ; ces significations concrètes (réalités sociales, structures, lois économiques et politiques, vie pratique, conduite, gestes) sont le contenu réel de la langue parlée, qui sans elles ne serait que bruit des lèvres. Or, les significations concrètes qui soutiennent la langue de l'Église sont précisément ces structures archaïques, isolées, combattues par notre siècle, et comme en sursis parmi nous. Elles n'ont un sens que pour qui vit encore en elles, mais ce sens même ne va déjà plus de soi comme jadis, et chaque jour l'entame un peu plus. Le monde entier assiège déjà ces structures, et peu à peu les « réduit » complètement. *Pour le monde dans lequel elles survivent, ces structures n'ont plus de sens immédiat* : elles sont étrangères parmi nous. Or, ce sont ces réalités étrangères qui soutiennent de leur sens muet le langage de l'Église ! Ce sont elles qui sont présentes dans tout ce que l'Église dit, veut dire, dans l'éloquence de ses prêtres, dans les concepts de ses théologiens, les conseils de ses confesseurs, le corps de sa morale, de sa doctrine sociale, de sa politique effective. Quand elle veut annoncer la bonne nouvelle aux hommes de notre temps, l'Église ne choisit pas son langage ; elle parle le seul langage

qu'elle porte en elle, ou plutôt *ce qu'elle est* parle encore, et malgré eux, dans les meilleurs qui voudraient la sauver. La bonne nouvelle parle un langage, c'est-à-dire exprime un monde que les hommes de notre temps ne comprennent pas parce qu'il n'est plus le leur, quand ils ne le combattent pas, parce qu'il est devenu leur ennemi.

Cette condition fondamentale limite étroitement les possibilités d'« adaptation » de l'Église. Il ne suffit pas d'emprunter aux gens leur vocabulaire pour parler leur langue : il faut encore que les réalités qui s'expriment dans les mêmes mots soient accordées et se reconnaissent l'une dans l'autre. Or, quelle que soit la sincérité des prêtres ou des fidèles les plus ouverts, quand ils « annoncent » la bonne nouvelle, et même s'ils parlent avec les mots de leurs frères, l'Église parle encore plus haut et plus fort qu'eux, et elle « annonce » dans sa nature et dans ses actes une étrange nouvelle où les hommes de ce temps ne reconnaissent pas leur bien.

2. Cette situation explique l'autre aspect de l'aliénation religieuse contemporaine : si la bonne nouvelle n'atteint pas les hommes de ce temps parce qu'elle s'exprime dans des structures archaïques, parvient-elle du moins aux hommes qui sont encore soumis à ces structures? Or, l'aliénation sociale de l'Église explique non seulement l'indifférence ou l'hostilité du prolétariat, mais encore l'aliénation religieuse des grandes masses demeurées fidèles. En effet, l'Église est à ce point engagée dans des structures sociales déterminées, les fidèles accèdent si bien à la religion dans leur existence concrète par la médiation de ces structures, la religion et ces structures sont dans leur esprit et dans leur vie à ce point liées, que *pratiquement* ils vivent et conçoivent la religion comme un élément déterminant de leur univers social. Combien de chrétiens ont ici reconnu la vérité des analyses de Marx, et ont *rencontré*, aussi brutalement qu'on rencontre un homme, cette aliénation de la vie religieuse dans des formes économiques, sociales et politiques! Quand la religion est réellement une forme sociale qui, à l'intérieur de structures féodales et capitalistes, maintient le peuple dans la soumission, et contraint le peuple de

vivre sa soumission humaine comme la volonté de Dieu, quand, dans ses silences, ses discours ou ses diversions, elle confirme ces structures et leur offre leur propre justification théorique, quand elle assure leur défense et leur « compensation », et quand les fidèles vivent réellement la religion comme la théorie et la justification de leur univers social, on ne peut plus éviter de s'interroger : cette vie de la religion est-elle encore une vie religieuse, est-ce encore la bonne nouvelle qu'on annonce dans le monde même de l'Église?

Cette question nous reconduit au cœur même du problème : si l'Église est comme une étrangère dans notre monde, et si la grande masse des fidèles sont dans l'Église pour des raisons qui ne sont pas vraiment de l'Église, c'est par une seule et même cause, le profond engagement historique de l'Église dans des structures féodales et capitalistes qui sont aujourd'hui le corps de l'aliénation humaine.

II. Perspectives d'une réduction pratique

La situation historique qui conditionne et pose le problème présent indique elle-même la solution réelle. Pour que l'Église puisse parler aux hommes de ce temps, pour qu'elle puisse reconquérir sur soi une vie religieuse authentique, il faut, d'une part qu'elle soit libérée de la domination des structures féodales et capitalistes, et d'autre part que cette libération sociale s'accompagne d'une réappropriation réelle de la vie religieuse par les fidèles eux-mêmes. Deux tâches s'imposent en même temps : la libération sociale et la reconquête religieuse.

1. *Libération sociale de l'Église.* Le degré et la nature de l'aliénation de l'Église dans les structures féodales et capitalistes, la nature même de ces structures conditionnent les moyens réels d'une libération sociale de l'Église. La « réduction théorique » de l'inquiétude religieuse présente nous a conduit à reconnaître dans l'aliénation religieuse l'origine même de l'inquiétude. Il faut envisager alors les moyens qui

permettent de « réduire » pratiquement cette origine, en la détruisant pour la convertir dans sa vérité. Le médecin lui aussi « réduit » la cause du mal dans le malade, grâce à des moyens réellement capables de transformer l'état objectif de son malade, c'est-à-dire capables d'agir chimiquement ou physiquement sur les éléments physiques ou chimiques qui conditionnent le développement du mal. Ces moyens sont eux-mêmes requis dans leur nature par la nature du mal qu'il s'agit de combattre. En gros, il en va de même dans notre « réduction » : les forces sociales qui dominent l'Église ne peuvent être réduites que par des forces sociales qui se trouvent objectivement en mesure et en nécessité de les abattre, et qui ne soient pas des forces de rencontre, mais celles-là mêmes dont l'avènement menace de mort les vieilles structures, et les fait précisément apparaître comme menacées, archaïques et périmées : ces forces de réduction et de combat sont aujourd'hui celles que groupe le prolétariat organisé. Ce problème et cette lutte ne sont pas de nature religieuse ; mais, du fait que la réduction de l'aliénation religieuse collective présuppose cette lutte politique et sociale comme la condition hors de laquelle il n'est possible de concevoir aucune libération, même religieuse, nul chrétien vraiment soucieux du destin de l'Église ne peut éviter de constater :

a) Que dans la situation présente, seul le prolétariat organisé (et ses alliés) est en état de lutter, et lutte réellement contre les mêmes structures féodales et capitalistes qui aliènent l'Église.

b) Que la lutte pour la libération sociale de l'Église se confond avec la lutte présente du prolétariat pour la libération humaine.

c) Que le chrétien qui veut réellement détruire l'aliénation sociale de l'Église doit prendre *effectivement* part, dans les rangs du prolétariat, au seul combat qui peut avoir raison des structures féodales et capitalistes : le combat politique, social et idéologique de la classe ouvrière organisée.

2. *Reconquête de la vie religieuse.* En même temps que cette lutte politique et sociale, qui seule pourra réduire l'alié-

nation collective, parce que seule elle est à la mesure de cette aliénation, le chrétien doit poursuivre pour son propre compte la « réduction » de l'aliénation et la reconquête de sa vie religieuse. Cette réduction implique la destruction et la critique pour son propre compte de toutes les formes aliénées à travers lesquelles, dans l'état actuel de l'Église, un fidèle, même averti, est contraint de passer pour accéder à la vie religieuse. Elle doit atteindre l'univers conceptuel de l'Église, sa théologie, le corps de sa morale, sa théorie de la famille, de l'éducation, de l'action catholique, de la paroisse, etc. ; elle doit atteindre et détruire pour les fonder en vérité les comportements, les conduites humaines, les façons de vivre et d'être, qui sont proposés, soutenus et confirmés dans les masses chrétiennes, par les forces qui, dans l'Église, ne sont pas réellement de l'Église. Cette « purification » ne peut être une pure négation ; elle conduit vraiment, quand on laisse les événements et les faits s'affronter et produire leur propre vérité, à la découverte de leur origine et à la production de cette même vérité, à la constitution de nouvelles conduites concrètes, familiales, morales, éducatives, etc., qui soient la vérité des conduites aliénées. Si la religion n'est pas *a priori* une forme d'aliénation, cette réduction doit permettre au chrétien la reconquête d'une vie religieuse authentique, dont il doit, dès maintenant, dans la lutte même, définir les conditions et les limites.

Mais il ne faut pas se dissimuler que, dans l'état actuel des choses, cette reconquête positive de la vie religieuse par la critique réelle ne peut pas être l'œuvre collective d'une Église qui se complaît dans son aliénation. Elle appartient tout au plus à de petits groupes actifs, qui se développent dans les pays (comme la France, l'Italie et la Belgique) et les milieux sociaux où l'évolution des structures est assez avancée pour que l'aliénation religieuse se critique elle-même et que cette critique réelle transparaisse et se réfléchisse déjà dans l'inquiétude et les recherches des fidèles les plus avertis.

Mais ces groupes sont réduits, terriblement seuls dans

l'immense monde de l'Église. Ils agissent à la lisière de l'Église, dans des milieux eux-mêmes ébranlés par les événements du siècle; ils ne peuvent guère agir que là, dans des zones humaines qui sont déjà en voie de réduire l'aliénation capitaliste; et même là pourtant, quand ils se heurtent au silence des hommes, ils s'interrogent, se demandant pourquoi on ne les entend plus, sans prendre garde que, même s'ils avaient assez avancé leur propre critique pour offrir aux hommes une vérité où les hommes puissent reconnaître leur bien, ils ne peuvent à eux seuls balancer la force collective de l'Église ni son langage, ni ses préceptes, ni ses alliances. Ils éprouvent encore qu'ils ne sont pas de taille en ce qu'ils restent aux frontières de l'Église, ne pouvant songer sérieusement à ébranler l'Église du dedans, sans que l'Église les menace ou les renie. *Alors que dès maintenant existent les conditions objectives d'une libération sociale de l'Église par la lutte prolétarienne, les conditions d'une reconquête collective de la vie religieuse ne sont pas réalisées.* Il faudrait que dans son ensemble l'Église fût en état d'entreprendre sa propre critique; or, elle est soumise à la loi des structures, qui se défendent et refusent qu'on les mette en question. Il faut donc abattre ces structures et lutter contre les forces qui les protègent.

Nous sommes déjà dans la lutte. L'avenir de l'Église dépend du nombre et de la valeur des chrétiens qui chaque jour reconnaissent la nécessité de la lutte et rejoignent les rangs du prolétariat mondial; il dépend aussi de la réduction concrète par ces mêmes hommes de leur propre aliénation religieuse. L'Église vivra par ceux qui, par la lutte et dans la lutte même, sont en train de redécouvrir que la Parole est née parmi les hommes et a vécu parmi les hommes, et qui lui font déjà une place humaine parmi les hommes.

Texte paru dans *Jeunesse de l'Église. Xe Cahier. L'Évangile Captif*, février 1949.

Lettre à Jean Lacroix
(1950-1951)

25.12.49

Cher Monsieur et Ami,

Je vous écris dans le silence de l'École, vidée de ses élèves après le travail du premier trimestre. Elle compte cette vieille maison bien des garçons qui vous doivent beaucoup, et qui vous portent dans leur cœur pour tout le passé qu'ils vous doivent. Je suis de ceux-là et je dois dire que votre affection me touche toujours profondément. On vous la rend bien, savez-vous, et ce n'est pas seulement une affection du cœur, c'est aussi une affection de l'intelligence, qui tient en haute estime le courage dont avez fait preuve à Lyon dans les longues années d'une quasi-solitude [a] – et qui sait tout le prix de votre lutte dans des difficultés sans nombre, la surcharge de travail que la vie vous impose, et jusqu'au bruit de ces enfants qui sont votre joie mais aussi une gêne dans cette société qui ne fait rien pour aider les hommes à être pères sans renoncer à leur travail. Je pense souvent à vous, ainsi qu'à M. Hours [b] d'ailleurs, qui avez cette double postérité, d'enfants de votre chair et d'enfants de votre esprit, et qui tenez aux uns autant qu'aux autres, et êtes inquiets d'eux et confiants en eux. Je voudrais vous dire à mon tour au nom de tous ceux que vous avez aidés à devenir des hommes qu'ils ont aussi en vous cette confiance, et aussi de vous cette

Notes d'édition p. 317 à 325.

inquiétude. Nous savons nous aussi, selon une formule qui vous est chère, que l'enfant est l'idée des parents et leur vérité, et qu'en nous vous avez aidé votre propre vérité à se développer et à croître, et c'est ce qui fait d'ailleurs votre inquiétude quand vous pensez être loin de nous, comme c'est ce qui fait notre souci quand nous croyons que vous vous éloignez de nous. Je pense que votre lettre [a] répond assez à cette vérité pour que je l'invoque ici. Et je crois que cette vérité est féconde parce qu'elle met le présent en cause et regarde vers l'avenir. Vous savez bien qu'on ne peut pas vivre de ses souvenirs, et qu'une amitié faite des seuls souvenirs, de la fidélité aux souvenirs est vouée à la mort. Les souvenirs, et même ceux de la khâgne, et même ceux des hommes, ne sont féconds que s'ils reçoivent vie du présent qui les prolonge et de l'avenir où s'engage l'homme que ce passé a aidé à naître. Vous nous citiez souvent avant la guerre le mot de Wilde : « Celui qui se détourne de son passé mérite de n'avoir pas d'avenir », c'est un mot que j'ai emporté avec moi dans la captivité et qui dans ce temps de trahison a été ma force. Mais je dirai aussi pour en dégager tout le sens : « Celui qui se détourne de son présent et de son avenir mérite de n'avoir plus de passé. » J'ai lu d'assez près votre livre pour être sûr que vous ne serez pas heurté par cette phrase, qui rejoint je pense l'essentiel des dernières phrases de votre texte [b]. Et vous êtes assez proche de nous pour que nous entendions de la même façon que vraiment notre vie n'est pas en dépôt dans quelque lieu du ciel ou du passé, mais dans notre présent, dans nos problèmes présents, ceux du logement et de la guerre et de Descartes et de Marx et de la religion, et dans notre avenir qui est en train de naître, et déjà né dans nos problèmes présents et dans nos réponses présentes. C'est bien cela notre éternité, ce présent et cet avenir qui en sort, et je ne vois rien à reprendre à ce texte admirable que vous citez à la dernière page de votre livre [c]. J'ajouterai ceci encore : si l'amitié ne vit que par ce qui nous unit *réellement* aujourd'hui, et ce qui aujourd'hui produit notre unité de demain, vous accorderez que c'est vraiment une amitié entre hommes, et que l'âge y joue seulement le rôle des souvenirs, à cette différence que l'âge est un souvenir qu'on respecte, et un vrai *mérite présent*, puisque nos aînés ont dû chercher pour nous une voie devenue par leurs travaux et leurs peines bien plus aisée pour nous qu'elle ne l'était pour eux. Mais vous direz avec nous : on a l'âge des événements qu'on vit, et comme la vie du monde est toujours jeune, et que plus profondément les hommes ont aujourd'hui pour la première fois peut-être la possibilité d'avoir l'âge même d'une histoire qu'ils font au lieu de la subir, quel que soit notre âge nous sommes jeunes comme jamais, nous avons l'âge de cette jeunesse du monde qui naît dans nos efforts, nous sommes jeunes comme jamais, et vous, et moi et Staline et Cachin [a] qui rit comme un enfant dans les rides et la joie. Mais cette jeunesse et cette joie dans le même âge ont un sens bien précis : c'est la présence constante et active et lucide au contenu réel de notre temps, à tout le contenu de notre temps, à la loi intérieure de ce monde humain qui est le fondement réel de la fraternité dans l'amitié réelle des hommes, je dis bien la présence au *contenu réel dans sa vérité*, car on peut être présent à l'erreur et au crime, et Hitler aussi était présent et actif et plein de mouvement, et nos hitlériens sincères étaient prêts à mourir pour cette présence au crime qu'ils vivaient comme la présence à la vérité. Je retrouve peut-être là un thème de la pensée classique que vous tiendrez peut-être pour dépassé, mais je dirai : il ne peut y avoir d'amitié entre les hommes en dehors de la vérité, c'est la vérité, non la vérité abstraite, mais la vérité réelle, celle qui est la vie, et la voie (la voie vers elle-même), le *contenu réel et spécifié* de cette vérité qui fait l'union des hommes et leur amitié, non l'esprit de vérité (absolument indéfinissable, et à ce titre capable de couvrir aussi bien le vrai que le faux, les valeurs comme le crime) mais la vérité dans son *contenu défini*, et qui n'est pas livrée à l'inspiration mais aux terribles et grandes nécessités de la vie des hommes, et à partir de laquelle on peut définir aussi l'esprit de vérité si vous y tenez. Je dirai : il ne peut y avoir d'amitié réelle dans le crime et l'erreur ; l'amitié dans l'erreur n'a de sens que si elle cherche dans l'erreur même et sans le savoir cette vérité qui sera sa délivrance, cette vérité qui est déjà la raison de l'erreur, et permet de parler d'erreur, et de découvrir l'erreur. J'ajouterai encore : cette amitié implique que les amis se redressent entre eux, au service de la vérité dont ils vivent toujours, même s'ils ne l'ont pas toujours reconnue et énoncée. Je pense que vous reconnaissez cette loi de l'amitié, la plus simple, et que vous m'accorderez qu'en toute modestie je puisse l'invoquer, au service même de la vérité dont nous vivons tous, en essayant de vous rendre à cette occasion une part des vérités que je vous dois, plus développées peut-être pour s'être éprouvées dans une part du monde où j'ai vécu sans vous, et une part aussi des vérités que vous m'avez aidé à découvrir, que vous avez aidé des dizaines d'hommes à découvrir dans un monde qui nous inspire aujourd'hui de la crainte, et qui est notre vie de chaque jour, et notre joie la plus profonde.

Ceci dit, je vais être dur, et vous demande de vous préparer aux coups, quitte à me les rendre s'ils sont mal portés!

1. Vous « *ne pensez pas m'influencer en quoi que ce soit...* », vous ne vous reconnaissez « aucun droit en votre âme et conscience de blâmer ceux qui en leur âme et conscience tout bien pesé croient devoir agir autrement. *Je dis seulement : ma conscience ne me permet pas de ne pas témoigner de ce que je crois. C'est tout* ». Ce sont des termes que je ne puis absolument pas accepter. Moi je vous écris pour vous influencer, et je le dis sans me cacher; ou plutôt je vous écris pour vous aider à reconnaître la vérité, ou si vous préférez pour que nous reconnaissions tous deux la vérité dont nous vivons tous deux, même quand vous déclarez que vous ne vous reconnaissez aucun droit, etc. Avez-vous « *bien pesé* » ce que vous écrivez? C'est « l'âme et la conscience » qui sont le critère de la vérité? Votre conscience ne vous permet pas de ne pas témoigner de ce que vous « *croyez* »? De ce que vous croyez tout court ou de ce que vous croyez *être vrai*? Si c'est la vérité qui fonde la croyance, cette vérité on doit pouvoir la montrer, en rendre compte, λόγον δίδοναι, et cette vérité découverte montrée

vous pourrez toujours dire qu'elle n'est pas destinée à
« influencer », qu'elle ne permet pas de « blâmer » qui que ce
soit ; vous savez, la vérité qui n'est pas sous le boisseau, mais
au grand jour, elle est virulente, elle fait un sacré boulot ! Elle
« influence » et elle « blâme » et toutes vos précautions n'y
peuvent rien ! Pourquoi donc ces précautions ? Est-ce parce
que vous ne pouvez pas *montrer* la vérité à laquelle vous
croyez ? Parce que vous préférez l'esprit de vérité au contenu
de la vérité ? Parce qu'il vous apparaît *difficile de concilier*
dans le domaine de la vérité « montrée » 1) le crime de la
condamnation de Rajk [a], etc., 2) le bien que vous pensez
pour le reste des communistes, 3) la dénonciation du
« crime » par *Esprit* [b], 4) votre souci de vous « prémunir
contre les utilisations », etc. ? Ou bien parce qu'en définitive,
vous pensez que cette difficulté a un fondement ontologique,
que la vérité *montrée* deviendrait objet, qu'elle est de l'ordre
de la croyance et du sujet, etc. ? Ou bien est-ce tout simplement par amitié et pour respecter mes convictions ? Je ne peux
accepter cette dernière règle, non par décret ou fantaisie, mais
par la nécessité même de l'amitié qui ne vit que d'un élément
commun, et qui doit d'abord reconnaître ce *commun* pour en
découvrir le fondement réel et vrai. Que diable nous mangeons le même pain, et nous vivons de la même vie
commune, nous mangeons la même vérité, nous nous nourris-
sons de la même vérité qui nous est *commune*, qui rend possible ce simple échange de *mots* qu'est une lettre, cet échange
de *sens* qu'est un entretien ! Nous ne vivons pas d'âme et de
conscience mais de ce qui fait notre vie, le contenu commun
de notre vie, le sens *commun* de notre vie ; Malebranche le
disait déjà, pardon pour ce classicisme, il y a parmi les
hommes un logos, une vérité et c'est cette vérité qui fait leur
vie, leur vie sociale, leur communication, le fait qu'ils puissent
se parler, se regarder et se comprendre, qui fait même qu'ils
peuvent ne pas se comprendre ! Avec votre âme et conscience
nous retombons dans un subjectivisme qui est la contre-
théorie de *ce que nous faisons réellement, de ce que vous faites*
quand vous m'écrivez ! Ou alors il faut donner à votre âme et

conscience un autre sens : l'exigence de se soumettre à la vérité, c'est-à-dire de reconnaître la vérité, de l'énoncer, de la montrer, de la proclamer et de la faire triompher! Si cela vous semble trop théorique, je dirai : de quel droit eussiez-vous condamné un nazi sincère? qui « en âme et conscience... »? Vous dites vous-même : « je ne me reconnais aucun droit... ». Votre théorie de la « conscience » est si vague et si vide qu'elle peut aussi bien servir de justification théorique au nazisme, à Thibon [a], à Guitton [b] qu'à la « conscience » de Staline! Et cela est grave, et est en contradiction avec vos propres actes! Vous allez dire : j'ajoute à la conscience le « tout bien pesé »; ce serait parfait 1) si vous définissiez la « bonne pesée », si vous nous faisiez une théorie *réelle* de la pesée, c'est-à-dire de ce qu'on pèse, de ce avec quoi on pèse, du résultat de la pesée, de la raison de la pesée, etc., chose qui n'a rien de mystérieux et n'est que de l'humain, et du réel, 2) et si en second lieu vous nous montriez comment la « conscience » est reliée à la pesée, quel est son rapport dialectique avec la pesée, c'est-à-dire si vous faisiez une théorie *réelle* du jugement historique qui n'a de sens que dans le *bien pesé* du contenu historique de la situation considérée, et une théorie du rapport de la conscience au jugement historique, c'est-à-dire une théorie de l'idéologie. Autrement n'importe qui peut dire « ma conscience ne me permet pas... » comme on dit « ma concierge ne me permet pas de rentrer après minuit », avec cette différence que je pourrai toujours aller discuter avec votre concierge, mais que vous serez en peine de me donner l'adresse de votre conscience. Ceci est grave parce que vous êtes en train, par l'équivoque où vous laissez le « bien pesé », de passer insensiblement d'une théorie de la vérité à une théorie de la conscience, de la vérité qui serait définissable à la conscience absolument indéfinissable, arbitraire et capable de couvrir toutes les marchandises. Ce qui est grave et ne me paraît pas très honnête, c'est que précisément votre propre théorie ne « rend pas compte » de vos propres actes et de votre propre conduite politique réelle, que vous assumez infiniment plus dans votre propre vie du contenu de la vérité que vous n'en assumez dans votre « théorie ». Je ne prends pas honnêteté dans le sens moral, mais dans un sens *matériel*, et je dis : c'est précisément la marque de l'honnêteté (intellectuelle si on y tient) que de prendre dans sa pensée la responsabilité du contenu et du sens de sa conduite, et je crois que vous nous aidez à comprendre cette exigence quand vous nous montrez que l'homme n'est tel que s'il « assume » ce qu'il fait [a]. On souhaiterait mieux voir dans votre pensée la présence reconnue de votre conduite réelle, et vous aimer autant pour ce que vous dites que pour ce que vous faites.

2. Second grief : Rajk et Fejtö. Vous savez, je ne suis pas du tout « ulcéré » par les deux derniers numéros d'*Esprit* [b]. *Esprit* ne m'intéresse plus du tout. A ranger dans les « souvenirs » qui n'ont qu'une existence « historique » dans le sens de l'histoire bourgeoise : l'histoire est ce qui est *passé* et bien passé. *Esprit* me donne une mauvaise petite satisfaction, celle de me montrer que je ne m'étais pas trompé, et qu'*on ne peut rien attendre de Mounier, qui découvre lui aussi « sa » vérité, et elle n'est pas belle à voir.* Nous le laisserons devant son miroir tenter de résoudre le problème de savoir comment on peut être un honnête homme, et généreux et courageux dans le privé, et un salaud comme homme public... et nous en viendrons à la question qui nous occupe. C'est de votre réaction et de votre jugement que je souffre. Parce que j'estime que vous êtes proche de nous, et que vous faites un effort véritable pour nous entendre et entendre cette vérité que nous vivons avec des millions d'hommes, et vous-même, dans le moment même où vous en doutez. Cette affaire Rajk je ne la prends pas dans le fond puisque vous ne le faites pas non plus. Je la prends comme un exemple du « *bien pesé* » en vous faisant la part belle : savoir si vous tenez le procès pour un crime, ce n'est pas par illumination mais par « bien pesé ». Donc voici un procès au grand jour avec griefs précis, aveux complets [c], témoignages multiples, et qui comptent (ces témoins, ce sont des témoins qui se font, sinon égorger, du moins prendre), signification politique que les événements

présents *montrent* (rapports USA-Tito!), précédents historiques nombreux (Danton, Doriot, Gitton [a] et procès de
Moscou) et jusqu'à la théorie des trahisons faite par Lénine et
Staline avant les trahisons à partir des rapports de classe. Du
« bien pesé » ou je ne m'y connais pas. En face Fejtö, un long
papier avec des arguments sur le passé de Rajk qui veulent
remettre ses aveux en cause, passé lointain, et à la fin un
topo : Rajk martyr volontaire et à moi Koestler [b]. Mounier dit
« témoin de valeur qui a tenté jusqu'à l'étouffement [c] ». Ici
en bonne méthode historique (demandez à M. Hours [d]) on se
trouve devant une contradiction disons *disproportionnée*. Les
arguments de Fejtö portent sur un petit nombre de déclarations de Rajk et il y a donc sur un *domaine limité contestation*
entre le témoignage de Fejtö et les témoignages de Rajk et
consorts. Fejtö n'a pas été pendu, etc., je passe. Tout le problème consiste à comparer le degré de validité des témoignages opposés de Rajk et Fejtö [e], c'est-à-dire de faire la critique des témoignages, *d'après les éléments dont nous disposons*
qui sont les témoignages, leur sens, leurs conséquences, ce que
l'histoire montre, etc. Or vous acceptez en bloc le témoignage
de Fejtö et vous dites : qui n'est pas troublé n'est pas digne
d'être d'*Esprit*. C'est une très bonne définition d'*Esprit* mais
une mauvaise définition du « trouble ». Où est le « *bien
pesé* »? L'article de Fejtö dans son contenu même accumule
des détails qui sont pour lui preuves que Rajk n'était pas
« vendu » quand il l'a connu, ce qui le met aux prises avec le
problème de l'*aveu* de Rajk et l'oblige à recourir à l'hypothèse
du « martyr », au lieu d'admettre l'hypothèse plus simple
qu'un « flic » qui confierait sa qualité de « flic » à ses amis et
au premier gendarme venu pour avoir droit à l'estime de
l'ami et à un traitement où la considération remplacerait les
coups de poing du second, ne ferait une longue carrière ni
dans la police, ni dans l'amitié. Mais tout ceci suppose que le
« témoignage » de Fejtö est acceptable. Où est le « bien
pesé » dans la critique externe? Connaissez-vous Fejtö?
Depuis quand sondez-vous reins et cœurs pour garantir la
vérité d'un témoignage dès que c'est un « étouffé » qui parle?

Fejtö, un drôle d'étouffé qui n'a *jamais été communiste*, à plat ventre devant le régime hongrois jusqu'au jour où on l'a remercié [a], un social-démocrate qui il y a six mois avant d'être limogé a demandé son inscription au parti et à Paris, dans la liberté, c'est-à-dire en pleine chambre d'hôtel, a rédigé une « bio » où il se bat la coulpe en s'accusant de toutes les fautes politiques possibles dans son passé, ce qui, disait l'attaché hongrois, est assez gênant, car il y a chez nous bien des personnages de premier plan qui sont d'anciens sociaux-démocrates! Où est le « bien pesé »? Je te regarde, tu me regardes, un regard ça ne trompe pas, comme je préfère à ces révélations et à ces « témoignages décisifs » (ils le sont peut-être mais il faut le *montrer*) la prudence de M. Hours qui à propos de Mindszenty [b] et de la drogue me disait : expliquer de l'inconnu par du douteux ou de l'inconnu c'est ne rien expliquer, c'est un principe hors duquel il est inutile de faire de la critique historique. Où est le « bien pesé »? Est-ce faire œuvre honnête que remplacer l'intelligence par la volonté, et non seulement refuser de mettre en balance tout le bien pesé réel de l'histoire, toute l'expérience du passé et les faits réels du procès et de l'histoire présente avec ce « mal pesé » de Fejtö, mais encore décréter par une opération de l'esprit où la social-démocratie, Koestler, le martyr et toutes les « bonnes raisons » à l'affût [*sic*], que le témoignage de Fejtö est valable sans faire ni sa critique interne ni sa critique externe? Je ne vous cache pas qu'un tel « trouble » n'est respectable qu'à deux conditions : 1) que ce soit un trouble *méthodique*, c'est-à-dire, dans la mesure où on le croit possible, un *doute* méthodique avec suspension du jugement et de ce jugement très particulier qui prend la forme d'un article publié dans *Esprit* avec chapeau de *Mounier* où il faut bien faire donner la Musique, et l'Esprit de Vérité, faute de vérité tout court, 2) qu'on définisse des critères objectifs qui donnent son sens à ce *doute méthodique* et évitent de transformer ce doute méthodique en intuition ontologique ou en révélation de la vérité dans le doute lui-même, comme vous êtes trop tenté de le faire; c'est-à-dire qu'on définisse le domaine qui à défaut d'une *critique interne radicale* (sans doute impossible) *permettra de mettre fin au doute*. On m'a rapporté [...] qu'au congrès des Partisans de la Paix qui il y a six mois dénonça Tito [a], Domenach disait : « je ne suis pas convaincu par le procès Rajk, je ne puis peser tous les éléments, matériellement je ne puis me *décider* sur des éléments du procès qui m'échappent, me sont inaccessibles ou me paraissent douteux. C'est l'histoire qui tranchera, c'est-à-dire c'est ce qui va se passer entre Tito et les USA, entre les agents américains et les démocraties populaires, c'est cela qui jugera pour moi et mettra fin à mon doute!! » Dans l'ignorance où était Domenach de la réalité du mouvement ouvrier et de ses problèmes, cette attitude me paraît être *la seule attitude honnête qui soit*. Mounier a violé cette honnêteté élémentaire avec une grossièreté et une bassesse qui passent l'imagination et je suis vraiment peiné que vous ayez laissé passer ces procédés indignes. Relisez froidement ce chapeau, « L'Esprit de Vérité [b] », et vous verrez quel pathos c'est! En fait d'argument des majuscules : le Système (Koestler a vraiment gagné et Gabriel Marcel avec!) et des calomnies : les procès de Moscou étaient donc le début de ces « *saletés* », le communisme produit des « *crimes* », et l'anticommunisme ne présentera bientôt plus avec le Système que des « *différences folkloriques* ». Non, mais vous acceptez cela? Et que les communistes sont en train d'isoler la classe ouvrière comme ils l'ont isolée avant guerre devant le fascisme? Vous acceptez cela, Jean Lacroix? Vous acceptez ces mensonges et ce chantage? Le chantage c'est : tout cela nous le disons pour votre bien, « amis » communistes, pour vous « libérer » et nous prendrons toutes les précautions pour qu'on « n'utilise pas » nos articles. Mais de quel droit cette protection de Mounier sur les communistes? A quel titre? C'est sans doute l'ignorance du parti et du marxisme qui donne des droits, c'est sans doute la possession d'une *vérité* si bien *montrée* qu'on a besoin d'appeler l'Esprit sur elle pour la couvrir comme Malebranche avait besoin de l'Esprit de Dieu pour couvrir toutes ses contradictions (je puis vous donner la référence...) ou comme Bossuet et Leibniz avaient besoin de la Providence pour couvrir toutes les saletés de l'histoire humaine! Et quant aux précautions, parlons-en! Nous, Mounier, détenteur du Vrai, ou à défaut de l'Esprit de Vérité, publions un texte et un article, et nous prendrons toutes mesures pour qu'on ne s'en serve pas contre nos vœux. Qui, on? Mais c'est Mounier lui-même qui s'en sert, et comment! Et selon ses vœux, c'est-à-dire contre nous. Sinon l'article d'*Esprit* serait déposé dans un no man's land, quelque part en cachette comme l'énergie atomique, et nous monterions la garde, nous Mounier, autour de ce dépôt sacré pour qu'il serve à fertiliser les déserts et non à faire sauter le monde! Le mal est fait, vous entendez, l'utilisation est faite, vous entendez, et tout ce qui sera écrit par Mounier n'a d'autre but que justifier sa mauvaise conscience, de faire de son hypocrisie et son chantage un témoignage de vérité et de générosité. C'est pour cela que je dis que Mounier est un salaud, parce qu'il nous trahit certes mais surtout parce qu'il n'a pas le courage de penser ce qu'il fait — ou plutôt il lui arrive dans ce chapeau d'avoir un instant de courage quand il dit : les « crimes » du communisme, les « saletés » du communisme, mais alors nous savons à qui nous avons [affaire], à un ennemi, à quelqu'un qui *librement* se déclare notre ennemi, et nous reconnaissons toujours le courage de nos ennemis quand nos ennemis ont le courage de leurs actes et de leurs opinions, et notre manière de les reconnaître c'est de les combattre, c'est-à-dire de leur rendre la monnaie dont ils nous paient. J'en appelle à vous, Jean Lacroix, du plus profond de notre amitié, et au nom de tous vos anciens élèves devenus vos amis qui sont dizaines et qui pourraient signer cette lettre de leur nom si je ne vous la réservais comme la lettre qui répond à un grave débat présent, encore privé entre nous, et que je ne me reconnais pas le droit d'étendre sans vous avoir entendu. J'en appelle à vous et vous demande de relire encore le chapeau de Mounier, de bien peser ces raisons hâtives que je vous soumets aujourd'hui; j'en appelle à vous et vous demande : acceptez-vous cette ignominie et ce chantage, acceptez-vous cette trahison et ces mensonges?

3. Et maintenant parlons un peu de votre livre, et de philosophie, puisque c'est par la philosophie que vous justifiez un certain nombre d'attitudes et de jugements. Parlons de votre livre d'abord, et de cet article sur l'homme marxiste dont je vous ai dit un jour qu'il était un peu « idéaliste » à sa fin. Cette fin où vous disiez que le marxisme produisait des hommes remarquables mais pas des saints a disparu [a] et vous la remplacez par une critique dont il faut que je vous entretienne. Tout se joue en effet à la page 42 où vous ouvrez les vannes et où vous parlez de votre voix après avoir prêté votre voix aux marxistes. Ce n'est pas moi qui vous fais dire, vous dites vous-même : « il y a une certaine malhonnêteté intellectuelle à parler de l'homme marxiste quand on n'est pas communiste soi-même, quand on ne milite pas dans une cellule [b]. » C'est vraiment là une phrase qui nous touche, et qui est lourde de sens et dont je vous remercie. Ce qui est encore plus touchant c'est que malgré votre isolement vous êtes parvenu sur des points très importants, sur presque tous les points – sauf un – à une intelligence profonde du marxisme qu'on chercherait en vain chez Mounier, ou même chez Desroches [c] (sur le vu de quelques textes de lui). Mais ce qui est vraiment extraordinaire c'est cette fameuse page 42 et ce qui la suit, ce qui est extraordinaire c'est de voir avec quelle intelligence vous avez pénétré des points difficiles du marxisme et avec quelle légèreté vous le critiquez. Pour si bien défendre l'homme marxiste, pour si bien l'*entendre*, il faut une pénétration de l'intelligence qui ne va pas sans un minimum d'adhésion, et on reste ébahi de voir avec quelle légèreté vous abandonnez des raisons qui paraissaient quasi vôtres à vous voir les défendre si bien. Je ne prends qu'un exemple, celui de l'*idéal* ou de la *fin*, cf. page 21 : « pour le marxiste comme pour le chrétien, ce qui fait la bonté du moyen c'est l'imminence et la présence en lui du but » – ce qui est une excellente définition que votre note [d] démolit immédiatement et que votre objection de la page 45 [e] sur le jugement de valeur impossible dans l'histoire remet complètement en cause ; tout se passe donc

comme si vous n'aviez rien dit, ou comme si l'évidence de votre définition était d'emprunt. En tout cas votre réfutation tombe exactement sous le coup de la critique de l'idéalisme des valeurs que vous avez développée dans votre article. C'est donc que vous avez développé les raisons de Marx sans y adhérer. Je ne crois pas les choses si simples : vous y avez adhéré, je le pense vraiment, et chaque fois que vous revenez à Marx on sent qu'il vous tient à cœur, mais si vous adhériez pleinement à Marx on voit bien que vous devriez renoncer à un certain nombre de pensées auxquelles vous tenez par-dessus tout et qui vous semblent sacrifiées dans Marx. Tout le problème consistait donc à trouver dans Marx une faille par où échapper à la rigueur et à l'évidence de Marx, ou mieux, *une faille dans la rigueur de Marx pour échapper à son évidence.* Par bonheur cette faille, c'est Hyppolite qui vous l'apporte, ou plutôt (pardon) qui vous confirme dans son existence.

Ici je crois à l'utilité de l'amitié, et vous y croirez aussi, si je puis vous montrer que cette faille n'existe pas, qu'elle a été inventée, qu'elle est partout où vous voulez mais ni dans Marx ni dans le marxisme. Voyez votre note de la page 23 [a] et votre critique des pages 42 sqq., et vous comprendrez mon propos. (Je reprends cette lettre dans une petite maison du Limousin où je suis venu prendre quelques jours de repos – c'est la bruine et la boue – mais venons au fait.) Voici donc où est le « malentendu », et pour cela prenons pour départ le texte d'Hyppolite qui vaut son pesant de « méprise » (page 23)! C'est le fameux problème de la fin de l'histoire, et de l'aliénation. Le marxisme, dit Hyppolite, veut supprimer l'aliénation. Une fois l'aliénation supprimée, l'homme rentre en possession de son « essence sociale », il ne peut plus y avoir d'histoire, car histoire = dialectique = opposition = aliénation; et vous faites écho à cette réflexion (page 44) : « la disparition des aliénations entraînerait la fin de l'histoire ». Le plus drôle est qu'Hyppolite éclaire lui-même sa propre bévue, mais sans le voir! « *A un moment donné de l'évolution Hegel a pensé comme Marx à une fin de l'histoire...* » (page 23). Rétablissons les faits si vous le voulez dans leur innocence :

1) Marx n'a jamais parlé de « *fin de l'histoire* » et *absolument rien* dans son œuvre ne permet de lui prêter cette pensée. *Ni le mot ni le concept !* Bien au contraire vous connaissez cette phrase de Marx et Engels où il est dit que grâce au communisme (et donc à la fin des aliénations) l'humanité « passera de sa préhistoire à l'*histoire véritable* [a] ». Voilà donc des violons à accorder.

2) Par contre Hegel, du moins dans la *Phénoménologie* (période que vise l'allusion d'Hyppolite), pense constamment dans la *fin de l'histoire* et il l'exprime clairement dans le chapitre sur le savoir absolu. Et ce n'est pas hasard qu'il se trouve conduit devant ce problème (auquel Kojève [b] a été particulièrement sensible) parce que pour lui l'histoire est l'épiphanie et la croissance de l'Esprit Absolu, qui ne peut se posséder dans sa vérité que s'il s'est aliéné tout entier pour pouvoir se reprendre tout entier dans la forme de la conscience de soi : cette aliénation de l'Esprit absolu c'est donc le fait de *sortir de soi*, d'exister dans l'*extériorité*; se retrouver soi-même, se ressaisir soi-même dans l'extériorité de l'aliénation, c'est donc à la fois le destin et la vérité de l'Esprit Absolu, du Sujet Absolu qui pour être plein, *vollkommen*, a besoin d'exister comme extériorité (aliénation), mais pour reprendre dans l'intériorité de la conscience absolue sa propre substance aliénée. *Aliénation* chez Hegel a donc un sens précis : c'est l'existence de la *Conscience de soi absolue* dans l'*extériorité*, l'existence de la conscience de soi absolue *hors d'elle-même*, dans la nature, et dans l'histoire, dans la Nature, dans les êtres, dans l'homme empirique, dans l'homme historique, dans les conflits de l'histoire, dans le développement de l'histoire. Et comme toute la nature est pour l'histoire (l'Esprit), *l'aliénation c'est donc l'histoire dans sa totalité* (comprenant aussi la nature comme moment abstrait). On a donc bien : *fin de l'aliénation* = fin de l'histoire (je n'insiste pas sur les absurdités d'une telle conception — mais je voulais montrer seulement le contenu de cette *aliénation*. Quand Hyppolite dit : « Hegel a pensé comme Marx à une suppression effective de l'aliénation de l'homme », c'est un abus de langage et une équi-

voque; l'aliénation selon Hegel est l'existence de la Conscience de soi absolue dans l'extériorité ou dans l'objectivité de l'Histoire et de la Nature, ce n'est pas telle « aliénation » de l'homme [1] – autrement dit Hegel pense l'aliénation en référence à la conscience de soi absolue, alors que Marx parle de l'aliénation du prolétaire de 1848; pour moi je veux bien discuter de l'aliénation de cette conscience de soi absolue quand je pourrai inviter la dite conscience à prendre un verre.)

3) Donc : pas de fin de l'histoire chez Marx; mais fin de l'histoire chez Hegel en 1807 et pour des raisons qui tiennent à sa conception de l'histoire, comme Aliénation de la Conscience de Soi Absolue. Tour de passe-passe d'Hyppolite : pour montrer que Marx aboutit à la fin de l'histoire, *il suffit de prêter à Marx la conception hégélienne de l'aliénation*! Savourez le sel de cette petite phrase : *« Hegel a pensé comme Marx... »*, elle veut dire en réalité : « moi, Hyppolite, je pense que Marx a pensé comme Hegel ». Ici je crois qu'il n'est pas besoin de longs discours pour comprendre que par *aliénation*, (lorsqu'il emploie ce mot, et il l'emploie de moins en moins avec l'âge, car c'est un terme hégélien et feuerbachien et Marx le dit lui-même, cf. préface du *Capital* [a] « J'ai employé par coquetterie un vocabulaire hégélien dans le temps où on traitait Hegel de " chien crevé " – mais ce que je dis n'a rien à voir avec Hegel [2] »), Marx entend tout autre chose que le contenu de l'aliénation hégélienne. Chez Marx l'histoire n'est pas l'*aliénation* de je ne sais quelle conscience de soi absolue (ni à plus forte raison la nature); l'histoire est le produit de l'activité des hommes, de leur activité totale; que les hommes soient « aliénés » ou pas, l'histoire est toujours le produit de leur activité, et leur réalité, leur vérité humaine. L'histoire *n'est donc jamais l'Aliénation* de qui que ce soit : l'air que

1. L'homme empirique et historique est lui-même une partie, un moment de cette aliénation de la conscience de soi absolue.
2. Vous apprécierez à ce sujet le mot de Laurent Casanova à un brillant philosophe, membre du parti : « Tu nous emm... avec ton aliénation! » [Alors membre du bureau politique du PCF et responsable des intellectuels, Laurent Casanova joua un rôle de tout premier plan dans la propagation de la théorie des « deux sciences » : « science bourgeoise/science prolétarienne » *N.d.E.*]

l'homme respire, l'air dans lequel l'homme a la vie et le mouvement n'est pas l'Aliénation (à moins d'être l'Aliénation de je ne sais quelle conscience transcendante qui consentirait à *s'aliéner* dans l'existence « air », c'est-à-dire à se perdre, à être autre que soi, on ne sait par quelle fantaisie ! – à plus forte raison l'air n'est pas l'aliénation de l'homme !), bien moins encore l'histoire est l'aliénation de l'homme puisqu'elle est son produit, le lieu de ses plus hautes activités, ce dont il vit, ce dans quoi il vit, ce par et pour quoi il vit. Pour Marx l'histoire n'est donc ni l'Aliénation de Dieu (ou de quelque Conscience de Soi absolue) ni l'aliénation de l'homme, mais *la production par l'homme de sa propre vie* (dans tous les sens du terme) ; si la réalisation de l'homme par son travail et ses luttes et sa pensée est son *aliénation*, je veux bien être pendu, et vous accepterez de l'être avec moi, mais je veux entendre avant la corde qui donc peut bien s'aliéner dans cette réalisation ? Suffit donc. Quand Marx parle d'aliénation il n'a donc pas en vue l'histoire, ni l'existence historique, ni la « contradiction », ni la « tension », ni tout ce que vous voudrez du même ordre, historicité tragique de la vie et tutti quanti. Marx a en vue *la part de l'histoire qui à un moment donné est ravie à l'homme qui la produit*, à l'homme « empirique », à l'homme « réel » ou à « l'existant » comme vous voudrez, et qui est donc *frustré réellement par d'autres hommes de ce qu'il produit réellement, et donc de sa propre réalisation en tant qu'être humain doué de capacités effectives mais détournées*. L'aliénation est un concept économique, dans un sens large, c'est si vous voulez la description de la plus-value dans un sens large, *de ce qui est ôté aux hommes de leur production réelle* (matérielle ou spirituelle – étant entendu que c'est la production matérielle qui est « conditionnante » : on n'y peut rien c'est comme ça, comme de naître, de pisser, de dormir, d'avoir deux bras et besoin de manger) *et de ce qui est ôté aux mêmes hommes de développement réel de leur personnalité* dans un régime économique déterminé (le capitalisme ici). Ces deux côtés vont ensemble : le prolétaire est aliéné

a. en ce que le patron lui vole le plus gros de sa production réelle,

b. en ce que ce vol empêche le prolétaire d'avoir droit aux biens que lui et ses frères produisent, aux biens matériels, spirituels, à l'école, à la culture, aux loisirs, bref au développement de ses aptitudes réelles selon les possibilités techniques de la science et de la culture de son temps ; à l'activité politique, à la direction et la délibération des affaires, à sa dignité d'homme qui n'a rien de métaphysique, à la *réalisation de sa nature* humaine, qui n'est pas une « essence » abstraite mais ce que cet homme existant à telle époque pourrait concrètement devenir si la société lui rendait ce qu'elle lui prend.

Vous voyez comme nous sommes loin de la fin de l'Histoire ! Car *la fin de l'aliénation selon Marx, c'est de rendre à l'homme qui fait l'histoire la part entière de l'histoire qu'il fait, c'est-à-dire son existence historique réelle, c'est-à-dire la possibilité pour lui de se développer et d'être à même de faire librement, par son libre consentement éclairé, l'histoire qu'il faisait dans la nécessité et la nuit.* Si je me suis bien expliqué je crois que nous pouvons relire ensemble le petit texte d'Hyppolite et rire ensemble de sa « profondeur », et peut-être mettre au point certain débat que vous croyez discerner chez les marxistes sur le problème de l'« aliénation » d'après la Révolution. Quand notre docteur dit : *« La dialectique hégélienne maintient toujours au sein de la médiation la tension de l'opposition, la dialectique réelle de Marx travaille à la suppression complète de cette tension* [a] *»*, nous sommes vraiment dans la nuit où toutes les vaches sont noires ! Des mots en face de mots ! Pour la chose, on repassera. Quelle est cette tension ? Pour Hegel et Hyppolite elle est métaphysique et on ne sait vraiment pas de quoi on parle, sinon qu'il *faut* parler de *tension* pour faire passer la leçon. *Quelle « suppression complète » ?* Bien sûr Marx est pour la suppression complète non de la *tension* (?) mais de l'aliénation des prolétaires à qui les capitalistes arrachent leurs produits et leur être historique et social, leur être humain ! Est-ce à dire que les voleurs supprimés le volé va s'évaporer ? Le prolétaire libéré n'aura plus de « tension » ? Il n'aura plus de besoins ? Il ne travaillera plus ? Il n'aimera plus ? Il n'écoutera plus de musique ou n'essaiera plus d'en écrire? Quelle blague! Je dirai plus : c'est alors, dans la liberté, que la « tension » authentique sera rendue au prolétaire, et pour parler français disons : c'est alors que le prolétaire accédera *de plain-pied* aux *problèmes* réels de sa vie, aux problèmes de la vie de ses frères, de ses enfants, aux problèmes de l'histoire qui sera son histoire; c'est alors que l'homme découvrira en lui une foule de besoins étouffés par le capitalisme, le besoin de musique, de neige, de mer, de culture, d'invention, d'histoire, que sais-je! C'est alors que l'homme libéré ne sera que sa *vie,* directement et pleinement, sera « le mouvement même de la Vie » (dixit Hyppolite) et non plus cet être limité, étouffé, écrasé. C'est alors qu'il retrouvera cette unité profonde qui donnera un sens à son activité naturelle et réconciliera l'histoire et la nature dans l'homme, où il n'y aura plus de distance entre le travail (pour la production de la vie) et l'histoire, où le pseudo-problème de l'« aliénation naturelle » sera remis dans sa perspective véritable, celle d'un monde où l'homme n'a plus besoin d'être exploité par l'homme pour conquérir, par son activité naturelle et historique, sa vie sur la nature dont il est issu. C'est donc bien au passage de la préhistoire à l'histoire que le communisme nous fait assister, au passage d'une histoire faite dans l'abrutissement et l'inhumanité, à une histoire faite dans la liberté et la vie. La dialectique, dormez en paix, hégéliens de dessus la terre, ne disparaîtra pas, mais elle sera le partage de tous les hommes *dans sa vérité* et *dans leur vérité*, au lieu d'être la propriété d'une Conscience Absolue insaisissable incarnée par la grâce de Dieu et pour le malheur des prolétaires dans les méditations des professeurs de philosophie agrégés de l'université. Elle aura un autre contenu, son vrai contenu, le contenu de la vie des hommes libérés. Je ne vous étonnerai pas en disant : elle a déjà un contenu vrai chez les prolétaires qui luttent et qui savent pourquoi ils luttent dans le parti; je vous étonnerai peut-être en disant : les communistes russes ont déjà réfléchi à ce problème de la modification disons de la « dialectique » dans leur société libérée, et vous trouverez d'utiles indications sur ce point dans l'article de

Jdanov sur l'histoire de la philosophie (texte admirable en tous points dans *Europe*, novembre 1947 [a]). Je cite : « *Dans notre société soviétique où sont liquidés les antagonismes de classes, la lutte entre l'ancien et le nouveau, et par suite l'évolution de l'inférieur vers le supérieur, se produisent non sous la forme de luttes de classes antagonistes, et de cataclysmes comme c'est le cas dans le capitalisme, mais sous forme de critique et d'autocritique qui apparaissent comme la véritable force motrice de notre société...* », et Jdanov critique les philosophes de l'URSS qui ne s'en sont pas souciés : « *Cependant il y a longtemps que notre parti a trouvé et mis au service du socialisme cette forme particulière (la critique et l'autocritique) de découverte et de dépassement des contradictions de la société socialiste (ces contradictions existent et les philosophes ne veulent pas en parler par lâcheté)* [b]. » Je vous livre ces textes qui peuvent rassurer plus d'un hégélien, d'où l'on pourrait tirer toute une série de remarques pour une « philosophie » de la réflexion qui ne serait pas « réflexive », et qui nous montrent vivantes les vérités que Marx a su déceler dans son temps et annoncer pour l'avenir proche dont son temps était gros. Et je crois que nous pouvons clore ce chapitre sur la fin de l'histoire en nous réjouissant ensemble de ce que l'histoire continue, de ce que Marx n'était pas Hegel, de ce que Staline et Thorez ne sont pas Hyppolite – à moins de regretter que l'argument nous ait « cassé » entre les doigts, et qu'il en faille trouver d'autres, moins brillants, mais moins légers.

4) Il est vrai que vous avez encore une raison contre Marx, et il faut l'examiner : c'est le fameux problème du jugement historique et du jugement sur l'histoire. Ici encore je suis frappé de votre intelligence de Marx et de votre légèreté dans la critique. Il suffit d'opposer à votre argumentation propre ce que vous exposez de Marx pour que vos raisons tombent. Mais si cela n'est pas évident, prenons la chose sous un autre angle.

Le problème du *jugement sur l'histoire* est important pour vous dans la mesure où vous accusez les marxistes d'en être coupables quand ils parlent de la *fin de l'histoire* : or ils n'en parlent pas nous l'avons vu, et vous ne pouvez donc pas les accuser de faire leur petit Bossuet dans leur conception même de l'histoire. Vous ne pouvez donc pas les accuser de prononcer de Jugement de Dieu sur l'histoire. Soyez tranquille : ils laissent à Dieu le jugement de Dieu, et ne souhaitent qu'une chose c'est que tous les hommes, marxistes ou non, et vous-même, en fassent autant. (« Ce n'est pas le jugement historique mais le jugement de Dieu, – et bien entendu avec toutes les chances d'erreurs humaines », page 45. Merci!)

Il y a donc pour vous deux types de jugements en ce qui touche l'histoire :

1. Les jugements *sur l'histoire*, qui considèrent l'histoire comme finie, et (ou) jugent au nom d'une valeur transcendante : « jugements sur l'histoire c'est-à-dire jugements *transcendants au devenir* » (page 45).

2. « *Les jugements historiques immanents au devenir* » (page 44) : exemple les jugements historiques des marxistes : des « jugements de faits qui relèvent de la constatation historique » et même des jugements d'anticipation pour l'avenir immédiat. Très bien – exemple : « on peut dire que la Révolution française, la démocratie, le marxisme, etc. ont été ou vont dans le sens de l'histoire » (page 44). Voilà qui est excellent, car si vous êtes vraiment convaincu que dire « la Révolution française a été dans le sens de l'histoire », que beaucoup de nos adversaires tiennent pour un jugement de valeur, est un jugement de fait « immanent au devenir », nous allons vite nous entendre.

Mais votre texte nous réserve des surprises désagréables, deux surprises désagréables. Je vous les livre :

a. Page 44, nous vous voyons critiquer le marxisme parce qu'il est « une théodicée », qu'il juge l'histoire au nom « d'un idéal transhistorique ». On pense : tout cela est excellent parce qu'il faut donc se limiter à des jugements immanents au devenir, ce que font chaque jour les marxistes – et parce que tout jugement transhistorique est mauvais. Or, page 45, désillusion : on apprend qu'on peut porter sur l'histoire des jugements « transcendants au devenir », qui « s'efforcent d'être le jugement de Dieu ». Tout notre bonheur croule : en somme cela revient à dire : il n'est pas défendu de porter sur l'histoire le jugement de Dieu, c'est même recommandé – et comme les marxistes se voyaient condamnés pour le faire (dans votre esprit), on est bien obligé de conclure qu'ils n'étaient pas coupables pour avoir porté le jugement de Dieu, mais pour avoir porté un faux jugement de Dieu! Ce qui nous jette dans des profondeurs insondables : *comment le jugement de Dieu peut-il être faux ?* S'il est faux (mais comment savoir qu'il est faux sans être Dieu?), c'est qu'il n'est plus de Dieu, et le voilà qui redescend dans l'histoire comme un jugement historique, une erreur historique sur le jugement de Dieu. S'il est faux c'est donc qu'il n'a pu être un jugement sur l'histoire : quand les marxistes veulent prononcer le jugement de Dieu, ils se trompent, *mais ils ne le savent pas*! Rassurez-vous, ils le savent. – Mais j'ai peut-être forcé vos textes : l'erreur des marxistes serait plutôt (page 44) de croire que *« l'histoire est le jugement de Dieu »*; alors de deux choses l'une. Ou bien l'histoire n'est pour eux que la réalité de l'histoire et les jugements « immanents au devenir » qu'ils portent sur elle, et à ce titre l'histoire ne peut être le jugement de Dieu puisque ce jugement de l'histoire n'est pas un jugement transcendant ni pour eux, ni pour vous – de sorte que les marxistes pécheraient par *omission*, en ce qu'ils ne font pas appel à autre chose qu'à des jugements historiques, et négligent de porter des jugements « transcendants au devenir », et ma foi ils se trouveraient bien à l'aise de ce reproche. Ou bien « l'histoire » dont ils parlent est non un jugement immanent mais un jugement de Dieu, un jugement « transcendant au devenir », et en ce cas ils ne pèchent plus par omission, Dieu merci, ni par fausse attribution, mais ils pèchent en ce que le vrai jugement de Dieu n'est pas l'histoire (Bossuet et toute une belle lignée de théologiens, les plus grands à commencer par saint Augustin croyaient pourtant que l'histoire est le jugement de Dieu, et la théodicée...), ou bien en ce que le contenu de leur jugement historique ne recouvre pas le jugement de Dieu – lequel est par contre recouvert par un profond mystère. Croyez que je ne ris pas ici des « choses sacrées » ni du sens de votre recherche et de votre réflexion, mais je tâche de dire tout haut les contradictions de votre texte, que vous subissez plus que vous ne les voulez, je l'espère bien.

b. *La deuxième surprise désagréable*, page 45. On apprend : qu'il y a des jugements « transcendants au devenir » ou jugements de Dieu. On donne en exemple : le jugement de valeur, qui ne peut exister qu'en référence non à un fait mais à une « norme transcendante ». Je ne force rien, je pense, en disant : *les jugements de valeur sont des jugements de Dieu* (vous revenez : il y a les faits qui conditionnent l'action, et les valeurs qui l'orientent) ou si vous préférez *« des jugements sur l'histoire qui s'efforcent d'être des jugements de Dieu »*. Nous reviendront sur le « s'efforcent ». Pour l'essentiel votre position est intenable : tout le monde porte des jugements de valeur, tout homme qui agit, et vit dans la mesure où l'homme doit anticiper sa vie s'il veut vivre ; Hitler aussi portait des jugements de valeur et sur les tchèques, et sur les juifs, et sur les chrétiens et sur les communistes : c'étaient des jugements de Dieu ? Il « s'efforçait » au jugement de Dieu ? Bossuet l'eût dit, et Leibniz et bien d'autres, mais qu'eussent-ils fait sinon encore une fois [faire] de l'histoire une théodicée, de l'histoire tout entière le jugement de Dieu, que vous reprochez à crime aux marxistes ? Aussi quand vous prenez Lukács [a] à partie, c'est contre vous que se retourne ce brave vieillard. « Si on juge le caractère " héroïque ou ignoble " d'un homme, cela ne peut se faire que par référence à une norme transcendante », dites-vous, mais bien sûr, et cette norme transcendante c'est le mouvement de l'histoire dont vous dites (page 44) qu'il peut être l'objet d'un jugement « historique ». *Le mouvement de l'histoire est réel, est un fait, mais transcendant au « caractère »* (ce n'est pas d'ailleurs un mot très heureux et je doute qu'on ait bien traduit Lukács ici) d'un homme qui a reçu ses problèmes de l'histoire, les conditions et les moyens de son action de l'histoire, et est jugé par l'histoire en fonction de ses actes historiques. C'est l'histoire qui donne la règle du jeu (je dis jeu pour la clarté, car ce n'est pas un jeu mais une terrible épreuve), c'est en fonction de cette règle que le joueur est jugé. Que reprochez-vous à Lukács ? Le jugement que l'histoire porte sur Hitler ou Trotski ou Staline n'est qu'un jugement historique, ce n'est pas un jugement de Dieu, c'est un jugement qui ne s'élève pas au-dessus du domaine où il est valable, c'est-à-dire pour un marxiste l'*histoire*. Quand nous disons que Hitler était un criminel ou Trotski un traître, ou Pétain, etc., nous prononçons un « *jugement historique* », nous ne disons pas : *Hitler, etc., seront damnés*, nous disons : Hitler, etc., a affronté l'histoire et a essayé de détourner son mouvement contre les hommes, Hitler a menti à son peuple, a asservi l'Europe, a tué, etc. Le jugement que nous portons sur lui est le jugement que l'histoire porte sur lui à travers la révolte de ses victimes, l'asservissement de son peuple et du nôtre, sa défaite aussi [1] et la liberté reconquise par les peuples asservis. Nous restons *dans l'histoire*. Libre à Dieu s'il existe et le veut de damner ou de sauver Hitler, ce n'est pas notre affaire. Vous accorderez qu'il n'est pas très honnête de vouloir faire dire à ses adversaires – ou à ses amis – ce qu'ils ne disent pas, de vouloir leur faire dire ce qu'ils ne font pas, de pratiquer sur eux une technique d'aveux ou de conversion forcés pour la plus grande gloire du jugement de Dieu ou d'une théorie personnaliste de la transcendance qui est aussi vague et insoutenable que les thèses de vos amis sont précises et rigoureuses. Et si je vous entends mal, je vous demande de me reprendre comme je le fais, sans ménagements.

Quelle est en effet la pensée positive qui soutient vos critiques ? Voici vos propositions :

I. « Sans la durée humaine, il n'y aurait pas d'histoire du monde ; mais sans l'éternité divine, il n'y aurait pas d'histoire de l'homme » (page 74).

II. « L'homme... a référence à l'éternité, c'est même là la définition de tout esprit... S'il veut se mettre à la place de

---

1. Sa victoire, s'il eût vaincu, ne l'eût pas empêché d'être un *criminel* pour nous et pour vous.

l'éternel, il n'en donne qu'un mime qui le schématise et le trahit... *Le transcendant*... n'est pas *au bout* de l'immanent, *mais en quelque sorte ce qui le constitue, le consolide du dedans et lui donne son sens. L'éternité n'est point pour nous une évasion hors du temps, mais ce qui juge l'histoire en lui fournissant une signification* » (pages 62-63).

III. « *Le temps* n'a de signification que par *la présence en lui de l'éternel* : si nous comprenons le temps et sommes capables de le dominer tout en vivant de lui, *c'est que nous le dépassons... Il n'y aurait pas d'histoire pour un être purement historique* » (pages 46-47).

Il y a là une série de contradictions et d'obscurités. L'éternité est ce sans quoi il n'y aurait pas d'histoire humaine. Nous savons, ou croyons savoir ce qu'est l'histoire. Quant à l'éternité, nul ne l'a vue, comme dit saint Jean, sauf le Fils. Enfin, parlons-en, usons du mot. Quel est son contenu ? L'éternité n'est pas *à part,* mais dans le temps : 1. « Ce qui le constitue... » ; c'est sa « présence » dans le temps qui... 2. « Ce qui juge l'histoire en lui fournissant une signification. » Si l'éternité est dans le temps, le constitue, est le « requisit » de l'histoire, tout homme qui est dans le temps et vit l'histoire est donc soumis à l'éternité ; vous-même, le religieux, le marxiste et l'hitlérien. Mais cette « présence » pour être vécue par tous n'est peut-être pas perçue, connue de tous. Cette « signification », ce « jugement de l'histoire » qui est pourtant la condition de l'histoire pour tous, tous n'y parviennent peut-être pas. Voyons donc qu'elle est cette « signification » qui est le dernier mot de l' « éternité ». « Le temps n'a de signification que par la présence en lui de l'éternel : si nous comprenons le temps et sommes capables de le dominer tout en vivant de lui, c'est que nous le dépassons... » Que voulez-vous, tout ceci est bien décevant : si l'éternité c'est pour l'homme « dominer le temps », le « comprendre » tout bonnement, nous sommes dans l'éternité comme M. Jourdain dans la prose ; quand il sut qu'il était dans la prose, M. Jourdain ne se mit pas à parler en vers. Si au contraire l'éternité c'est comprendre le temps *d'une certaine façon,* et différente de la commune manière qu'ont les hommes de dire : « demain il fera beau », ou « la guerre américaine nous menace », ou « je veux l'empire mondial par le plan Marshall ou la guerre », c'est *autre chose*, mais *il faut le dire* [1]!! Si l'éternité c'est comprendre que toute intelligence du temps, toute domination du temps (ou même comprendre une phrase comme vous le dites) est la présence de l'éternité dans le temps, si l'éternité c'est comprendre que c'est l'éternité, nous sommes dans le vide et au rouet, car pour comprendre le rôle (ou le sens) de l'éternité dans notre domination du temps, ne faut-il pas dominer le sens de l'éternité et ainsi de suite? C'est l'histoire d'Hitler et de Mussolini dans *Le Dictateur* : qui veut dominer le dominé finit par se cogner la tête au plafond — hélas il n'y a pas de plafond dans notre demeure philosophique! J'ai l'air d'avoir la part belle, mais je crois que ceci est sérieux : à partir du moment où vous voulez loger l'éternité dans le temps, c'est-à-dire concrètement lui donner *un contenu,* ce contenu est universel, et se confond avec un concept courant (ici *la pensée* pour être simple : l'homme est un être qui pense et en cela il est éternel), mais qu'ajoute de réel l'éternité au concept? Si l'éternité est ce qui fait que l'histoire *est,* l'histoire telle que les hommes « la comprennent », l'éternité change autant le sens de l'histoire que l'étonnement de Roberval, qui découvrit après Torricelli que les hommes vivaient « écrasés sous une masse d'air qui leur pesait sur la tête », changea la respiration de ses contemporains et leur sommeil et leurs échanges gazeux. Celui qui eût expliqué aux nazis qui attaquaient Stalingrad, et aux communistes qui la défendaient, que c'était l'éternité qui leur permettait d'être des êtres historiques capables d'histoire, n'eût rien changé à l'attaque et à la défense... Baptiser éternité ce qui est dans l'homme intelligence du temps, c'est changer le nom d'une rue sans changer son emplacement ni ses habitants, c'est une petite réforme postale et une petite cérémonie municipale. J'entends bien que vous avez *autre chose* en tête, mais vous ne

---

1. Il faut montrer, énoncer ce nouveau contenu. Le faites-vous?

voulez pas renoncer à retrouver l'éternité dans le temps, bien mieux dans la nature de l'homme et de tous les hommes, c'est-à-dire vous ne voulez pas renoncer à ce qui fait aussi votre nature d'homme, et qui pense, vous *ne voulez pas renoncer à l'universalité et à l'évidence concrète de ce que vous tenez pour la vérité,* et c'est pour cela que vous écrivez, publiez, m'écrivez, parlez, et voulez montrer dans l'*acquis* et le reconnu de la vérité de tous les hommes, la présence de la vérité que vous défendez. Il faudrait peut-être méditer cet avatar de votre éternité qui passe inaperçue quand elle se mêle aux hommes ou aux concepts, qui se mêle si bien à eux par votre faute qu'on est bien empêché de mettre la main dessus et qui se fond en eux comme l'eau dans l'eau ou l'air dans l'air. Et il faudrait peut-être se demander « par la présence de quoi » l'homme qui pense (par la présence de l'éternité) veut à toute force que l'éternité soit reconnue comme vérité universelle dans le contenu même de sa vie, et par la présence de quoi cette éternité s'évapore dans l'universalité d'une pensée qu'elle conditionne. Cela pour dire : *vous ne sortez pas du cercle.* 1. Ou ce transcendant est le sens même de ce que tous les hommes pensent, la prose de M. Jourdain, un « requisit » terriblement modeste, et l'on ne s'étonnerait guère de tout ce fracas dans un ciel limpide. 2. Ou ce transcendant a un contenu auquel vous aspirez, et tenez par les forces de l'âme — et je crois que vous y tenez —, mais un contenu si « transcendant » qu'en toute rigueur vous ne pouvez que l'ignorer, que *même votre aspiration et votre recherche ne peuvent être le signe et la caution* (nul n'a vu Dieu disait Jean, et Kierkegaard ne voulait même pas se dire *chrétien*) *de ce contenu auquel vous aspirez* — dans ce cas le jugement de Dieu est entre les mains de Dieu et nous ne sommes même pas à ses pieds, et *je ne vois pas comment vous pouvez parler des « chances d'erreurs humaines » puisque l'erreur n'a pas de sens quand on ne peut la mesurer à la vérité* — et vous voyez bien qu'*alors cette aspiration n'est même pas preuve de soi, et cette éternité est l'anéantissement de tout sens, à commencer par le sien,* et la condition de l'absurde absolu (ou plutôt même pas car l'absurde a encore un sens, quoi que vous disiez). 3. Ou ce transcendant a un contenu assignable, c'est-à-dire vous pensez qu'il existe des valeurs qui doivent éclairer l'histoire, qui doivent être la loi intérieure de l'histoire, à la fois présentes en elle et dominantes, mais alors dites-le, nommez-les, et *confrontez-les avec l'histoire* où elles sont, sérieusement, honnêtement, sans vous dérober dans une éternité qui ne serait pas « *présence* » dans le temps et « *constitution* » de l'histoire; « incarnez-les » si besoin était, mais elles sont déjà « incarnées » selon vous — mais là vous retomberez dans votre 1, c'est-à-dire que vous retomberez (ce n'est pas une chute) parmi les hommes, dans l'histoire dont on ne s'évade pas puisque, si le transcendant n'est pas *au bout,* il n'est pas non plus *à côté*, comme on voit dans les tunnels des petites niches pour les ouvriers qui regardent passer le train quand ils ne sont pas dedans pour ne pas se faire écraser par lui. 4. Reste alors cette tentative désespérée de dire : l'éternité c'est non seulement le fait d'avoir un sens mais un sens déterminé, propre, transcendant, « spirituel », qui est dans l'histoire et dans le jugement de Dieu, dans l'histoire où vous, les hommes, ne le voyez pas, dans le jugement de Dieu que moi Mounier je prononce (avec les garanties d'erreur, et les risques, mais *cette déclaration sur les risques ça les annule*!!, c'est ma police d'assurance, vous savez bien qu'il suffit de connaître les « conditionnements » pour « en être libéré », Jean Lacroix, page 77). Je ne plaisante pas : *j'ai entendu il y a un an* Mounier déclarer à l'École dans une conférence publique [a] qu'il a dû répéter plusieurs fois qu'*on pouvait écrire deux histoires de Munich* : une histoire-historique « du genre de celle que les marxistes peuvent faire » — et une « *histoire-spirituelle* bien plus importante, sur le sens spirituel de Munich »; je dois à la vérité de dire qu'il y avait dans le public — ahuri — un conscrit [b] naïf qui a posé des questions et demandé à Mounier comment il concevait cette seconde histoire. Mounier était plus qu'embarrassé, il a fait des réponses aussi vagues que vous pouvez les imaginer. Vous entendez : une histoire spirituelle de Munich!!! C'est ce qui vous guette et cela me fait de la peine à penser, quand vous dites du numéro d'*Esprit* sur Rajk : « Ce qui me gêne c'est que ce témoignage ait paru dans un contexte qui semble – du dehors – lui donner un sens politique (*et non plus spirituel*) » – je souligne. Vous comprenez tout de même qu'on ne peut pas se moquer du monde plus longtemps. Et quand je dis « se moquer du monde », je pense précisément à ce monde des hommes qui souffrent, à ces millions d'exploités, à ces millions de travailleurs qui produisent notre vie, la vôtre, la mienne, qui font l'histoire, qui sont *dedans* comme votre éternité, qui luttent pour leur vie et leur liberté, qui ont vécu Munich et la guerre, et vivent les trahisons présentes et le dur combat pour leur jeune démocratie, qui ne prononcent pas de jugement de Dieu, mais affrontent l'histoire avec leur simple vie, leur simple expérience, leur seule réflexion, qui à chaque heure sont obligés par la lutte et leur condition de *faire l'épreuve* de leurs vérités humaines, de leur science, le dernier sabotier comme le secrétaire du parti hongrois, de se décider et d'agir en pesant toute la portée de leurs décisions, qui sont matérielles et spirituelles et qui mettent en cause tout ce qu'ils sont – vous entendez, leur simple vie, mais toute leur vie, ils n'ont que ça et ça vaut tous les *cogitos* du monde ; eh bien ce sont des hommes honnêtes, qui ont conquis l'honnêteté dans la lutte et la souffrance, qui ont *éprouvé* leur vérité dans le travail, le sang et la volonté, qui *disent* leur vérité, la montrent, lui donnent des noms humains que tous peuvent entendre, et indiquent à ceux qui n'y sont pas encore parvenus la voie concrète qui les y conduira, et qui les y conduit effectivement, d'où qu'ils viennent – nous sommes des milliers pour en témoigner ; pensez-vous franchement que vous ne vous moquez pas de ces hommes, que vous ne trahissez pas leurs souffrances, leurs luttes et leur noblesse, quand vous venez leur dire : tout ce que vous faites est bien beau, mais il y a dans ce que vous faites un sens qui vous échappe, vous avez vécu l'histoire marxiste de Munich ou de Rajk, je vais vous dire l'histoire spirituelle de Munich ou de Rajk ! Vous allez apprendre à ces hommes la vérité de leur propre vie alors qu'ils l'ont conquise dans des siècles d'efforts! Et s'ils vous laissent parler, qu'allez-vous leur dire? La ferez-vous un jour, cette histoire spirituelle de Munich? Si vous l'avez faite montrez-la! Si vous ne l'avez pas faite, taisez-vous! On n'a tout de même pas le droit de dire aux hommes qu'ils se trompent sans leur montrer la vérité qui leur montrera leur erreur, et sans leur montrer comment ils passeront de leur erreur à la vérité pour les tirer de leur erreur. Vous usurpez des mots qui ont un sens pour les hommes, vous usez du prestige de ces mots, de leur profonde résonance humaine pour tenter de faire passer un contenu que vous êtes non seulement incapables de montrer mais encore de définir pour vous-mêmes, et que seuls ces hommes à qui vous voudriez l'enseigner sont capables de définir à votre place : et ils le définissent ce contenu, et ils vous le montreront, mais il ne sera peut-être pas selon votre cœur. Ils diront que les philosophes et les rois ont toujours fait appel à une « autre » histoire que l'histoire réellement vécue par les hommes, au « sens spirituel », au jugement de Dieu, ou à des concepts mystérieux pour justifier un monde ou une attitude que ces philosophes et ces rois étaient absolument incapables de justifier humainement devant les hommes. Vous savez elle est longue, l'histoire de la θεία μοῖρα [a]. La θεία μοῖρα a couvert les saloperies de Platon, l'esclavage de saint Augustin, les mythes de Malebranche et de Leibniz, la dialectique de Hegel, la politique extérieure de Hitler et ses massacres, elle est devenue maintenant « Esprit de Vérité » et « sens spirituel de l'histoire », elle couvre la politique de Mounier, elle couvrira n'importe quoi, c'est la bonne à tout faire, le recours de tous les imposteurs, elle couvre hélas aujourd'hui vos hésitations elles-mêmes. C'est cela qui me fait mal. Car voyez-vous la θεία μοῖρα ne prend plus, et si vous n'y renoncez de vous-même, de plein gré, je vous demande par honnêteté d'accepter de parler le langage des hommes, d'accepter de partager leur langage et leur vérité comme vous partagez leur pain, non seulement parce que vous *devez* partager leur vérité et leur langage si vous voulez leur faire partager ce qui est le fond de votre vie, mais aussi parce que c'est là *rendre aux hommes ce qu'ils vous donnent*, c'est leur rendre justice. Comme les travailleurs nous donnent le pain, *ils nous donnent la vérité dont nous vivons, ils vous donnent la vérité dont vous vivez,* la vérité dont vous faites votre philosophie, la vérité humaine dont vous faites votre philosophie réflexive, le doute et la croyance, et l'esprit de vérité et le système et l'existence [a]. « Si ton fils te demande du pain, lui donneras-tu une pierre [b]? » Pouvons-nous rendre des pierres à ceux qui nous donnent du pain? Si nous ne sommes pas capables de rendre en pain le blé que nous ont donné les hommes, si nous ne sommes pas capables de rendre en vérité *dont ils puissent se nourrir*, en vérité dont ils voient et éprouvent que c'est *la même vérité*, broyée, tamisée et *levée*, la vérité que les hommes nous ont fournie pour que nous en vivions et la leur rendions, *c'est que nous les avons trahis*. C'est à cela qu'il faut en définitive revenir. Il y a des hommes qui font la vérité, *fondamentalement*, ce sont ceux qui sont au cœur de l'histoire parce qu'ils sont au cœur de la vie et du pain : ceux qui travaillent et qui luttent. Nous, philosophes, nous recevons cette vérité déjà faite, elle nous est parvenue par un long circuit, a passé de main en main; notre tâche est de la remettre dans son état d'origine et de découvrir en elle toutes les implications, toutes les possibilités qu'elle contient, et de la rendre aux hommes qui nous l'ont donnée et nous la donnent dans sa pureté et sa richesse, dans leur pureté et leur richesse. S'ils ne la reconnaissent pas, s'ils ne peuvent s'en nourrir en retour c'est que nous l'avons *falsifiée*, que nous avons transformé le pain en pierre, la vérité en esprit de vérité, le jugement historique en jugement sur l'histoire. Ces hommes, ce sont les prolétaires, et ce sont eux nos juges, des juges humains qui n'usurpent pas la place de Dieu, comme les philosophes le font si souvent, mais qui jugent humainement de la vérité que nous leur servons après l'avoir reçue d'eux, la jugent « à l'usage » comme on juge « à l'usage » si une charrue est bonne. Et ces hommes voyez-vous, aujourd'hui pour la première fois *savent* que ce qui vaut pour la charrue vaut aussi pour l'histoire : ils le savent parce qu'*ils font l'histoire comme un forgeron fait la charrue* [a], qu'ils ont conquis, acquis, constitué la science de l'histoire en partant de leurs propres besoins, par la pratique, l'expérience et la théorie, exactement comme le médecin. Et quand on vient leur raconter que l'histoire a un « sens spirituel », que c'est le Transcendant qui la constitue, ils accueillent ces discours avec la même tranquillité désormais, la même tranquillité narquoise que le forgeron à qui on dirait que c'est l'esprit de Dieu qui descend dans son marteau. Ne riez pas ! Il n'y a pas si longtemps encore c'était Dieu qui guérissait les malades par le bras du médecin, et le démon qui « possédait » les malades. Ils auraient pu vous dire, ces prolétaires : le forgeron qui juge que ce fer est bon pour une charrue et qui croit faire tout simplement œuvre humaine, état d'une science acquise, ce forgeron ne prononce-t-il pas un « jugement transcendant au devenir » puisqu'il domine le fer et la charrue et la science acquise par les hommes ? Qu'eussiez-vous dit ? Vous ne dites pas cette sottise parce qu'on sait bien, et vous aussi, que si l'éternité est dans le fer et la charrue et le forgeron, elle y est comme ces excipients qu'on ajoute aux substances pour faire les comprimés, elle y est tellement bien que tout se passe comme si elle n'y était pas, comme si éternité par-ci éternité par-là, je n'ai qu'à tout diviser par l'éternité, j'aurai les mêmes problèmes. Vous ne le dites pas pour la forge et le forgeron parce qu'on sait bien qu'il n'y a là que science humaine acquise par le travail l'expérience et la réflexion. Mais vous le dites pour l'histoire, et les prolétaires de rire ! C'est un rire joyeux et franc, allez ! Ils rient parce qu'ils ont appris qu'ils sont forgerons en histoire, et qu'ils ont trouvé les lois pour battre le bourgeois comme pour battre le fer ! Ils rient parce que de leurs besoins, de leur expérience, de leur réflexion ils ont fait une science de l'histoire, et traitent l'histoire comme le forgeron le fer et le médecin le corps ; et c'est pour eux une science aussi ferme que les autres, et ils la vérifient tous les jours, même les plus frustes dans la moindre grève, et cela est clair comme le jour et chaque jour que fait Dieu ils progressent dans leur science, et la font, comme les médecins font la médecine, cette prodigieuse science qui est vraiment celle-là la science de tous les hommes, obligatoire, obligatoire – mais pas gratuite, ah pour ça pas gratuite! Et quand on vient leur dire qu'il faut considérer le « sens spirituel » de l'histoire et le transcendant, ils disent : il retarde celui-là, c'est un homme d'avant notre science, ou il « débloque », comme d'un « forgeron » qui voudrait leur raconter qu'il faut frapper le fer avec l'esprit de vérité! Oui, nous retardons, et c'est ici que s'éclaire peut-être un peu mieux ce que je disais de ces hommes : que *notre vérité* naît *en eux.* Elle naît si bien que si nous ne restons pas en étroit contact avec eux, nous pouvons non seulement falsifier une vérité déjà faite, mais *ignorer* une vérité qui naît. On ne voit jamais dans votre livre que l'histoire est une science désormais. C'est un fait, c'est acquis, mais c'est un fait acquis bien loin de notre cabinet « *clausis fenestris* » et bien loin du « *cogito* », et toutes les astuces bourgeoises n'y changeront rien, même celles du jury d'agrégation qui nous demandait il y a deux ans si « une science des faits humains est possible [a] ». La belle invention! Voici une science faite : est-elle possible? Même un philosophe peut rire. Eh bien rions ensemble si vous voulez, mais rions aussi de nous, de notre retard, de notre isolement, et demandons-nous sérieusement et honnêtement si tout ce que nous avons écrit sur ce point pèse encore de quelque poids devant l'étonnement joyeux et la force tranquille du prolétaire, devant cette science qui est faite et se fait chaque jour, devant ce fait nouveau né des hommes qui bouleverse nos perspectives et nos concepts et peut-être nos livres, mais vaut la peine qu'on s'y consacre, qu'on s'y consacre pleinement, par notre sacro-sainte curiosité et pour le simple amour des hommes.

Je sais bien que cette « consécration » peut mener loin. Je dirai : elle doit mener loin et jusqu'au bout. Le plus extraordinaire pour quelqu'un qui vous serait totalement étranger est bien l'expérience qu'avec nombre de vos anciens disciples j'ai faite : c'est qu'en ralliant *activement* la classe ouvrière, non seulement nous n'avons en rien renoncé à ce qui était nos raisons de vivre, mais nous les avons libérées en les accomplissant. Nous méritons je crois notre avenir même aux yeux de Wilde en ce que *nous n'avons pas eu à renoncer à notre passé* : nous avons vu notre passé croître en nous et porter fruit d'une façon que nous n'eussions pas imaginée dans nos espoirs de jeunesse. Le chrétien que j'étais n'a rien renié des « valeurs » de son christianisme mais je les vis maintenant (c'est un... « jugement historique », ce n'est pas un jugement de Dieu!), alors que j'aspirais à les vivre autrefois; la seule différence est dans cette « aspiration » dont vous faites encore une philosophie (le doute, la croyance, etc.), et dont je ne puis faire désormais une philosophie universelle si je veux regarder en face mes frères prolétaires et appeler par son nom leur « inquiétude », celle de la misère et du chômage, et leur « doute » dont le combat et la rencontre de la vérité, le contact immédiat avec la réalité les délivrent comme ils délivrent tout « savant », tout « homme d'art », et de science, comme ils délivraient déjà Descartes (dont vous nous donnez un étrange portrait falsifié dans votre livre). Non je n'ai pas le sentiment d'avoir « renié » quoi que ce soit, et j'avais tenté il y a plus d'un an de transcrire cette expérience qui est commune à bien des jeunes de ma génération dans un texte que je joins à cette lettre [a]. Je vous livre mon expérience avec la pensée que voici : ne craignez pas de *perdre* ce qui vous tient le plus à cœur; je suis quant à moi persuadé que les formes de pensée et de conscience que j'ai critiquées dans cette lettre – et parfois durement – recouvrent la revendication de valeurs qui ne se perdront pas si vous cherchez à sortir de votre solitude, mais qui vous seront données dans la présence même qui leur fait défaut actuellement, et dont vous souffrez, cela est visible : j'ajouterai, pour renseigner le « philosophe » en vous, que mon expérience – bien courte cependant – de la vie dans le parti m'a découvert l'extraordinaire richesse de ce monde et l'extraordinaire liberté qui y règne. Et je prends liberté dans le sens qui est le plus suspect aux « bourgeois », liberté de pensée, liberté d'esprit, dans la forme la plus « scandaleuse », celle d'une recherche qui doit tenir compte des indications et orientations politiques du parti (dans la philosophie, l'art, la littérature, le cinéma), celle d'une « position de parti » en science, en art, etc. Je vous surprends peut-être, mais je dois dire par exemple qu'il y a deux ans j'avais lu avec un mélange d'indifférence et de réticence l'article de Jdanov sur la philosophie. Eh bien j'ai écrit il y a trois mois un long papier sur la crise de la philosophie [a] qui résumait mon expérience et faisait le point des problèmes que j'avais dû affronter depuis dix-huit mois, et aboutissait à des conclusions à mes yeux importantes sur des points précis. J'avais alors oublié Jdanov. Je l'ai relu par hasard il y a deux mois : j'ai trouvé dans Jdanov en des formules beaucoup plus fortes et solides l'essentiel de mes conclusions et bien plus. Quelle extraordinaire *présence* à nos problèmes, même les plus « techniques », même les plus « philosophiques ». Cette fécondité de la direction politique de la recherche, je l'ai constatée en dix occasions diverses. J'ajoute qu'outre l'extraordinaire richesse de la réflexion qui nous est offerte et son extraordinaire fécondité, nous pouvons en sentir la raison, en voir la raison : c'est parce que grâce au parti, aux conditions mêmes de son action, de son maintien, de sa survie (le parti est forcé de ne ruser ni avec les hommes ni avec les problèmes ni avec la réalité, sinon il disparaît — et nous le voyons dans le détail, c'est une règle *inéluctable* : toute cellule « dogmatique » crève *inévitablement*), nous sommes en contact avec la réalité authentique des hommes, avec la vie réelle, ses problèmes réels, sa prodigieuse « imagination » qui, à chaque instant, pose des problèmes nouveaux, invente des situations nouvelles qui ont *un sens* et portent en elles, plus ou moins développés, les éléments de leur solution. C'est ce contact permanent qui nous ouvre un champ de réflexion immense et constamment renouvelé, et surtout un domaine où nous sommes assurés que les problèmes que nous rencontrons sont des problèmes *réels* et non des faux problèmes. Je ne sais pas si vous avez jamais assez considéré ce qu'est le parti. Vous dites après Villey [b] que le marxisme est la philosophie immanente du prolétariat. C'est bien vite dit ; ce n'est pas faux certes, mais ceci ne rend pas compte de l'aspect *théorique* du marxisme et de l'organisation de lutte qu'est le parti ; ceci ne rend pas compte du fait que le marxisme a cessé d'être seulement la philosophie « immanente » pour devenir la *théorie* du prolétariat, la théorie de ses combats, la théorie de sa stratégie et de sa tactique ; ceci ne rend pas compte de l'existence du parti. Autre chose est de faire la théorie générale du matérialisme historique, dire que « le marxisme est la philosophie du prolétariat » — autre chose est donner au prolétariat les moyens concrets de sa lutte, qui n'est ni philosophique ni au passé. Le prolétariat ne se nourrit pas de sa « philosophie immanente », il peut être marxiste sans le savoir et crever au soleil ; il lui faut donner *à chaque instant*, sans répit, sans défaillance, en tenant compte de ses possibilités et de la situation, des mots d'ordre pour l'action ; il faut à chaque instant être attentif au développement de la situation, en faire l'analyse scientifique pour donner ces mots d'ordre ; il faut être en étroit contact avec les hommes et leurs problèmes pour comprendre la situation ; il faut inlassablement expliquer, démontrer, toujours expliquer, rationnellement, faire appel à l'*expérience* directe des masses et à leur horizon théorique pour qu'elles acceptent les mots d'ordre. Vous savez, on n'accepte pas si facilement sa propre « philosophie immanente » ! Toute l'histoire du mouvement ouvrier, du réformisme, des scissions, des FO [a] et Cie est là pour le démontrer ! Vous ne paraissez pas estimer assez que *toute la force du parti et des communistes est leur intelligence et leur capacité de démontrer, de montrer la vérité de leur théorie et de leur politique.* La force des autres idéologies et des autres partis est la force de la propriété des trusts, de l'administration, de l'armée, de la police, des « mythes » (moraux et parfois même religieux), des préjugés et des habitudes. Rien n'est plus dur à vaincre que l'habitude, dit Staline, et il le sait pour en avoir éprouvé la résistance dans la construction du socialisme. Le parti a contre lui toutes ces forces, ces forces immenses, il a contre lui ces forces mêmes dans la classe ouvrière qui n'est pas homogène, qui a longtemps regardé vers la bourgeoisie et s'est nourrie de ses aspirations, il a contre lui l'immense force d'inertie des travailleurs, des artisans, des indifférents, l'immense force de l'habitude de siècles d'asservissement (voyez les paysans!), l'immense force que représente la pression morale et policière de la bourgeoisie. Avez-vous jamais vécu une grève et mesuré ce que ces forces représentent au sein même de la classe ouvrière? Et je ne parle même pas de cette forme de pression de la bourgeoisie qui tente chaque jour d'acheter les militants (voyez Jouhaux [a] et mille autres), de leur offrir une place sûre, *dès aujourd'hui*, dans son monde, de leur donner la sécurité immédiate en échange de luttes infinies pour un monde encore lointain! Ceux qui ont *réellement* affronté ces problèmes et ces forces, et qui ne se sont pas découragés, pensent autrement que vous sur la « philosophie immanente du prolétariat »! Elle est tellement immanente cette philosophie qu'il faut l'extraire avec les fers et dans le sang et la souffrance, et que nous sommes loin du compte quand nous disons qu'elle est là, quand tout le problème est de la tirer d'où elle est, de la faire naître, de la faire devenir vie, réflexion, théorie, et lutte – et lutte qui doit durer jusqu'au triomphe, lutte intelligente et ferme! Voyez-vous, face à toutes ces forces adverses, dans la puissance de la bourgeoisie et les habitudes, préjugés et tentations du prolétariat, le parti est sans forces. Le parti est condamné à ne pouvoir user de forces semblables à celles de l'adversaire; le parti est condamné *matériellement* à la seule force des hommes nus qu'il faut unir par l'intelligence de la vérité. *Le parti est condamné à la vérité*; il est condamné à découvrir la vérité, à s'appuyer sur elle, à concevoir son action selon la vérité, à montrer, à démontrer aux hommes la vérité pour que les hommes sachent que faire de leurs deux mains! Il est condamné à *l'épreuve de la vérité*, à mettre à chaque instant à l'épreuve la vérité qu'il a découverte, faute de quoi l'événement lui donnera tort et la vérité se retournera contre lui. Qui n'a pas vécu dans le parti ne peut pas imaginer à quel point la découverte, l'épreuve, la démonstration de la vérité est la loi d'airain du parti. Vous chercheriez en vain ailleurs dans notre monde présent *d'autres hommes que les communistes qui soient condamnés à la vérité ou à la mort, d'autres hommes dont la vérité soit, comme pour eux, la condition élémentaire de la moindre action, du moindre jugement objectif, la condition fondamentale de leur vie d'hommes.* Et ceci est vrai non seulement chez nous où nous voyons le destin des partis sociaux-démocrates qui nageaient eux aussi, baignaient eux aussi dans la « philosophie immanente du prolétariat » (et Dieu sait s'ils en ont fait des traités et des discours !) ; non seulement chez nous où un bourgeois honnête sera bien incapable de soutenir sérieusement que le parti est recruté par la terreur ou par « intérêt » ou par la force de la police ! Ceci est vrai également des démocraties populaires et de l'URSS, de toute l'histoire de l'URSS où « la critique et l'autocritique » est devenue la loi du développement social, c'est-à-dire où la vérité décelée, reconnue, démontrée est la *condition* même du ralliement d'un peuple entier que la dernière guerre a montré uni comme jamais. Je voudrais que vous entendiez que la vérité possédée et produite est la loi d'airain et la condition du parti. Et que nous autres, intellectuels, ne vivons peut-être pas toujours dans la même condition. Nous possédons une « condition » qui ne nous oblige pas *matériellement, comme une question de vie ou de mort, à posséder la vérité, à la mettre à l'épreuve des combats, à la faire partager aux autres hommes.* Nous disons que « nous cherchons la vérité » : si nous ne la trouvons pas dans la journée, elle peut attendre et nous aussi, nous n'en avons pas un urgent besoin puisque *nous pouvons vivre* en rentrant chez nous avec notre traitement et le cogito, et nos difficultés par surcroît. *Nous ne sommes pas condamnés à la vérité.* Nous disons aussi : voici ce que je pense, je ne veux pas vous obliger à penser comme moi, je respecte trop votre pensée ; et qu'en résultera-t-il ? Vous m'écrirez, je vous écrirai, nous « dialoguerons », nous avons le temps, il nous faut du temps pour la recherche disait Mounier, si je ne t'ai pas convaincu, si tu ne m'as pas convaincu, il n'y a pas mort d'hommes, chacun rentre chez soi, à la prochaine et nous faisons la théorie du dialogue, ou du pluralisme nécessaire des familles spirituelles, de la diversité des systèmes où s'incarne la Vérité, la théorie de la Transcendance pour coiffer le tout et justifier notre conduite : *nous ne sommes pas condamnés à démontrer la vérité !* Nous disons encore : voici une grève, voici la grève du 25 novembre [a] ; si nous la faisons, c'est quand même avec une arrière-conscience de « solidarité », une arrière-conscience morale, une arrière-conscience d'avoir choisi le Bien et un arrière-goût d'arrière-mérite dans la gorge ; si nous ne la faisons pas nous trouvons toutes les raisons du monde, et les meilleures (parfois même de vraies raisons mais auxquelles le prolétaire n'a pas droit lui-même, lui qui n'a pas droit à ce qui est — même dans ce cas — notre type de vérité, étrange type de vérité qui n'est pas universalisable !) ; et la meilleure raison est au fond que nous ne faisons pas la grève parce que nous pouvons ne pas la faire. Un de plus ? Un de moins ? Nous rentrons chez nous et la vie continue, et si les camarades ont décroché le minimum vital à quinze mille, nous ne refuserons pas la différence... Et la meilleure raison est encore que si nous faisons la grève, nous la faisons parce que la faire est un petit risque. Nous avons le choix et des petits inconvénients, matériels et de conscience, d'un côté et de l'autre, mais quoi que nous fassions, la vie, possible bien que dure, continuera, et personne ne viendra nous licencier comme militant syndicaliste, ni casser nos carreaux parce que nous étions un « jaune ». Et nous faisons, rentrés chez nous, la théorie du choix, la théorie du doute et de l'inquiétude, la théorie de la volonté et de la nolonté [b], du libre arbitre et du pouvoir de juger qui est la marque de Dieu en nous, la théorie de l'engagement et de la liberté, la théorie de la croyance « qui ne se soutient en nous que par l'action », et qui est la forme supérieure du Doute et de la Liberté, et nous mettons un grand C à Croyance pour montrer qu'entre la Foi et la Croyance il n'y a pas de vraie différence. *Nous ne sommes pas condamnés à l'action dans la vérité !* Et tout cela se tient. *Parce que nous ne sommes pas condamnés à tout prix à atteindre la vérité, à [la] démontrer aux hommes, à la leur faire partager, nous ne sommes pas condamnés à agir avec eux dans la vérité.*

Me trompé-je? Je crois que je puis ici en appeler au sens de votre réserve initiale : « qu'il est difficile de parler du parti sans en être », pour la pousser à toute son extrémité. J'irai plus loin et je dirai : ce n'est pas seulement le parti, qui s'éclaire à le connaître mais aussi ceux mêmes qui affrontent la vérité dans le lieu du monde où elle règne comme la condition élémentaire de la vie et de la pensée. J'ai compris bien des choses sur moi-même, et pas seulement sur le parti, en affrontant ce monde où les hommes sont condamnés à la vérité, et j'ai tant appris sur moi et dans de telles formes que je ne crois vraiment plus que « la conscience de soi soit pour l'homme le mode de connaissance de soi ». Et si je puis vous rendre par instants ce service, c'est que d'autres me l'ont rendu, c'est qu'il est aussi notre condition, et telle que nous tenons cette connaissance de soi à travers ses actes et autrui, à travers autrui, comme inséparable de l'acquisition de la vérité, de sa vie, et de son triomphe. C'est cela le sens de notre critique et de notre autocritique : nous ne séparons pas la vérité conquise des hommes qui la conquièrent, qui la défendent et la pratiquent; nous ne pouvons la mettre à l'épreuve dans tout son sens humain sans mettre à l'épreuve les hommes qui en sont le corps et la vie; et nous ne portons pas sur eux de jugement de Dieu, comme nous n'attendons pas d'eux qu'ils portent sur eux le jugement dernier. Nous leur demandons compte, ils nous demandent compte de la vérité dont nous vivons, et de l'emploi, et de l'épreuve de cette vérité, c'est-à-dire aussi de notre preuve et de notre épreuve, et de l'emploi que nous faisons de nous pour servir la vérité dont nous vivons.

J'aurais encore mille choses à vous dire mais il faut mettre un terme à cette trop longue lettre... ne serait-ce que pour que vous la receviez un jour. Je vous le dis au nom de tous mes amis dont beaucoup sont des vôtres : nous attendons beaucoup de vous et nous faisons confiance à votre jugement et à votre courage. J'ajoute en mon nom, que mon affection et mon amitié profondes vous sont acquises, et pour tout le passé, et surtout pour le présent et l'avenir, et ce monde où nous avons, tous, à devenir dignes de nos frères admirables qui souffrent et luttent pour leur liberté, pour notre liberté.

A vous

Louis Althusser

Je joins à cette lettre un texte admirable paru dans *La Nouvelle Critique* – le vieux papier sur la religion dont je vous parle en cours de route – et la photo des cheminots de Dijon parue dans *l'Humanité* il y a un mois[a]. J'espère qu'on ne dira pas de nous un jour, devant la force tranquille et la dignité de ces hommes : « le philosophe n'est pas venu au rendez-vous des cheminots ». J'ai fait un double de cette trop longue lettre – d'où ce retard – pour pouvoir m'y référer et que vous puissiez m'y renvoyer (cf. les numéros des pages) dans votre réponse.

A vous

Notes d'édition de « Lettre à Jean Lacroix »

Page 277

a. Jean Lacroix a participé à la Résistance à Lyon.

b. Joseph Hours fut le professeur d'histoire de khâgne de Louis Althusser à Lyon.

Page 278

a. Cette lettre de Jean Lacroix à Louis Althusser n'a pas été retrouvée. En dehors des citations du livre de Lacroix, les phrases citées dans le texte d'Althusser en sont manifestement extraites.

b. Jean Lacroix vient d'envoyer à Althusser son livre *Marxisme, Existentialisme, Personnalisme* (Paris, PUF, 1950), avec une dédicace datée du 13 décembre 1949. Althusser évoque ici la dernière phrase de l'ouvrage : « Croire c'est anticiper dans une expérience actuelle sur un avenir déjà en quelque sorte présent, ou plutôt, la croyance qui porte sur le seul avenir pouvant finir par n'être qu'un mirage trompeur, c'est réconcilier le temporel et l'éternel dans une croissance actuelle de l'être, car le présent n'est que la présence de l'éternité dans le temps. » Les passages du livre de Jean Lacroix mis en italique dans la présente édition correspondent à des soulignements de Louis Althusser.

c. « A la mort, nos relations avec l'éternité changent sans doute de mode, écrit dom Thomas Dussance dans *Témoignages*. Mais n'est-ce pas pure imagination que de dire que c'est à ce moment que nous entrons dans l'éternité ? Le temps n'est jamais sorti de l'éternité, pas plus que la création ne peut être hors de Dieu. Nous avouons d'ailleurs ne pas comprendre du tout pourquoi l'on s'obstine à terminer l'histoire de l'homme à la mort ; l'histoire de l'homme ne finira qu'avec l'homme, c'est-à-dire jamais. »

Page 279

a. Marcel Cachin (1869-1958) : directeur de *l'Humanité* de 1918 à 1958, il fut en 1920 au congrès de Tours l'un des principaux partisans de l'adhésion de la SFIO à la troisième Internationale, à l'origine de la fondation du parti communiste français, dont il fut jusqu'à sa mort membre du bureau politique.

Page 281

a. Ancien secrétaire général adjoint du parti communiste hongrois, ministre de l'Intérieur, puis des Affaires étrangères, Laszlo Rajk, accusé d'être un « espion des puissances impérialistes et un agent trotskiste », fut la victime d'un des grands procès staliniens de ce que l'on appelait alors les « démocraties populaires ». Condamné à mort, il fut exécuté le 15 septembre 1949. Il fut réhabilité en 1956.

b. La revue *Esprit,* à laquelle collaborait régulièrement Jean Lacroix, condamne vigoureusement le procès Rajk dans son numéro de novembre 1949, contenant un éditorial d'Emmanuel Mounier : « De l'esprit de vérité », et un article de François Fejtö : « L'affaire Rajk est une affaire Dreyfus internationale », qui publiera dans le numéro de janvier 1950 un second article : « De l'affaire Rajk à l'affaire Kostov ».

Page 282

a. Gustave Thibon : penseur chrétien, auteur entre autres de *Diagnostics* (1940), *Destin de l'homme* (1941), *L'Échelle de Jacob* (1942) ; ses analyses de la « crise du monde moderne » furent une des sources d'inspiration idéologiques du régime de Vichy.

b. Jean Guitton fut le professeur de philosophie d'Althusser en hypokhâgne et durant son premier mois de khâgne ; nommé à l'université de Montpellier en novembre 1938, il est remplacé par Jean Lacroix. Si Jean Lacroix participa à la Résistance, Jean Guitton, jugé par une commission d'épuration, fut rétrogradé dans l'enseignement secondaire en août 1946. Cf. Yan Moulier Boutang, *op. cit.,* p. 230.

Page 283

a. Cf. Jean Lacroix, *op. cit.,* en particulier le chapitre III : « Système et existence ».

b. Outre les articles cités plus haut du numéro de novembre, *Esprit* a publié dans son numéro de décembre 1949, sous la rubrique « Il ne faut pas tromper le peuple », un article de Jean

Cassou sur l' « affaire yougoslave » et le procès Rajk : « La révolution et la vérité », suivi d'une réponse de Vercors. L'article de Cassou se termine ainsi : « Je demande à mes amis communistes, pour autant qu'ils voudront bien m'entendre, si la démocratie ne peut forcément se réaliser que par les procédés de l'antidémocratie. »

c. Comme la plupart des accusés des grands procès staliniens, Rajk était en effet passé aux « aveux ».

Page 284

a. Jacques Doriot (1898-1945) : ancien député communiste, maire de Saint-Denis; exclu du parti communiste en 1934, il fonde en 1936 le fascisant Parti populaire français et participe pendant la guerre à la création de la Légion des volontaires français contre le bolchevisme (LVF). Il fut abattu en Allemagne en 1945. Marcel Gitton (1903-1941) : dirigeant important du parti communiste, dont il est membre du bureau politique à partir de 1932; il quitte le parti au moment du pacte germano-soviétique, et passe pendant la guerre dans le camp de la collaboration; il est abattu par la Résistance en septembre 1941.

b. L'article de François Fejtö cite à plusieurs reprises *Le Yogi et le Commissaire* d'Arthur Koestler.

c. Emmanuel Mounier, article cité p. 659, écrit à propos de François Fejtö : « C'est une conscience bouleversée qui parle, un homme qui a fait effort pour être fidèle jusqu'à l'étouffement. »

d. Cf. note *b*, p. 277.

e. Cf. « Quelques remarques sur les aveux de Rajk », *Information et Documentation* de l'AFP, 24 septembre 1949, et le *Livre bleu* publié par le gouvernement hongrois. L'article de Fejtö cite de longs extraits de ces deux textes.

Page 285

a. François Fejtö dirigea un temps le bureau de presse de l'ambassade de Hongrie à Paris.

b. Le cardinal Joseph Mindszenty (1892-1975), primat de Hongrie, fut condamné aux travaux forcés à perpétuité en février 1949, puis mis en résidence surveillée en 1955. Libéré lors de l'insurrection de 1956, il se réfugie pendant l'intervention soviétique à la légation américaine de Budapest, dans laquelle il demeurera jusqu'en 1971. Une vive polémique se déclencha sur la manière dont furent obtenus au procès les « aveux » du cardinal Mindszenty, que le pouvoir hongrois fut largement accusé d'avoir drogué à cet effet.

Page 286

a. Le procès Rajk ayant eu lieu en septembre 1949, Louis Althusser commet ici une erreur. Peut-être pense-t-il à la réunion du Conseil national des Combattants de la Liberté et de la Paix tenu à Ivry les 22 et 23 octobre 1949. A l'issue de discussions assez vives, la résolution finale ne condamne d'ailleurs pas la Yougoslavie en tant que telle, mais son élection au conseil de sécurité de l'ONU. Sous le titre « Large confrontation sur l'affaire yougoslave », le compte rendu détaillé des débats publié dans le journal *Action* daté de la « semaine du 27 octobre au 2 novembre 1949 », évoque notamment Jean-Marie Domenach, que l'on peut voir en première page photographié avec les autres membres de la « commission des résolutions » : « *De tout cela je ne suis pas encore persuadé*, a dit J.-M. Domenach, qui a été cependant *gêné de voir la Yougoslavie portée au Conseil de Sécurité avec l'appoint des voix occidentales. Peut-être devrons-nous, le moment venu, condamner Tito*, dit Domenach, qui pense cependant que le faire dès maintenant donnerait du poids à l'argument de l'ennemi qui veut tenir les combattants de la paix et de la liberté pour une *caisse de résonance* de la propagande communiste. » Ami de Louis Althusser, Jean-Marie Domenach est alors rédacteur en chef de la revue *Esprit*, dont il deviendra le directeur en 1956. Il invitera Althusser en 1967 à exposer l'état de ses recherches devant le groupe Philosophie d'*Esprit*.

b. Cf. note *b*, p. 281.

Page 288

a. Le premier chapitre du livre de Jean Lacroix : « L'homme communiste » est une version substantiellement remaniée d'un exposé prononcé à Paris lors de la semaine sociale de 1947, consacrée à la situation des catholiques « face aux grands courants contemporains ».

b. Il s'agit en fait de la première phrase du premier chapitre, qui se trouve à la page 5 du livre de Jean Lacroix.

c. Il s'agit du père Henri-Charles Desroches, auteur d'un livre qui exerça une influence importante sur la gauche chrétienne et sur le mouvement des prêtres ouvriers : *Signification du marxisme* (Paris, Éditions ouvrières, 1949). Henri Desroches a par la suite mené une carrière de sociologue. Il est mort en 1994.

d. Dans la note de la page 21, Jean Lacroix écrit en effet :
« Subjectivement, les attitudes peuvent être analogues. Objectivement, la différence est radicale. Elle ne naît pas de la malice des hommes, mais de l'opposition des buts... Si le simple dialogue avec les communistes est tellement difficile, ce n'est point qu'ils apportent un trop grand bouleversement dans la société, c'est qu'en poussant à ses plus extrêmes conséquences le rejet de toute transcendance ils aboutissent à une perversion du langage qui, littéralement, ne permet plus de *s'entendre*. »

e. « Le sens de l'histoire permet de prononcer, non plus seulement des *jugements historiques,* mais des *jugements sur l'histoire,* c'est-à-dire transcendants au devenir. Il est clair en effet qu'on ne peut faire reposer un jugement de valeur sur un jugement de réalité et que si l'on juge le caractère " héroïque ou ignoble " d'un homme, cela ne peut se faire que par référence à une norme transcendante. Ce n'est point le jugement historique, mais le jugement sur l'histoire qui s'efforce d'être le jugement de Dieu — et bien entendu avec toutes les chances d'erreurs humaines. »

Page 289

a. La note de la page 23 est essentiellement constituée d'une longue citation d'un article de Jean Hyppolite, « La conception hégélienne de l'État et sa critique par Karl Marx », *Cahiers internationaux de sociologie*, II, 1947, repris dans son recueil : *Études sur Marx et Hegel*, Paris, Marcel Rivière, 1955. On peut y lire par exemple : « Par un renversement curieux de perspectives, explicables si l'on admet qu'à un moment donné de son évolution, Hegel a pensé comme Marx à une suppression effective de l'aliénation de l'homme, puis a dû y renoncer en méditant sur certains événements historiques, c'est Hegel qui paraît ici entraîné dans un *mouvement dialectique sans fin*, où se miroite l'Idée, tandis que Marx prévoit une *fin de l'histoire*. »

Page 290

a. Cf. Karl Marx, *Contribution à la critique de l'économie politique,* préface de 1859, Éditions sociales, 1957, p. 5.

b. Alexandre Kojève, *Introduction à la lecture de Hegel* (Paris, Gallimard, 1947).

Page 291

a. Althusser cite ici de mémoire. Cf. *Le Capital* (Paris, Éditions sociales, 1959, t. I, p. 29).

Page 293

a. Il s'agit toujours du texte d'Hyppolite évoqué dans la note *a* de la page 289.

Page 295

a. Andréi Jdanov (1894-1948), membre du bureau politique du Parti communiste de l'Union soviétique depuis 1935, fut après la Seconde Guerre mondiale un des principaux idéologues soviétiques. Deux exemplaires du texte ici évoqué ont été retrouvés dans la bibliothèque d'Althusser, tous deux extrêmement annotés : le premier paru dans le numéro de décembre 1947 de la revue *Europe* sous le titre « Sur l'histoire de la philosophie », le second paru sous le titre « Sur la philosophie » dans Andréi Jdanov : *Sur la littérature, la philosophie et la musique* (Les éditions de La Nouvelle Critique, 1950).

b. Andréi Jdanov, article cité in *Europe,* p. 63.

Page 298

a. Jean Lacroix cite ici Lukács : ce sont, écrit Lukács, « le contenu objectif et la direction réelle de l'histoire qui déterminent si le caractère des personnages agissant historiquement est héroïque ou ignoble » (*Marxisme ou Existentialisme*, réédition Paris, Nagel, 1961).

Page 303

a. Sans doute s'agit-il d'une des conférences organisées par l'abbé Brien, alors aumônier de l'École normale supérieure. Emmanuel Mounier y fut invité, ainsi que par exemple Teilhard de Chardin et Gabriel Marcel. Louis Althusser semble avoir assisté à certaines de ces conférences. Cf. le mémoire de maîtrise de Jean-Philippe Mochon : *Les Élèves de l'École normale supérieure et la politique, 1944-1962* (Université Charles de Gaulle-Lille III, 1993).

b. « Conscrit » : nom donné aux élèves de première année dans le jargon normalien.

Page 305

a. C'est-à-dire le destin, qui s'impose même aux dieux pour les Grecs anciens.

Page 306

a. Cf. à la fois l'article cité d'Emmanuel Mounier et de nombreux passages du livre de Jean Lacroix, par exemple, p. 58 :

« C'est l'habitude de systématiser qui nous a fait croire que nous pouvions *posséder la vérité*; mais les philosophes non systématiques, un saint Augustin, un Pascal dénoncent cette idolâtrie et montrent que nous n'avons pas à posséder la vérité, mais à être possédés par elle... Celui qui devient vrai, qui se fait vrai lui-même communie d'être à être et rend progressivement adéquats ses rapports avec l'être même comme avec les autres êtres. Mais cette transformation intime du sujet est le renversement de l'attitude systématique. Tel est le sens... de l'objection que Gabriel Marcel adresse au système et qui l'amène naturellement, dans toute son œuvre, à se défier de l'*idée de vérité* au profit de l'*esprit de vérité*. »

b. Évangile selon saint Matthieu, VII, 9.

Page 307

a. Affirmation déroutante pour le lecteur de la *Réponse à John Lewis* (Paris, Maspero, 1973). Cf. par exemple, p. 19 : « Quand un menuisier " fait " une table, ça veut dire qu'il la *fabrique*. Mais *faire* l'histoire? Qu'est-ce que cela peut bien vouloir dire? Quant au menuisier, on le connaît, mais *l'homme* qui fait l'histoire, qui est-ce? Vous connaissez cette " espèce d'individu ", comme disait Hegel? »

Page 308

a. Le sujet « Une science des faits humains est-elle possible? » a été donné à l'agrégation de 1948. Louis Althusser a publié en septembre 1949, sous le pseudonyme de « Pierre Decoud » un article sarcastique : « La philosophie bourgeoise fait de son désarroi des sujets d'agrégation », traitant de l'évolution du sujet de 1946 : « L'idée de vérité » (« un bon sujet d'avant guerre, un concept vide et intemporel à souhait ») à celui de 1949 : « Bilan aujourd'hui du rationalisme et regards sur son destin. » On y lit notamment : « Ici la bourgeoisie est prise à son propre piège. Elle a fait " ses " sciences humaines après la grande peur de 1848 (Comte), de la Commune (Durkheim) et du communisme (psychologues et sociologues anglo-saxons), des sciences mystifiées, mais aux règles desquelles elle est bien obligée de faire semblant de croire. Or, voici tout le problème, c'est-à-dire voici toute sa crise : comment accorder la science qu'on veut faire (même mystifiée) avec cette idéologie de débâcle, d'aveuglement et de diversion qu'est l'idéologie de la subjectivité et de la conscience déchirée? Où trouver la réponse? Elle se trouve " dans la conscience déchirée, elle aussi, du sociologue... " (rapport de M. Davy, président du jury et sociologue)... La conclusion s'impose : la bourgeoisie renoncera plutôt à la science, et même à sa prétention de science, qu'à l'idéologie qui traduit sa peur. Meure la science et même ma science, pourvu que je survive! »

Page 309

a. Selon Yann Moulier Boutang qui a pu consulter les archives de Jean Lacroix à la Bibliothèque de l'université catholique de Lyon, cet article n'a pas été conservé avec la lettre de Louis Althusser. Il s'agit peut-être d' « Une question de faits » publié dans le présent volume.

Page 310

a. Ce texte n'a pas été retrouvé.

b. Jean Lacroix, *op. cit.*, p. 14, citant en note Daniel Villey, *Petite histoire des grandes doctrines économiques :* les prolétaires « n'ont jamais lu Marx; ils le comprennent peut-être mieux que nous. Non qu'ils devinent Marx, mais parce que le génie de Marx les a devinés. Le marxisme, ne serait-ce point en quelque sorte la philosophie immanente du prolétariat, de l'action prolétarienne révolutionnaire? »

Page 311

a. La CGTFO (Force ouvrière), scission de la CGT, a été fondée en 1948.

Page 312

a. Léon Jouhaux, secrétaire général de la CGT, fut à l'origine de la fondation de Force ouvrière. Il était courant à l'époque de soutenir que Force ouvrière avait été fondée grâce à l'argent américain.

Page 314

a. Il s'agit de la grève générale du 25 novembre 1949, à l'initiative de la CGT et de FO.

b. Cf. Jean Lacroix, *op. cit.*, p. 82 : « C'est donc dans ma capacité de refus et de non-adhésion, dans mon pouvoir de négation, dans ma *négativité*, comme eût dit Hegel, dans cette puissance d'échapper à tous les vertiges que Renouvier appelait *nolonté,* que se manifeste d'abord ma liberté : être libre, c'est pouvoir dire non. » Le chapitre III du livre de Jean Lacroix est intitulé « La signification du doute cartésien », le chapitre IV « La croyance ».

Page 316

   a. Ces documents n'ont pas été conservés avec la lettre de Louis Althusser, cf. note de la p. 309. La photographie est probablement celle qui est publiée en première page de *l'Humanité* du 24 décembre 1949, accompagnée de la légende suivante : « Un groupe de cheminots attend le train officiel pour faire connaître au ministre socialiste l'opinion des travailleurs du rail. »

Sur l'obscénité conjugale
(1951)

On notera d'abord la situation respective de l'Église et de la religion dans quelques pays de l'Europe occidentale, France, Italie, Espagne. Et on notera cette règle que plus l'Église est consacrée dans l'État, plus elle est absorbée dans son rôle d'administration étatique des âmes, moins elle a besoin de religion. C'est seulement lorsqu'elle est séparée de l'appareil d'État, comme en France, qu'il lui faut conquérir par la vie religieuse l'assentiment volontaire qu'elle n'obtient plus des prestiges de son association directe au pouvoir. En somme, un des effets les plus remarquables de la séparation de l'Église et de l'État en France est d'avoir ouvert, comme nécessité devenant vertu, la voie à la vie religieuse : à ce supplément d'âme pour compenser la perte d'une influence d'État. Si on compare l'Église de France aux Églises d'Italie ou d'Espagne, on vérifiera auprès de ces dernières que leur participation au pouvoir leur tient lieu d'influence suffisante pour les décourager de développer une nouvelle vie religieuse parmi les fidèles. Certes on pourra aussi faire remarquer que ce n'est pas la seule séparation qui explique la « vie religieuse » de l'Église de France, mais aussi d'autres événements politiques, depuis le Front populaire jusqu'à la Résistance, et que l'Église de France n'a pu demeurer étrangère à des formes de vie politique qui ont affecté en elle jusqu'à la vie religieuse. Mais cet argument a bien peu de poids si l'on pense par exemple à l'Église italienne, que la politique finalement n'a guère affectée, et qui se contente du pouvoir, sans guère penser à la religion. Quant à l'Église d'Espagne, la vie religieuse y prend directement la forme de l'opposition politique, dont elle est le déguisement et le refuge, non seulement contre l'État, mais aussi contre l'Église elle-même.

Cet exorde trop général et trop vague n'a qu'un objet : permettre de saisir *un des sens* dans lesquels s'est manifesté en France le renouveau de la « vie religieuse » que nous avons connu avant la dernière guerre, et depuis. Sans doute la plupart des événements dont on va parler sont inintelligibles en dehors du grand projet de l'Église, qui, pour ne pas se voir dépassée par les organisations des syndicats, des partis politiques, et des mouvements de jeunesse de gauche, prit la décision de fonder l'Action catholique (vers 1930? la date serait à préciser [a]). Décision révolutionnaire pour cette raison que pour la première fois de son histoire l'Église renonçait à la vie religieuse centrée exclusivement autour de la *paroisse*, et lui substituait une nouvelle forme d'organisation, tenant compte d'autres formes de groupements : par « milieux », étudiants, paysans, ouvriers, cadres, patrons, etc., c'est-à-dire par des formes de groupements qui tenaient plus ou moins compte de l'existence des classes sociales, des groupes professionnels ou des âges. De là sortirent tous les mouvements « spécialisés » : JEC, JOC, JAC [b], JP etc. Que cette décision n'ait pas été confinée à la France, mais qu'elle ait été générale : cela donne plus de prix au fait que c'est en France que ces mouvements catholiques prirent le plus grand essor, sans comparaison aucune (et également en Belgique). Or, parmi les conditions

a. Tout dépend de ce que l'on entend précisément par « fonder l'Action catholique ». La JOC est fondée en 1925. Selon la *Nouvelle histoire de l'Église* (Paris, Le Seuil, 1975, t. 5, p. 879), l'encyclique *Il firmo proposito* constitue en 1905 la « première charte officielle de l'Action catholique ». Selon Pierre Pierrard (*Histoire de l'Église catholique*, réédition Paris, Desclée de Brouwer, 1978), les grandes lignes de l'Action catholique sont définies en 1922 dans l'encyclique *Urbi arcano*. Pie XI définit l'Action catholique comme la « participation des laïques à l'apostolat hiérarchique de l'Église ».

b. La Jeunesse ouvrière chrétienne française est fondée en 1926, la Jeunesse agricole catholique en 1929, la Jeunesse étudiante chrétienne en 1932.

de la vie française qui contribuèrent à cet essor figure incontestablement le fait de la séparation de l'Église et de l'État – et la nécessité pour l'Église de faire appel à la religion, ou, si l'on veut, à des formes spontanées, à des formes d'engagement libre de la part de ses ouailles, qui, loin des habitudes passives de la vie paroissiale, devaient en s'enrôlant dans ces mouvements spécialisés, assumer leur propre engagement, et le vivre comme une forme nouvelle de leur conviction religieuse. Je ne pense pas qu'on puisse contester, quand on a connu les jeunes aumôniers qui se donnaient corps et âme à ces mouvements, quand on a vécu la « vie religieuse » de ces mouvements, qu'on y ait eu effectivement [affaire] à des formes de vie religieuse, et aussi à des formes de rapports religieux et para-religieux inédits dans l'histoire de l'Église, et aussi, bien entendu, dans l'histoire de notre pays. Il fallait sans doute remonter jusque-là pour faire sentir la nécessité contingente qu'avait pris en France ce besoin d'un « supplément d'âme » religieuse pour faire face à la relative déchéance étatique de l'Église – et aussi la profondeur et l'originalité de cette « vie » supplémentaire.

Je n'en retiendrai qu'une forme particulière : celle qui concerne la vie conjugale. On vit en effet se développer, parmi les thèmes de cette nouvelle « vie religieuse », toute une néo-théologie du mariage, qu'on enseigna dans les mouvements de jeunesse, avant de lui donner une organisation propre : celle des jeunes ménages et des couples chrétiens. Cette théologie avait ses théologiens, les aumôniers des organisations de jeunesse, dirigeants et confesseurs par surcroît. Ce qui caractérise le mode de propagande, d'enseignement, et de consécration de cette néo-théologie du mariage, c'est son caractère *public* [a]. Les années 1936-1940 n'ont certes pas inventé la

---

a. Sur ces questions, voir par exemple *Histoire religieuse de la France contemporaine*, dirigée par Gérard Cholvy et Yves-Marie Hilaire, Toulouse, Bibliothèque Privat, 1988, pp. 138-140 et 384-387. Les auteurs évoquent ainsi « l'approfondissement de la vie spirituelle des couples à l'intérieur des mouvements de foyers et autour de la revue *L'Anneau d'Or* » (fondée en 1945 par l'abbé Caffarel), le couronnement des « efforts d'un abbé J. Viollet, de l'Association pour le mariage chrétien, avec sa revue *Foyers*, et ceux du P. Doncœur, tous précurseurs du grand courant de spiritualité conju-

théologie du sacrement du mariage. Mais elles lui ont donné une importance, une place, et aussi une publicité sans pareilles. Il n'est pas exagéré de dire qu'auparavant les encycliques papales sur l'amour ne concernaient guère que les prêtres qu'il fallait instruire des règles de l'absolution, et par conséquent des devoirs du chrétien marié et de la chrétienne mariée. Mais elles ne faisaient pas l'objet d'un enseignement et de commentaires aussi réguliers et aussi publics. Les rapports du couple demeuraient affaire *privée*, et le prêtre n'y intervenait qu'à l'occasion de la confession – ou de l'éducation particulière qu'il pouvait, à la demande des parents, distribuer à tel enfant. Est-il exagéré de faire remarquer que, parmi les raisons de ce développement prodigieux de l'enseignement et du commentaire général, dans toutes les organisations de jeunesse, des encycliques sur l'amour chrétien, sur le sacrement de mariage [a], etc., figure aussi cette circonstance particulière à la France que représente la séparation de l'Église et de l'État : comme si l'Église avait voulu, en donnant un sens profondément religieux au mariage chrétien, en proposant un mode chrétien de vivre la vie conjugale, obtenir du consentement libre de ses fidèles ce qu'elle n'obtenait plus d'une autorité administrative qu'on lui avait refusée? Là encore je dirais volontiers qu'elle a cherché du côté de cette vie chrétienne des rapports conjugaux le supplément d'âme qui faisait équilibre à sa perte de pouvoir et d'influence.

On vit, dans ces conditions, dès les mouvements de jeunesse spécialisés, et culminant dans les organisations de jeunes couples, se développer des formes d'enseignement, de commentaires, puis de rapports (entre jeunes fiancés dans les mouvements de jeunesse, entre jeunes conjoints et jeunes couples dans les mouvements du mariage chrétien) pré-

---

gale, considéré comme un fait majeur lors du Congrès des œuvres, à Rennes, dès 1949 >, ou encore le développement, < à partir de 1952, de la préparation des fiancés au mariage dans les Centres de Préparation au Mariage, issus des Équipes Notre-Dame > (constituées à partir de 1938). Signalons enfin la parution alors récente du livre de Jean Lacroix : *Force et Faiblesses de la famille*, Paris, Le Seuil, 1948, dont un exemplaire annoté a été retrouvé dans la bibliothèque de Louis Althusser.

a. Encyclique *Casti connubii* sur le mariage et la famille (1930).

conjugaux ou conjugaux, absolument neufs, sans précédents, et très remarquables par ce qu'on peut appeler un *exhibitionnisme agressif*. Il n'est pas simple de rendre compte de ce phénomène, mais il faut pourtant tenter de le cerner. Il est clair que dans cette attitude (non seulement celle des aumôniers, mais aussi celle des jeunes des deux sexes, avant leur rencontre, puis pendant et après) la réaction de défi libérateur par rapport aux anciens tabous a joué un grand rôle. Comme si, sur ces matières frappées depuis des siècles par les tabous de la morale religieuse elle-même, l'Église militante des jeunes aumôniers et de leurs ouailles se donnaient à eux-mêmes la preuve de leur liberté d'esprit, et de leur audace, en abordant ouvertement les questions sexuelles — soulagés de pouvoir en parler comme les autres, mieux que les autres, et leur jetant comme un défi à la tête leur propre liberté *publique*. Oui l'Église avait sa théologie du mariage, oui les papes lui avaient donné ses encycliques sur l'amour conjugal, oui il fallait en parler haut et clair, appeler les choses par leur nom, et faire honte à la pudibonderie « bourgeoise », voire « religieuse » (dépassée, mais dépassée depuis toujours), et même opposer clairement au mariage bourgeois honteux de soi, au mariage civil (entendez : sans conscience religieuse) plus ou moins hypocrite, en tous cas [teinté] d'hypocrisie par son propre statut (purement juridique!), à ce mariage d'intérêt ou de raison, qui tenait la femme dans l'ignorance, et donnait à l'homme tous les avantages de la liberté et de la licence, le mariage religieux, conscient de soi, réalisant l'égalité entre les conjoints, libres de se donner à eux-mêmes le sacrement de mariage, et sûr de ses fins, qui dépassaient la simple procréation dans la sanctification mutuelle des époux. Cette rencontre d'un *défoulement légal* (religieusement légal, autorisé, consacré, encouragé) et d'une *condamnation indirecte* des formes non religieuses de la vie conjugale peuvent rendre compte, dans son principe, de la forme exhibitionniste agressive de cette propagande auprès des jeunes.

Mais les effets se chargèrent bientôt de renforcer les causes. On vit naître, ce qu'on n'avait jamais vu, des « couples chrétiens », je veux dire des couples publiquement chrétiens, faisant profession de leur qualité, se groupant même en mouvements d'entraide et d'échanges spirituels (sur la base de la théologie chrétienne du couple), des couples professant leurs convictions, affichant leurs principes, n'en faisant rien ignorer à quiconque, en tous cas tentés par cette *épreuve* qui balançait entre le témoignage triomphant et le martyre discret (mais public lui aussi), qui devait les confirmer dans la vaillance de leurs principes, et affichant plus encore que leurs principes : leurs résultats : soit leur comportement concret, soit, le plus souvent, la ribambelle de leurs enfants dont le défilé public manifestait au vu de tous qu'on faisait l'amour à la grâce de Dieu, et que si le mariage avait pour fin dernière la sanctification mutuelle des époux, il leur échappait en même temps de coucher ensemble, mais dans des conditions particulières d'incontrôle humain, c'est-à-dire d'abandon conscient à la volonté de la Providence. Quant à se soucier des lendemains, il y avait les allocations familiales, et la parabole de l'Évangile, que Dieu pourvoit aux besoins des petits oiseaux du ciel.

Il n'est pas exagéré de dire que cet ensemble de circonstances a produit ce qu'il faut bien appeler un nouveau et très spécifique *comportement conjugal*, qui, contrairement à la plupart des formes précédentes (de comportement conjugal), présentait cette particularité dominante et paradoxale d'être un *comportement intime public*. Non que les conjoints fissent l'amour en plein air, ou confiassent les détails de leurs ébats à tout un chacun, mais ils avaient un comportement public qui affichait l'existence *naturelle* de leurs problèmes et de leurs solutions intimes, un comportement public (jusque dans la prolifération consciente des enfants) qui, loin de la dissimuler, se faisait plutôt gloire, ostensiblement, de l'existence de cette vie privée, et des principes qui la guidaient. Ajoutez à cela les rapports avec les groupes (publics) de jeunes couples, les rapports (très différents des anciens rapports avec les prêtres de paroisse) avec les « aumôniers », rapports eux aussi ostensiblement « libres » et « francs », et l'on avouera que cela ne pouvait guère passer inaperçu.

Le couple, les enfants, l'aumônier, les groupes de jeunes mariés, les conférences théologiques, les cérémonies religieuses spécialement destinées à ces groupes, les retraites, les échanges d'expériences « spirituelles », tout cela donnait à ce comportement nouveau une incroyable *impudeur* et une incroyable *inconscience* de cette impudeur. Il ne fait pas de doute, là non plus, que cette impudeur n'était pas du tout vécue consciemment comme telle par tous ces jeunes. Car pour eux il ne s'agissait pas d'impudeur, pas d'exhibitionnisme de la vie intime (même sous ses « phénomènes »). Il s'agissait de « vie spirituelle ». L'identité immédiate (pour parler comme Hegel) de la sexualité intime et de la « vie spirituelle », le fait que la libération du tabou traditionnel sexuel s'opérait sous la protection de la sanctification spirituelle, cette possibilité offerte pour la première fois, de parler publiquement du sexe dans le langage de l'esprit (c'est-à-dire aussi de parler de l'esprit dans le langage du sexe), autrement dit la conjonction de la matière la plus sexuelle et de la sublimation la plus spirituelle, constituait l'alibi inconscient, la justification et l'autorisation d'une conduite qui, hors de ce contexte subjectif, risquait à tout instant de tomber dans l'exhibitionnisme de l'impudeur – qu'il s'agisse de celui des actes et comportements, ou tout bonnement, de celui des *principes*.

Et, de même que Marx (et Bebel) ont dit que l'on juge à l'état de la femme dans ses rapports avec l'homme le degré de servitude ou de liberté d'une société donnée, de même, je dirais que c'est dans le nouveau statut de la femme, et son comportement, que s'est manifestée le plus clairement cette vie religieuse inédite. Je veux dire que *c'est la femme* qui s'est trouvée au point le plus sensible, au point focal de cet exhibitionnisme. Les raisons en sont simples. Car cette néo-théologie du mariage eut ce résultat, tellement plus équitable que les articles du Code civil : mettre, religieusement, la femme sur un pied d'égalité avec l'homme. Il faudrait étudier l'histoire de cette doctrine théologique pour voir quand elle apparut et se développa. Mais il est certain que ce sacrement que se donnent eux-mêmes les conjoints, égaux dans cet échange, eut, dans les consciences façonnées par 150 ans de Code civil, d'inégalité juridique de la femme, des répercussions importantes. On avait caché jusque-là aux femmes, sinon la doctrine de l'Église, du moins son sens profond – et en tout cas si on le leur avait enseigné, les hommes, leurs maris avaient été juste assez sourds pour ne pas l'entendre. Cette fois il en allait autrement : les aumôniers enseignaient à tous, jeunes filles mais aussi jeunes hommes, les vérités théoriques de leur union, et les jeunes hommes acceptaient avec le reste le dogme religieux de l'égalité des échanges et des partenaires dans l'échange. La promotion religieuse de la femme passa dans sa conscience, dans ses rapports avec son conjoint, et dans ses attitudes avec les autres couples. On peut dire que sous ce rapport *la conjonction* de cette conscience d'égalité, non seulement d'égalité dans le statut, mais aussi d'égalité dans la grande œuvre spirituelle de la vie commune, c'est-à-dire dans la création de l'avenir du couple, la *conjonction* de la théologie de la procréation (comme sous-produit non contrôlé de l'union spirituelle), entraînant la multiplication des enfants, la conjonction de la théorie de l'éducation des enfants, envisagée dans toute sa profondeur spirituelle-religieuse, et d'une manière générale la sacralisation de la plupart des gestes de la vie quotidienne, débordant désormais d'un trop-plein de sens spirituel – sans parler de la fonction, plus ou moins consciemment assumée, de témoignage public (ayant lui aussi un sens religieux) –, aboutit généralement à ce paradoxe que, justement parce qu'elle était religieusement l'égale de l'homme, cette femme « chrétienne », débordée d'enfants et de travaux où elle accomplissait sa sanctification et celle du couple, devint une *femme au foyer*, abandonna tous les projets qu'elle avait pu former pour s'évader d'une existence limitée, et en particulier ses projets *professionnels*, tous les sujets d'intérêt et toutes les relations sociales qu'ils pouvaient lui procurer, et fut proprement transformée en mère de famille.

Mais, attention, en mère de famille chrétienne, épouse chrétienne d'un époux chrétien. C'est sans doute là qu'inconsciemment redoubla le trait que j'ai mentionné plus haut sous le terme d'exhibitionnisme de l'impudeur. J'entends par là que les mères de famille sont des mères de famille, chacun le comprend. Mais que ces mères de famille-là ne l'étaient pas par l'effet soit d'accidents ou tout simplement d'une sorte de désir vague, ou encore d'intentions très précises : comme le désir d'avoir un enfant ou quatre enfants, etc., comme le sont, simplement, la plupart des femmes, même catholiques de tradition. Ces mères de famille étaient mères de famille par l'effet d'un dessein réfléchi, religieux dans son essence, et susceptible d'être exposé, justifié, et au besoin expliqué (ou montré) au premier venu. Elles étaient mères de famille essentiellement parce qu'elles étaient des épouses chrétiennes, et qu'à ce titre elles poursuivaient le perfectionnement spirituel du couple, en faisant aussi des enfants et en les promenant, torchant, élevant, comme en faisant la lessive, la cuisine et la vaisselle. Je ne dis pas qu'elles passaient toutes leur temps à *faire sentir la différence*, Dieu merci, certaines trouvaient dans cette attitude une sorte de protection à leur propre discrétion naturelle – mais je dis qu'il y avait grand risque, et qu'il y eut en effet très grand risque à ce que nombre d'entre elles, et surtout celles qui *auraient pu* faire autre chose que des enfants à la queue leu leu, celles qui auraient pu avoir un métier, un vrai métier, et se développer en tant qu'êtres intelligents (et qui avaient alors grand besoin de faire sentir *pourquoi* elles avaient choisi cette voie stupide de la lapinière et de la gargotte, qui avaient grand besoin de donner des raisons nobles de leur apparente sottise, c'est-à-dire de leur sacrifice, qui *n'en était pas un*), il y eut en effet un très grand risque à ce que nombre d'entre elles se fissent leurs propres *témoins à décharge*. C'est-à-dire affichassent leurs principes pour qu'on ne les accusât pas de sottise, et s'enfonçassent avec d'autant plus de résolution, et d'autant plus manifeste, qu'elles avaient besoin de ce simulacre d'épreuve pour s'assurer que, loin de se perdre, elles se sauvaient. C'est évidemment une assez triste condition, mais c'est dans cette condition qu'on put voir résumées et rassemblées toutes les formes latentes produites par ce contexte général. La cohabitation du religieux et du banal, voire du quotidien sous ses formes les moins plaisantes, du religieux et du sexuel, du religieux et de l'obstétrique, etc., fit que l'on passait continuellement (et cela se sentait, se voyait de l'extérieur, car en toutes ces conduites il y avait une intention de démonstration ou de défi – ou de témoignage) du sacré au profane, du spirituel au naturel, et que finalement, faute de pouvoir soutenir toujours au niveau du spirituel et du religieux des attitudes nécessaires pour supporter le reste, ou pour leur donner un sens, comme on voudra, on en vint à une sorte d'impudeur supplémentaire : celle de donner tout simplement comme *naturelle* cette attitude elle-même, pourtant la moins naturelle du monde, comme si la « nature » permettait ainsi de *sauter pardessus* les conduites de respect et de tact les plus nécessaires aux échanges sociaux, pour réaliser la synthèse immédiate du plus élevé et du moins élevé. On eut alors affaire à des couples (et en particulier à des femmes) qui n'eurent d'autre ressource et recours contre leur propre embarras que de se présenter pour ainsi dire sous la forme d'institutions *naturelles*, ne se posant même plus de problèmes, du moins dans leurs rapports avec les autres, et promenant par le monde et leurs enfants, et leurs « problèmes », et leurs difficultés, tout pleins d'eux, à peine attentifs aux tiers, la plupart du temps sourds (et il faut le dire assourdis, abasourdis par les cris de leur longue famille qui leur tenait lieu de vie et aussi de monde), en tous cas enfermés dans un monde toujours aussi public, mais cette fois sans le point d'honneur originaire d'en avoir fait un monde spirituel à la mesure des desseins de Dieu. Ils avaient ainsi mis au monde une nouvelle forme d'obscénité, inconsciente, avec l'aide de cette religion que l'Église de France appela à l'aide, pour pallier sa perte de pouvoir.

Les desseins de la Providence sont insondables. L'impudeur de leur comportement « naturel », le caractère pour eux « naturel » de leur comportement public, leur tenait alors « naturellement » lieu de vie religieuse et d'intention religieuse. Ils vivaient ainsi leur vie conjugale exactement sur le mode de certains couples que la promiscuité des logements vétustes ou semi-collectifs modernes, que la servitude imposée par ces conditions de vie déplorables, transformaient en cellule sexuelle alimentaire et d'élevage au su et vu de tous. Mais à la différence de ces gens ordinaires qui vivaient leur condition tout bonnement comme une condition de fait, eux la vivaient ostensiblement comme l'épiphanie de la spiritualité, comme la manifestation de la grâce de Dieu. Ils vivaient ostensiblement comme *naturel* le fait de donner un sens surnaturel à la « nature », au point que la déambulation de la nature toute nue, son impudeur publique, devenait la présence même de la surnature, sa publication sinon sa publicité. Si l'on veut bien considérer ce court-circuit de la « nature » et de l'« esprit », et l'exhibition de leur identité comme « naturelle » et « spirituelle » en même temps, on n'hésitera pas à y reconnaître la structure même de l'obscénité, s'il est vrai qu'est obscène l'exhibition d'un phénomène culturel comme « naturel », l'exhibition du privé comme public, l'exhibition d'une conduite interdite comme permise, voire comme sur-autorisée, et finalement l'exhibition de la « surnature » comme « nature », c'est-à-dire l'exhibition « naturelle » du scandale de cette perpétuelle confusion des ordres.

Je ne crois pas qu'on puisse sérieusement contester que l'Église ait joué un rôle important dans la constitution de ces conduites et attitudes nouvelles. Car c'est elle qui a *permis* ce court-circuit, c'est elle qui a transformé la structure des anciennes conduites en offrant une nouvelle voie d'effusion aux pulsions naguère refoulées et réprimées. Elle a pris l'objet des rapports conjugaux dans ses anciennes catégories : le secret, l'intimité, le privé, l'interdit, le silence, le caché, la nature (en supposant que ces catégories fussent pures), c'est-à-dire en général dans la *forme du refoulement*. Et elle a converti ces anciennes catégories en de nouvelles catégories, apparemment contradictoires avec les premières : le public, l'autorisé, le témoignage, la manifestation, le spirituel, la sur-nature : autrement dit elle a substitué aux catégories du refoulement de nouvelles catégories qui ont tous les attributs du *défoulement*, et en particulier son triomphe agressif, la revendication de son droit, la publication de ses titres, et la bonne conscience éclatante de la complicité de Dieu. Mais ce faisant, on ne peut pas dire qu'elle soit sortie de la situation originaire : elle ne l'a « renversée » qu'en son propre sein, toute la solution qu'elle lui a donnée consistant au fond à publier comme autant de preuves de sa liberté ses anciens titres de servitude. Mais cette publication, et tous les sens qu'elle charrie, ne pouvait avoir lieu sans la *levée de l'interdit*, ou plutôt sans la levée de la forme de l'interdit qui pesait sur certaines matières, c'est-à-dire sans *l'autorisation* officielle de l'Église. Cette levée de la forme de l'interdit était *possible*, puisque l'instance qui levait l'interdit était aussi l'instance qui l'avait institué : qui fait les lois les peut défaire. Certes en levant cet interdit l'Église faisait semblant de ne pas l'avoir institué, elle incriminait plutôt le monde, son matérialisme, etc., sa fausse dévotion et son hypocrisie de la pudeur, etc., mais cette distinction ne trompait personne, puisque ces jeunes couples passaient ainsi de ce qui était pour eux une fausse conscience religieuse à une vraie conscience religieuse, c'est-à-dire demeuraient toujours dans la religion : simplement quand ils passaient de l'une à l'autre, ils déclaraient non religieuse la première, celle qu'ils abandonnaient. Mais ce qu'ils ne voyaient pas, mais hélas qu'ils faisaient voir à tous, c'est que ce défoulement autorisé, et justifié, équilibré intérieurement par l'absolution du *spirituel*, c'est-à-dire par cette *sublimation* indispensable pour soutenir l'édifice de ces passions, n'avait rien de libérateur et de « naturel », sauf dans les catégories mêmes de l'autorisation et de la sublimation. Ce qu'ils vivaient comme une vraie libération n'était jamais qu'une nouvelle forme de leur servitude, mais dans de nouvelles catégories, qui faisaient désormais de leur vie privée, de leurs rapports sexuels, de leur division du travail conjugal, une forme du témoignage et de l'existence religieux.

C'est là sans aucun doute une des formes les plus graves parmi les mystifications de notre temps : aux formes anciennes qui, elles au moins se contentaient de paraître ce qu'elles étaient, et ne prenaient même pas la peine de masquer leur fond d'hypocrisie (le Code civil dans sa brutalité juridique), les formes modernes ont ajouté l'*illusion* d'une libération. Mais cette libération-là n'a été que l'autorisation de *montrer* ce qu'auparavant on *devait cacher*, elle a eu pour tout effet de substituer le défoulement de l'ostentation au refoulement des désirs, c'est-à-dire une servitude à une autre, et, qui pis est, une servitude vécue, elle, comme une vraie liberté. Substituant ainsi une sublimation publique au refoulement privé, l'Église *a rendu plus difficile*, en fait, *la critique* de la condition du couple : en transformant en « nature », évidente, sûre de soi, et manifeste ce qui, jusque-là, était vécu dans le contexte de l'ascétisme moral, elle a ôté à la critique de la condition conjugale et particulièrement de la condition féminine dans le couple, la prise que constituait au moins le malaise de la contradiction du refoulement privé. Transformant le malaise et la mauvaise conscience en « nature », elle n'a pas produit le moindre commencement de liberté : elle a produit de la *niaiserie* le plus souvent, quand ce n'est pas de l'*obscénité* tout court. Elle a terriblement compliqué l'existence de ces jeunes qui se sont donnés à sa mythologie, elle a posé le problème de leur libération personnelle en termes d'autant plus dramatiques qu'il leur fallait non seulement rompre avec des catégories juridiques et des comportements traditionnels éventés, mais aussi avec les nouvelles conduites produites par cette « révolution religieuse », et avec sa conscience. Ces jeunes ont dû surmonter aussi la surprise et l'épreuve de leur solitude, ne comprenant pas pourquoi ce qui était pour eux « nature » et sans problèmes faisait si souvent problème pour autrui. Ils ont dû réapprendre à vivre, dans des conditions pires qu'avant, quand ils en ont eu le courage, ou bien continuer à vivre dans leur mythologie, quand ils virent qu'ils n'étaient pas bons pour l'air de la liberté, c'est-à-dire continuer à *oublier de vivre*.

Quand on fera, un jour, le bilan des « audaces » de l'Église de France, j'aimerais qu'on prenne garde à cet exemple, qui montre à l'évidence qu'il ne suffit pas de retourner un gant pour avoir les mains libres.

II

Textes de crise

Notice

Manifeste à la fin de la décennie, la mise en crise généralisée est l'un des traits essentiels de la production althussérienne de la fin des années 1970, et doit être nettement distinguée de la veine des diverses « rectifications » et « autocritiques », caractéristique des années 1967-1975. L'évolution est cependant loin d'être linéaire.

Daté du 3 juin 1972, le texte intitulé par Louis Althusser Une question posée par Louis Althusser a été rédigé à peu près en même temps que la Réponse à John Lewis, datée quant à elle du 4 juillet. Il en constitue très exactement le revers. On sait que cet ouvrage, succession de thèses énoncées en une rhétorique délibérément cassante exhibant son assurance, est sans doute le plus « dogmatique » d'Althusser, au moins au sens donné à ce terme dans Philosophie et Philosophie spontanée des savants. Une question posée par Louis Althusser présente sans conteste les signes extérieurs de la même démarche. Il s'agit pourtant d'autre chose, et l'on est plus près d'un écrit comme Sur le transfert et le contre-transfert [1]. Évidente dans la présentation du texte, bien entendu écrite par Althusser lui-même, cette dimension burlesque est également présente dans le style autoparodique de l'argumentation.

Interrogé sur ce point, Marcel Cornu, alors secrétaire de rédaction de La Pensée, n'a gardé aucun souvenir de ce texte.

1. Écrits sur la psychanalyse, Paris, Stock/IMEC, 1993, pp. 175-186.

Écrits philosophiques et politiques

Suivant en cela l'avis de Dominique Lecourt [1], *qui se souvient d'en avoir beaucoup ri avec son auteur, nous inclinons à penser que Louis Althusser ne l'a jamais transmis à la revue.*

Marx dans ses limites *a été rédigé au cours de l'été 1978, peu après la publication dans* Le Monde *des 24-27 avril de ses quatre articles :* Ce qui ne peut plus durer dans le parti communiste. *Dans cet ouvrage au titre éloquent, Louis Althusser tente de dresser un bilan de l'état de la théorie marxiste esquissé au cours des mois précédents dans son « Avant-Propos » au livre de Gérard Duménil :* Le Concept de loi économique dans « Le Capital » [2], *dans son intervention (« Enfin la crise du marxisme ! ») au colloque de Venise organisé par* Il Manifesto *en novembre 1977, ou encore dans son article « Le marxisme aujourd'hui », rédigé en février 1978 et publié en italien dans l'*Encyclopédie Garzanti [3]. Marx dans ses limites *ne fait pas partie des textes que Louis Althusser mettait en circulation : seuls quelques très proches semblent y avoir eu accès.*

Datée du 16 janvier 1978, la lettre à Merab Mamardachvili [4] *publiée en annexe constitue l'autre aspect du diagnostic de crise établi dans les écrits théoriques. Nous n'en sommes peut-être déjà plus aux seuls bilans : « c'est l'heure de l'addition » — ce qui est tout autre chose.*

---

1. Notre entretien du 10 mai 1994.
2. Paris, Maspero, collection ‹ Théorie ›, 1978. L'‹ Avant-Propos › d'Althusser a été rédigé en février 1977.
3. Ces deux derniers textes seront prochainement réédités par les Presses universitaires de France, dans un ensemble d'écrits aujourd'hui ‹ introuvables › de Louis Althusser.
4. Évoqué dans *L'avenir dure longtemps*, le philosophe géorgien Merab Mamardachvili est un ami de longue date de Louis Althusser, avec qui il entretint à partir de 1968 une correspondance régulière. Mort en 1990, ce spécialiste de la philosophie occidentale a enseigné à Moscou, puis à Tbilissi à partir de 1985, et sa réflexion a porté essentiellement sur la théorie de la conscience. On peut lire en français ses Entretiens avec Annie Epelboin : *La Pensée empêchée* (Paris, Éditions de l'Aube, 1991).

Une question posée par Louis Althusser
(1972)

Louis Althusser nous a adressé la brève lettre que nous publions ci-dessous.

Il « pose une question » qui peut intéresser tous les philosophes qui s'interrogent ou travaillent sur la dialectique. Au premier chef les marxistes à qui Lénine proposait, en 192[...], l'objectif d'étudier en matérialistes la dialectique hégélienne et de constituer une société des amis de la dialectique hégélienne.

Louis Althusser « pose » cette question dans des termes qui parleront d'eux-mêmes aux lecteurs de *La Pensée*, revue du « Rationalisme » Moderne : car il ne fait que reprendre une pratique courante entre savants et philosophes de la grande période du *rationalisme* classique, le XVIIe siècle.

En ce temps-là, mathématiciens (Pascal, Descartes, Fermat, Leibniz, etc.), physiciens (Descartes, Huygens, etc.) et philosophes [1] (la plupart des savants étaient des philosophes, et tous les grands philosophes étaient de grands savants) avaient coutume de « poser » publiquement à leurs confrères de toute l'Europe, des « questions » scientifiques ou philosophiques, qui étaient autant de problèmes à résoudre, autant de preuves de leur travail scientifique ou philosophique, et aussi autant de défis amicaux à leurs partenaires dans l'émulation de la recherche.

---

1. Cf. les « objections » publiques que les Philosophes s'adressaient. Et leurs réponses. Ex : Descartes. *Objections et Réponses aux Objections.*

Cette pratique, qui a été encouragée et protégée pendant près de cinquante ans par l'extraordinaire personnalité de Mersenne, a été d'une fécondité étonnante.

Elle a eu aussi le grave inconvénient de priver l'humanité de certaines démonstrations que certains savants ont gardées pour eux. Ainsi le fameux « théorème de Fermat » a lui aussi été proposé aux mathématiciens de son temps par son auteur : mais personne ne sut fournir la démonstration mathématique du théorème dont Fermat énonçait pourtant le résultat, en posant à tous la question : comment procéderiez-vous pour démontrer mon théorème ? Depuis Fermat, les mathématiciens possèdent le « théorème de Fermat », et ils ont pu vérifier son exactitude : mais maintenant encore, trois cents ans après Fermat, qui, on a lieu de le croire, en possédait la démonstration, personne n'est parvenu à le démontrer.

Il n'est pas question, fût-ce pour rendre hommage aux grands esprits de cette époque historique, de prétendre, même d'infiniment loin, les imiter. Car nous disposons en principe d'autres formes de communication et d'émulation.

Mais il nous a paru, tout en lui laissant la responsabilité de son initiative, intéressant de « jouer le jeu », en soumettant aux lecteurs de *La Pensée* « la question » que Louis Althusser nous a adressée, *intentionnellement* dans cette forme et à cette fin.

Voici le texte de la lettre de Louis Althusser.

Cher Marcel Cornu,

Je voudrais, reprenant une forme familière aux savants et philosophes de l'époque du Rationalisme classique, « poser une question » ou « proposer un problème » aux lecteurs de *La Pensée* qui s'intéressent à la dialectique.

On parle couramment de « *lois* de la dialectique ». Personnellement je ne souscrirais pas à cette appellation consacrée (*lois* de la dialectique). Mais je laisse ce dernier point, sur lequel je m'expliquerai en temps utile, en suspens : et je me servirai provisoirement de cette expression courante pour « poser » ma « question ».

Une question posée par Louis Althusser

On dit qu'il y a *des* lois de la dialectique. Et parmi elles, j'en retiendrai *deux* :

1. *la Loi n° 1,* ou « loi de l'identité des contraires » (ou du passage d'un contraire dans l'autre etc. *Etc.* : car cette « loi » donne lieu à toute une série de formulations intéressantes dans leurs différences).

2. *la Loi n° 2,* ou « loi de la transformation de la quantité en qualité » (ou du « saut », du « bond » qualitatif, etc. *Etc.* : même remarque).

Or voici l'opération que *je propose.* C'est une opération qui, si elle a été constamment *pratiquée* par Marx, Engels, Lénine, Gramsci et Mao, n'a jamais, à ma connaissance, été *proposée* sous cette *forme abstraite et systématique.* Je revendique donc la responsabilité personnelle de la proposer explicitement *sous cette forme.*

Opération :

1. Principe de l'opération

Je propose d'« appliquer [1] » la loi n° 1 à la loi n° 2. C'est théoriquement légitime, car la loi n° 1 est « la loi la plus *générale* » de la dialectique, elle « s'applique » donc à *tout*, y compris à la dialectique elle-même, donc à ses « lois », donc à sa « loi n° 2 », explicitement indiquée dans la tradition « hégélienne [2] » et marxiste comme une « loi » particulière de la dialectique — particulière au regard de « la loi générale ».

2. Résultat de l'opération

L'application de la « loi n° 1 » à la « loi n° 2 » donne, entre autres, le résultat suivant que j'énonce sous la forme de ce que j'appellerai *« la loi n° 2 bis »* de la dialectique.

1. Sur ce terme, voir la fin de ma « question ».
2. Post-hégélienne : Hegel ne parle pas de « lois » de la dialectique.

Loi n° 2 bis : « dans des circonstances définies, correspondant à un état défini des contradictions (principales/secondaires) et des aspects (principaux/secondaires) des contradictions d'un processus défini, une qualité se transforme en une quantité.* Contrairement à ce qui se passe dans le cas de la loi n° 2, où une [1] quantité se transforme en une qualité par « saut » ou « bond », donc sous la forme de *la discontinuité*, dans la loi n° 2 bis, une qualité se transforme en une quantité par *progression* plus ou moins lente, donc sous la forme de la *continuité*.

3. « DÉMONSTRATION » DE L'OPÉRATION

Je me suis contenté, pour obtenir ce résultat, d'appliquer la loi n° 1 (« identité des contraires ») aux « contraires » ; quantité/qualité. Et pour faire apparaître cette identité, j'ai permuté les termes, l'un prenant la place de l'autre. Au lieu d'écrire « une quantité se transforme en une qualité... » j'ai écrit : « une qualité se transforme en une quantité... » Ainsi j'ai obtenu *la loi n° 2 bis*, et sa forme : non plus le « saut » *discontinu*, soudain, mais la progression (ou transformation) *continue* et lente.

4. VÉRIFICATION DE LA LOI 2 BIS

Je laisse de côté la question de savoir ce que peuvent signifier les expressions : « démontrer », « vérifier » une « loi » de la dialectique. De même que je me suis servi et me sers de l'expression : « loi » de la dialectique, je me sers de l'expression : « démonstration », « vérification » d'une « loi » de la dialectique. Je me borne à *reprendre pour le moment* les expressions courantes.

Je dis que cette « *loi n° 2 bis* » peut être vérifiée par des *faits*

---

1. On notera que je modifie la terminologie classique de la loi n° 2. Je l'énonce « *une* quantité se transforme en *une* qualité ».

innombrables. Pour me limiter à l'histoire du Mouvement Ouvrier et à ses Œuvres, j'invoquerai seulement les exemples suivants (qu'on peut multiplier à l'infini) :

a. les *formules* employées par Marx : depuis « l'arme de la critique se transforme dans la critique des armes », à « une idée juste qui s'empare des masses *devient une force matérielle* »; les formules de Lénine : du simple titre du Journal du Parti révolutionnaire : *Iskra* c'est-à-dire *L'Étincelle*, à « sans théorie révolutionnaire pas de mouvement révolutionnaire » (et mille autres formules du même ordre, en particulier la fameuse formule sur « le maillon le plus faible » / « le maillon le plus fort »); les formules de Mao sur « la contradiction principale, et l'aspect principal de la contradiction » et sur « une étincelle (Iskra...) peut mettre le feu à toute la plaine » — sans parler de toutes les formules, classiques d'Engels à Gramsci en passant par Plékhanov et Lénine, sur « le rôle de l'individu dans l'histoire », etc.

b. la théorie et la pratique du Mouvement ouvrier : avant tout la pratique et la théorie de la « Fusion du Mouvement Ouvrier *et* de la théorie marxiste », et la pratique et la théorie du Parti révolutionnaire comme Parti d'avant-garde *et* de masse. Dans la « *Fusion* », une certaine « qualité » (la « théorie marxiste ») s'est transformée, dans la lutte des classes à l'intérieur du Mouvement Ouvrier, par une progression continue et lente (un travail qui a duré plus d'un siècle et qui dure toujours), en une « quantité » : l'extension de la théorie marxiste à la *majorité* du Mouvement Ouvrier. De même dans la question du *Parti* : une « qualité » (le Parti d'avant-garde groupant une *minorité* de prolétaires, mais des militants formés théoriquement et pratiquement à la lutte de classe *politique*) se transforme en une « quantité » (des effets *de masse*, intéressant des millions d'hommes; si la « ligne » du Parti est une ligne de masse juste, et si la pratique des militants du Parti est une pratique de masse juste). Exemple : l'histoire du *Parti bolchevik*. A son origine Lénine et quelques militants seulement, ayant une ligne de masse juste et des pratiques de masse justes : une

« qualité ». En 1917, cette « qualité » est devenue, après un gigantesque travail de lutte politique *continu*, une « quantité » : les millions d'hommes qui ne sont pas bolcheviks, mais qui suivent la ligne et les mots d'ordre révolutionnaires, et abattent le pouvoir politique du tsar, avant d'adopter les mots d'ordre bolcheviks et s'emparer du pouvoir d'État en renversant l'État bourgeois. *A l'intérieur* de l'histoire du Parti bolchevik, le même phénomène se reproduit un nombre infini de fois. Un seul exemple. En avril 1917, deux mois après l'assaut des masses révolutionnaires contre les tsar (février), Lénine rentre d'exil. Il descend du train « plombé » qui l'a conduit, dans d'incroyables circonstances, de Suisse à Petrograd. Une foule immense l'accueille et l'acclame. Devant la gare, Lénine prend la parole. Il parle : pour énoncer les « thèses d'avril ». Stupeur parmi les dirigeants du Parti bolchevik. Lénine est *complètement seul*, contre tous les dirigeants, et contre la majorité des militants. Exemple « pur » car situation-limite. Le lendemain, Lénine reprend, explique et justifie ses thèses devant le Soviet de Petrograd. Il est toujours seul de son avis. Mais peu à peu, la force de l'argumentation et la justesse de sa ligne révolutionnaire de masse *finissent* par l'emporter. Lénine rallie à ses thèses la majorité puis l'immense majorité des dirigeants bolcheviks et des militants. Une « qualité » est devenue « quantité ». Et elle le devient à crever les yeux : des millions d'hommes du peuple, qui ne sont pas des bolcheviks, vont faire de la « ligne » de Lénine, qui était seul de son avis en descendant du train en avril 1917, *leur* ligne à tous : parce que la ligne de Lénine était, même quand Lénine était seul, une ligne de masse juste, *la* ligne de masse juste, dans la conjoncture révolutionnaire existante.

D'avril à octobre, les choses vont se « transformer » de manière continue, et ce sera non plus seulement la prise *du palais d'Hiver*, et la chute du tsar (février 1917), mais la Révolution d'octobre 1917 : *la prise du pouvoir d'État* par les masses populaires, conduites par le prolétariat, sous la direction de son Parti de classe, le Parti bolchevik, un parti *d'avant-garde de masse*, appliquant une ligne de masse juste par des pratiques de masse justes.

La transformation continue s'est opérée (loi n° 2 bis : une « qualité » est devenue une « quantité ».)

Alors, mais alors seulement, la *loi n° 2* rentre en scène : *la* « quantité » (la mobilisation révolutionnaire des masses populaires sous la conduite du Prolétariat dirigé par son Parti d'avant-garde de masse) se transforme en une « qualité » : cette fois sous la forme d'une *discontinuité*, d'un « saut », d'un « bond ». C'est l'explosion de la Révolution d'Octobre, l'assaut du pouvoir d'État bourgeois, sa conquête.

« Vérification » théorique supplémentaire : sur ce simple exemple (on pourrait en citer des centaines d'autres) on voit à l'œuvre *le passage de la loi n° 2 bis* (« une qualité se transforme en une quantité ») *à la loi n° 2* (« une quantité se transforme en une qualité »), *dans la continuité d'un processus historique d'ensemble* et qui est donc *à la fois*, mais pas au même niveau, et pas au même moment, un processus *continu* (la transformation continue de la loi n° 2 bis) et marqué par des *discontinuités* (les « sauts » de la loi n° 2).

5. « Généralisation [1] »

L'« application » de la loi n° 1 (l'identité des contraires) à la loi n° 2 a *produit* ce double résultat :

1. *il existe une loi n° 2 bis* (« une qualité peut se transformer en une quantité ») ; cette loi agit dans une forme spécifique : la transformation *continue*.

2. Cette loi n° 2 bis est le « contraire » de *la loi n° 2* (« une quantité peut se transformer en une qualité ») et sa forme spécifique d'action (la transformation *continue*) est le « contraire » de la forme spécifique d'action de la loi n° 2 (le « saut » *discontinu*).

3. La loi n° 1 (« l'identité des contraires ») « s'applique »,

---

1. Sur ce terme, voir la fin de ma question.

comme leur loi commune, *à l'ensemble* de ces deux lois (n° 2 et n° 2 bis). Vérification théorique : la *loi n° 2 bis* a été obtenue par l'opération qui a constitué à « appliquer » *la loi n° 1 à la loi n° 2*. Vérification pratique : dans la pratique révolutionnaire de l'histoire de la « Fusion du Mouvement ouvrier et de la théorie marxiste » en général, et dans les exemples précis du Parti bolchevik issu de l'*Iskra* de Lénine, tout comme dans l'exemple des thèses d'avril et de la mobilisation populaire de masse entre février et octobre 1917, « explosant » dans l'assaut révolutionnaire et la prise du pouvoir d'État, *les deux lois passent l'une dans l'autre*, la loi n° 2 bis dans la loi n° 2, et vice versa. C'est donc, au niveau même des « lois » n° 2 et 2 bis, la « vérification » généralisée de la loi n° 1 : « l'identité des contraires », leur « passage l'un dans l'autre », etc.

Pour finir, simplement trois remarques.

1. Si j'ai mis *en évidence*, dans ma proposition théorique, *la loi n° 2 bis* (« une qualité peut se transformer en une quantité ») ce n'est pas pour lui donner la *priorité* sur la loi n° 2 (« une quantité peut se transformer en une qualité »). Si je l'avais fait, ou si on le faisait, on tomberait dans une *fausse* conception de la dialectique marxiste : disons une conception *idéaliste*, une conception qui donnerait le primat à la théorie sur la pratique, au grand Dirigeant sur le Parti, et en dernière instance au *Parti sur les masses*. Telle n'est pas la position politique et théorique du marxisme-léninisme qui est *matérialiste*. Tout au contraire en dernière instance, ce sont « les masses qui font l'histoire ». On peut en conclure que le marxisme affirme le primat des masses sur le Parti, du Parti sur le grand Dirigeant (*même* dans la situation-limite où le rapport est, dans un premier moment, de courte durée, *renversé* : la situation-limite des Thèses d'avril), du Mouvement Ouvrier sur la théorie marxiste elle-même, et d'une manière tout à fait générale, *le primat de la pratique sur la théorie*.

2. Il faut donc poser, *sous* la « loi n° 1 », la plus « générale » de la dialectique, qui est la loi de « l'unité des contraires », *le primat de la loi n° 2* (« une quantité peut se transformer en une

qualité ») *sur la loi n° 2 bis* (« une qualité peut se transformer en une quantité »).

3. Il faut évidemment « appliquer » les deux lois (n° 2 et n° 2 bis), ainsi que le primat de la loi n° 2 sur la loi n° 2 bis, *à ma présente proposition.*

Cette dernière conséquence est nécessaire et essentielle.

Car cette proposition, au moment où je la formule par écrit, est *seulement* la proposition énoncée à ses « risques et périls » politiques et théoriques, par un simple *individu*, philosophe marxiste, militant du Parti communiste français. C'est donc « *une* » « *qualité* ».

Comme « *qualité* » elle ne peut être que le résultat d'une transformation d'une « quantité » : disons *l'accumulation* des problèmes politiques et théoriques contradictoires autour du terme : « *la dialectique* », autour des difficultés de sa formulation en « lois », combien de « lois »? peut-on les « appliquer »? etc. etc. Cette *accumulation* de problèmes politiques et théoriques contradictoires peut être considérée comme *un* des résultats, sous la forme d'une question philosophique de la plus haute abstraction, de toute l'histoire de la « Fusion du Mouvement Ouvrier et de la théorie marxiste ». Donc, ma proposition, comme « une qualité », doit être pensée sous le primat de la catégorie de la loi n° 2 de la dialectique.

Mais si jamais cette « qualité » *peut* se transformer en « quantité » (c'est-à-dire, en première instance, et c'est tout ce que j'en attends actuellement, peut être *reconnue* par des philosophes marxistes puis par des militants communistes) ce sera sous la catégorie de *la loi n° 2 bis* (« une qualité peut se transformer en une quantité ».) Seule, le « critère de la pratique » tranchera la question. Et il la tranchera.

C'est sous cette condition, et à l'intérieur de cette condition (*sous le primat de la loi n° 2 sur la loi n° 2 bis*), que ma « proposition » personnelle non seulement « propose » d'énoncer une « nouvelle loi de la dialectique » (loi n° 2 bis); mais encore se soumet elle-même à cette loi, sous le primat de la loi n° 2, et, en dernière instance, à la « loi » la plus générale de la dialectique, qui énonce et règle « l'identité des contraires ». Tout cela est « conséquent ».

353

C'est pourquoi, tout en étant, *dans sa forme*, une question semblable aux questions que les savants et philosophes rationalistes du XVIIᵉ se posaient publiquement entre eux, comme autant de défis dans une joute spectaculaire, mais *sans donner par avance leur démonstration*, puisqu'ils mettaient justement au défi leurs interlocuteurs scientifiques de la produire, ma question n'est pas une question de philosophe *rationaliste*.

C'est la question d'un philosophe marxiste.

Non seulement je pose une question, mais je propose ma solution. Non seulement je propose ma solution (la nouvelle *loi nº 2 bis*), mais j'en donne la « démonstration » et la « vérification ». Non seulement j'énonce cette loi + sa « démonstration » + sa « vérification », mais « j'applique » au grand jour cette loi à ma propre proposition, à ma propre « démonstration » et « vérification ».

On dira qu'il n'y a plus de question? Si : celle que je vais poser maintenant aux philosophes marxistes ou plutôt (car je n'ai rien fait que lui prêter ma plume, à cette question, car *la loi nº 2 bis* est partout présente, pressante et active dans la théorie et la pratique du marxisme, pour en énoncer la forme abstraite qui en fait une « loi ») celle qui *est* en fait *posée* aux philosophes, depuis toujours, et aux philosphes marxistes et militants révolutionnaires depuis Marx, celle des « *lois* » de la dialectique.

Or la question des « *lois* » de la dialectique fait, dans l'état actuel des choses, *un* avec *la* question de « *la dialectique* ».

Voici donc la question que je pose pour finir aux philosophes, et évidemment aux philosophes marxistes les tout premiers.

Est-il légitime de parler de « *lois* » de la dialectique? La dialectique peut-elle se dire et penser en termes de « lois »? Et, questions annexes, car elles en dépendent : est-il légitime de parler de l'« application » de la dialectique, de la « démonstration », et de la « vérification » d'une « loi » de la dialectique, donc de la dialectique? est-il légitime de parler de « généralisation »? etc.

Et derrière toutes ces questions, je pose *la* question qui *peut* toutes les résumer : si la dialectique a des « lois », est-ce à dire qu'elle est l'*objet* d'une *science* au sens courant du terme ? Y a-t-il une *science* d'un *objet* appelé *dialectique* ? Et comment *s'appelle* alors la *science* de cet objet dont elle énonce les « lois » ? Dira-t-on que cette science s'appelle elle-même « la dialectique », donc que *l'objet* et *sa science* portent le même nom, *parce qu'ils sont une seule et même chose* ?

Comme plus haut, je vais donner *mes réponses* à ces questions, mais cette fois *sans les « démontrer »*.

Je dirai :

1. Les « lois » de la dialectique ne sont pas des « lois ». Ni des lois politiques, ni des lois scientifiques : ce sont des *Thèses philosophiques*[1]. Il y a un certain nombre de *Thèses philosophiques* majeures, qui, prises dans leur relation nodale et « dialectique », constituent ce qu'on appelle couramment les « lois » de *la dialectique*. L'autre grand groupe de Thèses philosophiques est constitué par les Thèses groupées sous le titre *du matérialisme*. Or, on n'a jamais parlé des « lois » du matérialisme.

2. Il n'y a pas « trois » Thèses de la dialectique, mais une Thèse majeure (l'identité des contraires), d'où découlent d'autres Thèses, lesquelles, à prendre le mot à la rigueur, ne sont au nombre ni de trois, ni de quatre, mais en nombre infini. Car toute Thèse philosophique est infinie.

3. Comme on ne *peut* dire d'aucune Thèse philosophique qu'on « l'applique », on ne peut le dire non plus des Thèses de la dialectique (qu'il vaut mieux appeler *Thèses dialectiques*). On ne parlera donc jamais, sauf par commodité et figure, d'une « application » des Thèses, et a fortiori des « lois » de « la dialectique ». La dialectique ne « s'injecte » (cf. la lettre de Marx sur Proudhon : « je tentai *en vain* de l'injecter de dialectique hégélienne ») ni ne « *s'applique* ». Elle n'entretient pas avec son *enjeu* ni le rapport *scientifique* d'une science à son objet, ni le rapport technique d'une connaissance scientifique à son

---

1. Toutes les Thèses ne sont pas philosophiques. (il existe entre autres des Thèses *politiques* (ex : les « Thèses d'avril », de Lénine).

« application ». Comme son nom l'indique elle entretient avec son enjeu un rapport de *position* (Thèse, mot grec passé en latin et en français, signifie : *position*).

4. Comme il n'y a pas de « lois » de la dialectique, la question de savoir comment peut bien s'appeler la science qui connaît les « lois » de la dialectique, *ne se pose pas*. Cette science n'existe pas. Les Thèses dialectiques sont posées par la philosophie, ou plutôt par le « philosopher », c'est-à-dire par la pratique philosophique. De même, et a fortiori, la dialectique ne peut être dite une *science* : la dialectique est l'ensemble de Thèses philosophiques dialectiques, donc des effets-philosophie, des causes-effets (effets-causes) de la pratique philosophique.

J'ajoute ceci :

Dans le langage courant, on pourrait dire que « les conséquences de ce qui vient d'être avancé » sous forme de « réponses » sont *incalculables* tant dans la théorie que dans la pratique. Il faut rectifier : elles sont au contraire parfaitement calculables.

Je soumets donc toutes ces questions et leurs réponses aux philosophes, sur le mode des rationalistes du XVIIᵉ siècle jouant au défi de la démonstration, et je leur demande d'en fournir soit la « démonstration », soit la « réfutation ».

Merci, cher Marcel Cornu, de bien vouloir accueillir ma « question » dans *La Pensée*.

Paris, le 3 juin 1972.
Louis Althusser.

(Les réponses peuvent être adressées à Louis Althusser, sous-couvert de *La Pensée*, Paris. Les réponses seront reçues dans un délai de deux mois. Passé ce délai, Louis Althusser publiera dans *La Pensée* ses « démonstrations »).

Marx dans ses limites

(1978)

1. Enfin la crise du marxisme a éclaté [a] !

Tous les événements que nous vivons depuis des années et des années, quand ce n'est pas depuis des dizaines et des dizaines d'années débouchent aujourd'hui sur ce qu'il faut bien appeler la crise du marxisme.

Par marxisme, entendons, au sens le plus large, non seulement la théorie marxiste, mais aussi les organisations et les pratiques qui s'inspirent de la théorie marxiste, qui ont abouti après une longue et dramatique histoire, aux révolutions russe et chinoise, etc. pour aboutir non seulement à la scission du *mouvement ouvrier mondial* après l'Union sacrée des partis sociaux démocrates et la révolution d'octobre, mais encore, après la dissolution de la IIIᵉ Internationale, à une *scission dans le mouvement communiste international* lui-même, scission ouverte entre l'URSS et la Chine, scission larvée entre les partis dits « eurocommunistes » et le PCUS.

Alors qu'autrefois, avant « la faillite de la IIᵉ Internationale [b] », le mouvement ouvrier international avait réussi à s'inspirer de la théorie marxiste pour réaliser son unité, alors que c'était ouvertement de la bourgeoisie que venaient les coups, depuis la scission sino-soviétique c'est à

Notes d'édition p. 513 à 524.

l'intérieur du camp socialiste et marxiste qu'apparaissent au grand jour des conflits très graves [a], qui mettent en cause naturellement *et* l'interprétation de l'histoire du marxisme et des mouvements marxistes, *et* l'interprétation de la théorie marxiste elle-même.

Le XX[e] Congrès du Parti soviétique [b] a brutalement découvert une terrible réalité qui avait été dissimulée pendant plus de vingt ans aux militants, lesquels avaient dû se battre pour sauver l'apparence des justifications dont Staline avait couvert ses pratiques et notamment les monstrueux procès de 1937-1938 en URSS et des années 1949-1952 dans les « démocraties populaires ». Les choses en vinrent à ce point de gravité que les révélations de Khroutchev lui-même sur les massacres, les déportations de masse et les horreurs des camps, ne parvinrent pas à assainir la situation, qui, en URSS et dans les partis occidentaux, resta longtemps encore dominée, et le reste encore en grande partie, par les pratiques mêmes qui étaient dénoncées. Preuve évidente que la crise qui éclatait au grand jour *sous cette forme*, était alors encore plus profonde qu'il avait été dit : il ne s'agissait pas des effets du prétendu « culte de la personnalité », ni des seules « violations de la légalité socialiste [c] », mais de tout un système théorique et pratique capable de survivre aux révélations les plus scandaleuses.

D'où provenaient toutes ces horreurs? Le temps a passé, vingt-huit ans se sont écoulés. Certes la Chine a rompu avec l'URSS [d] en critiquant, entre autres, la politique économiste de Staline et ses pratiques internationales, certes elle a, sous Mao, tenté de régler les pires travers du stalinisme par la Révolution culturelle mais a échoué en grande partie [e], certes les partis occidentaux se sont éloignés sensiblement de l'URSS et dénoncent le régime d'oppression qui subsiste en URSS et ses interventions armées au-dehors. Mais aucun parti communiste, non seulement le PCUS, mais encore les partis occidentaux, n'a eu le courage politique élémentaire de tenter d'analyser les raisons d'une histoire dont ils dénonçaient certains des effets. Manifestement la vérité sur tout ce passé n'est pas bonne à dire, et peut être, plus encore, insupportable ou impossible à voir en face. Le résultat est que les marxistes, que se proclament les communistes, ont été incapables de rendre compte de leur propre histoire.

Et par là, la crise politique du marxisme renvoie à ce qu'il faut bien appeler sa crise ou son malaise ou son désarroi *théorique*. Comment donc une histoire qui a été faite au nom du marxisme, de la théorie de Marx et de Lénine, pourrait-elle être opaque au marxisme lui-même ? Et si elle l'est bien effectivement, à voir, à quelques exceptions près, la faiblesse des travaux qui lui sont consacrés, réduits à des chroniques savantes, mais chroniques sans portée politique et théorique, ou à quelques hypothèses encore aventureuses, quand il ne s'agit pas de simples sottises politiques et théoriques, il faut bien se poser une question plus vaste : pourquoi le mouvement communiste a-t-il été incapable d'écrire sa propre histoire de manière convaincante, non seulement l'histoire de Staline mais aussi de la IIIe Internationale, et de tout le passé qui l'a précédé depuis *Le Manifeste communiste* ?

Cette question n'est pas seulement politique, elle est aussi théorique. Et elle contraint à poser une dernière question : n'est-ce pas *dans la théorie marxiste elle-même*, telle qu'elle a été conçue par son fondateur et interprétée, dans les conjonctures les plus variées, qui eussent dû servir d'expérimentations théoriques, par ses successeurs, qu'il faut rechercher *aussi* de quoi rendre compte, en partie, des faits qui lui demeurent obscurs ? Je pense que c'est bien aussi le cas, et qu'il faut parler ouvertement de *crise de la théorie marxiste*[a] aujourd'hui, avec cette réserve capitale que cette crise dure depuis très longtemps, mais a pris dans les années 1930, avec le « stalinisme » une forme particulière, bloquant toute issue à la crise même, et interdisant à la crise de se formuler en questions, qui eussent permis un travail politique et théorique de recherche, donc aussi de rectification.

Nous sommes aujourd'hui non seulement dans la crise, et depuis longtemps, et nous en avons payé le prix (les victimes d'élection de Staline, furent, on le sait, des communistes, du plus haut responsable au plus modeste militant) – mais nous sommes aussi, à cause même du mouvement des masses, qui accroît les contradictions et finit par les mettre au jour, au grand jour et à l'ordre du jour, dans une situation nouvelle : celle qui nous permet de dire *enfin la crise a éclaté ! enfin elle devient visible pour tous ! enfin un travail de correction et de révision est possible !*

A partir de là, il est possible de se mettre au travail, en utilisant non seulement notre expérience, mais aussi les essais réfléchis de tous ceux qui, depuis longtemps, et dans la solitude de l'exclusion, ont été les premiers témoins vivants de cette crise, et qui ont souvent été les victimes de leur courage public. Ce sont eux qui nous intéressent, et non ceux qui ne manqueront pas de dire « mais pourquoi aujourd'hui seulement? » Si leur étonnement est sincère c'est qu'ils ne savent pas, ou ont oublié comment les choses se passaient, il y a dix ans encore, dans le PCF et continuent aujourd'hui de se passer. Quant aux anticommunistes traditionnels, pour qui la théorie de Marx était de la religion emballée dans une métaphysique économique, et aux antimarxistes à la mode (déjà passée) qui se promènent sur les trottoirs des grandes capitales et dans les Congrès du « Goulag à la boutonnière [a] », s'ils ont par hasard quelque explication sérieuse à proposer (mais ça se saurait depuis longtemps) on en tiendra compte; sinon qu'ils se résignent à jouer les vedettes des médias.

Quant à nos camarades, qui non seulement ont dû subir cette histoire, qu'ils aient pu rester au parti ou dû le quitter (combien nombreux ces derniers!) qu'ils sachent ceci. Tout révolutionnaire sait ou sent qu'il peut être délicat, voire dangereux, de prononcer le mot de *« crise du marxisme »,* et pour une raison simple, c'est que les mots suivent leur pente, et que crise débouche généralement sur faillite (Lénine a parlé de « la faillite » de la IIe Internationale), et faillite sur liquidation ou mort. Mais crise débouche aussi sur « crise de libération » et même « de croissance ». Qu'ils jugent donc sur pièces, pour voir si les réflexions qui suivent penchent vers la faillite ou la renaissance.

Et s'ils craignent, comme ce peut être légitime, que nos

adversaires s'emparent du mot comme d'un « aveu », qu'ils traiteront alors à leur manière pour nous le renvoyer dans la figure, que nos camarades sachent encore ceci, que je dois dire avec une certaine gravité. *C'est prolonger la crise du marxisme dans un de ses effets, dans un de ses aspects les plus graves, que de consentir à rester aveugle sur la réalité*, et de continuer à se soumettre à un aveuglement qui fut obligatoire, naguère encore, pour être accepté comme communiste. *C'est prolonger la crise du marxisme dans un de ses effets, de ses aspects les plus graves, que de s'interdire d'appeler à haute voix et par son nom la réalité qui nous assiège et nous travaille depuis très longtemps*, sous le prétexte que le premier journaliste ou idéologue bourgeois va retourner l'expression contre nous.

Il y a en effet belle lurette que les idéologues de la bourgeoisie, dès la fin du XIXe siècle et depuis, et dans les mêmes termes, ont proclamé *la crise, la faillite et la mort du marxisme*, et qu'ils l'ont publiquement et sarcastiquement enterré sous leurs arguments. Des philosophes, de Weber à Croce, à Aron et Popper ont « démontré » que la « philosophie de Marx » était impossible ou métaphysique, comme celles que Marx critiquait. Des économistes « savants » ont « démontré » que la théorie de la valeur était une fable, et que la théorie de la plus-value était nulle, puisque « non opératoire » mathématiquement parlant. Des religieux, moralistes, sociologues, « politologues » ont « démontré » que la théorie de la lutte des classes était une invention de Marx et que les marxistes avaient soumis le monde à sa loi, alors que ce monde pouvait fort bien s'en passer, mieux, qu'il eût tout gagné à s'en être passé. Tous ceux-là ont dit que Marx était mort, pis, mort-né : depuis très longtemps. Et ceux qui ont voulu « *sauver Marx* » ont fait de lui un révolutionnaire par indignation morale, humanisme ou religion : eux aussi l'ont enterré, mais sous leurs éloges et leurs exploitations idéologiques.

Si nous parlons aujourd'hui de la « crise du marxisme », nous ne donnons à nos adversaires aucune arme qu'ils n'aient déjà cent fois utilisée. Or, si nous en parlons, ce ne sera pas à leur manière, pour leur fournir de nouveaux arguments, mais pour leur ôter les arguments qu'ils détiennent du fait de notre propre faiblesse politique et théorique. Là aussi, que nos camarades jugent sur pièces. Il ne s'agit même pas de parler de la crise du marxisme comme on tirerait une sonnette d'alarme. Nous pouvons aujourd'hui, à cause de la force du mouvement ouvrier et populaire dans le monde, *oui, à cause de sa force*, en dépit de ses très graves contradictions, parler positivement et de sang-froid, de la crise du marxisme, pour nous libérer enfin de ses causes connues, pour commencer du moins à les connaître pour nous en libérer. *La crise du marxisme, pour la première fois peut-être dans son histoire, peut devenir aujourd'hui le commencement de sa libération, donc de sa renaissance et de sa transformation.*

Il n'est dans ce propos nul acte de foi : mais un acte politique, qui désigne une possibilité effective *déjà en voie de réalisation* dans notre monde même. Nous sommes en effet à un point tel, qu'il dépend de nous, de notre lucidité politique et théorique, que la crise, où le marxisme a failli se perdre, débouche bel et bien non sur sa survie, mais sur sa libération et sa renaissance. Mais pour cela, nous avons besoin du concours de tous nos camarades communistes : à quelque poste qu'ils occupent dans la lutte des classes, sauf ceux qui ont renoncé ou trahi, ils peuvent aider à la renaissance du marxisme. Puisque, paraît-il, « chacun compte pour un [a] », eh bien que chacun « compte sur ses propres forces [b] » et tous ensemble nous pourrons aider le parti à sortir de la crise du marxisme, qui est aussi aujourd'hui dans le monde entier, la crise des partis communistes : *leur crise intérieure.*

2. EXAMINONS LA CRISE THÉORIQUE DU MARXISME

Nous sommes en 1978. Il y a maintenant 130 ans paraissait une petite brochure, qui ne fit pratiquement aucun bruit dans les révolutions de 1848 en Europe : *Le Manifeste communiste* de Marx et Engels. Il y a maintenant 110 ans paraissait le premier livre du *Capital* de Marx, qui fit quelque bruit, mais eut besoin d'années pour agir, et fut interprété selon l'air du temps, qui était alors à l'évolutionnisme, dans la social-démocratie allemande.

Depuis ces grandes dates silencieuses, il s'est passé quantité de choses dans le monde du marxisme, que seul *Le Manifeste* (et les chapitres centraux de l'*Anti-Dühring*, puis les grands textes de Lénine, etc.) et fort peu *Le Capital* (Allemagne et URSS exceptées) ont dominé. Le marxisme a connu les pires épreuves – quand il parut moribond en Europe occidentale du fait de l'union sacrée, c'est en Russie qu'il renaissait, avant de passer en Chine. Les pires épreuves et aussi les pires des drames et des tragédies.

On voudrait se limiter ici aux aspects théoriques de cette histoire et de ses épreuves, sans faire abstraction bien entendu des événements politiques de l'histoire du marxisme, mais parce que la théorie nous est accessible, alors que l'histoire dort dans les archives interdites de l'URSS, et aussi parce que, dans le droit fil de la tradition de Marx, Lénine, Gramsci et Mao, le marxisme attache une grande importance à la *qualité de sa théorie*.

Est-il donc possible, en 1978, d'esquisser comme un bilan de l'histoire de la théorie marxiste, et plus particulièrement de certaines de ses contradictions de portée historique, en prenant en charge le fait que la théorie marxiste a été, et est profondément engagée dans les luttes pratiques, ouvertes ou sourdes, claires ou obscures, du mouvement ouvrier et populaire international, et jusque dans les scissions qui ont scandé son histoire? Oui, cette tentative est possible, car non seulement nous avons l'avantage du recul du temps, et donc des comparaisons, mais aussi parce que nous disposons de la longue expérience de l'histoire, des victoires, des défaites et des tragédies du marxisme. Plus sûrement, sans aucun doute, parce que nous vivons désormais sous la loi de la crise ouverte du marxisme (aucun parti communiste ne l'a déclarée... mais nous avons l'habitude de ces fameux et perpétuels « retards » [a] qui font partie intégrante de cette crise), et d'une crise si radicale et profonde, qu'elle semble à elle seule capable de dissiper nombre d'illusions entretenues, et de forcer enfin les communistes sincères à l'impitoyable et saine épreuve de la réalité. Plus sûrement encore parce que comme disait justement Mao « la tendance est à la révolution [a] », et que, jusque dans ses pires contradictions, le mouvement des masses exige et soutient cette épreuve.

Je pose donc la question-limite (la plus difficile est toujours la meilleure question) : que pouvons-nous donc aujourd'hui retenir de Marx, qui soit vraiment essentiel à sa pensée, et qui n'a peut-être (et sûrement) pas toujours été bien compris ?

Pour commencer par le commencement, je dirai : nous pouvons retenir les quelques faits suivants, que je vais exposer, puis commenter de mon mieux.

3. Marx était-il « marxiste » ?

Nous pouvons d'abord retenir ce simple fait, qui n'a l'air de rien, mais qui est capital.

Marx a dit, au moins une fois : « Je ne suis pas marxiste [b]. » Le mot est connu. On a pu prendre ce mot pour la boutade d'un esprit libre, modeste et caustique. Mais les choses ne sont pas si simples. Car le même Marx exigeait ailleurs de ses lecteurs, dans la Préface du *Capital*, qu'ils « pensent par eux-mêmes », et il complétait sa demande en écrivant :

> « Tout jugement inspiré par une critique vraiment scientifique sera pour moi le bienvenu. Envers les préjugés de ce qu'on appelle *l'opinion publique*, à laquelle je n'ai jamais fait de concessions, j'ai pour devise, après comme avant, la parole du grand Florentin (Dante) : suis ton chemin et laisse dire les gens [c] !

La chose devenait sérieuse : penser par soi-même, penser librement, se moquer totalement des « préjugés de l'opinion publique », cela ne voulait pas dire *penser n'importe quoi*, mais tout au contraire *dire le vrai*, au nom de quoi toute critique « scientifique » est alors déclarée bienvenue.

En vérité Marx était profondément convaincu, disons le mot, absolument convaincu, sans aucune hésitation intérieure, d'avoir inauguré une nouvelle connaissance, et contre toutes celles qu'on proposait dans ce domaine, la seule vraie : *la connaissance des conditions, des formes et des effets de la lutte des classes*, au moins sous le mode de production capitaliste. Ce n'est pas que l'histoire des « formes précapitalistes » n'existât pas pour Marx, il leur a consacré une étude assez brève dans les années 1857-1858, restée longtemps [a] inédite, et il y recourt très souvent dans le texte même du *Capital*. Mais le centre de toute son attention et de sa certitude était le mode de production capitaliste : ailleurs, quand il s'agissait d'autres modes de production, c'était moins sûr (on s'en rend compte maintenant). Et Marx n'a pas craint, en son temps, dans son langage (mais il n'y a pas de honte à le recueillir), de dire et de redire qu'il était le premier à faire œuvre de « science » *(Wissenschaft)* dans le domaine qu'il *découvrait*. Il faut prendre découvrir en un sens fort : *découvrir* c'est, en l'espèce, chez Marx, délivrer, débarrasser la société capitaliste de toutes les constructions idéologiques qui la *recouvraient* pour la masquer et assurer ainsi la domination de classe de la bourgeoisie. Entendez que Marx était convaincu de « produire », de mettre au jour, de faire voir et comprendre, *pour la première fois*, dans leur netteté et leur systématicité, des connaissances objectives, donc propres à aider et guider un mouvement révolutionnaire, dont il montrait en même temps qu'il existait déjà réellement dans les masses ouvrières et que tout tendait à lui donner la force et les moyens d'abolir la lutte de classe et les classes.

Sous ce rapport, *Marx était bel et bien « marxiste »*, il croyait en son œuvre, qu'il déclarait « scientifique » sans avoir jamais hésité sur ce terme — et non pas idéologique ou « philosophique ». Une science pas comme les autres peut-être, puisqu'il disait du *Capital* que c'était « le plus dangereux missile jamais jeté à la tête de la bourgeoisie », donc une science « explosive », scandaleuse, « révolutionnaire [1] » certes mais une « science ».

Mais, en disant de lui qu'il n'était « pas marxiste », Marx protestait d'avance contre toute interprétation de son œuvre comme système ou vision philosophique ou idéologique, en particulier comme nouvelle mouture des « philosophies de l'Histoire ». Il protestait *surtout* contre l'idée qu'il eût enfin découvert la « science » de cet « objet » qui portait, dans la culture bourgeoise d'alors, le nom de l'Économie Politique. Par là même Marx protestait d'avance contre l'idée que sa pensée pût prétendre non seulement présenter mais posséder une *unité totale*, ou *totalisante*, pensée qu'on appellerait « le » marxisme, et que cette œuvre « une » pût avoir été produite par « un » auteur : lui-même, cet intellectuel d'origine bourgeoise, Karl Marx — juif, « naturellement ».

Marx mettait ainsi en garde contre cette prétention *en se refusant à dire que* Le Capital *était « science » de l'Économie Politique*, mais tout au contraire « *critique de l'Économie Politique* » (sous-titre du *Capital*). Ici encore il faut entendre « critique » au sens très fort que lui donne Marx : critique de toutes les présuppositions philosophiques idéalistes, qui voulaient que l'Économie politique existât comme théorie propre et exhaustive d'un prétendu « objet » défini par des catégories « idéologiques [2] » propres, comme sujet, besoin, travail, distribution, consommation, contrat..., etc. toutes rapportées au *sujet de besoin et de travail et d'échange comme à leur origine*, et qu'une « science » de cet « objet » défini par ces concepts douteux, mais nullement innocents, fût possible.

Marx ne rejetait pas en bloc les travaux des Économistes : il rejetait *l'idée* de l'Économie politique telle qu'elle leur était imposée par l'idéologie bourgeoise dominante, et formée à partir des concepts dont je viens d'énumérer quelques-uns.

---

1. Un « nouveau » philosophe, c'est-à-dire un philosophe rance, qui n'a des idées qu'à la condition de les falsifier pour en tirer de brillants effets de manche, a cru pouvoir faire à ce mot un procès d'intention. Qu'il s'en débrouille.

2. On comprend évidemment que ce n'est pas une catégorie, isolée, qui est idéologique, mais qu'elle le devient par le système qui se la soumet.

Marx pensait qu'il y avait, dans les travaux des Physiocrates, de Smith, de Ricardo, Hodgskin [1], etc., des éléments scientifiques, des éléments de connaissance objective, mais qu'il fallait, pour les apercevoir et pouvoir les utiliser, changer complètement de système de catégories, changer de terrain, donc critiquer radicalement *et* l'Économie Politique *et* son prétendu « objet » (la satisfaction des besoins, ou la production de la « Richesse des Nations », etc.), donc sa prétention à être la « science » de l'objet dont elle croyait parler. L'Économie Politique parlait bien, mais d'autre chose, à savoir des « valeurs » politiques de l'idéologie bourgeoise, c'est-à-dire, entre autres, de la politique (économique) bourgeoise déguisée, pour des raisons idéologiques et politiques, en « Économie Politique ».

Mais du même coup, Marx changeait (sans peut-être bien s'en apercevoir) le sens traditionnel de l'expression : « critique de... », donc le sens *du concept de critique*.

La vieille notion de critique, élevée à la dignité philosophique par tout un siècle, de Bayle à Kant, était chargée par toute la tradition rationaliste de séparer le faux du vrai, de délivrer le vrai du faux (des erreurs, des « préjugés », des illusions), ou encore, ce qui est plus fort, comme on vit Voltaire le faire dans des procès célèbres, de dénoncer l'erreur au nom de la Vérité, lorsque la Vérité était bafouée ou attaquée par l'erreur. Dans ses travaux de jeunesse, Marx avait largement repris cette tradition rationaliste, pour dénoncer l' « irrationalité » des conditions d'existence de la Raison (exemple : l'État est en soi la Raison, mais il existe sous des formes non raisonnables ou irrationnelles ; il faut dénoncer cette contradiction, et l'insulte faite à l'État-Raison – par la critique, pour rétablir la vérité et condamner l'erreur). Mais au niveau du *Capital*, Marx impose à la critique un tout autre sens, une tout autre fonction. Comme devait l'écrire l'intelligent commentateur

---

1. Cf. le remarquable petit livre de Jean-Pierre Osier : *Thomas Hodgskin. Une critique prolétarienne de l'économie politique*, Paris, Maspero, collection « Théorie », 1976.

russe que Marx cite dans la Postface à la deuxième édition allemande du *Capital*, la critique n'est pas pour Marx le jugement que prononce l'Idée (vraie) sur le réel défaillant ou contradictoire, la critique est critique du réel existant par le réel existant lui-même (soit par un autre réel, soit par la contradiction interne au réel). *Pour Marx, la critique c'est le réel se critiquant lui-même*, éliminant lui-même ses propres déchets, pour dégager et réaliser laborieusement sa tendance dominante, active en lui. C'est dans ce sens matérialiste de la critique que Marx avait pu, dès 1845, parler du communisme comme le contraire même de l' « idéal », mais comme « mouvement réel [a] » dans sa tendance la plus profonde.

Mais Marx ne s'en tenait pas à cette notion, encore abstraite, de la critique. Car de quel « réel » s'agit-il alors ? Tant qu'on ne sait pas *de quel « réel »* il s'agit, tout peut être réel et invoqué comme réel, tout, c'est-à-dire n'importe quoi. Marx rapportait la critique à ce qui, dans le mouvement réel, la fondait, c'est-à-dire, pour lui, en dernière instance, à la lutte de classe des exploités, qui pouvait objectivement l'emporter contre la domination de classe bourgeoise à cause de la nature propre, et uniquement à cause de la nature propre des formes de leur exploitation actuelle : les formes de l'exploitation capitaliste. C'est pourquoi, dans un étonnant raccourci, qui prouve l'acuité de sa conscience, Marx pouvait écrire, dans la Postface à la deuxième édition allemande du *Capital* :

> « En tant qu'une telle critique [la critique de l'économie politique] représente une classe, elle ne peut représenter *(vertreten)* que la classe dont la mission *(Beruf)* historique est de révolutionner le mode de production capitaliste, et finalement d'abolir les classes : le prolétariat. »

Et si on va jusqu'au bout, il est clair que par cette conception de la critique, Marx récusait (certes, sans le dire explicitement, et donc sans en tirer toutes les conséquences) l'idée alors « évidente » pour tous, qu'il pût être, lui, l'individu Marx, lui, l'intellectuel Marx, « *l* »'auteur (comme origine

370

absolue, le créateur) intellectuel ou même politique d'une telle critique. Car c'était le réel, la lutte de classe ouvrière qui agissait comme véritable auteur (agent) de la critique du réel par lui-même. A sa manière et dans son style, avec sa culture bouleversée par l'expérience qu'il avait faite et faisait, avec le sens aigu qu'il avait des conflits, l'individu nommé Marx « écrivait » pour cet « auteur », infiniment plus grand que lui, pour lui mais d'abord *par lui, sous son insistance.*

4. La théorie marxiste n'est pas extérieure mais intérieure au mouvement ouvrier [a]

Mais par là, nous voici tout d'un coup renvoyés à un *autre* fait.

C'est en effet en prenant une part directe et personnelle, et pendant plusieurs années, aux pratiques et aux luttes du mouvement ouvrier, que la pensée de Marx a pu *« changer de base »* (le mot du chant de « L'Internationale » est juste) et devenir *« critique et révolutionnaire* [b] *»* *(kritisch-revolutionär).*

Et quand je parle du mouvement ouvrier, je parle du mouvement ouvrier existant dans l'Europe des années prévolutionnaires et révolutionnaires (1835-1848). Ce mouvement était alors d'une extrême diversité. Tantôt il s'était regroupé sous un parti ouvrier radical comme en Angleterre (le Chartisme : mouvement à la fois revendicatif et politique), tantôt il était ailleurs dispersé, et même, en France, coupé en mouvements « socialistes » d'inspiration associationniste petite-bourgeoise (cf. Louis Blanc et Proudhon lui-même), et en sectes utopistes (Marx et Engels qui connurent Proudhon, Fourier, les Saint-Simoniens, etc., avaient alors pour eux, et eurent toujours pour leur théorie et leur action de ce temps, le plus grand respect politique).

Or ce n'est pas dans ces sectes utopistes que Marx et Engels s'engagèrent, mais dans des groupes radicaux d'artisans-ouvriers, en majorité d'origine allemande, qui regroupaient les émigrés politiques, dans des groupes qui se disaient

« communistes » (Cabet [a] représentait cette tendance pour la France, et Weitling [b] pour l'Allemagne). Après la défaite historique du Chartisme en Angleterre ces petits groupes très actifs, et étonnamment lucides, représentaient alors l'avant-garde communiste du mouvement ouvrier européen. C'est la vie et les luttes de ces groupes que partagèrent Marx et Engels. Et c'est leur adhésion à ces groupes qui provoqua le « changement de base » de leur pensée : un changement radical et dans la philosophie et dans la théorie de la lutte des classes sur de nouvelles positions rattachées au prolétariat [c].

Cette thèse n'est pas une simple question qui relèverait d'un constat de fait, question qu'il faudrait abandonner à « l'histoire des idées » (cette discipline incertaine et plate, au moins dans la plupart de ses prétentions déclarées) le soin d'établir. Cette thèse a été dans l'histoire du mouvement ouvrier l'objet de débats idéologiques et politiques intenses, et dès le vivant de Marx. Lorsque Marx écrivait par exemple dans une célèbre lettre à Joseph Weydemeyer (5 mars 1852) :

> « ... en ce qui me concerne ce n'est pas à moi qu'il revient le mérite d'avoir découvert l'existence des classes dans la société moderne, pas plus que la lutte qu'elles s'y livrent. Des historiens bourgeois avaient exposé bien avant moi l'évolution historique de cette lutte de classes et des économistes bourgeois en avaient écrit l'anatomie... »,

c'était pour ajouter :

> « Ce que j'ai apporté de nouveau, c'est 1/ de démontrer que l'existence des classes est liée seulement à des phases historiquement déterminées du développement de la production ; 2/ que la lutte des classes mène nécessairement à la dictature du prolétariat ; 3/ que cette dictature elle-même ne représente qu'une transition vers l'abolition de toutes les classes et vers une société sans classes. Des sots ignorants comme Heinzen, qui ne nient pas seulement la lutte des classes mais l'existence des classes, montrent seulement qu'en dépit de leur bave sanglante, de leurs glapissements qui veulent se faire passer pour des déclarations

372

humanistes, ils tiennent les conditions sociales dans lesquelles la bourgeoisie assure sa domination pour le résultat
ultime, pour le nec plus ultra de l'histoire [a]... »

Par là et *dès 1852*, Marx déclare qu'il n'est pas le premier
à parler de classes sociales et de luttes de classes, puisque des
historiens et des économistes bourgeois en ont déjà parlé (et il
pourrait mentionner aussi des philosophes et des politiques
depuis la plus haute antiquité classique, cf. Platon, Thucy-
dide, Aristote, Tacite, Machiavel, Spinoza, Locke, etc.), mais
que s'il en parle c'est tout autrement, et donc sur une toute
autre base, à la fois philosophique et théorique. Cette autre
base philosophique, c'est le matérialisme affirmé dès les
Thèses sur Feuerbach, puis la dialectique, reprise consciemment de Hegel, mais déclarée « démystifiée », à partir des
Cahiers de 1857-1858 (les *Grundrisse*) puis de la *Contribution* (1859). Cette autre base théorique, j'ai cru pouvoir la
caractériser en montrant que, du moins pour le mode de production capitaliste, elle prend la forme du *primat de la lutte*
des classes sur les *classes* [1] : seule l'intelligence de ce primat
(ou primat de la contradiction sur les contraires) permet de
rendre *Le Capital* intelligible, à la fois dans tout ce qu'il dit et
dans tout ce qu'il ne dit pas, ou ne peut pas dire.

Or ce que Marx laisse entendre ici, il le dit très clairement
ailleurs : dans la Préface de 1859 où parlant de l'*Idéologie
allemande,* Marx déclare qu'Engels et lui éprouvèrent, du fait
de leurs expériences mêmes, la nécessité de « *rompre avec
(abrechnen) notre conscience philosophique antérieure* [b] ». Sa
pensée changea donc de base sous l'effet de l'expérience des
luttes du mouvement ouvrier où il était, avec Engels, personnellement engagé.

Or cette simple question devait devenir l'enjeu de très vives
controverses idéologico-politiques, qui durent encore de nos
jours.

Pour s'en faire une idée, on rappellera que c'est Kautsky

---

1. Cf. *Réponse à John Lewis* (1972).

qui a donné sa forme canonique à l'interprétation « réformiste » de cette question cruciale, qui dépassait de très loin la personnalité de Marx et d'Engels. Dans la période triomphante de la social-démocratie allemande, dont Engels lui-même avait, quelques années plus tôt, annoncé la victoire électorale inévitable, Kautsky écrivait :

« ... la conscience socialiste serait le résultat direct, nécessaire, de la lutte de classe prolétarienne. Or cela est entièrement faux. Comme doctrine, le socialisme a évidemment ses racines dans les rapports économiques actuels, au même degré que la lutte de classe du prolétariat ; autant que cette dernière, il procède de la lutte contre la pauvreté et la misère des masses, engendrées par le capitalisme. Mais le socialisme et la lutte des classes surgissent parallèlement et ne s'engendrent pas l'un l'autre. La conscience socialiste d'aujourd'hui ne peut surgir que sur la base d'une profonde connaissance scientifique. En effet la science économique contemporaine (*sic*)[a] est autant une condition de la production socialiste que, par exemple, la technique moderne, et malgré tout son désir le prolétariat ne peut créer ni l'une ni l'autre ; toutes deux surgissent du processus social contemporain. Or le porteur de la science ce n'est pas le prolétariat, mais *les intellectuels bourgeois* (souligné par Kautsky) : c'est en effet dans le cerveau de certains individus de cette catégorie qu'est né le socialisme contemporain, et c'est par eux qu'il a été communiqué aux prolétaires intellectuellement les plus évolués, qui l'introduisent ensuite dans la lutte de classe du prolétariat là où les conditions le permettent. Ainsi donc la conscience socialiste est un élément importé du dehors (*von außen Hineingetragenes*) dans la lutte de classe du prolétariat, et non quelque chose qui en surgit spontanément (*urwüchsig*)[b] ... »

Sinon, ajoutait Kautsky, on ne comprendrait pas que l'Angleterre, pays « au développement capitaliste le plus avancé » soit le pays le plus « étranger à cette conscience socialiste ».

On sait que quelques mois plus tard seulement après ce texte, paru dans la *Neue Zeit* (revue théorique de la social-démocratie allemande), Lénine devait, dans *Que faire ?* citer en faveur de sa lutte contre le spontanéisme économiste (contre ceux qui croyaient à la toute-puissance de la lutte de classe économique et refusaient toute lutte politique) les phrases mêmes de Kautsky, les reprenant donc à son compte sans y changer une virgule. Pourtant Lénine ne mettait pas l'accent, comme Kautsky, sur les intellectuels seuls « détenteurs de la science », et sur l'identité entre « science économique » et conscience socialiste (révolutionnaire). Lénine avait d'autres objectifs en tête, qui ressortent clairement de *Que faire ?*, la nécessité absolue d'une théorie révolutionnaire et d'un parti politique révolutionnaire, en particulier d'un parti de « révolutionnaires professionnels » pour faire face aux problèmes de la clandestinité. Il devait s'en expliquer à maintes reprises dans la suite, contre ceux qui l'accusaient de vouloir soumettre la conscience ouvrière, donc la conscience socialiste, à la « science » des intellectuels extérieurs par nature au prolétariat, et qui l'accusaient, de ce fait, de vouloir consacrer la toute-puissance des dirigeants intellectuels sur les militants et les masses elles-mêmes. Cette polémique a pris la forme d'une discussion sur la conception du parti et sur les rapports entre le syndicat et le parti. La réponse de Lénine à ses critiques tient en quelques mots extraits de son intervention de 1907 « Préface au recueil : En douze ans [a] » :

« *Que faire ?*, par la polémique, corrige l'économisme (spontanéiste). Considérer le contenu de cette brochure *en faisant abstraction de cette tâche* serait erroné... La principale erreur de ceux qui, à l'heure actuelle (1907) polémiquent avec *Que faire ?* (1902), c'est de vouloir absolument *extraire cet ouvrage de son contexte historique* et faire abstraction d'une période précise et déjà lointaine du développement de notre parti... Se lancer aujourd'hui dans des raisonnements sur le fait que l'*Iskra* [b] (en 1901 et 1902 !) surestimait l'idée de l'organisation des révolutionnaires professionnels, c'est comme si après la guerre russo-japonaise[a] on accusait les Japonais d'avoir surestimé les forces armées russes... Pour vaincre les Japonais devaient rassembler toutes leurs forces contre la plus grande quantité possible de forces russes. *Malheureusement nombreux sont ceux qui jugent notre parti de l'extérieur, sans connaître les choses,* sans se rendre compte qu'*aujourd'hui* l'idée d'une organisation de révolutionnaires professionnels a déjà totalement triomphé. Or cette victoire n'eût pas été possible si l'idée n'en avait été poussée au premier plan, si on ne l'avait pas « *exagérément* » inculquée aux gens qui en empêchaient la réalisation... *Il n'avait pas été non plus dans mes intentions* d'ériger au IIe Congrès les formulations (sur la spontanéité et la conscience, sur le parti, etc.) en une sorte de programme, un énoncé des principes particuliers. Bien au contraire, j'usai d'une expression qui devait par la suite être souvent citée, celle du bâton tordu. *Que faire ?* disais-je, redresse le bâton tordu par les « économistes » (voir les procès verbaux du Deuxième Congrès en 1903-1904 à Genève), et c'est précisément parce que nous redressons énergiquement les déviations que notre « bâton » sera toujours bien droit [1]. »

Il serait fort intéressant de se demander alors pourquoi, malgré l'interprétation sans équivoque de *Que faire ?*, *Que faire ?* n'a cessé de donner lieu à des interprétations équivoques, et massivement hostiles à l'interprétation de Lénine. C'est sans doute le cours des luttes de classe qui en a décidé, mais la lettre même des formules employées par Lénine a incontestablement contribué à cette contre-interprétation. De fait Lénine reprenait bel et bien à son compte les formules de [Kautsky[b]]. Écrites, réécrites de la plume même de Lénine, les formules de Kautsky ont été imputées à Lénine, elles lui sont encore imputées, et on continue de lui en faire le procès de nos jours mêmes : à croire qu'on ne peut pas [...] courber le bâton dans l'autre sens si on veut, en matérialiste, le redresser,

---

1. Souligné par moi, L. A.

sans que cette contre-courbure laisse aussi des traces, que la lutte idéologique peut rendre plus vives que ce qu'elle a corrigé, et qui a disparu de l'actualité. De fait une formule écrite par un auteur qui se trouve en position de faire autorité, survit au sens objectif de son usage dans une conjoncture donnée, où cet usage n'était pas équivoque du tout, et la voilà retournée contre celui qui s'en est légitimement, alors, servi. Les circonstances passent, mais des phrases restent, qui peuvent servir de point d'appui et même de fixation pour une interprétation ou même une tendance équivoque ou franchement hostile. Les marxistes, j'entends les politiques ou autres qui se réclament, dans leurs polémiques internes, de Marx et de Lénine, n'ont malheureusement pas étudié de près ce phénomène de survivance et de survie des formules au-delà de la conjoncture qui les imposaient : ils préfèrent se déchirer plutôt que de comprendre les lois auxiliaires (car elles ne sont jamais fondamentales, sauf peut-être dans des cas extrêmes d'équilibre conflictuel) qui gouvernent le rapport de leurs formulations aux variations des conjonctures.

J'ajouterai qu'en vérité Lénine non plus ne s'est pas posé le problème du retentissement politique de la lettre de ses propres citations ou de ses propres expressions. Il ne se l'est jamais, à ma connaissance, posé explicitement et théoriquement, bien qu'il l'ait la plupart du temps résolu comme par « instinct » en tenant pratiquement compte des « échos » que pouvaient produire certaines de ses formules. Aussi bien son « explication » par le contexte historique, loin de corriger la « gaffe » qui lui avait alors échappé ne fait que l'aggraver. Car à voir les choses de près le « problème d'actualité » que devait affronter Lénine en 1902 n'avait vraiment pas grand-chose à voir avec le problème de Kautsky, et il pouvait parfaitement se régler par des formules de Lénine lui-même qui eussent alors été adéquates à leur objet. Pourquoi Lénine s'est-il donc autorisé à introduire dans son texte cette énorme citation de Kautsky, et condamné à traîner indéfiniment, car toutes ses « explications » ne sont que des dénégations qui renforcent l'effet qu'elles veulent effacer, cette énorme casserole? Il avait sans doute besoin de s'appuyer sur une « autorité » (celle de Kautsky) mais ce besoin n'a rien de clair, à moins de supposer qu'en dépit de tout ce qu'il dit ensuite, Lénine épousait vraiment les thèses de Kautsky, soit sur le moment (le texte venait de paraître), se laissant intimider par elles, soit plus durablement (mais c'est bien discutable quand on sait ce que Lénine dira sur des intellectuels...). De toute façon il y a là un point aveugle, où la théorie du bâton courbé dans l'autre sens apparaît comme un indice, mais aussi l'indice d'un raté, d'un lapsus, puisque Lénine se sert d'un tout autre bâton, en « faisant donner » Kautsky dans un texte où il n'a vraiment pas grand-chose à faire [a].

Généralisons. Lorsque dans des phénomènes de ce genre (citations ou formules équivoques d'un auteur faisant « autorité »), une tendance reprend, aussi forte que l'ancienne, les formules mêmes de l'ancienne tendance, alors tous les scrupules d'intelligence du phénomène (pourquoi cette reprise? etc.) sont balayés par l'évidence. De fait et en laissant de côté la citation de Lénine, sur la question de la production de la théorie marxiste par des intellectuels bourgeois, extérieurs au mouvement ouvrier, et de son importation du dehors dans le mouvement ouvrier, la tendance mécaniste-idéaliste était bien déjà dans Kautsky, parfaitement homogène à sa conception du marxisme et à sa pratique de dirigeant de la deuxième Internationale : et elle lui a survécu, comme ont survécu ses adversaires, qui, étant aussi à l'occasion ou avant tout parmi les adversaires de Lénine, ont du coup pris Lénine sous leur feu, et lui ont imputé, pour les condamner chez lui, les thèses de Kautsky. Il faut dire qu'ils ont aussi su trouver dans Lénine d'autres apparences réelles ou subjectives qui allaient dans le même sens. Mais là encore Lénine a invoqué ou eût invoqué la « conjoncture »...

Quoi qu'il en soit, derrière la conception générale, sous la deuxième Internationale du début du xxe siècle, d'une théorie — « *science produite par des intellectuels bourgeois* » et « *introduite de l'extérieur dans le mouvement ouvrier* », se profilait bel et bien toute une représentation idéaliste et volontariste des rapports de la théorie et de la pratique, des rapports du parti au mouvement des masses, donc aux masses, et finalement des rapports entre les dirigeants (intellectuels, qu'ils fussent ou non d'origine ouvrière, la question n'était pas là) [et les militants]. Or cette représentation ne pouvait que reproduire, en dernière instance, les formes bourgeoises du savoir, c'est-à-dire de sa production et de sa détention, d'une part, et les formes bourgeoises de la détention et de l'exercice du pouvoir d'autre part, toutes formes dominées par la *séparation* entre le savoir et le non-savoir, entre les savants et les ignorants, entre les dirigeants qui détiennent le savoir, et les dirigés réduits à le recevoir du dehors, et d'en haut, parce qu'ils en sont, par nature, ignorants.

Or, pour en revenir à eux, que Marx et Engels fussent des « intellectuels » bourgeois de formation universitaire classique, c'est incontestable. Il faut bien naître quelque part [a] : ils étaient nés, l'un fils de la moyenne bourgeoisie de profession libérale, l'autre fils de la bourgeoisie industrielle. Les conditions d'une naissance ne sont pourtant pas forcément un destin. Le vrai destin qui a fixé Marx et Engels dans leur rôle historique comme intellectuels nouveaux, d'intellectuels « organiques » de la classe ouvrière (pour reprendre ici la terminologie commode de Gramsci, qui n'est pourtant pas sans équivoques) s'est joué dans la *rencontre*, c'est-à-dire l'expérience directe et pratique, bref personnelle, qu'ils ont faite, *Engels* en Angleterre, de l'exploitation de la classe ouvrière (cf. *La Situation des classes laborieuses en Angleterre*, 1845), et des prodigieuses luttes ouvrières du Chartisme, *Marx,* en France, de la lutte de classe politique des organisations socialistes et communistes. Comme l'a bien démontré Auguste Cornu [b], c'est en France que Marx devint communiste, dans les années 1843-1844, alors qu'Engels suivait le même itinéraire, mais en étudiant sur le terrain les conditions d'exploitation de la classe ouvrière anglaise et les procédés d'exploitation et de lutte de la classe bourgeoise industrielle (il était bien placé pour cela : dans la haute administration d'une entreprise industrielle dépendant de sa famille, et vivant avec Mary, « travailleuse immigrée » irlandaise, ouvrière dans la même usine).

Comme l'a dit Marx, c'est à Bruxelles, en 1845, que les deux hommes purent constater que leurs itinéraires personnels et leurs expériences propres, quoique différentes, les avaient conduits à la même conclusion. On sait que Marx, qu'Engels devait proclamer de loin « le plus fort de nous deux », déclarait alors que la « géniale esquisse » d'Engels (sur la *Nationalökonomie* [a] ou Économie politique) l'avait mis sur le chemin de comprendre les mécanismes du mode de production capitaliste. Pour qui veut à tout prix chercher un auteur, en voici donc deux, et qui se renvoient la balle, et pour cause, ayant appris ce qu'ils découvraient du seul « auteur » qui soit en la matière : de la lutte de classe des exploités.

L'expérience vivante que Marx et Engels firent de la lutte de classe ouvrière et bourgeoise est inscrite dans les étapes étonnantes de leurs « œuvres de jeunesse », dans les « objets » qu'elles traitent, dans les « problématiques » qu'elles adoptent pour en traiter, et dans les résultats contradictoires qu'elles produisent, résultats provoquant d'incessants déplacements, substitution d'objet, remaniement de la problématique, etc. Et je le *maintiens* quinze ans après, contre tous ceux qui ont intérêt à « noyer » tout poisson qui les gêne dans l'eau universelle de l'histoire continuiste, que ce soit celle du ici et maintenant, de la genèse ininterrompue, de la continuité rassurante, ou du « spatio-temporel », contre tous ceux qui ont produit une littérature inouïe pour donner à leur mauvaise conscience des lectures propres à l'apaiser : on peut suivre texte par texte de 1841 à 1845 (et au-delà bien entendu) les étapes de cette étonnante expérience politico-théorique, où c'est la conscience politique, la prise de conscience politique de classe, qui est le moteur, et où c'est la conscience théorique qui suit, enregistre, développe, anticipe, compare les prémisses aux conclusions, rectifie les prémisses, etc.

Non seulement on peut suivre les étapes de cette expérience, mais on peut même cerner (nous y voici : au point que j'ai eu l'imprudence d'appeler « coupure » ou « rupture » épistémologique [a]) le « moment » où surgit dans la « conscience » de Marx et Engels la nécessité de remettre non partiellement mais totalement et radicalement en cause les principes théoriques reçus de leur formation universitaire, la nécessité de penser tout autrement, de « changer de terrain », de changer d'élément (pour parler comme Thémistocle aux Athéniens : changez d'élément : au lieu de vous battre sur la terre, battez-vous sur la mer !). Ce moment « éclate » après la dramatique confrontation entre la philosophie feuerbachienne de l'aliénation, cette « révolution théorique sans précédent », et les concepts de l'Économie Politique bourgeoise, pris en compte alors sans aucune critique, après ces *Manuscrits de 1844* que Marx ne voulut jamais publier (mais qui, de nos commentateurs prêts à profiter de toute texte écrit par Marx, fût-ce de ceux qu'il dut juger mauvais pour la publication puisqu'il les garda dans ses tiroirs, respecte le moins du monde cette volonté − ou du moins en tient compte ?), et qui sont théoriquement intenables, puisqu'ils veulent atteindre le réel en mariant la philosophie idéaliste de l'aliénation feuerbachienne hégélianisée [b] à l'idéologie mythique d'une Économie Politique adoptée sans critique !

Ce moment, devenu « conscience » (comme il faut dire, paraît-il), c'est à la fois la rencontre de Bruxelles, l'accord de fond reconnu entre les deux explorateurs et lutteurs des combats de la classe ouvrière, et la déclaration qu'il *faut en finir avec « notre conscience philosophique telle que nous l'avons professée auparavant (ehemalige) »*, lui « *régler son compte* » ou la « *liquider* » *(abrechnen)*.

Marx ne parlait pas en vain de « conscience philosophique », donc de philosophie, s'il est vrai que c'est la philosophie qui soutient ou étaie en dernière instance, toute théorie, et toute problématique. Marx ne parlait pas en vain de philosophie, si la philosophie dont il parle est, en dernier ressort, comme le « condensé » des principes théoriques de l'idéologie dominante, prise dans son antagonisme de fond avec les idéologies dites dominées.

Marx était né bourgeois, devenu intellectuel bourgeois. Il

n'y était pour rien, sauf à prendre conscience que la société capitaliste occultait l'exploitation de classe dont elle vivait, et dissimulait cette exploitation sous les effets complexes du jeu des éléments idéologiques que l'État et ses appareils travaillaient à unifier en idéologie dominante. Il n'y était pour rien, sauf à comprendre, au terme d'une expérience qu'il avait eu assez d'honnêteté pour vivre les yeux ouverts, que la Vérité dite par les grands prophètes de l'Idéologie dominante, Locke, Smith, Kant, Hegel, etc., ne tenait debout que pour occulter l'exploitation de classe dont vivait la société capitaliste, sur laquelle veillait de haut son État dont Hegel disait qu'il devait recourir, pour ne point errer ou se perdre, aux lumières de ses professeurs de philosophie. Il n'y était pour rien, sauf à comprendre qu'il fallait balayer toute cette construction, et changer de base philosophique, pour pouvoir enfin comprendre *et* ce monde d'exploitation et d'oppression, *et* les mécanismes qui transformaient la réalité de cette exploitation et de la lutte des classes en Philosophie de l'Histoire, Économie Politique, etc. Marx ne se trompait pas : il fallait commencer par la philosophie; il faut lui demander des comptes; il faut rejeter ses impostures : non pour l'annuler mais pour changer de base philosophique. Que ce changement de base philosophique fût et eût été plus laborieux que Marx ne le pensait, on peut le voir dès les textes de la « coupure ». Les *Thèses sur Feuerbach* esquissent de très loin comme un historicisme subjectiviste, voire un historicisme fichtéen ou pré-phénoménologique de la « praxis ». Et six ou dix mois plus tard l'*Idéologie allemande* nous donne une historicisme positiviste, qui jette aux orties toute philosophie, mais c'est en réalité pour retomber provisoirement dans une philosophie « matérialiste » (de l'individu) de l'histoire. Peu importe : quelque chose de décisif s'était passé, et quelque chose d'irréversible.

Oui, il y a bien une « rupture » ou « coupure », donc un « moment » qui ne ressemble pas aux « moments » antérieurs. Marx se croyait sans doute arrivé, tant on voit d'assurance, sinon dans les *Thèses sur Feuerbach* (encore un texte

que Marx n'a pas publié), du moins dans l'*Idéologie allemande* qui clame allègrement la fin de la philosophie! et le
retour aux « choses mêmes [1] », données, visibles, tangibles,
aux individus (mais pas aux personnes!), tout en fabriquant
une délirante mais intéressante philosophie matérialiste de
l'histoire. Marx se croyait arrivé, qui ne le comprendrait?,
mais il n'était qu'au commencement de ses peines.

Et de nouveau le labeur, le sourd travail de la théorie sur
elle-même, la philosophie essayant de se formuler à l'occasion
des découvertes de la Critique de cette illusoire Économie
Politique, découvertes qui, elles, vont grand train, de *Misère
de la Philosophie* (1847) où Proudhon, naguère traité par
Marx (dans *La Sainte Famille*) comme le détenteur de la
« science du prolétariat [a] »(!) est balayé, et où sont mis en
place les premiers concepts qui permettent de penser que c'est
à condition de recourir à la lutte des classes que les « catégories » regroupées sous l'imposture de l'Économie Politique
pourront, unies à ces concepts nouveaux, prendre leur vrai
sens.

Mais le labeur théorique est inséparable des luttes politiques : *Le Manifeste communiste*, rédigé fin 1847, sort en
1848, avant les révolutions.

Il avait été commandé à Marx, de manière très pressante,
par la Ligue des communistes. De fait « ça pressait » : les
révolutions étaient à la porte. Et Marx se jette avec Engels
dans les rudes luttes révolutionnaires de Rhénanie, se fait
journaliste politique, chef de parti, chef de guerre politique et
civile, pour réfléchir ensuite longuement, dans le refuge du
silence et de la misère de Londres, dans cette « traversée du
désert » interminable, *et* sur les raisons de la défaite de 1848,
et sur le mode de production capitaliste, dans la maladie et la
faim, Engels aidant de son mieux mais de loin, là où il
accomplit ses tâches alimentaires pour deux. L'étude acharnée
au British Museum va de pair avec la correspondance et la

---

1. « *Zu den Sachen selbst* » [en revenir aux choses mêmes] : c'était, bien avant
Husserl, le mot d'ordre de Feuerbach.

lutte politiques : il s'agit de regrouper les combattants dispersés, en attendant mieux. 1857-1858 sont les années d'intense travail, la rédaction du manuscrit (inédit : et comme à le lire on comprend et regrette à la fois que Marx ne l'ait pas publié !) dit des *Grundrisse* (Marx n'avait pas donné ce titre, et pour cause, à ces cahiers de notes [a]). 1859 voit paraître la *Contribution à la Critique de l'économie politique. Zur Kritik...* La critique est au cœur du fruit, déjà, toujours. Un écrit laborieux. Une fois de plus, mais avec le grand recul pris depuis 1850, lorsqu'il déclara qu'il lui fallait « recommencer aux commencements [b] », tout reprendre à zéro, après l'impasse de l'*Idéologie allemande* et l'échec des révolutions de 1848, Marx peut alors se croire arrivé, mais on sait (par ses notes inachevées de l'Introduction [c], si étrange en certains de ses chapitres) qu'il en doutait quand même : et il avait de bonnes raisons, vu le caractère approximatif jusqu'à la caricature de sa médiocre Préface.

Dans le même temps Marx collabore à des journaux pour gagner quelque argent, américains, anglais, allemands : cette tâche alimentaire le transforme en chroniqueur et analyste politique de tous les événements de l'histoire mondiale contemporaine. Dans la pratique de l'analyse des événements politiques et économiques de nombre de pays du monde, à l'affût de tout, de la stagnation indienne comme des crises cycliques anglaises – du coton ou autres –, Marx applique et vérifie, et rectifie sa conception des choses. De plus en plus, il resserre le lien entre la lutte de classes et ce qu'il appelle ses conditions matérielles et sociales et ses effets « économiques » et idéologiques – et leur « dialectique » souvent paradoxale. Là aussi la « *Kritik* » de l'Économie Politique est à l'œuvre, et naturellement à la lumière de la lutte des classes.

Puis c'est en 1864 la fondation de l'Internationale, où Marx joue aussitôt le rôle dirigeant, jusqu'à la Commune et 1872, date de sa dissolution. C'est alors, enfin, la sortie du désert : en 1867. C'est le Livre I du *Capital* qui paraît, dont la section I (celle du « flirt avec Hegel »), réécrite une bonne douzaine de fois, car il fallait à Marx un commencement « scientifique » et Marx se faisait une « certaine » Idée de ce commencement, une idée plutôt malheureuse, malheureusement pour nous, à moins que nous ayons le courage et les moyens de dire que cette Idée du commencement ne tient pas, et empêche même *Le Capital* de produire tous les effets qu'on peut en attendre. Joie de Marx de voir des bourgeois intelligents et surtout « les rangs de la classe ouvrière [les] plus avancés [a] » s'intéresser à son livre.

Les Livres II et III, inachevés mais écrits avant le Livre I, seront publiés par Engels, puis Kautsky après sa mort. Étrange. Il y a toute une histoire du *Capital* à écrire. Cette œuvre à longue échéance, dont le premier Livre seulement parut du vivant de Marx, a joué un rôle singulier, en retrait, infiniment, par rapport au *Manifeste*, et même par rapport à l'*Anti-Dühring* d'Engels, et bien entendu par rapport à *Zur Kritik* (sa fameuse Préface !) Ce livre, dont Engels dit en exagérant qu'il fut la « Bible de la classe ouvrière [b] », n'a pénétré qu'en Allemagne, puis en Russie : il n'a pénétré en France et en Italie que depuis... vingt ans.

Puis ce fut le grand silence de la fin, accablée de tâches politiques et de maladies, avant le sursaut de la *Critique* (encore une !) du *Programme de Gotha*, où Marx, extérieur au parti social démocrate allemand (Engels : « Marx et moi ne sommes jamais intervenus dans le Parti que pour rectifier des erreurs théoriques »...) prit la plume pour réduire en cendres des formules stupides, étrangères au communisme, et s'apercevoir, sans s'en émouvoir outre mesure, 1/ que la direction du « parti [1] » refusait de publier sa brochure (Engels y parvint quinze ans plus tard [c], mais au prix de ruse et de chantage) et 2/ que les gens, journalistes bourgeois et même ouvriers, avaient pris ces platitudes étranges au communisme pour des déclarations... communistes ! Il est regrettable que Marx n'ait pas poussé plus avant l'analyse de ces deux étranges événements d'une immense portée, dans leur modestie apparente.

---

1. Unifiés à Gotha : Lassaliens + marxistes = Parti-social-démocrate. Il ne fallait pas « nuire à l'unité du Parti ». La formule de Mireille Bertrand [membre du bureau politique du Parti communiste français au moment de la rédaction de *Marx dans ses limites*] a été employée contre Marx par la direction du parti en 1875 !

Cela se passait quatre ans après la Commune dans des pensées éclairées par la Commune. Marx, surpris par la révolte des Parisiens, leur avait aussitôt donné dans l'enthousiasme appui et conseils par les fulgurantes adresses recueillies dans *La Guerre civile en France* (1871).

Il fallait bien rappeler ces faits et ces dates, comme aussi le fond politique de ces écrits, pour montrer à quel point la pensée théorique de Marx fait corps avec sa pensée politique, et sa pensée politique avec son action, sa lutte politique, tout entière au service de la lutte de classe ouvrière internationale. On peut bien alors le dire : dans ses œuvres théoriques comme dans ses combats politiques, *jamais Marx n'a quitté, depuis ses premiers engagements de 1843, le terrain de la lutte de classe ouvrière.* Il n'est alors pas très difficile, non seulement de refuser les formules de Kautsky, malheureusement reprises mot pour mot par Lénine (sa défense par le « contexte » n'est pas, au fond, soutenable : Lénine n'avait pas vraiment besoin de citer Kautsky, il pouvait parler en son nom, et autrement), mais d'avancer une thèse plus proche de la réalité historique et politique que la sienne.

On peut alors dire à peu près ceci : *la pensée de Marx s'est formée et développée non pas à l'extérieur du mouvement ouvrier, mais à l'intérieur du mouvement ouvrier existant, sur sa base politique et sur ses positions théoriques rectifiées.* Que base et positions n'aient pas été données d'avance, mieux, qu'elles aient dû sans cesse être remaniées, c'est trop clair pour qui connaît tant soit peu l'histoire de la pensée de Marx. Cette théorie n'a nullement été « introduite de l'extérieur dans le mouvement ouvrier », *c'est de l'intérieur du mouvement ouvrier* qu'elle s'est étendue, des premiers cercles marxistes, au prix de quelles luttes et de quelles contradictions !, à de grands partis de masse.

Si cette thèse est recevable, alors toute la littérature sur les « intellectuels bourgeois détenteurs de la science », « importée du dehors dans le Mouvement ouvrier », cette littérature inaugurée par Kautsky et exploitée par les critiques de Marx et de Lénine, cette critique qui fait la pâture des roquets de luxe contemporains que chacun connaît trop, tombe. Bien entendu, les intellectuels bourgeois, ça existe, et il s'en trouve même, et placés à tous les échelons, dans les partis communistes, où ils font, sous les titres de responsables, leur métier d'intellectuels bourgeois dans une organisation qui les subit, [les] tolère, les flatte ou produit sur mesures. Mais Marx, et il n'est Dieu merci pas le seul, n'était pas de cette engeance. Il avait trop « l'esprit » de la contradiction, ou comme dit Brecht il n'aimait « rien tant que la contradiction », pour ne pas jeter aux champs le personnage de l'intellectuel bourgeois et son âme, une fois reconnue en personne la réalité de la classe ouvrière et de sa lutte. Quant à savoir s'il était un « intellectuel organique » de la classe ouvrière, il faudra d'abord voir un peu clair dans cette formule un peu trop transparente de Gramsci pour se prononcer.

5. Le marxisme serait-il un fleuve à trois sources?

Et puisque nous sommes dans les héritages d'équivoques, on peut retrouver le même « flou » (pour ne pas dire plus) dans la célèbre thèse d'Engels, reprise systématiquement par Kautsky dans une brochure qui porte ce titre, et invoquée par Lénine, ici encore très « classique », sur *Les Trois Sources du marxisme* [a]. Autre façon de réfléchir sur l'histoire de la pensée de Marx, cette fois sous le rapport de ses origines.

Certes la pensée marxiste n'est pas née de rien, elle a des ancêtres et des ancêtres immédiats, dont il n'est d'ailleurs pas sûr qu'ils soient les plus importants, mais c'est une autre question qui remettrait en cause certaines certitudes de l'idéologie des « sources » d'une pensée quelconque. Certes, Marx et Engels étaient, par leur formation universitaire, puis par la culture qui régnait alors dans l'Europe occidentale, devenus des intellectuels instruits de « philosophie allemande », d'« économie politique anglaise », et de « socialisme français » : puisque ce sont là nos « trois sources » et qu'il faut bien les retrouver, et des sources à un fleuve. Notons que

« socialisme français » est assez vague, à moins d'y voir les résonances des luttes de classe de la Révolution française que Marx étudia avec passion, et des courants révolutionnaires radicaux qui prolongèrent Babeuf ou s'affirmèrent avec Blanqui. Peu importe. Ce qui compte, c'est la prétention théorique et historique de réduire la pensée de Marx à la vague confluence, à la fois nécessaire (pour achever le « tableau ») et imprécise, de ces trois courants, et de rendre ainsi compte de la pensée de Marx. Par là on affirme hautement un principe de sécurité qui donne sans doute les assurances morales nécessaires sur les titres et l'identité de Marx (fils de Hegel, et de Smith-Ricardo et de Saint-Simon et Proudhon... ou Babeuf et Blanqui?) Mais du même coup on tombe dans la platitude des vérités de quatre sous héritées des généalogies bibliques (Abraham, fils d'Isaac, fils de Jacob [*sic*], etc., donc Abraham lui-même, en personne), ou au mieux d'une histoire des idées, incapables de penser la base socio-politico-théorique qui imposa la nécessité de la rencontre de ces Trois grands courants constituants, issus de ces Trois sources, dans une pensée définie : celle de Karl Marx et consorts. Et surtout incapable de transformer cette « rencontre » en « critique révolutionnaire » de ses propres éléments constituants.

Personne ne contestera que Hegel (et derrière lui la philosophie allemande), Ricardo (et derrière lui Smith et les Physiocrates, eux-mêmes d'ailleurs singulièrement en avance sur Smith et Ricardo puisque théoriciens de la reproduction), et Proudhon (derrière lui Saint-Simon? mais il y a des personnages autrement intéressants pour comprendre Marx) aient bien constitué l'horizon historique de Marx. Ils représentaient sa culture obligée, ce dont tout intellectuel de son espèce, curieux de comprendre son temps, devait partir, la matière première qu'il devait travailler, etc. Mais *rien n'impose dans cette énumération tranquillisante que Marx dût en contourner la façade idéologique et en bousculer les principes*, pour en apercevoir ce que Hegel appelait (à propos de la conscience de soi) « le dos », « le derrière », le revers caché [a], bref la réalité occultée. Or contourner, c'était justement « changer de

terrain » et adopter une tout autre position, une position
« critique révolutionnaire », cette fameuse « critique qui...
représente le prolétariat ».

Et réduire l'histoire de cette révolution dans la pensée de
Marx à la simple confluence géographico-fluviale de « trois
sources », c'était alors, à la limite, voir dans Marx un
« auteur » qui sut habilement (son « génie »!) combiner les
éléments dont il se trouvait (mais pourquoi? comment?) le
point de rencontre.

C'est ainsi qu'on soutint continûment, hors de la tradition
communiste certes, mais à l'occasion aussi dedans, que Marx
n'était que « Hegel appliqué à Ricardo » pour faire de
l'Économie politique une « métaphysique » (Croce, Aron,
etc.) C'est ainsi que dans la tradition marxiste, et dans les formules de Marx le tout premier, on préféra penser la révolution opérée par Marx sur les auteurs de ses *« Trois Sources »*
comme un *« renversement »* matérialiste *de chaque élément*,
donc comme une « remise sur ses pieds » de la philosophie,
de l'économie politique et du socialisme utopique, chaque
élément demeurant intact dans ses structures : pour constituer
par ce miracle l'*Économie politique* en *science*, la *philosophie* en
matérialisme dialectique, et les visions du *socialisme français*
en *philosophie de l'histoire*, ou, version pratique de son messia-
nisme, en « *socialisme scientifique* [1] ».

On sait que ces dernières formules ne se trouvent pas, sous
cette forme achevée, dans Marx. Mais on les trouve presque
toutes dans Engels, écrivant du vivant de Marx et, Engels
dixit, sous son contrôle... Et elles appartiennent à l'histoire du
marxisme, où, à partir de la deuxième Internationale, elles ont
représenté la définition officielle qui a été donnée du marxisme, en trois temps : matérialisme dialectique, matérialisme
historique, socialisme scientifique. On devait « fignoler » plus
tard, dans les années 1930, sous l'impulsion politique directe
de Staline, qui trouva la solution de déclarer que le « matéria-

---

1. Cette formule, c'est tout ce que le XXIIIe Congrès du PCF a retenu de Marx, disons comme son résumé par excellence. Or elle n'est pas de Marx.

lisme historique faisait partie intégrante du matérialisme dialectique ». Comme cela les issues étaient bien gardées!

6. Marx encore pris dans l'idéalisme

Je sais qu'on peut trouver dans Marx, de quoi justifier certaines de ces formules et l'apparence de certaines autres. On trouve bel et bien dans Marx le thème, feuerbachien à cent pour cent, du « renversement », mot d'ordre plutôt que vrai concept, car à le prendre pour un concept ce mot d'ordre jette tout lecteur, et qui « pense par lui-même », dans des courbatures d'acrobate théorique : exemple, le « renversement » de la dialectique hégélienne, car idéaliste (Engels en rajoutera en disant [a] que l'idéalisme est le résultat d'un premier renversement, celui du matérialisme qui aurait été de droit originaire...).

On trouve aussi dans Marx, de plus en plus critiquée, mais toujours présente en filigrane quand même, l'idée d'une philosophie de l'histoire, d'une Origine et d'une Fin, bref d'un Sens de l'histoire, incarné dans la succession des « époques progressives » de modes de production déterminés (voir la Préface à *la Contribution* de 1859), conduisant à la transparence du communisme (voir l'*Idéologie allemande,* 1845, les *Grundrisse,* 1857-1858, et jusqu'à la célèbre phrase du *Capital,* en 1867, sur le prétendu passage « de la nécessité à la liberté »), incarnée dans le communisme, mythe d'une communauté des hommes travailleurs (à la limite, dans l'abondance, ne travaillant presque plus, se consacrant tout entiers au « développement de leur personnalité [b] » ou comme le voulait Lafargue, qui en fit un libelle à scandale, à la paresse).

Oui, on trouve dans Marx l'idée latente de cette transparence totale des rapports sociaux dans le communisme, l'idée que ces rapports sociaux sont des « rapports humains », entendez des rapports limpides entre individus seuls (tous les individus à la limite) dans la conquête et la réalisation du

« libre développement de leur personnalité ». Oui, de l'*Idéologie allemande,* qui développe longuement ce thème, jusqu'au *Capital* qui, dans son Livre I nous décrit les états de transparence sociale, de Robinson et de la famille de production patriarcale, jusqu'à la libre association du communisme, Marx ne parvient pas à abandonner cette idée mythique du communisme comme mode de production *sans rapports de production,* le libre développement des individus y tenant lieu de rapports sociaux. Et cela se comprend fort bien puisque les rapports de production sont devenus sous le communisme aussi superflus que l'État, les rapports marchands, la monnaie, la politique, les partis politiques, la démocratie, la division du travail entre les hommes, la différence entre travail manuel et travail intellectuel, entre les villes et les campagnes, entre les sexes, entre les parents et les enfants, et les belles-mères et les gendres, etc.

Certes, dans la *Critique du Programme de Gotha* (1875) Marx tient sur le communisme un langage moins idéaliste, et surtout dans l'ultime et très belle « *note sur Wagner* » (1882)[a] on sent bien qu'il ne lui reste presque plus rien, sinon rien, de tout ce mythe idéaliste, qui lui venait tout droit des socialistes utopistes (cf. Fourier : le communisme c'est le règne organisé aussi rationnellement que possible du développement des passions des individus, et il s'agit avant tout des passions érotiques), et qu'il avait dû reprendre à son compte dans l'*Idéologie allemande,* avant de l'abandonner pratiquement dans *Le Manifeste communiste,* pour le retrouver ensuite plus vivant que jamais dans les *Grundrisse,* et encore présent quoique limité dans *Le Capital.*

L'idéalisme ouvert ou latent de ces thèmes hante [...] la philosophie de l'histoire « matérialiste » qui nous est exposée dans l'*Idéologie allemande* (ce manuscrit, resté lui aussi inédit, et laissé à la « critique rongeuse des souris », Marx et Engels voulaient, en 1845, le faire éditer, mais ils furent pris de court par les révolutions de 1848, et finalement la chose ne put se faire que beaucoup plus tard, Engels remarquant alors combien ce texte prouvait « notre retard » en matière de

391

connaissances en économie politique), mais aussi dans la Préface de 1859. Les modes de production y sont en effet alignés dans une liste continue et une série obligée, et de surcroît « progressive », un peu comme les Idéologues du début du siècle suivaient les philosophes du Droit naturel et Rousseau pour dire : il y eut d'abord la sauvagerie, puis la barbarie, puis la « civilisation ». De même Marx présentait comme succession « progressive » la série ordonnée : communisme primitif, esclavagisme, servagisme, capitalisme, et communisme. Apparemment nulle société ne pouvait « prendre le train en marche », mais chacune devait parcourir toute la série obligée des modes de production réglementaires. On sait que Marx revint sur cette conviction, à propos du « mode de production asiatique » et, pour ne citer que ces exemples, du cas paradoxal de l'Inde, dont les structures archaïques résistaient scandaleusement au capitalisme colonial anglais, pourtant plus « progressiste » [1].

C'est dans le même esprit révolutionnisme et idéaliste que Marx concevait trop souvent le problème de la « transition », c'est-à-dire : à quelles conditions peut s'opérer le passage d'un mode de production à un autre (au *suivant...*)? Marx prononçait alors les grandes phrases sacrées qui enchantaient Gramsci, ces phrases qui, voulant tout dire, ne veulent en définitive rien dire, à ceci près qu'elles expriment très bien le « désir » de Marx de voir l'histoire réelle procéder comme il le veut ou voudrait, exemple : « une formation sociale ne disparaît jamais (!) avant que soient développées *toutes* les forces productives qu'elle est capable de contenir... ». Or, qu'est-ce que ça peut bien vouloir dire? Exemple : « l'Humanité (!) ne se propose jamais que les tâches qu'elle peut accomplir [a]... ».

Mais le même idéalisme hante, sous une forme infiniment plus subtile, *Le Capital* lui-même. Car nous avons dû, les uns et les autres, et au prix d'un long et minutieux travail d'ana-

---

1. On sait que dans cette « lancée », la Seconde Internationale défendait la thèse que la colonisation impérialiste était, du point de vue de l'Histoire Universelle, naturellement, une bonne chose, puisqu'elle apportait aux indigènes le capitalisme, voie de passage obligée vers le socialisme...

lyse mené contre les idées régnantes en la matière, apprendre à reconnaître que quelque chose n'allait pas du côté de son « ordre d'exposition ». Aussi impressionnante soit-elle, l'unité de l'exposition du *Capital* nous est alors apparue pour ce qu'elle est : *fictive*. Mais pourquoi cette unité fictive ? Parce que Marx *se croyait tenu,* en bon « semi-hégélien », c'est-à-dire en hégélien « renversé » en matérialiste qu'il était, d'affronter dans une discipline de caractère scientifique la question purement *philosophique* du *commencement* d'une œuvre philosophique. Ce genre de malentendu peut se comprendre.

Ce n'est pas un hasard si Marx a réécrit une bonne douzaine de fois la section I du Livre I du *Capital*, son commencement ; s'il a tenu à commencer par « le plus simple » et « l'abstrait », savoir la marchandise, donc par la valeur ; s'il s'est ainsi obligé à commencer par l'*abstraction de la valeur,* ce qui a donné une force impressionnante à ses démonstrations, mais les a en même temps « encadrées » dans un champ théorique fort gênant dès qu'il s'agit de « déduire » et la monnaie, et l'exploitation capitaliste et le reste. Sans parler de ce qui est présupposé par l'abstraction de la valeur, le « travail abstrait », c'est-à-dire l'existence d'un champ homogène où règne, car a déjà triomphé, la péréquation des durées de travail social pour la moindre équation de valeur (x marchandises A = z marchandises B). Car cette péréquation n'est *que tendancielle,* alors que pour raisonner dans la forme de rigueur qu'il a choisie ou dû choisir, Marx en part comme d'une *donnée,* non pas résultat d'un procès historique horriblement compliqué, mais comme l'état d'origine « le plus simple ». Et sans parler enfin du fait que cet « ordre d'exposition » laisse nécessairement en dehors de soi ce dont il faut bien que Marx parle, mais hors l'ordre d'exposition, pour pouvoir donner une théorie de l'exploitation qui ne peut se réduire à la théorie de la plus-value (comme différence de valeur). Car il faut bien alors paradoxalement tenir compte de ce dont l'ordre d'exposition exige de *faire abstraction* : la productivité du travail sous toutes ses formes, la force de travail comme autre chose qu'une simple marchandise, et tout simplement l'histoire des conditions de l'avènement du capitalisme, qui renvoie entre autres à l'accumulation primitive. D'où les très longs chapitres sur la journée de travail, sur le procès de travail, la manufacture et la grande industrie, et l'extraordinaire chapitre sur l'accumulation primitive.

Ces chapitres [1] sont *hors* « ordre d'exposition », et ils ont posé un rude problème aux interprètes : pourquoi donc sauter ainsi de la théorie à l'histoire, de l'abstraction au concret et sans aucune justification ? Et à la limite quel est donc l'objet même de Marx : le « mode de production et d'échange capitaliste dans sa moyenne idéale » comme l'a sans cesse répété *Le Capital,* ou bien l'histoire concrète des conditions de lutte de classe qui ont précipité la bourgeoisie occidentale dans le capitalisme ? Mais alors nous sommes en plein dans le « concret », car l'accumulation primitive, la dépossession des travailleurs (agraires et urbains) de leurs moyens de production et de leurs conditions de reproduction, qui a produit le mode de production capitaliste, n'a rien à voir avec quelque abstraction, avec quelque « moyenne idéale » que ce soit. Comment alors faire tenir ensemble ces éléments discordants et déconcertants d'une pensée qui, de son côté, ne cesse de proclamer son unité, et de l'imposer dans le prétendu ordre d'exposition du *Capital* ?

Mieux, que penser d'une théorie comme celle qui se donne pour objet de démontrer la production des prix de production à partir de la valeur, et n'y parvient qu'au prix d'une erreur, d'une omission dans le calcul ? Sraffa, le vieil ami de Gramsci, émigré en Angleterre, Sraffa et son école ont eu le mérite de contrôler de près la démonstration de Marx sur ce point, et ils ont découvert à leur grand étonnement que la démonstration était fausse. Une erreur qui vient de loin : justement du prin-

---

1. Marx lui-même conseillait à la femme de Kugelmann de lire ces *seuls* chapitres : elle pouvait à la rigueur se passer des autres pour comprendre l'essentiel ; l'essentiel, « un enfant même le comprendrait », écrit Marx dans une lettre à son mari [lettre du 30 novembre 1867 de Marx à Ludwig Kugelmann, in *Correspondance Marx-Engels. Lettres sur « Le Capital »,* op. cit., p. 188].

cipe selon lequel il faut commencer par le plus simple, l'élément premier, savoir la marchandise ou la valeur, alors que ce simple n'est pas simple ni le plus simple, et *également* du principe selon lequel il faut absolument commencer *sur le mode de l'« analyse »*, laquelle a pour mission de découvrir dans le simple son essence et les effets de cette essence, effets propres à retrouver, à la fin, par déduction synthétisante, le concret lui-même. Or Marx lui-même rompt avec cette exigence, non seulement dans les chapitres concrets qu'il injecte dans l'ordre d'exposition du *Capital, mais aussi dans les injections de concepts abstraits qu'il ne cesse d'injecter dans le champ théorique* de l'ordre d'exposition abstraite, pour l'élargir, se montrant ainsi, dieu merci, aussi peu hégélien que possible.

Il faut alors bien en venir à se demander pourquoi la question du commencement a représenté cette exigence et cette « croix » pour Marx : « en toute science le commencement est ardu » écrit-il en tête du *Capital*. Et pourquoi Marx s'est-il donc *imposé l'idée d'un commencement obligé par l'abstraction ultime de la valeur*? Nul doute qu'il faille, si on entend bien Marx, passer à un moment ou à l'autre par quelque chose qui a à voir avec « la valeur » : mais rien n'impose de commencer par elle, sauf à la gonfler de sens difficilement maîtrisables. En réalité il semble bien que toutes ces exigences et les difficultés qu'elles provoquaient étaient imposées à Marx par une *certaine Idée* qu'il se faisait (personne n'y échappe en quelque temps que ce soit, bien que l'idée change) *de la science (Wissenschaft)*, c'est-à-dire des conditions formelles imprescriptibles auxquelles doit se soumettre tout Procès de Pensée *(Denkprozeß) pour être « Vrai »*.

Le texte où l'on saisit sur le vif et fort clairement le contenu de cette Idée est le chapitre consacré [à la question] par l'Introduction (elle aussi non publiée par Marx!) à la *Contribution* (1858) : « La méthode en Économie Politique[a] ». Marx y développe avant tout l'idée que le Procès de pensée vrai, matérialiste, commence nécessairement, et contrairement au préjugé courant, *par l'abstraction*. La pensée vraie, la science, va non pas du concret à l'abstrait, mais de l'abstrait au concret : elle doit donc commencer par l'abstraction, c'est-à-dire le plus simple ou le simple (le plus général, etc.) Pourquoi cette exigence? Marx énonce ce principe et c'est son œuvre *(Le Capital)* qui doit en fournir la preuve, car la méthode n'existe pas en dehors de sa réalisation, c'est-à-dire en dehors des connaissances qui sont produites à l'occasion de son activité [1]. Mais comme *Le Capital* (nous venons de l'indiquer) ne fournit pas vraiment cette preuve, mais plutôt son embarras, nous devons bien, pour notre compte, nous poser la question. *Pourquoi Marx se faisait-il cette Idée du Procès de Pensée Vrai et le soumettait-il à ces exigences précises?*

Marx regardait assurément du côté des sciences de la nature, se donnant le plus souvent des exemples [tirés] de l'analyse chimique, mais aussi de la physique, et même des mathématiques (l'analyse y consiste à supposer le problème résolu et à « analyser » les conditions, alors décelables, de sa solution). Mais derrière ces références purement scientifiques, il ne fait pas de doute que Marx était guidé, jusque dans leur interprétation au service de ses démonstrations, par une Idée de la Vérité qui lui venait en grande partie de Hegel et bien au-delà de lui. De fait la *Logique* de Hegel, et toute la déduction « dialectique » de la Nature et de l'Esprit, suggère bel et bien qu'il faut « commencer », *mais* en philosophie, *et pas dans les « sciences »*, par l'abstraction pure, qui est en même temps chez Hegel, non pas abstraction déterminée (Della Volpe l'a bien reconnu [a]) mais *abstraction indéterminée*. Sous la réserve de cette différence capitale, on peut soutenir que chez Hegel aussi, l'Idée de la Science *(Wissenschaft)* impose de commencer par l'abstraction, et que le procès de pensée va de l'abstrait au concret, du plus abstrait au plus concret; et que la même Idée impose d'analyser chaque contenu (l'Être, le Néant, le devenir etc.), pour y découvrir la naissance du suivant.

---

1. On rejoint ici la remarque de la [préface de la *Contribution*...] : exposer la méthode avant d'avoir démontré le résultat « peut être gênant ».

Or, dans la pratique du *Capital*, dans ses chapitres hors ordre d'exposition, mais aussi et surtout à l'occasion des injections conceptuelles dans l'espace théorique conquis par l'analyse, Marx rompait en fait avec l'idée hégélienne de la Science, donc de la méthode, donc de la dialectique. Mais en même temps il tenait assez à cette Idée pour s'imposer le commencement par la valeur comme obligé, pour se reconnaître dans la dialectique hégélienne « renversée », et pour penser ce qu'il avait découvert dans l'impressionnante unité, mais *unité fictive*, de l'ordre d'exposition unique (en droit) du *Capital*.

Que Hegel, connu depuis l'adolescence, puis oublié ou combattu, retrouvé en 1858 par le hasard d'un livre (*La Grande Logique*) qu'il avait reçu en legs de Bakounine, soit présent dans la pensée de Marx, y compris du *Capital*, et que la philosophie de l'aliénation de Feuerbach y soit aussi agissante, une fois Hegel injecté dans cette philosophie, nous pouvons le dire maintenant avec certitude et aussi sérénité, puisque ces questions ont passablement agité les polémiques des « marxisants » depuis vingt ans (le même phénomène s'était déjà produit un peu partout en Europe dans les années 1920-1930). Mais nous devons aussi en tirer les conclusions pour une meilleure compréhension du *Capital* et du dessein politique de Marx. Oui, Marx, et comment eût-il pu en être autrement, a subi les limites que lui imposaient, malgré toute sa volonté de rupture, les idées dominantes de son propre temps. L'étonnant n'est pas qu'il les ait subies, mais qu'en dépit de leur poids et de ces limites, il nous ait ouvert la connaissance d'une réalité que personne, ou presque, n'avait entrevue avant lui.

Sous cette condition, nous pouvons nous retourner vers *Le Capital*. Et nous découvrirons sans grande peine les effets qu'a exercés sur la pensée de Marx cette conception philosophique encore idéaliste du Procès de Pensée Vrai. Par exemple dans la présentation (*Darstellung*) d'allure comptable (d'allure : il ne s'agit pas de prix, mais de valeurs) de la plus-value [1] comme différence entre la valeur produite et la valeur-salaire. *Imposée sous cette forme* par l'ordre d'exposition et sa déduction conceptuelle, cette présentation peut conduire à une interprétation « économiste » de l'exploitation. Car en réalité, et Marx est très clair sur ce point, l'exploitation ne se réduit pas à cette retenue d'un surplus de valeur, elle ne peut être comprise que si l'on retient l'ensemble de ses formes et conditions concrètes comme déterminantes. Or l'ensemble de ces formes concrètes inclut bien la retenue de valeur, mais également les contraintes implacables du procès de travail pris dans le procès de production, donc d'exploitation : division et organisation socio-techniques du travail, durée de la « journée de travail », cette notion propre au système capitaliste, donc introuvable avant lui, intensification des rythmes du travail, parcellisation des tâches, sur-qualification et dé-qualification des postes de travail, conditions matérielles de la concentration du travail (usine, atelier), accidents du travail, maladies professionnelles, etc. Et le procès de production doit lui-même (pour ne pas rester abstrait) être conçu comme moment décisif du procès de reproduction : reproduction des moyens de production mais aussi reproduction de la force de travail (famille, logement, enfants, éducation, école, santé, problèmes du couple, des jeunes, etc.) — sans parler de l'autre moment du procès de reproduction de la force de travail qui fait intervenir l'État, ses appareils (répressifs, idéologiques, etc.)

Or ces questions, dont la simple équation de la plus-value doit évidemment faire *abstraction* pour montrer l'exploitation dans la retenue de valeur, Marx en a traité dans les fameux chapitres « concrets » du *Capital*, qui jurent avec l'ordre d'exposition abstrait du *Capital*. Ce qui fait que la théorie de l'exploitation se trouve bien dans *Le Capital*, mais « exposée » en plusieurs lieux, à la fois dans la théorie de la plus-

---

1. Jean-Pierre Lefebvre et Étienne Balibar ont récemment, et avec raison, proposé de traduire « Mehrwert » par « sur-valeur » (au lieu de « plus-value ») [« Plus-value ou survaleur ? », *La Pensée* n° 197, 1978].

value sous une forme d'allure comptable, mais aussi expliquée dans les autres chapitres sur la journée de travail (plus-value absolue) et la transformation capitaliste du procès de travail (plus-value relative), sans parler du chapitre sur l'accumulation primitive. Cette distribution d'une question clé en son « exposition » abstraite et ses explications concrètes n'est pas sans conséquences théoriques, qu'on commence d'apercevoir dans les insuffisances de la théorie de la force de travail ou même du salaire, et dans bien d'autres questions, par exemple aujourd'hui la question de la transformation de la classe ouvrière sous l'effet des formes « techniques » de la lutte de classe impérialiste à l'échelle mondiale (travail immigré, recomposition des tâches, nouvelle concurrence de la force de travail du fait de la « politique » d'investissement des multinationales, etc.)

On pourrait fournir bien d'autres exemples des difficultés et contradictions où Marx s'est enferré pour s'être *imposé* le commencement obligé par l'abstraction de la valeur. Par exemple la question épineuse de la « transmission » de la valeur (quelle valeur au juste?) des moyens de production au produit par l'« usage » de la force de travail, et le fameux cas limite sur lequel Marx raisonne, en supposant que C, capital constant – moyens de production – puisse être nul (= 0) [a]. Par exemple la transformation de la valeur en prix de production, où l'on a surpris Marx en défaut de raisonnement, etc.

On le voit : l'évidence d'avoir à « changer de terrain », à adopter une position qui « représente le prolétariat », aussi consciente fût-elle (et trente-deux ans séparent les deux formules!), n'a pu, à elle seule, et d'emblée, « régler ses comptes à la conscience philosophique antérieure » de Marx. Le matérialisme que Marx professait s'applique aussi à lui : sa conscience ne pouvait épuiser sa pratique, sa conscience ne pouvait même pas épuiser sa pensée dans ses formes réelles, et sa pensée, encore soumise aux plus subtiles des formes philosophiques et idéologiques dominantes, ne pouvait prendre en charge et régler les contradictions dans lesquelles elle s'engageait de ce fait. Un matérialiste en conclura qu'il y avait plus dans la pratique, dans la pensée, et dans les contradictions de sa problématique que dans la conscience de Marx. *Il pourra aussi en conclure que les limites de la pensée de Marx n'ont pas été sans effet sur son action ou celle des autres.*

On peut noter comme un signe de cet écart incontournable le fait qu'à part la brève annonce encore énigmatique des *Thèses sur Feuerbach,* Marx ne se soit jamais expliqué en clair sur ses nouvelles positions, c'est-à-dire en définitive sur sa philosophie, celle qu'il avait dû épouser après avoir rompu avec son ancienne conscience philosophique. Marx avait presque promis à Engels vingt pages sur la dialectique « si je trouve le temps » : il ne les a jamais écrites. Faute de temps? Et l'Introduction de 1857, la plus élaborée du point de vue philosophique (surtout le chapitre sur la méthode de l'Écono-mie Politique, qui a fasciné tant de marxistes, mais qui est finalement à la fois saisissant et très douteux), Marx l'a sup-primée, disant qu'« anticiper sur des résultats qu'il faut d'abord démontrer ne peut qu'être gênant ». Oui, mais pour-quoi ce silence *après*?

Cela ne veut pas dire que Marx ne se soit débattu, et sans cesse, avec la philosophie, avec la tâche d'avoir à donner corps à la nouvelle philosophie qui animait sa pensée, dès le « moment » où il eut clairement vu qu'il fallait rompre avec l'ancienne, trop engagée à « glorifier les choses existantes », trop liée aux intérêts idéologiques et politiques de la classe dominante. C'est un fait : tout ce procès d'autocritique et de rectification s'est déroulé dans l'œuvre même de Marx, dans sa pratique politique et théorique, au prix de quelles diffi-cultés!, pour voir un peu plus clair : dans son œuvre scienti-fique, c'est trop évident, mais aussi et d'abord dans sa lutte pour la restauration du mouvement ouvrier, pendant les années terribles qui vont de la défaite des révolutions de 1848 à la Commune, [en passsant] par la fondation de la première Internationale. Combat interminable dans les contradictions, dans la contradiction, pour assurer les nouvelles positions contre le retour et la revanche des anciennes. Combat encore et toujours douteux même quand il paraît gagné : combat pour trouver des mots et des concepts qui n'existent pas encore, pour penser ce qui avait, jusqu'ici, été occulté par des mots et concepts tout-puissants. Car, et c'est normal, le combat se joue aussi sur des concepts et même sur des mots, quand ils condensent l'enjeu de grands conflits, de grandes incertitudes, ou de sourdes contradictions non éclaircies. En témoignent, on le sait, les hésitations les plus profondes du *Capital*, où le mot, le thème, la notion, voire le concept d'aliénation continue de hanter non seulement la théorie (à cent pour cent feuerbachienne) du fétichisme, mais aussi l'opposition dramatisée du travail mort et du travail vivant, la domination des conditions du travail sur le travailleur, et la figure du communisme, cette libre association d'« individus » n'ayant pour tous rapports sociaux que leur liberté – l'aliénation, vieux mot, vieux concept idéaliste à tout faire (y compris à faire sentir ce qui est encore mal pensé), manifestement là pour penser autre chose : un impensé, qui l'est resté.

Pourquoi l'est-il resté? Il faut chercher la réponse et dans l'histoire de la lutte de classe ouvrière, dans ses « limites », et du côté de l'idée philosophique que Marx se faisait de l'ordre d'exposition à suivre pour penser le vrai.

7. Et la « toute-puissance des idées »?

Que l'histoire, en bonne matérialiste, ait ainsi surpris et dépassé la pensée de Marx, en voici un autre exemple.

Marx se distingue en effet de toute la philosophie politique idéaliste (il est en cela d'accord avec un seul penseur : Machiavel) en ce qu'il n'a jamais entretenu d'illusions sur la « toute-puissance des idées », y compris de ses propres idées. C'est Lénine qui, dans le feu et le jeu implacable de la polémique, écrira imprudemment : « les idées de Marx sont toutes-puissantes parce qu'elles sont vraies [a] ». Certes elles sont vraies, mais elles ne sont pas « toutes-puissantes », car aucune idée n'est « toute-puissante » par sa seule vertu d'idée vraie. Dès *Le Manifeste*, et il n'en changera jamais, la position de Marx est claire : ce ne sont pas les idées communistes, c'est le mouvement général de la lutte de classe des prolétaires contre les capitalistes qui ouvre et ouvrira la voie au communisme, « mouvement réel ». L'influence des idées ne s'exerce que sous des conditions idéologiques et politiques qui expriment un rapport de force déterminé entre les classes : c'est ce rapport et ses effets politiques et idéologiques, qui sont déterminants « en dernière instance » pour l'efficacité des « idées ».

Or, le remarquable est que Marx, conséquent avec ses propres thèses, tienne compte de sa propre théorie dans la *position* politique et l'*exposition de ses propres idées*, c'est-à-dire de leur mise en place dans le dispositif de la société! On peut le voir aussi bien dans *Le Manifeste* que dans la Préface de 1859. La présentation des grands principes théoriques y prend la forme d'une *« topique »*, d'une figure disposée dans l'espace, où se définissent des lieux *(topoi)* et leurs relations, pour « faire voir » des rapports d'extériorité relative, de détermination, etc., donc d'efficacité entre des « instances » : l'infrastructure (production-exploitation, donc lutte de classe « économique ») et les éléments (Droit, État, idéologies) de la « superstructure ». Cela veut dire, et c'est le point décisif, que Marx adopte la disposition *topique* pour présenter deux fois ses propres idées théoriques, et sous deux formes différentes, en deux « lieux » différents d'un même espace.

Marx présente d'abord ses idées théoriques comme principes de l'analyse de *l'ensemble de son objet* : que cet objet soit une conjoncture politique pré-révolutionnaire sur arrière-fond de la lutte de classe entre les capitalistes et leurs exploités *(Le Manifeste)*, ou que cet objet soit la structure d'une formation sociale en général (la Préface de 1859). Les idées théoriques de Marx sont alors présentes partout, elles occupent tout l'espace, donc le lieu de cet objet, puisqu'il s'agit de fournir par elles l'intelligence de l'ensemble de cet objet.

Mais Marx fait apparaître en même temps ses mêmes idées théoriques *une seconde fois*, mais en les situant alors dans un « lieu » déterminé et extrêmement limité de l'espace occupé par la même réalité d'ensemble. Disons, pour reprendre la formule de la Préface de 1859, que Marx situe alors ses propres idées théoriques parmi les « formes idéologiques où les hommes prennent conscience du conflit (de classe) et le mènent jusqu'au bout ». En situant ainsi une seconde fois ses idées, dans un lieu défini à la fois par des rapports de classe et leurs effets idéologiques (dans la « superstructure », à côté de l'État), Marx traite et présente ses idées théoriques non plus comme les principes d'explication du tout donné, mais sous le seul rapport de leur action possible dans la lutte de classe idéologique et donc politique qui commande ce « tout », telle formation sociale, telle conjoncture, etc. De fait, en changeant de lieu (et de fonction), les idées théoriques changent de forme : elles passent de la forme-théorie à la forme-idéologie.

Le matérialisme de Marx, dont Lénine disait qu'il était « conséquent », ne se mesure ainsi pas seulement à la réduction de toute illusion devant l'objectivité du réel existant et à la connaissance de ce réel, mais aussi et en même temps à la conscience aiguë et pratique des conditions, des formes et des limites dans lesquelles ses idées *peuvent devenir actives*. D'où leur double inscription dans la topique. D'où la distance (considérable au départ) qui existe entre la *« vérité »* des idées, qui recouvrent le tout de leur objet, et l'*efficace* des idées qui ne sont situées que dans une petite partie de l'« espace » de l'« objet ». D'où la thèse capitale que, fussent-elles vraies et formellement et matériellement démontrées, les idées ne peuvent jamais être historiquement actives en personne, en tant que pures idées théoriques, mais seulement sous, dans, et par *des formes idéologiques*, et il faut ajouter, car c'est fondamental, *de masse*, prises dans la lutte des classes et son développement.

Et pourtant, par un prodigieux retournement de l'histoire dont les militants ouvriers durent faire l'expérience, ô combien ! jusque dans leur chair, Marx n'a pas été en état de comprendre, ou n'a pas su prévoir que sa propre pensée pourrait, elle aussi, être détournée et asservie au rôle d'une trop réelle, bien que prétendue, « toute-puissance de ses idées », et servir sous les espèces de sa « doctrine » la politique de ceux qui pourraient et sauraient un jour se couvrir du prestige de son nom pour falsifier ces mêmes idées. Toute l'histoire des déviations (dès la deuxième Internationale), des scissions du mouvement marxiste, puis l'histoire même de son « devenir » dans des pays post-révolutionnaires peut être convoquée à la barre de ce procès, et combien lourd est le dossier! Bien sûr il ne saurait être question de mettre ici Marx en cause, et de le « juger » sur autre chose que sa propre histoire politique et théorique, dont nous lui devons de comprendre d'abord la portée et les limites. Bien sûr il ne saurait être question de prêter à Marx des lumières qu'il n'a pas eues, ou de lui reprocher de n'avoir pas eu des lumières sur des expérimentations qu'il n'a pu vivre. Toutes proportions gardées, ce serait reprocher à Newton de n'avoir pas été Einstein.

Les seuls qui soient vraiment à mettre en cause, à moins de chercher dans le passé un bouc émissaire à nos difficultés ou à nos démonstrations, les seuls qui soient vraiment à interroger sur ce qu'ils ont fait ou n'ont pas su faire de la pensée de Marx, ce sont ceux à qui ces questions *se sont posées* ou *ont fini par s'imposer*, ceux qui peuvent et veulent (ou ne peuvent ni ne veulent) les affronter : avant tout les partis communistes, et à défaut, puisque ces mêmes partis se taisent obstinément et obtusément sur ces questions, ou ne « lâchent », toujours « en retard », et inévitablement en retard parce qu'ils *passent délibérément leur temps à éviter ces questions trop gênantes pour eux*, que parcimonieusement quelques remarques sentencieuses qui ne sont même pas autocritiques (c'est toujours la faute aux autres!), les simples militants révolutionnaires, qu'ils soient ou non membres de ces partis.

Pourtant il faut quand même remarquer que les travers théoriques de Marx ont parfois, tout comme ses mérites, été accompagnés de singuliers silences. Je n'en retiendrai que deux, pour exemple.

L'étonnant recueil qui a été publié par Marx sur *La Guerre civile en France* (la Commune) constitue une analyse continue de l'histoire politique de la Commune, histoire intérieure au mouvement de la Commune elle-même, en même temps qu'une théoricisation des inventions politiques populaires de la

Commune, où Marx a reconnu d'emblée la force agissante de la dictature du prolétariat. On sait qu'au tout début Marx était opposé à la révolte, mais qu'une fois le mouvement déclenché, il ne lui ménagea pas son aide enthousiaste et lucide. Pourtant quelque chose de cette analyse nous laisse sur notre faim : le quasi-silence sur l'analyse du rapport des classes en France, et en particulier sur les conditions et les formes de *la lutte de classe bourgeoise*, donc sur les conditions de classe de la défaite des Communards. Précisons : on peut considérer que Marx avait déjà éclairé la question dans *Les Luttes de classes en France* ; mais la France de 1871, qui connut en vingt ans un grand développement économique, et le triomphe de la bourgeoisie industrielle et financière sur les grands propriétaires fonciers, et la croissance du prolétariat, n'était plus la France de 1850. Passe encore. Mais comment peut-il se faire que Marx n'ait pas su utiliser cette expérience, extraordinaire en son genre, pour mieux analyser le fonctionnement de l'*État bourgeois* et de l'*idéologie bourgeoise*, et en tirer des notions plus riches que les notions trop courtes qu'il avait déjà énoncées dès 1852? Et comment, de surcroît, Marx n'a-t-il pas tenté de comprendre ce qui se passait au niveau de l'*idéologie chez les Communards*, et au niveau de *la politique* dont ils avaient renouvelé la réalité? *La Guerre civile en France* nous offre une prodigieuse chronique de détail des événements, dramatique, et une théorisation qui intéresse l'avenir sur les formes politiques de la dictature du prolétariat, mais ne nous donne rien qui fasse avancer la connaissance de l'État bourgeois, de l'idéologie (de la bourgeoisie et des Communards) et de la politique opposées des uns et des autres. Sur ces thèmes, État, idéologie, politique, tout se passe comme si Marx n'éprouvait pas le besoin de voir de plus près, soit que ces matières lui fussent comme évidentes, soit qu'il n'y ait pas vu mystère particulier.

Je reviens sur l'épisode de la *Critique du Programme de Gotha*, cette étrange affaire. Pour noter d'abord que Marx n'était pas alors vraiment un militant appartenant à un parti. Pour noter ensuite que Marx ne tira aucune conclusion de sa mésaventure. Le Congrès de Gotha qui unifiait le parti marxiste et le parti lassalien, se tient et vote un Programme. Stupéfait, Marx soumet à une impitoyable critique ses thèses essentielles, qui n'ont rien à voir avec les thèses communistes : il le démontre brillamment.

La direction du nouveau parti unifié, et parmi elle les dirigeants marxistes eux-mêmes, informés, interdisent à Marx de publier sa critique ! Marx laisse passer quelque temps, et découvre, à sa stupéfaction, que « les journalistes bourgeois... et même les ouvriers » ont « lu » dans le Programme de Gotha ce qui ne s'y trouvait pas. Là où on leur donnait des thèses réformistes, ils ont « cru » qu'il s'agissait de communisme ! Marx et Engels insistent : *si Marx n'a pas publié sa Critique*, contre l'interdiction du Parti social-démocrate (le parti unifié) *« c'est... pour cette unique raison, parce que les journalistes bourgeois... et même les ouvriers »* y ont trouvé ce qui n'y figurait pas [a]. Résultat : Marx se tait. Lui qui a si souvent écrit qu'il « ne faut pas sacrifier les intérêts d'avenir du mouvement ouvrier à ses intérêts immédiats », que c'est là de l'opportunisme, il ne pense pas à l'avenir, il ne se demande pas si dans quelques mois ou années, les formules auront agi, le mal sera fait, et il ne sera plus possible de le réparer. Dix-sept ans plus tard en usant de chantage contre la direction du Parti social-démocrate allemand, Engels finira par faire publier la *Critique*. Pourquoi si tard ? Et alors pour quoi faire ? Cette *Critique* méritait donc publication ? Marx est mort alors, mais entre-temps il n'a rien fait pour faire connaître sa critique.

Je pense à cette singulière phrase d'Engels : « Marx et moi-même ne sommes jamais intervenus dans le parti pour des raisons politiques, mais seulement pour corriger des erreurs théoriques [b]. » Peut-être. Mais c'est une distinction bien difficile à tenir. Et apparemment la *Critique* interdite par la direction du parti et non publiée par Marx « pour cette seule raison que... », avait tout de même à voir avec les « erreurs » théoriques du Programme de Gotha.

Un parti, sa direction, à sa tête les amis les plus proches de Marx, une *Critique* radicale d'un Programme interdite « pour ne pas nuire à l'unité du parti » (toujours la même raison invoquée par les directions, de 1875 à 1978), l'étonnement de Marx de voir se produire sur le texte du Programme une méprise fantastique qui réunit « les journalistes bourgeois... et même les ouvriers » dans la conviction (erronée) qu'il s'agit bien en lui de thèses communistes, le fait que Marx se contente de ce malentendu et se taise, voilà qui donne tout de même à réfléchir, comme les derniers mots de la *Critique* : « *dixi et salvavi animam meam* [a] ». En fait, peut-être pour la première fois de sa vie, Marx se trouve en face d'un parti, qui est le sien, mais qu'il ne dirige pas, donc en position assez objective : celle d'un militant ou quasi-militant. Et ce parti fait ce qu'on sait. Et Marx se contente de la portion très congrue de la consolation que lui donnent « les journalistes bourgeois... et même les ouvriers » d'avoir vu dans le Programme ce qui n'y était pas. Quelle expérience! Et sur le parti, et sur sa manière de se conduire en matière politique et théorique, et sur l'illusion idéologique produite par un texte réformiste. Marx se tait. Sans doute est-il malade, comme s'il était désarmé, impuissant, et trouvant la première excuse venue pour accepter l'interdiction de la direction du parti, et ne s'interrogeant ni sur la nature du parti, ni sur la nature étrange de ces thèses qui donnent lieu à méprise, ni sur son acceptation de rentrer sa critique en échange d'une illusion, ni sur ce qui se passe alors en lui, pris dans ce contexte où jouent à la fois le parti et ses objectifs d'union, donc de compromis (mais à condition que Marx se taise), l'idéologie réformiste qui triomphe dans le Programme, l'idéologie qui est dans la tête des « journalistes bourgeois... et des ouvriers » et qui leur fait prendre, à tous ensemble, des vessies pour les lanternes — le tout sans que l'avenir le préoccupe le moins du monde, puisque Marx s'en tire comme une belle âme : « j'ai dit et j'ai sauvé mon âme... »

Que Marx se soit tu est une chose. Il pouvait, étant donné sa personnalité, parler, donc se taire [b]. D'autres militants ont sans doute critiqué le Programme de Gotha dans le parti. Mais comme ils n'avaient pas l'autorité de Marx, ils ont dû rentrer dans le rang, et leur protestation est allée dans les tiroirs de la direction. Qu'en tout cela, comme en nulle autre circonstance d'ailleurs, Marx n'ait tenté de réfléchir *sur le fait de sa propre personnalité*, c'est quand même assez surprenant. Il devait s'en tirer par la modestie (« je ne suis pas marxiste », etc.), ce qui est une manière aussi de « sauver son âme », en faisant, et à son propre usage, semblant de n'être pas ce qu'il était objectivement, n'en déplaise à tous ses scrupules : une personnalité de grande envergure, et ce qui est encore plus considérable, une personnalité *théorique* dont tous les mots pèsent et comptent, dont les phrases et les formules sont prises et pour argent comptant, et au sérieux, dans cette équivoque qui unit le sérieux politique et la soumission religieuse ou quasi. Or l'« *effet de personnalité théorique* » est incontestablement un effet politique et idéologique important, non seulement dans l'histoire bourgeoise, mais aussi dans l'histoire du mouvement ouvrier, y compris dans l'histoire du mouvement ouvrier marxiste. Marx le savait bien, lui qui ne pouvait supporter « la personnalité » de Bakounine et de Lassalle, tout en étant bien obligé de tenir compte des effets de leurs personnalités. Apparemment il ne voulait pas le savoir pour lui. Et comme dans toute cette affaire il y avait non seulement lui, mais aussi les personnalités dirigeantes du parti (Liebknecht, Bebel, etc.), mais aussi le parti et sa direction qui lui interdisait de publier sa critique, et toute l'idéologie présente dans le Programme de Gotha (et derrière elle celle des deux partis), puis l'idéologie des « journalistes... et même des ouvriers », il faut croire que c'était trop compliqué, ou qu'il pensait que le parti, après ces épisodes, reviendrait à son « essence », ou que de toute façon c'était secondaire, et qu'il lui suffisait d'écrire et de « sauver son âme »... dans un fond de tiroir [a]...

Nous en sommes bien réduits, ici aussi, aux hypothèses négatives, mais en prenant acte que Marx se sentait désarmé devant des réalités comme le *parti*, sa structure, son mécanisme, ses effets, ses décisions, et peut-être encore plus désarmé devant certains *effets idéologiques* de méprise, et surtout devant le *statut idéologique de sa propre personnalité théorique*, etc.

L'État, l'idéologie, la politique, le parti, la personnalité théorique et politique dans le mouvement ouvrier : autant de

« limites absolues » de Marx, qu'il faut bien enregistrer pour y réfléchir sérieusement.

8. UNE LIMITE ABSOLUE : LA SUPERSTRUCTURE

Nous devons donc établir un constat, le recul du temps pris, et toute réflexion faite. Ce constat consiste à évaluer aussi exactement que possible ce que Marx nous a laissé, en fait d'indications « théoriques » sur « *la superstructure et les idéologies* ». Or sous ce rapport, et tout bien pesé, nous devons dire que si Marx nous a laissé des indications importantes, voire essentielles du point de vue politique, *du point de vue théorique, en revanche, il nous a laissés sur notre faim.*

Revenons à cette Préface de 1859, qui a servi de référence à des générations de communistes, et que Lénine et Gramsci ont prise pour base de leur réflexion. Qu'est-ce que Marx y dit? Revenant sur sa propre histoire, il déclare :

> « Au lieu de l'Introduction projetée, que je réprimai parce que à la réflexion toute anticipation des résultats qu'il faut d'abord démontrer, m'apparut dommageable, quelques indications sur la voie suivie par mes études politico-économiques peuvent trouver ici leur place.
>
> « Ma spécialité fut la jurisprudence, que je pratiquai pourtant seulement comme discipline secondaire, à côté de la philosophie et de l'histoire. Dans les années 1842-1843, comme rédacteur de la *Gazette rhénane*, je me trouvai dans l'embarras d'avoir à dire mon mot moi aussi sur ce qu'on appelle les intérêts matériels. Les débats du Landtag rhénan sur la question du vol de bois, et la parcellisation de la propriété foncière, la polémique officielle que M. von Schaper, alors premier président de la province rhénane, ouvrit contre la *Gazette rhénane* sur les conditions des paysans de la Moselle, et enfin les débats sur le libre-échange et le protectionnisme, me fournirent les premières occasions de m'occuper de questions économiques. D'un autre côté, à cette époque où la bonne volonté d'" aller de l'avant " remplaçait souvent la compétence réelle, s'était fait entendre dans la *Gazette rhé-*

nane un écho, teinté de faible philosophie, du socialisme et du communisme français. Je me prononçai contre ce bousillage, mais en même temps, j'avouai carrément, dans une controverse avec l'*Allgemeine Augsburger Zeitung*, que les études que j'avais faites jusqu'alors ne me permettaient pas de risquer un jugement quelconque sur la teneur des tendances françaises. Je préférai profiter avec empressement de l'illusion des gérants de la *Gazette rhénane*, qui croyaient pouvoir faire annuler l'arrêt de mort prononcé contre leur journal en lui donnant une attitude plus modérée, pour quitter la scène publique et me retirer dans mon cabinet de travail.

« Le premier travail entrepris pour résoudre les doutes qui m'assaillaient, fut une révision critique de la *Philosophie du Droit* de Hegel, travail dont l'Introduction parut dans les *Deutsch-Französische Jahrbücher*[a]. Mes recherches aboutirent au résultat que les rapports juridiques *(Rechtsverhältnisse)* tout comme les formes d'État ne peuvent ni être compris par eux-mêmes *(aus sich selbst zu begreifen sind)*, ni par la prétendue évolution générale de l'esprit humain, mais sont au contraire enracinés *(wurzeln)* dans les conditions matérielles de vie *(Lebensverhältnisse)*, dont Hegel, à l'exemple des Anglais et des Français du XVIIIᵉ siècle, comprend l'ensemble sous le nom de " société civile " *(Bürgerliche Gesellschaft)*, et que l'anatomie de la société civile doit être recherchée à son tour dans l'économie politique. J'avais commencé l'expérience *(Erfahrung)* de celle-ci à Paris et je la continuai à Bruxelles, où j'avais émigré à la suite d'un arrêté d'expulsion de M. Guizot.

« Le résultat général qui s'offrit à moi, et qui, une fois acquis, servit de fil conducteur à mes études, peut brièvement se formuler ainsi.

« Dans la production sociale de leur vie, les hommes *(die Menschen)* sont partie prenante *(eingehen)* dans des rapports *(Verhältnisse)* déterminés, nécessaires, et indépendants de leur volonté, rapports de production *(Produktionsverhältnisse)* qui correspondent *(entsprechen)* à un degré déterminé du développement de leurs forces productives *(Produktivkräfte)* matérielles.

« L'ensemble *(die Gesamtheit)* de ces rapports de production forme la structure *(Struktur)* économique de la société, la base *(Basis)* réelle, sur laquelle s'élève *(erhebt)* une super-structure *(Überbau)* juridique et politique, et à laquelle cor-respondent des formes de conscience sociales *(gesellschaftliche Bewußtseinsformen)* déterminées.

« Le mode de production *(Produktionsweise)* de la vie matérielle conditionne *(bedingt)* le processus vital social, poli-tique et spirituel *(geistig)* en général. Ce n'est pas la conscience des hommes, qui conditionne leur être, mais tout au contraire leur être social qui conditionne leur conscience.

A un certain degré de leur développement, les forces pro-ductives matérielles de la société entrent en contradiction *(Widerspruch)* avec les rapports de production existants, ou ce qui n'est qu'un expression juridique pour les désigner, avec les rapports de propriété *(Eigentumsverhältnisse)* au sein des-quels elles s'étaient mues jusque-là. Des formes de déve-loppement qu'ils étaient, ces rapports deviennent des entraves pour les forces productives. Alors s'ouvre une pério-de de révolution sociale. Avec le changement de la base *(Grundlage)* économique, se produit un bouleversement de toute l'énorme superstructure *(Ungeheure)*, plus ou moins rapidement.

« Lorsqu'on considère de tels bouleversements *(Umwäl-zungen)*, il faut toujours distinguer entre le bouleversement matériel, qu'on peut constater fidèlement à la manière des sciences de la nature, des conditions de production écono-miques, [et les] formes juridiques, politiques, religieuses, artistiques ou philosophiques, bref les formes idéologiques *(ideologische Formen)* dans lesquelles *(worin)* les hommes deviennent conscients de ce conflit *(Konflikt)* et le mènent jusqu'au bout *(ausfechten)*. Pas plus qu'on ne juge un indi-vidu sur l'idée qu'il se fait de lui-même, on ne saurait juger une telle époque de bouleversement sur sa conscience; il faut au contraire expliquer cette conscience par les contradictions de la vie matérielle, par le conflit *(Konflikt)* actuel entre les forces productives sociales et les rapports de production.

« Une formation sociale *(Gesellschaftsformation)* ne peut jamais mourir avant que ne soient développées toutes les forces productives qu'elle est assez vaste pour contenir, jamais des rapports de production nouveaux et plus élevés *(höhere)* ne les remplacent, avant que les conditions d'existence matérielles de ces rapports soient écloses au sein même de la vieille société. C'est pourquoi l'humanité ne se propose que les tâches qu'elle peut accomplir, car à y regarder de plus près il se trouvera toujours que la tâche *(Aufgabe)* ne surgit que là où les conditions de son accomplissement *(Lösung)* existent déjà, ou du moins sont en train de s'élaborer.

« A grands traits, les modes de production asiatique, antique, féodal et bourgeois moderne peuvent être qualifiés d'époques progressives *(progressive Epochen)* de la formation sociale économique. Les rapports de production bourgeois sont la dernière forme antagoniste du procès de production social, antagoniste non au sens d'antagonisme individuel, mais d'un antagonisme qui naît des conditions d'existence sociales des individus ; cependant les forces productives qui se développent au sein de la société bourgeoise créent en même temps les conditions matérielles pour résoudre cet antagonisme. Avec cette formation sociale s'achève donc la préhistoire de la société humaine. »

Il ressort de ce texte célèbre, que j'ai essayé de traduire d'aussi près que possible, et plus fidèlement que les traductions dont nous disposons, que Marx conçoit, en général, une « formation sociale » comme intelligible à partir de son mode de production, lequel renvoie fondamentalement à la distinction entre les rapports de production et les forces productives. Je n'entrerai pas dans l'analyse des éléments qui interviennent dans les forces de production et les rapports de production. Marx s'en est très longuement expliqué dans *Le Capital* à propos du mode de production capitaliste, et dans ce *« domaine »*, à savoir le *« domaine »* qu'il désigne du terme de *Struktur* ou *Basis*, terme traduit en français par « infrastructure » ou « base » ou encore, plus rarement, « structure », sur ce domaine qui est non pas le domaine de la « société civile » mais le domaine de la production et de l'exploitation, de la circulation et de la consommation, nous disposons, outre les analyses considérables du *Capital*, de toutes les réflexions des *Grundrisse* et des *Théories sur la plus-value* (qui devaient constituer le Livre IV du *Capital*).

Mais il ressort aussi du texte que je viens de traduire que les rapports existant entre les rapports de production et les forces de production (rapports internes à l'« infrastructure ») peuvent revêtir deux formes extrêmes : la forme de la *correspondance* (*entsprechend*) ou la forme de l'*antagonisme* ; et que l'élément moteur de variation de ces formes, et de toutes les formes intermédiaires, ce sont les forces productives. Dans la « dialectique » forces productives/rapports de production, ce sont les forces productives qui sont déterminantes : lorsqu'elles dépassent les « capacités » des rapports de production, alors ceux-ci volent en éclats, et c'est la révolution sociale, cette *Umwälzung* qui ébranle alors l'édifice entier, non seulement l'infrastructure, mais toute l'« énorme superstructure » qui finit par céder, « plus ou moins rapidement ».

On peut ici présenter plusieurs remarques.

On peut d'abord noter que, dans la présentation extrêmement générale de la Préface, qui esquisse le « processus progressif » de l'histoire universelle, puisqu'elle semble énumérer *tous* les modes de production ayant existé dans l'histoire, la dialectique de la correspondance ou de l'antagonisme est présentée comme *universelle*, valable pour *tous* les modes de production. Or Marx n'a vraiment consacré ses efforts qu'au mode de production capitaliste.

On peut noter aussi que, dans tous les cas, *ce sont les forces productives qui sont le moteur du bouleversement* : il suffit qu'elles se développent, jusqu'à non seulement « remplir » les capacités des rapports de production, mais les dépasser, pour que leur carapace craque, et que de nouveaux rapports de production, déjà produits en attente au sein de la vieille société, prennent leur place.

On peut noter enfin, d'après toutes les connotations qu'on vient de relever, que la « dialectique historique » ici présentée tourne parfaitement rond, puisque l'humanité (= l'histoire humaine) ne se propose jamais que les tâches qu'elle peut accomplir (*lösen*), et que, si une tâche se propose et s'impose, c'est signe que la solution a déjà mûri, ou est en voie de mûrir dans la vieille société, et qu'enfin les forces productives sont toujours plus fortes que les rapports de production, puisqu'elles ont toujours assez de capacité pour « remplir » les rapports de production et les excéder, en provoquant ainsi le bouleversement d'une révolution sociale.

Pas question ici d'une différence entre le mode de production capitaliste, à reproduction élargie, ou d'autres modes de production, à reproduction simple, voire à reproduction qui deviendrait restreinte, provoquant leur disparition. Pas question, par conséquent, *de la mort des modes de production*, j'entends la mort pure et simple, non seulement sous l'effet d'une invasion de conquérants plus forts et mieux armés, mais sous l'effet (gardons le langage de Marx) de la faiblesse tendancielle ou de la décrépitude des forces productives, ou de contradictions entre rapports de production et forces productives *sans solution de rechange*.

Je veux bien que ce texte soit très général, et indique en fait *une tendance pour la recherche* dans le mode de production capitaliste plutôt qu'autre chose, mais enfin il parle de haut et haut, et un peu trop péremptoirement, pour ne pas avoir induit quantité de sottises chez les commentateurs, qui se croyaient un peu trop aisément devant un texte exhaustif « global » ou sacré, et qui en ont tiré les conclusions mécanistes et économistes que l'on sait, sur le primat des forces productives, et, à l'intérieur des forces productives, sur le primat des moyens de production sur la force de travail. Sans parler des sottises purement idéalistes de ceux qui ont répété, dans le ravissement, les phrases sur « l'humanité qui ne se pose que les tâches qu'elle peut accomplir... » en allant y chercher le fondement d'une philosophie historiciste imprudemment attribuée à Marx.

En fait, en dehors de ces phrases et de quelques autres, Marx n'a jamais soutenu le primat des forces productives sur les rapports de production, pas plus qu'il n'a soutenu le primat du procès de travail sur le procès de production. Il a simplement soutenu la thèse du primat, « en dernière instance », de l'infrastructure (ou base) sur la superstructure. Et, dans l'infrastructure, il a en fait, pour le mode de production capitaliste, soutenu, en même temps que l'idée de l'unité entre rapports de production et forces productives, [celle du] primat des rapports de production (c'est-à-dire en même temps d'exploitation), sur les forces productives. Il a montré d'ailleurs que les forces productives comportaient parmi leurs « éléments » la force de travail, et que le primat des rapports de production n'avait qu'un sens : inviter à penser que l'exploitation est lutte de classe, et que les questions techniques et technologiques sont dans le mode de production capitaliste, des questions parties prenantes, mais subordonnées, à la lutte de classe.

Mais je laisse ce point, qui est maintenant assez reconnu. Notez qu'il n'a pas toujours été reconnu. Non seulement Staline, mais avant lui le « marxisme » de la deuxième Internationale, pliaient le genou devant les forces productives, entendues au sens des moyens de production, donc de la technique et de la technologie. Et de nos jours règne la nouvelle, sainte et bienheureuse religion de la « révolution scientifique et technique » chargée de résoudre miraculeusement les « petits » problèmes de la lutte de classe négligés par nos dirigeants.

Je passe à la superstructure. Dans la métaphore topique de l'édifice (la base, la superstructure), la superstructure occupe le premier étage : elle s'élève *(sich erhebt)* sur la base. Et Marx parle d'une « superstructure juridique *et* politique » : elle comprend donc le droit et l'État. Remarquez que Marx, qui invoque constamment le terme de correspondance, *ne dit nullement que la superstructure correspond* (entspricht) *à la base*. Il conserve le terme de correspondance *(entsprechen)* pour deux cas, et deux cas seulement : pour la correspondance entre les rapports de production et les forces productives, et pour la correspondance entre la superstructure (le droit et l'État) et les « formes de conscience idéologiques qui leur correspondent ». Prudence.

Prudence, mais aussi embarras, et donc, dans une certaine mesure, aveu. Sans doute Marx, et Lénine après lui, insisteront sur le fait que toutes les sociétés de classe étant des sociétés d'exploitation, la complicité politique et historique des classes dominantes se traduit par l'héritage des moyens de la domination : le droit et surtout l'État, que les classes dominantes se lèguent, dans un héritage historique complaisant, au-delà de

415

leur propre disparition ou assimilation historique. Ainsi la bourgeoisie a hérité du droit romain et de la très vieille machine d'État, « perfectionnée » au cours des millénaires de la lutte de classe, et elle la « perfectionnera » encore, pour mieux tenir en joug ses exploités. Une internationale trans-historique de la solidarité des classes exploiteuses se dessine ainsi et se reconnaît dans le droit et surtout dans l'État. Mais, comme toujours, le recours à l'histoire n'est bien souvent qu'une façon d'esquiver le problème théorique.

Le malaise subsiste donc. *Pourquoi* (et cette singulière précaution ne sera levée ni par *Le Capital*, ni par Lénine) *cette lacune théorique sur la nature du rapport existant entre la base d'une part et la superstructure d'autre part ?* Les concepts dans lesquels Marx a exprimé les rapports entre Rapports de production et Forces productives (correspondance et antagonisme aux extrêmes), et les rapports entre le Droit et l'État d'une part et les formes idéologiques d'autre part (encore correspondance : apparemment ici pas d'antagonisme mentionné), disparaissent en effet quand il s'agit de penser les rapports entre l'infrastructure et la superstructure. Tout ce que Marx en dit est que *la superstructure s'élève* (sich erhebt) *sur la base*... Nous voilà bien avancés : c'est si on veut du Hegel « renversé », avec cette petite différence sémantique que, en bon matérialiste, Marx parle d'*Erhebung* au lieu d'*Aufhebung* : l'élèvement, ou, comme on dirait aujourd'hui, l'enlèvement du Droit et de l'État sur la base, n'est pas un « dépassement maintenant en lui le dépassé » (*Aufhebung*). Le Droit et l'État sont une construction réelle, réellement élevés au-dessus de la base, donc un tout autre monde que la base — et non pas la base « maintenue-conservée » dans son « dépassement ». C'est important, mais c'est conceptuellement très peu.

9. En quoi l'État est-il « instrument » et « séparé » ?

On sait que Marx n'en est pas resté là, et qu'il a tiré de la distinction réelle entre l'État et la base des conclusions politiques très fortes. Mais théoriquement il n'est jamais allé très loin. Ce qui a été dit dans la Préface concerne en effet un thème fondamental de la pensée marxiste sur l'État : l'État est non seulement distinct de la base, mais il est *séparé*. Cette fois la coupure est nette et affirmée.

Ce thème de la « séparation » a une longue histoire dans Marx et avant lui, et il est inséparable de la question du droit. Toute la problématique ouverte par la philosophie du droit naturel, de Grotius à Kant en passant par Hobbes, Locke et Rousseau, reposait en effet sur une incroyable imposture, ou, si l'on préfère, sur une « évidence » obligée (du fait de l'idéologie dominante régnante, ou cherchant à régner : l'idéologie bourgeoise) : sur l'imposture d'avoir à *résoudre en termes de droit privé les questions du droit public* (ou politique).

Hegel, après Spinoza, l'avait assez bien compris, quand il reprochait une conception « atomistique » du sujet aux philosophes du droit naturel. Il avait beau jeu de leur démontrer qu'ils avaient fait fausse voie puisque jamais, au grand jamais, il n'était possible à quiconque de parvenir à déduire le droit politique, exemple l'État, du droit privé, lequel met en jeu des sujets de droit atomisés : et comment allez-vous recomposer le tout, si vous partez de l'élément atomique, du sujet individuel humain ? par quel contrat, aussi malin soit-il, mais forcément passé entre des individus, allez-vous parvenir jamais à reconstituer cette Réalité première, hors de portée, qu'est l'État ? Et Hegel de rendre justice à Hobbes, qui avait été assez fort [a] pour concevoir un contrat subalterne de tout homme avec tout homme (« *a covenant from one with another* ») pour « accepter de ne point faire de résistance » au Prince, contrat absurde entre les hommes d'accord et le Prince, puisque le Prince était hors contrat, et qu'ils lui cédaient tout sans aucune contrepartie !

Il suffit d'un peu de travail sur l'histoire de cette conception pour voir que les philosophes du droit naturel ne faisaient rien que de tenter de résoudre [le même problème], apologétiquement, et chacun à sa manière selon le rapport des forces changeant et le dicible (on ne badinait pas alors avec les écrits de politique) : trouver *dans le droit marchand* (qui est la réalité de

417

ce que les juristes appellent droit privé) de quoi penser le droit public (l'État) *et* l'instauration du droit marchand lui-même dans sa garantie. Pris dans les évidences de la pratique marchande, qui se suffisait fort bien du droit marchand, et désirant un État qui leur garantît ce droit marchand et le respectât lui-même dans sa pratique politique, ils imaginaient qu'on pouvait fonder l'État sur le droit marchand et s'échinaient sur une tâche absurde, dont les bénéfices politiques n'étaient pas négligeables. Évidemment ils ne pensaient pas la séparation de l'État, tout au contraire ils voulaient à tout prix que l'État ne fût pas séparé, mais fondé sur le droit marchand lui-même, sur le droit du propriétaire qui est propriétaire de ses biens, c'est-à-dire peut soit les consommer, soit les vendre, soit les utiliser pour acheter de la force de travail, et accroître ses biens, etc., mais à condition que son droit de propriétaire lui fût garanti, et par qui? – mais par l'État voyons! Et pour avoir de l'État la garantie que l'État ne serait pas arbitraire, non seulement ne lui ravirait pas les avantages du droit marchand, mais les lui garantirait, le propriétaire avait Grotius, puis Locke, au XVIIᵉ siècle, qui faisaient leur travail d'idéologues en fondant publiquement (ça se diffusait terriblement, donc ça se lisait) l'État sur le droit privé, l'État sur le droit marchand, l'État sur la liberté du sujet humain. Quel scandale, quand Rousseau entreprit, radical dans sa manière de poser les problèmes, et de prendre à revers les problématiques et autres pavillons de complaisance, de démontrer, dans le *Contrat social*, que l'État était non seulement tout, mais un tout, le tout de la somme des volontés particulières exprimant par un système étonnant une volonté générale qui n'errait jamais, une et indivisible, une et contraignante (« on le forcera à être libre »).

A Kant, qui s'en tirait en convoquant la lointaine « ligne bleue » de la moralité et de la réconciliation en Idée de l'histoire humaine, de la Nature et de la Liberté, mais qui, en attendant, avait une vue assez matérialiste du droit comme « contrainte », Hegel répondait par une théorie de l'État comme la réalité éthique la plus haute, vers laquelle aspirent toutes les anticipations bloquées en leur finitude du droit abstrait et de la moralité, ainsi que de la famille, et de la « société civile » (système des besoins = économie politique). L'État était ainsi mis au-dessus de tout, au-dessus de la moralité (solution kantienne) et au-dessus de l'atomisme subjectiviste de la philosophie du droit naturel. Il était la Fin et le Sens de tout le reste. Mais il n'était pas « séparé », car la séparation chez Hegel, cela sent l'entendement, et l'entendement, « c'est ainsi » et « c'est pas bien ». Cet homme était œcuméniste pour tous, résolvant ainsi le problème du droit naturel lui-même, en montrant qu'il suffisait de « renverser » les choses, et de refuser de penser l'État à partir du sujet libre pour penser le sujet libre et le droit abstrait (marchand), etc., à partir de l'État : c'est la Fin qui détient le sens du commencement et des étapes intermédiaires.

C'est de Hegel que partit Marx sur l'État : l'État c'est la Raison, rien n'existe qui soit aussi rationnel que l'État, qui soit au-dessus de l'État. Dans l'État, c'est le règne de l'universel, à preuve un citoyen, membre de l'État : il est libre, égal aux autres y compris au Prince, et il décide librement pour ce qui est de lui, de la constitution de la volonté générale et de sa délégation. Citoyen, il n'est plus ce misérable cordonnier réduit à ses savates et sa boutique, aux ennuis de son couple, et soucis de ses enfants : il habite l'universel et le décrète ou plutôt concrète (du moins en principe).

Parti de cette forte assurance, Marx eut très vite, sous Frédéric-Guillaume IV, ce prince prussien très libéral dans le privé qui se révéla un tyran dans le public, l'occasion de découvrir que l'État, qui était en soi la Raison, menait une existence tristement déraisonnable, et même irrationnelle dans le fait. Il s'en tira, un temps, par cette ingénuité que « la Raison existe toujours, mais pas toujours sous la forme rationnelle » : suffit d'attendre, en somme.

Il attendait, quand Feuerbach entra sur la scène philosophique allemande. Cet homme, qui frappa tous ses contemporains d'une véritable révélation, avait eu l'idée simple de se poser la question : mais pourquoi donc la Raison existe-t-elle *nécessairement sous des formes irrationnelles*? C'est la reconnaissance de cette *nécessité* qui changeait tout : avant c'était par accident. Le sous-titre de *L'Essence du Christianisme* (car tout se jouait alors en Allemagne sur la question déportée de la religion) était : *Critique de la Déraison pure* [a]. Une vraie provocation quand on l'affiche ouvertement en face de la *Critique de la Raison pure* d'Emmanuel Kant.

On connaît la thèse maîtresse (toutes les autres en dépendent) de Feuerbach : c'est à cause de l'aliénation de la Raison que la Raison existe nécessairement sous la forme de la Déraison pure (ou impure : à la limite chez Feuerbach il n'existe pas d'impureté, tout est pur, transparent : l'opaque, la nuit n'existent pas). Aliénation de quoi ? Aliénation de l'Essence de l'Homme, qui est l'alpha et l'oméga non de toute existence (une libellule et une étoile ne sont pas l'aliénation de l'essence de l'homme), mais de toute *signification*, y compris la signification de la libellule (son extrême liberté) et la signification de l'étoile (la lumière de la contemplation). Or parmi les significations, il en est qui sont de part en part culturelles-historiques, produites tout entières (à la différence de la libellule et de l'étoile) par le travail, la lutte, le désir, et toutes les passions humaines : ce sont celles qui remplissent les annales de l'histoire de l'humanité, les significations individuelles (Feuerbach écrivait d'extraordinaires lettres d'amour philosophiques à sa fiancée des Porcelaines [b]), mais surtout les significations culturelles collectives, sociales, bref génériques, celles dans lesquelles le genre humain (dont tout individu est « abstrait ») se reconnaît parce qu'il s'y exprime. Ces grandes significations humaines génériques sont avant tout la religion, ensuite la philosophie, puis l'État, et l'énumération se termine dans la production artisanale et industrielle et le commerce.

La religion offre le cas le plus pur de l'aliénation de l'Essence humaine : les hommes adorent, aiment et craignent en Dieu leur propre essence générique infinie, toute-puissante, omnisciente, infiniment bonne et salvatrice (tous ces attributs sont pour Feuerbach les attributs du genre humain non imaginaire, mais en chair et en os : il le « démontre »). Le genre humain se contemple, se voit (physiquement), se touche, se sent, s'aime, aime sa propre puissance, sa science infinie, en

Dieu. C'est qu'il a projeté et aliéné sa propre essence en Dieu, il a fabriqué de sa propre chair et âme ce Double qu'il prie et adore : sans savoir que c'est lui. Une gigantesque illusion a ainsi créé Dieu, qui n'est pas l'image, mais l'essence de l'homme. Et la distance est si grande entre le petit individu que je suis et le Genre humain dont j'ignore les limites infinies, qu'il n'y a rien d'étonnant à ce que je sois écrasé par la toute-puissance du Genre (= de Dieu), sa science infinie, son amour infini, et sa bonté et son pardon sans bornes. Si grand est cet abîme que jamais le petit individu n'en viendra à reconnaître que ce Dieu qu'il adore c'est lui, non en tant qu'individu borné « avec ce nez camus » (*sic*) [a], mais en tant que membre du Genre humain.

Comment les choses se sont-elles faites aux origines? Comment l'aliénation est-elle entrée sur la scène de l'histoire? Par un premier abîme : entre la nature toute-puissante et effrayante (et en même temps assez généreuse pour leur survie) et les petits hommes. Ils ont identifié leur nature à la nature de la Nature, puis l'histoire venant, ils ont transformé leur Dieu selon les modifications historiques de leur histoire (contrairement à ce que dit Marx [b], qui avait besoin de cette erreur, *l'histoire existe terriblement pour Feuerbach*, bien sûr une histoire à lui) : il y a eu le Dieu des Juifs, ce peuple « pratique » (= égoïste, cf. la première Thèse sur Feuerbach [c]), il y a eu le Dieu du nouveau Testament, et d'autres Dieux rejetant au Genre humain historiquement déterminé (et limité) sa propre Essence spéculaire. Puis il y a eu la philosophie, sous-produit de la théologie, elle-même sous-produit de la religion (avec une exception : les Grecs, matérialistes, adorant leur Essence dans la beauté du cosmos, le corps du monde étoilé et le corps de l'homme aimé, et philosophes, ayant la philosophie pour religion). Puis il y eut l'État, forme considérable de l'aliénation, puisque l'État est le Dieu profane et sur la terre. Puis il y eut les grandes découvertes scientifiques, la grande révolution scientifique et technique des temps modernes (déjà!), la Révolution française, où le Genre humain s'est reconnu dans la Raison, adorée comme telle et à

421

portée de main. Le long travail d'accouchement de l'histoire, l'industrie, la machine à vapeur, la grande crise de la Restauration après la Révolution française, la crise religieuse, tout montre qu'on peut en sortir, que les choses sont mûres, que la religion est désormais en cause, ébranlée, en crise, proche de livrer son secret, et que les temps sont venus où un homme pourra enfin dire la Vérité. La Vérité porte un nom : « l'Homme ». L'homme qui dit que la vérité porte un nom : « l'Homme », est un beau philosophe barbu de quarante ans qui vit à la campagne dans une petite manufacture de porcelaine dont il a épousé la fille [*sic*]. Engels, le temps des grandes amours feuerbachiennes passé, le temps d'apprendre que le grand homme n'a pas levé le petit doigt en 1848, écrira : voilà ce qui advient à un grand esprit quand il vit à la campagne !

Marx retint une chose de Feuerbach : que « la racine de l'homme c'est l'Homme », et que la déraison de l'État est l'effet de son aliénation. Il y ajoutera (en 1843) qu'il faut chercher les raisons de l'aliénation ailleurs que dans la différence entre l'individu et l'espèce : dans les conditions de vie aliénées de la société, puis des travailleurs, et enfin, avant d'en finir avec cette exploitation forcenée du thème de l'aliénation (qui ne le lâcha jamais totalement, du moins dans *Le Capital*), dans le « travail aliéné » (*Manuscrits de 1844*).

Marx appliqua le schème de l'aliénation à l'État, exactement comme Feuerbach l'avait appliqué à Dieu, et c'est ici qu'intervint pour la première fois la notion de *séparation*. Comme l'homme religieux dans Feuerbach, l'homme vit une existence double. Sa vie générique, universelle, il la contemple dans l'État, qui est la Raison et le Bien. Sa vie privée, personnelle, il la mène dans ses activités pratiques. Comme citoyen, il a droit à la vie de l'espèce, la vie de la Raison. Comme individu privé, il a droit à la richesse ou à la misère, à rien qui ressemble à l'autre vie. L'homme est *séparé* en deux, et c'est pourquoi l'État est *séparé* des hommes. Ce sont les célèbres pages de *La Question juive* et de la *Critique de la philosophie de l'État de Hegel* (manuscrit) [a] sur « les droits de l'homme », la contradiction entre les droits formels (« l'État est le ciel de la vie politique ») et les « droits » réels qui ne sont rien ou tout autres, sans rapports (la Terre de la vie privée, où règnent l'égoïsme et la lutte de la concurrence). Conclusion : il faut mettre fin à l'aliénation ici-bas, sur la Terre du besoin et de la concurrence, fin au travail aliéné, pour que, l'homme recouvrant enfin le ciel de son essence, la *séparation* entre les hommes et l'État, la séparation entre les hommes et la politique prennent fin, et pour que, du même coup, la séparation entre les hommes et la nature (origine feuerbachienne de tout, n'oublions pas) prenne fin : alors le *« naturalisme »* achevé ne sera rien d'autre que *« l'humanisme »* achevé et vice versa. Ce sont les mots mêmes de Marx, en 1844.

Ces mots qui se voulaient forts (Marx n'a pas voulu publier le Manuscrit de 1844 qui les contient, et on le comprend une fois de plus), prouvent leur propre faiblesse théorique dans la confusion de leur conclusion. Marx devait abandonner la conclusion et retenir l'idée que la *séparation* (l'aliénation) de l'État tient à l'aliénation des hommes, et de ceux qui sont au cœur de la production : les travailleurs. Mais pour en venir là il fallait autre chose que la voie ouverte en 1844 sur « le travail aliéné ». L'aliénation n'est qu'un mot, bien incapable de s'expliquer lui-même. Il fallut tout le détour par la critique de l'Économie politique, et avant, toute l'expérience des révolutions de 1848.

Lisez *Le 18 Brumaire* : il n'y a plus trace des thèmes de 1844. L'État est bien toujours *« séparé »*, mais il devient une *« machine »*, un *« appareil »*, et il n'est plus question d'en rendre compte par l'aliénation. La *« séparation »* de l'État ne veut plus alors dire que l'État est identique à la politique ni a fortiori qu'il est la vie générique de l'espèce humaine. « Séparé », l'État reçoit un autre statut théorique, matérialiste mécaniste à faire frémir *et* tout l'humanisme de Feuerbach ou de ses épigones (les « socialistes allemands » ou autres sectes moralisantes), *et* toute la « dialectique » hégélienne que Marx avait fortement compromise dans les *Manuscrits de 1844*, en

« injectant » Hegel dans Feuerbach. Frémissements qui agitent aujourd'hui encore le meilleur de l'intelligentsia « eurocommuniste ». Quel est donc ce statut théorique de la séparation de l'État? L'État est séparé, car il est, comme dit Marx *« un instrument »* (Lénine dira même : « un gourdin ») dont la classe dominante se sert pour perpétuer sa domination de classe.

C'est sur cette base, et pas sur une autre, et sur cette base seule, et, malheureusement pour nous, sur cette base seulement, que s'est édifiée ce qu'on appelle imprudemment « la théorie marxiste de l'État », alors qu'on devrait parler d'éléments[a] théoriques sur l'État. Je le répète : à défaut d'être autre chose que des éléments théoriques, ils avaient du moins *un sens politique capital.*

Faisons le point. L'État est séparé. La politique ne se réduit pas à l'État, loin de là (Dieu merci!). L'État est une « machine », un « appareil » destiné (?) à servir la lutte de classe de la classe dominante, et à la perpétuer. Lénine dira : l'État n'a pas toujours existé. C'est normal : s'il est instrument de domination de classe, il n'est d'État que dans une société de classe, pas avant. L'État se perpétue. Pourquoi? L'instrument a pris sa première forme dans la haute antiquité pour le monde occidental, et les classes dominantes qui ont sombré ont passé l'instrument aux suivantes qui l'ont « perfectionné ». Explication d'une simplicité désarmante : l'État se perpétue parce que... on a besoin de lui. Voilà tout ce qui est sûr, et voilà tout ce qui est dit. Engels essaiera bien, dans *L'Origine de la famille, de la propriété privée et de l'État,* d'esquisser une théorie de la naissance de l'État, mais c'est un travail de compilation qui n'est guère convaincant. On en restera là.

Pourtant les conséquences et la portée *politiques* de ces simples thèses sont capitales. La lutte des classes (économique, « politique » et « idéologique ») a l'État pour enjeu : les classes dominantes luttent pour conserver et renforcer l'État, lequel est devenu un « instrument » gigantesque; les classes révolutionnaires luttent pour conquérir le pouvoir d'État (pourquoi « pouvoir »?, c'est qu'il faut distinguer la machine, et le pouvoir de faire marcher la machine : si on s'emparait de la machine sans être en état de la faire marcher, ce serait un coup pour rien). La classe ouvrière devra conquérir le pouvoir d'État, non que l'État soit l'universel en acte ou le tout, non que l'État soit « déterminant en dernière instance », mais parce que c'est l'instrument, la « machine » ou l'« appareil », dont tout dépend quand il s'agit de changer les bases économico-sociales de la société, c'est-à-dire les rapports de production. Une fois l'État bourgeois conquis, il faudra le « détruire » (Marx, Lénine) et construire « un État qui soit un non-État », un État révolutionnaire tout différent, dans sa structure, de la « machine » actuelle, et disposé non pour son renforcement, mais pour son dépérissement. On entrera alors dans la phase de la « dictature du prolétariat » dont Marx disait, en 1852, que c'était sa découverte propre et la thèse essentielle qu'il avait élaborée.

Toute cette terminologie, je dis bien terminologie, demande explication. Car nous sommes tellement habitués aux mots, que nous ne *savons plus*, ou, pis, nous ne *voulons plus savoir* ce qu'ils veulent dire ou peuvent encore bien vouloir dire (en vertu de quoi les partis « eurocommunistes [a] » auraient, paraît-il, en Congrès solennel, à la sauvette, ou les deux, « abandonné » la dictature du prolétariat, en vertu de quoi on est en train de se contenter ici de « démocratiser » l'État, pour ne pas avoir à le « détruire » (France), ou de « recomposer » à tour de bras pour ne plus vivre dans la « décomposition », « séparation », etc. (Italie).

Un mot d'abord sur « instrument ». Oui, l'État est un « instrument » aux mains de, et au service de la classe dominante. Le mot « instrument » n'a pas bonne presse de nos jours (lisez les gloses de nos auteurs qui prennent sur ce mot des distances à déplacer des montagnes). Or qui dit *« instrument »* dit *« séparé »*. Tout instrument est évidemment « séparé » de son agent, l'instrument de musique du musicien, le « gourdin » du policier. Séparé de quoi? Toute la question est là. « Séparé de la société »? C'est une banalité et c'est une platitude, même si elle est d'Engels, et de surcroît elle remet dans le jeu la vieille opposition, dont Marx s'est écarté dans son texte profondément théorique (même s'il comporte des expressions douteuses) de la Préface, entre l'État et la « société civile ». L'État serait ainsi « séparé » de ce qui n'est pas lui-même, du *reste*, ou société civile (la production, etc.). Et quand Gramsci, pour rétablir (non sans intentions et qui ne sont pas sans conséquences) l'équilibre symétrique des vocables, dit que la société civile est séparée de la *« société politique »*, il ne change pas grand-chose (sauf qu'il garde dans sa manche une définition à lui de la « société civile »). L'État serait-il séparé de la classe dominante ? Ce n'est pas pensable. Je passe par [dessus] les « solutions » intermédiaires et vais à l'essentiel.

Je crois qu'il faut comprendre que, pour Marx et Lénine, si l'État est « séparé », c'est au sens fort de *« séparé de la lutte des classes »*. Voilà qui fera frémir tous nos théoriciens de la « traversée » intégrale de l'État par la lutte des classes, tous ceux qui, ferraillant contre l'idée de la « séparation » de l'État, et se rendant bien compte que la lutte des classes y est d'une certaine manière en jeu, quoique difficilement concevable, rejettent du même cœur l'idée que l'État soit un « instrument ». Fi ! Nous ne sommes point de ces marxistes vulgaires qui acceptent ce grossier « mécanisme »... Pour une fois (et certaines autres qu'on va voir) il faut rendre justice, non au marxisme vulgaire (qu'on le cherche là où il se trouve), mais à Marx et Lénine et Mao, qui, dans une situation théorique de pénurie, ont du moins fermement tenu ce « bout » décisif. Et bien sûr *l'État est séparé de la lutte de classe, puisqu'il est fait pour ça*, et c'est pourquoi il est un instrument. Vous imaginez un instrument, utilisé par la classe dominante et qui ne serait pas « séparé » de la lutte des classes ? Mais il risquerait de lui éclater entre les doigts à la première occasion ! Et je ne parle pas seulement de cette « traversée » de l'État par la lutte de classe *populaire* (j'imagine que c'est de cela que parlent nos marxistes *non vulgaires*, amateurs de croisières), lutte populaire qui n'a sans doute « traversé » l'État dans l'histoire que pour déboucher dans la politique bourgeoise (comme en 1968). Je parle surtout de la lutte de classe bourgeoise elle-même. Si les grands appareils de l'État devaient être à la merci de « traversées » de l'État par la lutte de classe bourgeoise, ce pourrait bien être la fin de la domination bourgeoise... Les choses ont failli en venir là du temps de l'affaire Dreyfus et de la guerre d'Algérie pour ne pas prendre d'autres exemples.

Si je dis que l'État est séparé de la lutte des classes (qui se déroule dans la production-exploitation, dans les appareils politiques et dans les appareils idéologiques) parce qu'il est *fait pour ça*, fait *pour être séparé d'elle*, c'est qu'il lui faut cette « séparation », pour pouvoir intervenir dans la lutte des classes et « tous azimuts », car non seulement dans la lutte de la classe ouvrière, afin de maintenir le système d'exploitation et d'oppression général de la classe bourgeoise sur les classes exploitées, mais aussi, éventuellement, dans la lutte de classe intérieure à la classe dominante, contre la division de la classe dominante qui peut être pour elle, si la lutte de classe ouvrière et populaire est forte, un grave péril.

Puis-je à ce propos évoquer en exemple extrême la situation de la bourgeoisie française en 1940, après la défaite, et sous Pétain? Le Front populaire, la guerre civile en Espagne, avaient inspiré de telles craintes à la bourgeoisie française qu'avant même la guerre elle avait en silence fait son choix : « plutôt Hitler que le Front populaire ». Ce choix inspira la politique militaire de la France : la drôle de guerre. Et la défaite fut accueillie par « les possédants », selon le mot de Maurras, comme « une divine surprise ». Il s'ensuivit Pétain, et la politique de collaboration. Mais il s'ensuivit aussi et en même temps, et dans des conditions affreusement difficiles, le refus de la défaite, du nazisme allemand et du fascisme corporatiste de Pétain par les hommes du peuple de notre pays, les plus formés politiquement prenant la tête. La direction du parti communiste français, qui, pendant plusieurs mois, quêta la « légalisation » de son organisation auprès de l'occupant, y sacrifia les meilleurs de ses militants qu'elle appela, pour appuyer sa demande, à reprendre leur action publique : ils finirent, Timbaud et Michels en tête, sous les balles nazies à Châteaubriant, et combien d'autres ailleurs. Mais nombre de communistes coupés de la direction entreprirent spontanément la lutte (cf. le témoignage de Charles Tillon, chef des FTP [a]). Dans le même temps un général d'armée, d'extraction aristocratique et patriote, de Gaulle appelait de Londres les Français à le rejoindre. Dans cette situation extrême on put voir ce qu'il en est de l'État.

Car, de fait, la bourgeoisie française était divisée : dans son immense majorité, par « apolitisme » ou dessein politique farouche, elle était derrière Pétain. Une minorité restreinte de la bourgeoisie et surtout de la petite bourgeoisie suivit de Gaulle. Son premier appel jouait sur le refus de la défaite et de l'humiliation et sur le patriotisme. Il demandait aussi à tous les soldats et officiers patriotes de « faire leur devoir » et de le rejoindre à Londres pour constituer les bases d'une force militaire. Général, et de surcroît grand politique bourgeois, de Gaulle déclarait incarner la résistance de la nation et donner à la nation son État légitime, l'État de Pétain n'étant qu'un instrument soumis aux Allemands.

Toute la politique de de Gaulle, dans la guerre et ensuite, y compris plus tard dans l'« affaire d'Algérie » (une autre guerre qui, elle aussi, divisa la bourgeoisie), consista à imposer contre vents et marées une politique bourgeoise de rechange (et plus « intelligente ») à la bourgeoisie divisée, et majoritairement compromise avec Pétain. De Gaulle eut l'intelligence (bourgeoise) de comprendre que la bourgeoisie comme classe risquait de ne pouvoir résister au mouvement de résistance populaire, qui ne pouvait manquer de grandir, si elle n'était représentée elle-même dans la Résistance, et si elle ne s'était entre-temps donné un État capable de succéder à l'État marionnette et fasciste de Pétain. C'est à partir de la position de classe consciente de de Gaulle qu'on peut comprendre l'histoire tumultueuse de ses rapports avec la résistance intérieure, qui n'attendit évidemment pas ses ordres pour agir. C'est à partir de la position de classe de de Gaulle qui représentait les intérêts de classe de la bourgeoisie dans son ensemble, même s'il n'était suivi que par de faibles détachements militaires et volontaires issus de la bourgeoisie, qu'il faut comprendre son attitude vis-à-vis de Pétain et des militaires et de l'immense majorité de la bourgeoisie ralliés à Pétain. De Gaulle avait en vue la reconstitution de l'unité de classe de la bourgeoisie, au-delà de sa division actuelle. Dans cette entreprise, il sut tirer tout le parti de l'État légitime au nom duquel il parlait et avec qui il s'identifiait.

Il sut, après de longues vicissitudes et de graves conflits, faire reconnaître son « gouvernement » par les alliés, et sur cette base entreprendre des actions militaires par les forces de la France libre. Il avait su rallier ces forces, prises sur les forces militaires françaises existantes, en s'adressant aux officiers et soldats au nom du patriotisme et en faisant aussi appel à leur « devoir ». Il constitua à Londres, puis ensuite à Alger, tout un appareil d'État propre à contrôler les mouvements intérieurs de la résistance : ce ne fut pas sans mal. Et on vit s'affronter dans les conflits auxquels donna lieu cette « rencontre », que les événements militaires et politiques imposaient, la politique que portait le mouvement populaire, et la politique qu'il y avait derrière l'embryon d'État de de Gaulle. Alors que toute l'histoire de la Résistance résonnait des grands échos historiques de la lutte de classe, alors que s'ébauchaient dans la lutte même des projets politiques de transformation, et parfois même de révolution sociale, de Gaulle intervenait toujours au nom de principes où le patriotisme était sévèrement contrôlé par l'« intérêt national », par le « sens de l'État », par « le devoir », par la discipline et l'obéissance aux ordres issus du chef de l'État, représentant les « intérêts généraux » de la nation. De Gaulle pouvait difficilement, lui qui avait pris un parti politique ouvert, interdire qu'on « fasse de la politique » dans les organisations de résistance. Mais on en faisait déjà beaucoup moins dans les Forces de la France libre, où l'on pouvait aussi se donner le sentiment d'agir non seulement « pour libérer la patrie » mais aussi par devoir, ou discipline. Et derrière le théâtre des combats qu'il contrôlait fort mal ou pas du tout en France, et à travers ces combats, de Gaulle mettait en place les éléments de l'appareil d'État destiné, le moment venu, à prendre le relais de l'appareil d'État resté en France, ou plutôt à l'encadrer et, à quelques têtes près, à le récupérer pour servir les intérêts de la bourgeoisie en tant que classe.

On sait que les plans de de Gaulle réussirent à peu près selon ses vœux. Il sut négocier avec les partis politiques, les communistes, tenus par l'affaire Thorez (la « désertion » d'un homme qui n'avait pas voulu quitter la France, mais avait cédé à Staline qui pratiquement le séquestrait, comme un otage), étant dociles. Il imposa l'envoi de commissaires politiques en France, et – faiblesse politique des mouvements de résistance, force des personnels de l'appareil d'État restés en France, appui politique évident des alliés à la fin – il vint à bout, après le débarquement et la libération de la France, des problèmes politiques posés par les organisations et les corps militaires de la résistance intérieure, décréta l'amalgame, fit « rendre les armes » et jeta les résistants dans la lutte militaire régulière contre l'Allemagne.

Que l'État, que l'appareil d'État, non seulement l'embryon d'appareil d'État créé à Londres puis à Alger, mais aussi l'appareil d'État resté en France et servant la politique de collaboration, ait joué un rôle essentiel dans le dessein politique de de Gaulle de sauver la classe bourgeoise en tant que classe, c'est trop évident. Que les mécanismes de ces appreils, les mêmes à Londres et les mêmes à Vichy, aient facilité les choses, c'est trop clair. Que de Gaulle ne soit parvenu à ce dessein qu'à la condition de jouer sur les « valeurs » traditionnelles de l'appareil d'État, c'est-à-dire outre et à part le patriotisme sur lequel on ne pouvait éviter la division, sur le devoir, la discipline, l'obéissance à l'État et ses représentants, sur la hiérarchie, sur le « service de la nation » et le « service public », – c'est-à-dire en *séparant* dans toute la mesure alors possible l'appareil d'État des problèmes les plus brûlants de la lutte des classes : que de Gaulle ait réussi cette opération de séparation en s'appuyant non seulement sur les « effets de structure » de l'appareil d'État, mais aussi sur l'idéologie d'État qu'il inculquait, de Londres, à ses exécutants, idéologie savamment combinée avec les exigences du patriotisme, je crois qu'on ne peut le nier. Pas plus qu'on ne peut nier que la restauration de l'unité de la classe bourgeoise, très dangereusement divisée et exposée à la lutte des forces populaires, ait été accomplie à la fois par une politique « intelligente », sachant voir loin, déclarer qu'une bataille n'était pas la guerre, et aussi par le maniement habile d'un appareil d'État, qui présenta cette particularité d'avoir, pour plusieurs années, une partie de son effectif à Londres, et l'autre en France.

Il faudrait sans doute entrer dans le détail pour mieux convaincre, mais je crois qu'on peut, à la lumière de cet épisode-limite et historique, soutenir la thèse que pour remplir sa fonction d'instrument au service de la classe dominante, l'appareil d'État doit, et dans les pires circonstances, et dans toute la mesure du possible, *être séparé de la lutte des classes*, retiré d'elle autant que faire se peut, pour pouvoir intervenir non seulement contre les menaces de la lutte de classe populaire, mais aussi contre les menaces des formes que la lutte des classes peut prendre au sein de la classe dominante elle-même, ainsi que contre leur combinaison.

Ce qui fait donc que l'État est l'État, c'est ainsi, c'est qu'il est fait pour, dans toute la mesure du possible, être séparé de la lutte des classes, pour être l'instrument de ceux qui détiennent le pouvoir d'État. Qu'il « soit fait pour ça », cela s'inscrit *dans la structure de l'État*, dans la hiérarchie de l'État, et dans l'obligation d'obéissance (et de réserve) faite à tous les fonctionnaires de l'État, quel que soit leur poste. Cela explique la situation d'exception qui est faite au personnel militaire, policier et administratif de l'État. Il n'y a pas de syndicats dans l'armée, ni dans le haut personnel politique, et la grève leur est interdite, sous la menace de sanctions draconiennes. Il existe des syndicats dans la police (depuis un certain temps) et dans la magistrature (récemment), il en existe depuis peu dans les CRS, mais il n'existe pas de syndicat dans le « noyau dur », la force armée, la gendarmerie, la garde mobile etc., qui sont les forces répressives par excellence. Et si la police peut faire grève (en des circonstances exceptionnelles), on n'a jamais connu de grèves ni dans l'armée, ni dans les CRS ni dans la gendarmerie, tout au plus des « malaises », sous la Résistance et en 1968, ou en quelques autres circonstances, quand les forces de l'ordre ont jugé qu'elles avaient été engagées imprudemment dans des combats douteux, ou trop coûteux pour elles (et parfois, mais en d'extrêmement rares exceptions, pour protester contre des violences qu'on leur commandait et qui ne correspondaient pas à leur conception du « maintien de l'ordre »). Bien sûr, le droit de grève est reconnu depuis la Constitution de 1946 aux « fonctionnaires », mais pas aux fonctionnaires « d'autorité », et ce droit de grève ne concerne ni l'armée, ni les forces de l'ordre (CRS, garde mobile, gendarmerie nationale, cette dernière faisant d'ailleurs partie de l'armée). Et quand un syndicat de magistrats prend des initiatives progressistes, il se fait rabrouer sévèrement non seulement par le ministre mais par de hauts fonctionnaires de la magistrature qui infligent aux « délinquants » des peines disciplinaires pour avoir manqué au « devoir de réserve », qui est exigé de tous les fonctionnaires, et permet pratiquement toutes les sanctions désirables dans une conjoncture difficile donnée.

On a du mal à se représenter cette « situation d'exception » qui est faite à l'État et à ses serviteurs, parce qu'on a tendance à laisser dans l'ombre les « devoirs » propres aux militaires, aux CRS, aux gendarmes, aux magistrats, aux hauts fonctionnaires, dits « d'autorité », *c'est-à-dire « au noyau fort » de l'État*, au noyau qui détient et contient la force physique, la force d'intervention de l'État, et sa force « politique », pour ne considérer que les phénomènes secondaires qui se jouent dans les grèves et manifestations des fonctionnaires des « services publics », des enseignants aux postiers, cheminots et autres travailleurs de la « fonction publique ». Et on a tendance à prendre les manifestations de certains magistrats, enseignants ou autres pour des formes ouvertes de lutte de classe, alors qu'il faudrait au moins s'interroger sur la tendance et les effets de certaines d'entre elles.

Je pense ici à ce que Marx a dit des inspecteurs de fabrique, bien plus « avancés » que nos modernes inspecteurs du travail (je parle ici de l'ensemble, et non de cas individuels qui peuvent être remarquables), à leur dénonciation de la durée du travail alors inhumaine. Leurs efforts ont été couronnés de succès, quand l'État bourgeois anglais instaura, en 1850, la journée de dix heures. Marx montrait que cette mesure, effet de la lutte de classe ouvrière, combattue farouchement par une partie de la bourgeoisie industrielle anglaise, et imposée par l'État bourgeois anglais, servait en réalité la bourgeoisie anglaise capitaliste en protégeant sa main-d'œuvre ouvrière, c'est-à-dire en protégeant la santé et la reproduction de sa force de travail. Et après cette mesure, scandaleuse pour la plupart des capitalistes, on vit paraître des études bourgeoises (que Marx cite), qui démontraient qu'en dix heures de travail à plein emploi, les travailleurs *produisaient plus* qu'en douze ou quinze heures, la fatigue diminuant leur rendement d'ensemble au-dessous du rendement d'une journée de dix heures [a].

C'est cela l'État : un appareil capable de prendre des mesures contre une partie, voire la majorité de la bourgeoisie pour défendre ses « intérêts généraux » de classe dominante. Et c'est pour cela que l'État doit être séparé. C'est en jouant sur la nature de l'État, sur sa séparation, sur les valeurs qui assuraient sa séparation (avant tout : ne pas faire de politique et « service public »), que l'État bourgeois anglais put imposer la loi de dix heures et que de Gaulle sut rallier, au nom de l'État, de la Nation et de la Patrie, assez de forces militaires d'État pour se faire reconnaître comme le Président du Gouvernement Provisoire de la République Française (= de l'État français républicain) par les Alliés, et jouer à fond la carte de la légitimité sur tous les terrains et sur toutes les questions [b].

Mais nous voici devant un étrange paradoxe. En effet comment penser que l'État soit un instrument, donc « séparé », et soit en même temps l'instrument dont se sert la classe dominante pour assurer sa domination et la perpétuer ? Assurer : l'État doit être fort. Perpétuer : l'État doit durer pour que les conditions de l'exploitation durent.

Il n'y a pas de contradiction, ou plutôt il n'y en aurait pas, si l'État n'était qu'un pur instrument, complètement étranger à la lutte des classes. Justement, s'il en est « séparé », c'est que cette « séparation » ne va pas de soi, ni sans mal, à preuve toutes les mesures que l'État est obligé de prendre à l'égard des différentes catégories de ses agents, politiques, militaires, policiers, magistrats et autres, pour bien assurer cette « séparation », toutes les mesures de cloisonnement dans la division des tâches, toutes les mesures de hiérarchisation, qui varient d'ailleurs selon les appareils, mais ont toujours quelque chose en commun : une définition stricte de la responsabilité, et toutes les mesures sur les obligations, de service, de réserve, etc.

Il n'est pas assuré, je viens de le montrer, que toutes ces mesures soient uniquement destinées à « séparer » l'État des effets ou des contagions de la lutte de la classe ouvrière et populaire (ne jamais oublier que la grande majorité des fonctionnaires, y compris dans « les forces de l'ordre », sont d'origine paysanne, ouvrière et populaire, Gramsci l'avait très bien noté). Elles peuvent aussi être destinées à « séparer » l'État des formes de division qui peuvent naître aussi au sein de la classe dominante, des intrigues de certains groupes, voire des pratiques complètement étrangères à « l'esprit de service public » qui doit régner, et règne le plus souvent, chez les agents de l'État malgré quelques scandales (rares en France, plus fréquents ailleurs, cf. les scandales Lockheed [a] un peu partout dans le monde occidental.)

Mais si on tient compte de toutes ces données, il est clair que « l'instrument d'État », ou « l'appareil d'État », ou l'État tout court n'est pas neutre, et qu'il penche terriblement du côté de la classe dirigeante. Officiellement certes il « ne fait pas de politique », c'est l'idéologie bourgeoise de l'État qui le proclame. L'État ne fait pas de politique, car il ne serait pas partisan, il serait « au-dessus des classes » et ne ferait que gérer objectivement et équitablement les affaires de la nation, les affaires de tous. Si l'on veut, il aurait bien une politique : mais ce serait la politique du « service public ». Et c'est cette idéologie même que l'État inculque à ses agents, en quelque poste qu'ils soient employés.

Marx le premier a dénoncé cette mystification : *l'État est bien « séparé », mais pour être un État de classe*, qui serve au mieux les intérêts de la classe dominante. De fait tous ses agents supérieurs sont les défenseurs déclarés et éprouvés des intérêts de la classe dominante. Le chef de l'État assure l'unité de l'État et dirige sa politique. Il fait partie de l'appareil politique de l'État, avec le gouvernement et ses ministères, qui s'abritent volontiers derrière la technicité des questions et leurs compétences techniques, pour masquer la politique qu'ils font, pour servir les intérêts supérieurs de la classe dominante. L'immense majorité des hauts fonctionnaires, qu'ils soient politiques, militaires ou policiers, sont de hauts bourgeois d'extraction ou de carrière. Et tout marchant à la hiérarchie et à la responsabilité, au secret d'État ou à la réserve d'État, l'État est si compliqué maintenant que lorsqu'on arrive devant un guichet des PTT, de la SNCF ou de la Sécurité sociale, il y a longtemps qu'on a perdu de vue *la politique de classe* qui gouverne tous les appareils administratifs de loin, mais impérieusement, et qu'on peut avoir l'impression de se trouver devant des « formalités », compliquées certes, mais qu'on pourrait simplifier et qui sont « naturelles ».

Quoi de plus naturel que d'acheter un carnet d'autobus ou une carte orange? Justement, sur la carte orange, il y a un mouvement de protestation qui, en France, conteste le bien-fondé de l'augmentation de son prix. Et puisqu'il s'agit d'argent, on n'a plus du tout la même impression de « formalité naturelle » quand on se trouve devant un guichet des impôts, pas plus que lorsqu'on absorbe les terribles impôts indirects qui ponctionnent la sur-valeur dans le porte-monnaie populaire (17,5 % en France!), faisant porter le plus lourd de l'impôt aux plus défavorisés, à ceux qui, déjà exploités dans leur travail, ne trouvent pas « naturel » d'avoir à payer en plus de leur feuille d'impôt (sur laquelle un ministre peut faire semblant de quelques concessions pour les vieux et les pauvres) un impôt draconien sur le pain et le lait, sans parler des vêtements et des objets de consommation populaire.

L'État est un État de classe par sa politique, tout le monde peut le comprendre. Mais il est lié à la classe dominante par ses hauts et moyens fonctionnaires, directement, car ces agents sont de grands bourgeois ou des bourgeois convaincus. Et comme ces hauts fonctionnaires tiennent les autres par tout le système de la hiérarchie étatique, tout le système de responsabilité et de réserve, par tout le système d'exception qui met prétendument « hors lutte de classe », constitutionnellement du moins, et dans les cas décisifs réellement (l'armée, la police, les CRS, la gendarmerie, les services secrets, les prisons etc.), on peut à bon droit dire que l'État est « séparé de la lutte des classes », pour mieux y intervenir.

Qu'il y ait des contradictions dans l'appareil d'État, que l'armée ne marche pas comme la police, qu'elle ait, dans certains pays, des vues politiques et puisse passer aux actes ; que dans d'autres [ce soit] la police qui contrôle tout, la police officielle ou les polices parallèles ; que dans d'autres comme la France, le ministère des Finances occupe une place et exerce un contrôle exorbitant, c'est « dans l'ordre ». Un État est compliqué. Que ces contradictions puissent servir de points d'appui aux visées ou aux ambitions de certaines fractions de la bourgeoisie, on le sait et cela a même fait l'objet d'études. Qu'enfin ces mêmes contradictions puissent être exaspérées par la lutte de classe en général, et même et surtout (ce qui nous intéresse) par la lutte de classe ouvrière et populaire et sa contagion, aidant à provoquer des grèves dans certaines administrations, et bien entendu dans les industries ou entreprises du secteur public, c'est trop clair. Mais on n'a pas entendu soutenir sérieusement l'idée que l'appareil d'État, même s'il a, dans certains secteurs, comme vacillé (surtout pendant l'absence psychodramatique de de Gaulle, allant voir Massu, qui « ne faisait pas de politique »), ait été, même en 1968, sérieusement ébranlé dans sa structure et son unité. La police, les CRS, les gardes mobiles, la gendarmerie ont tenu et bien tenu, les manifestants des barricades en savent quelque chose, et n'ont même pas tiré un seul coup de feu (cf. les Mémoires du préfet Grimaud [a]) ; quant à l'armée elle a gardé ses chars sous les arbres de la forêt de Rambouillet, ne montrant pas sa force pour mieux peser sur l'émeute.

De là à soutenir que l'État est « par définition traversé par la lutte des classes » c'est prendre ses désirs pour la réalité. C'est prendre des effets, même profonds, ou des traces de la lutte des classes (bourgeoise et ouvrière) pour la lutte des classes elle-même. Or justement je soutiens que l'État, en son cœur, qui est sa force d'intervention physique, politique, policière et de haute administration, est fait, dans toute la mesure du possible, pour ne pas être affecté, ni même « traversé » par la lutte des classes. Qu'il y parvienne, et fort bien, non seulement en France mais en Italie, où on développe volontiers depuis Gramsci une théorie de la faiblesse ou de la non-existence de l'État, qui me paraît une erreur [a], c'est trop clair. Qu'il ait des difficultés à y parvenir, c'est parfois visible : mais le fait est qu'il y parvient, aussi bien chez nous qu'en URSS et par des moyens très proches [b]. De temps en temps il y a des grèves de certains agents de l'appareil d'État, mais pas tous, mais jamais au cœur physique de l'État, et on peut presque considérer ces manifestations du mécontentement comme des soupapes de sécurité et un système d'avertissement, permettant une rectification auto-régulatrice, débouchant sur le mot d'ordre : il faut mieux payer les serviteurs de l'État, ou il faut améliorer les services administratifs, pour les mettre mieux en contact avec le public, il faut simplifier les formalités administratives – Giscard lui-même, chef de l'État, excelle dans ces formules lénifiantes, qui ont, quoi qu'on dise, leur effet.

Tout cela pour bien redire que *la formule de Marx et de Lénine sur l'État comme « instrument », et donc séparé de la lutte des classes pour servir au mieux les intérêts de la classe dominante, est une formule forte,* qu'il n'est pas question d'abandonner.

Même remarque, puisque nous sommes toujours dans la terminologie, pour l'expression « appareil », ou « machine ».

10. Pourquoi donc l'État est-il une machine ?

Dans sa conférence de Sverdlovsk sur l'État (1919)[a], Lénine montre une extraordinaire insistance à n'employer que deux termes. Il ne parle pas d'institution, ni d'organisation, ni d'organisme, mais d'*appareil* et de *machine*. Et il insiste encore plus à dire que cette « machine » est « *spéciale* » et que cet « appareil » est « *spécial* », mais sans dire en quoi ils le sont. Il nous faut donc tenter d'interpréter ces termes, qui doivent avoir un sens précis, puisque Lénine, qui ne parvient (pas plus que Marx avant lui) à l'énoncer, s'y tient comme au dernier mot possible sur l'État.

On ne trahira pas Lénine en disant que si l'État est un appareil ou une machine « *spéciaux* », cela veut dire qu'ils sont uniques dans leur être, donc qu'*ils ne sont pas comme le reste :* entendez, pas comme ce qu'on trouve dans le reste de la « société », ou de la « société civile ». Ils ne sont donc pas de simples institutions, comme le Conseil d'État[b], ils ne sont pas une association comme l'est l'Association des parents d'élèves, ils ne sont pas une ligue comme la Ligue des droits de l'homme, ils ne sont pas une organisation, comme les partis politiques ou les Églises, ni un organisme (terme encore plus vague). L'État est une machine spéciale en ce qu'elle est faite d'un autre métal, entendons (puisque le métal des chars, des mitrailleuses, et des pistolets mitrailleurs hante lui aussi toute réflexion sur l'État moderne) d'une autre structure, d'une autre « matière », d'une tout autre consistance. Et par là nous sommes renvoyés à ce que nous venons de dire pour montrer que l'État était bien « séparé » et « instrument ».

Restent les termes d'appareil et de machine.

Si j'insiste sur la terminologie, c'est parce que Marx et Engels y ont insisté, d'une incroyable insistance, à croire que certains mots qu'ils employaient pour l'État, et n'employaient que pour lui, étaient l'*indice d'un concept* qu'ils ne parvenaient pas à formuler autrement, mais qu'ils tenaient à tout

438

prix à indiquer. Or appareil et machine sont pratiquement (pour autant que j'aie connaissance, au moins, de la terminologie de Marx) réservés à l'État, chose déjà surprenante en soi : Marx ne parle par exemple jamais, au grand jamais, de la « machine de production », ni non plus de l'appareil de production, termes devenu aujourd'hui courants (et d'ailleurs assez neutres). Ce qui est significatif, outre cette exception, c'est, sous cette exception, le couple *appareil-machine*. Que peut-il bien, sinon signifier, du moins indiquer ?

Appareil, qui fait signe vers apparat (déploiement extérieur d'une chose dans tous ses apprêts), veut dire, selon le dictionnaire : « *ensemble d'éléments qui concourent au même but en formant un tout* ». L'appareil d'État peut bien faire apparaître une diversité d'appareils (répressifs, politiques, idéologiques), ce qui décide de leur sens d'appareil d'État, c'est qu'ils concourent tous ensemble « au même but ». C'est le cas de l'État dans la définition de l'État comme instrument : un instrument (qui peut être formé d'éléments) existe en fonction d'un but : en l'espèce le maintien du pouvoir de la classe dominante. Mais cela veut dire aussi que, dans l'ensemble des éléments, il n'en est aucun qui soit *de trop*, au contraire ils sont tous parfaitement adaptés à leur but en tant que faisant partie de ce tout articulé qu'est l'appareil, donc l'État. Ce qui suppose alors une sorte de mécanisme, où toutes les parties, tous les rouages concourent au même but, évidemment extérieur à l'appareil, sinon l'appareil ne serait pas « séparé ». Cette extériorité apparaît très fort lorsqu'on pense à des expressions comme « un appareil de torture », ou même un appareil de prothèse, etc.

Est-ce que l'idée de *mécanique*, induite à partir du concours de tous les éléments de l'appareil en vue d'un but (extérieur) n'induit pas tout simplement l'idée de machine ? ou de machinerie comme dit aussi Marx ? (bien qu'en allemand le mot *Maschinerie* n'ait pas exactement le sens du mot français). Je ne crois pas, et voudrais proposer une hypothèse.

Notons d'abord qu'il est deux mots que Marx et Lénine évitent soigneusement. Non seulement ils ne parlent jamais de l'État en terme d'*organisme*, mais ils ne parlent pas non plus de l'État en terme de *mécanisme*. Machine s'impose donc contre mécanisme. Est-ce que Marx et Lénine voudraient dire par là que l'État est une énorme machine, mais si compliquée que, si on en voit bien l'effet politique, on se perd dans son mécanisme de détail? Peut-être. Marx et Lénine veulent-ils dire, en qualifiant l'État de « machine », qu'il marche tout seul comme certaines machines (exemple la machine à vapeur)? Mais on sait, quand on est le contemporain de la machine à vapeur et des lois de Fourier comme des lois de Carnot, qu'aucune machine ne marche toute seule. Si on le disait, ce serait par métaphore pour insister sur le caractère « autonome », voire « automobile » de l'État, mais nous en savons assez sur l'État pour dire que la séparation de l'État n'a rien à voir avec l'autonomie. Jamais Marx et Lénine n'ont parlé de l'autonomie de l'État.

On trouve au XVIIe siècle, mais dans un langage évidemment marqué des connaissances de ce temps, par exemple chez Bossuet, l'expression de la « grande machine de l'État », où l'apparat et le faste sont associés à l'idée d'un mouvement mécanique comparable à celui des machines « mécaniques » de cette époque. Des « machines de guerre » balistiques et autres existaient ainsi dès l'antiquité. Machine : *« système de corps transformant un travail en un autre »*, soit l'énergie humaine, soit la pesanteur. Au XVIIe siècle une machine transforme un mouvement en un autre, on ne sort pas du mouvement, dont les moteurs sont soit un être vivant, soit la pesanteur. Mais au XIXe siècle, où dès 1824, quand Marx avait douze ans, Carnot étudie les *« machines à feu »* pour y faire de surprenantes découvertes! Ces « machines à feu que sont les machines à vapeur » sur quoi tout le capitalisme anglais s'est édifié.

Marx a parlé et de la machine à vapeur, et de la machine tout court, et de la machine-outil, dans le chapitre du Livre I du *Capital* sur la plus-value relative : il avait lu de près Babbage, technicien honnête mais sans esprit théorique [a], qui écrivait : « la réunion de tous ces instruments simples, mis en mouvement par un moteur unique, forme une machine » (1832). Marx insistait sur le fait que ce n'est pas la machine à vapeur qui a révolutionné le monde de la production, mais la machine-outil : la machine qui met en mouvement rapide toute une série d'outils là où la main de l'homme n'en peut mouvoir qu'un, et lentement.

Marx est tellement hanté par le rapport « *moteur – transmission* et *machine d'opération* », qu'il passe très vite sur le moteur : « Le moteur donne l'impulsion à tout le mécanisme. *Il enfante sa propre force de mouvement* comme la machine à vapeur, la machine électro-magnétique, la machine calorique etc., ou bien reçoit l'impulsion d'une force naturelle externe... La transmission... règle le mouvement, le distribue, en change la forme, s'il le faut, de rectangulaire en rotatoire et vice versa, et le transmet à la machine outil [a]... »

Comme après il ne s'agit que de transmettre et de transformer le mouvement, tout tient au moteur de cette « machine » nouvelle qu'est la machine à feu, ou calorique. Implacable, le dictionnaire dit : « *Machine : objet fabriqué, généralement complexe, destiné à transformer l'énergie et à utiliser cette transformation (se distingue en principe de appareil et outil qui ne font qu'utiliser l'énergie).* »

Si telle est bien la distinction, « machine » ajouterait quelque chose d'essentiel à « appareil » : elle ajouterait l'idée de *la transformation de l'énergie* (d'un type d'énergie en un autre type d'énergie : par exemple, de l'énergie calorique en énergie cinétique) à la simple utilisation d'une énergie donnée. Dans le cas d'un appareil, on peut se contenter d'un type d'énergie, *dans le cas d'une machine on a affaire à deux types d'énergie au moins, et surtout à la transformation de l'une dans l'autre.*

Si l'État n'est pas qu'un « gourdin », s'il n'est pas non plus définissable convenablement par le terme, qui n'est pas faux, mais est trop général, d'« instrument », je ne vois pas pourquoi, durant tout un siècle, Marx et Lénine auraient à ce point tenu à parler non seulement d'appareil mais aussi de « machine », sans que quelque chose de ce sens fondamental ne soit désigné par leur insistance terminologique, véritablement farouche, et laissée par eux sans explication. Quand on se fixe ainsi à un mot ou deux, et qu'en l'espèce ils vont dans le même sens, le second développant le premier en lui ajoutant une précision essentielle, qu'on s'y accroche et sans pouvoir dire pourquoi, c'est qu'on touche à un point vital et obscur.

Il n'est à ma connaissance qu'un seul autre cas comparable d'insistance terminologique farouche en même temps partiellement aveuglé chez Marx et Lénine, c'est le mot de « *dictature* » dans l'expression « dictature du prolétariat ». Pourtant, dans ce cas, l'explication se trouve plus facilement chez Marx et Lénine, mais souvent à côté du mot, et il faut faire travailler le texte sur lui-même pour en faire ressortir le sens.

11. Pourquoi la dictature du prolétariat [a] ?

Je crois qu'il faut dire clairement, maintenant que, provisoirement et apparemment, les armes semblent s'être tues sur la question de la dictature du prolétariat, [...] son « abandon » solennel par le PCF et le PCE, [et] son abandon sournois par le PCI, etc., que les choses ne sont pas toujours claires chez Marx et Lénine sur ce point, et que les équivoques qu'ils nous ont léguées ont joué un rôle d'une extrême importance, si on veut bien considérer le prestige de leurs auteurs, et la dévotion religieuse de leurs successeurs (quand ce ne fut pas leur intérêt temporel bêtement sourd et sordide). Il faut donc parler de cette équivoque.

Marx a visiblement hérité de l'expression « dictature du prolétariat » et son idée (je ne dis pas son concept, car les choses ne sont pas claires) de Blanqui. Il la lui a empruntée après l'échec des révolutions européennes de 1848, après les massacres de juin en France. Nous en avons vu la trace dans sa lettre de 1852 où il se reconnaît pour mérite essentiel de penser la nécessité de la dictature du prolétariat (et non la découverte des classes et de leur lutte). Un emprunt n'est qu'un emprunt : inséré dans un nouveau contexte, il doit normalement perdre de la contagion du sens que lui conférait l'ancien contexte, et se fixer dans un sens non-équivoque. Ce ne fut pas exactement le cas, malheureusement pour nous.

Marx et surtout ensuite Lénine (mais celui-ci avait encore les excuses de la lutte immédiate à mener dans des conditions épouvantables) savaient ce qu'ils voulaient faire en employant le mot de « dictature » : provoquer l'attention par un mot provocant, qui fût à la mesure de leur découverte et de leur pensée. Parler de dictature, Lénine l'a redit dix fois, c'était invoquer un état qui fût au-delà de toute légalité, qui ne fût pas réductible aux lois, et qui, d'une certaine manière, fût plus fort que les lois elles-mêmes : et par lois entendons le plus naturellement du monde le droit civil et politique existant, la constitution, et si elle est parlementaire, la constitution parlementaire existant dans un pays donné. Le fait est [qu'] il n'y avait pas de mot dans le vocabulaire existant pour désigner, dans toute sa force, ce que Marx et Lénine voulaient dire.

Or toute la question et toute l'équivoque se trouvent résumées dans le point que voici : cet « au-delà des lois », qui n'est pas réductible aux lois, et qui est en même temps plus fort que les lois et les embrasse elles-mêmes, qu'est-ce? Est-ce une forme *politique*, une forme de gouvernement des hommes, telle que l'histoire en a connu, comme dans la « dictature romaine » (elle était prévue et provisoire), ou comme dans la dictature de la Convention (elle était légalement prévue comme état d'urgence), ou comme [dans] tant de dictatures politiques que nous connaissons, et qui naissent de la violence, pacifique ou sanglante, d'un coup d'État réussi? Il faut bien reconnaître que, dans nombre de cas, *Lénine lui-même identifie la dictature du prolétariat avec le gouvernement violent*, par des mesures politiques, qui violent ou suspendent les lois établies, des représentants du prolétariat, ou tout bonnement des dirigeants du parti et du parti lui-même.

Je ne dis pas cela pour reprocher à Lénine, homme d'État, d'avoir dissous sans recourir à la loi la Constituante, d'avoir interdit et poursuivi les socialistes-révolutionnaires, et d'avoir supprimé tous les partis politiques à l'exception du parti bolchevik, etc. S'il a suspendu la Constitution et gouverné par décrets et non par lois votées, il avait de sérieuses raisons de le faire, dans une période où le pouvoir des Soviets était assailli par les forces étrangères qui donnaient la main, sur le territoire même de l'URSS, aux forces d'extrême droite déchaînées et se livrant à des barbaries sans nom. Dans ce cas, qui ne prend pas le parti extrême de suspendre les lois politiques pour sauver l'État révolutionnaire, et de prendre toutes les mesures radicales que la situation impose, celui-là subit lui-même la barbarie et choisit la défaite, non seulement la sienne, mais celle de toutes les masses révolutionnaires. Car, à ma connaissance, les interventions des « alliés » sur le territoire de l'URSS et les entreprises militaires contre-révolutionnaires n'avaient rien de « légal ». A l'horreur illégale des assaillants, Lénine n'a fait que répondre par les seules armes dont il disposait : non pas seulement en suspendant les lois, mais en mobilisant le peuple pour sauver l'État des Soviets.

Ma question n'est pas là. *La question est dans la définition que Lénine donnait de la dictature du prolétariat,* quand il en parlait, et il en a souvent, très souvent parlé, conscient que cette affaire était – et il avait raison – au cœur du drame de la Révolution russe. Or Lénine, tout comme Marx auparavant, mais c'est infiniment plus net chez Lénine, a manifestement hésité entre deux conceptions, une première qui me paraît juste, et qu'il faut faire reconnaître comme telle, et une seconde, vers laquelle il a le plus souvent, et de plus en plus, les événements le pressant, incliné, et que je crois fausse.

En deux mots, la définition fausse de la dictature du prolétariat consiste à prendre le mot de « dictature » dans son sens *politique*, très précisément dans le sens d'un *régime politique*, c'est-à-dire [d']un gouvernement politique des hommes, qui agit « en dehors des lois », qui se met donc « au-dessus des lois », et impose une volonté violente et arbitraire. Mépris des lois, violence arbitraire (fût-elle au service d'une classe ou d'un parti) sur les hommes : telle serait la dictature du prolétariat. Succédant à la violence (elle aussi au-dessus des lois) de la révolution, la violence d'un gouvernement politique dictatorial, exercé au nom du prolétariat, semble ainsi dans la continuité de la révolution violente et donc [dans] la nature des choses. La révolution ne pouvant se faire que contre les lois établies, qui servent la classe bourgeoise, et donc par la violence, le gouvernement qui s'ensuivra et entreprendra de détruire l'État bourgeois, et de mettre en place l'État révolutionnaire, sera naturellement dans la droite ligne de cette violence, et il devra l'être, pour détruire l'ordre de l'État bourgeois et fonder l'État révolutionnaire. Telle est la « logique » des propositions qui s'enchaînent dans cette conception. Mais elles ne tiennent qu'à une condition : *c'est de ne prendre le mot de dictature que dans le sens qui désigne un régime de gouvernement politique violent*, gouvernant par décrets et par la force, en dehors de toute loi établie.

Lénine a cédé à cette « logique » en de nombreux passages de ses textes et de ses discours. Que la situation lui imposât dans les faits de recourir à un régime de « dictature » politique, de suspendre les lois, de gouverner par décrets et de recourir à la force, voilà qui a certes pu incliner sa pensée, en tous cas ses expressions dans un sens alors clair pour tout le monde : dictature = gouvernement politique par la force, et en suspendant sinon toute loi, du moins nombre de lois. Imaginons que Lénine ait eu le temps, quelques années plus tard, de revenir sur les durs textes de cette terrible période, il eût sans doute dit : « mais il n'est pas possible de les extraire de leur contexte ! mais je devais, alors, *exagérer*, et tordre le bâton dans l'autre sens pour le redresser... ». Une fois de plus il eût, comme il l'a d'ailleurs fait dans la pratique de ces textes, considéré qu'un mot (bien pauvre : le recours au contexte politique) peut expliquer et excuser un autre mot, et négliger le poids des mots prononcés par celui qui avait l'autorité dont il jouissait. Lénine avait, nous le savons, cet aveuglement. Le fait est, et il n'est guère d'excuse en matière théorique, en tous cas d'excuse de cet ordre, qu'il a fait pencher l'équivoque antérieure dans le sens de la fausse signification.

445

Il y avait pourtant dans Marx et Engels et dans Lénine lui-même de quoi concevoir une autre interprétation de la dictature : car il s'agit, en l'espèce, *non de la dictature d'un gouvernement ou d'un régime, mais de la dictature d'une classe*. Dans la pensée de Marx la dictature d'une classe n'a rien à voir avec la dictature politique, avec un régime de gouvernement dictatorial. Il existe dans nos auteurs un autre mot, non pas hégémonie, contaminé par Gramsci et son autorité, mais *domination* de classe, qui vaut cent fois « dictature ». Il figurait dans *Le Manifeste* où il était dit que le prolétariat devait « s'ériger en classe dominante ». Domination, classe dominante, idéologie dominante : excellent mot que ce terme de domination. Pourquoi Marx l'a-t-il abandonné et remplacé par dictature de classe ? Influence de Blanqui après les grandes défaites de 1848 ? L'explication est mince. Volonté de se démarquer par une expression aussi forte que possible ? C'est plus vraisemblable. Marx avait le goût de ces extrémités, voire de ces provocations. Le fait est [que] *« domination de classe » a été remplacé par « dictature de classe »*, pas toujours d'ailleurs, mais dans le cas du prolétariat, oui.

Si on accepte les termes de « domination de classe », les choses sont plus sûres. Dans une société de classe comme la société capitaliste, il existe des classes dominantes (les grands propriétaires fonciers et la bourgeoisie) et des classes dominées. Qu'est-ce que la domination de classe ? Elle ne se limite pas au gouvernement politique des hommes, lequel peut prendre différentes formes, la monarchie de droit divin, le césarisme, ou la monarchie constitutionnelle, ou la république parlementaire ou, plus tard, la dictature fasciste. La domination de classe embrasse l'ensemble des formes économiques, politiques et idéologiques de la domination, c'est-à-dire de l'exploitation et de l'oppression de classe. Dans cet ensemble, les formes politiques occupent un secteur plus ou moins étendu, mais toujours subordonné à l'ensemble des formes. Et l'État devient alors cet appareil, cette machine, qui sert d'instrument à la domination de classe et à sa perpétuation.

L'expression de dictature du prolétariat ou de domination

de classe du prolétariat prend alors tout son sens. Si l'on sait que toute société de classe suppose une domination de classe au sens qui a été énoncé, la révolution qui est la tendance de la société capitaliste modifiera, dans le sens de son renversement (en vérité ce sera plus compliqué), le rapport de domination de classe : à la domination de classe bourgeoise succédera nécessairement la domination de la classe ouvrière et de ses alliés. Mais ici encore la domination de classe du prolétariat n'est pas réductible à l'exercice d'un pouvoir politique dictatorial, disons, d'un parti représentant la nouvelle classe ou d'une coalition représentant la classe ouvrière et ses alliés. La domination de classe du prolétariat ne peut que désigner l'ensemble des formes économiques, politiques et idéologiques par lesquelles le prolétariat doit imposer sa politique à l'ancienne classe dominatrice et exploiteuse. Cela peut parfaitement se faire sans violence, si les classes exploiteuses acceptent ce qui constitue en définitive une restructuration des rapports sociaux. Et si les anciens exploiteurs passent outre aux nouvelles lois et les tournent, on peut les contraindre, non par la violence, mais par la loi à respecter les nouvelles lois. Évidemment, s'ils parviennent à déclencher une intervention étrangère pour se remettre en selle, et à exploiter tendancieusement des mécontentements dans une période difficile, allant jusqu'à provoquer des violences armées, le pouvoir révolutionnaire sera bien contraint d'y résister par la force, à la limite, tous autres arguments éprouvés ; mais de toute façon, cela ne règle en aucun cas la question de la nature de la « dictature du prolétariat » ou de la domination de classe du prolétariat. Pour exister, cette domination doit exister à la fois *dans les formes de la production* (nationalisations combinées avec secteur marchand plus ou moins étendu, autogestion, contrôle ouvrier de la production, etc.), *dans les formes politiques* (les conseils représentés par leurs délégués au Conseil national) et *dans les formes idéologiques* (par ce que Lénine appelait la révolution culturelle).

Dans tout cela la question de la violence, si on entend par là la violence physique, l'intervention des forces armées pour régler les problèmes politiques et économiques, etc., n'occupe qu'une place subordonnée et toujours transitoire. C'est tellement vrai que Marx et Engels, et Lénine même ont toujours réservé la possibilité d'un passage « pacifique » et « légal » au socialisme, par la voie électorale. On sait qu'Engels l'attendait de la social-démocratie allemande. C'est une affaire de rapports de forces, donc de conjoncture. Cela ne s'est jamais produit encore, et après? De nouvelles conjonctures peuvent surgir. Et d'ailleurs, même si la révolution devait se faire, dans une situation de tension extrême, par quelque violence ou dans la violence tout court, cela ne préjuge pas, à moins de prendre la révolution violente pour un engagement définitif dans la violence, de la suite.

La classe ouvrière et ses alliés doivent devenir classe dominante, et pour cela le devenir dans l'ensemble des formes économiques, politiques et idéologiques. Ce n'est pas là un « devoir » moral, mais une tendance inscrite dans les rapports de classe [a]. Si la coalition révolutionnaire échoue dans cette conquête des formes de domination, elle sera en posture bien précaire, et sera à la merci d'une révolte, ou bien contrainte à des mesures arbitraires qui la précipiteront dans des formes de société inédites, mais qui n'auront que peu de chose à voir avec les perspectives socialistes. Lénine l'avait fort bien compris, qui opposait la dictature de la bourgeoisie, comme dictature du tout petit nombre, à la dictature du prolétariat comme dictature de l'immense majorité des hommes, et *en disant qu'à cette dictature (ou domination) correspondait la forme politique de la démocratie de masse* (et nullement la dictature). Dans le chassé-croisé des mots qui ont été imposés par la tradition, et sans cesse ravivés par les plus grands, et donc acceptés pour argent comptant par tout le monde ou presque, on étonne toujours son interlocuteur en lui disant que la dictature du prolétariat est pour Lénine la démocratie la plus large, c'est-à-dire la démocratie de masse « poussée jusqu'au bout »... Il ne comprend pas. Et il faut bien dire qu'il n'a pas tout à fait tort.

Car *on ne peut pas dire de but en blanc que la dictature du prolétariat est la démocratie la plus large*. Cette expression est fausse, car la séquence de ses mots (la dictature... est la démocratie...) jette dans la confusion, un raccourci aussi brutal n'est pas admissible. C'est comme si on disait : l'Europe du continent est la Grèce la plus lumineuse! Dans cette expression : « la dictature du prolétariat est la démocratie la plus large », on saute par-dessus des mots essentiels, dont l'absence précipite le sens et les actes (oui, les actes) dans un raccourci catastrophique, dans une impasse dangereuse. Il faut dire : la dictature du prolétariat comporte, parmi ses formes de domination, donc a pour objectif la forme politique de la démocratie la plus large. Ou : la forme politique de la dictature du prolétariat doit être la démocratie la plus large. Cette dernière expression met la forme politique à sa place, elle ne réduit pas toutes les formes de domination (ce qui se passe dans la production est, rappelons-le, déterminant en dernière instance) à la seule forme politique. Et de surcroît elle ne voue nullement la forme de la domination politique à la violence nue de la dictature.

On objectera que dans des formules de ce genre : la dictature du prolétariat *doit* avoir pour forme politique la démocratie de masse la plus large, on définit la dictature de classe ou domination de classe par un « devoir », ce qui ne préjuge en rien des faits, et peut même excuser les faits, en invoquant « les circonstances » qui n'ont pas permis au « devoir » de se réaliser : par exemple, et on ne s'en est pas privé, le caractère « arriéré de l'URSS », la trop grande « force » de son État et le caractère « gélatineux » de sa « société civile » (Gramsci), l'absence de « tradition démocratique » en Russie, etc. Mais c'est jouer sur les mots que de croire qu'il puisse s'agir de fixer à la domination de classe du prolétariat son « devoir », comme s'il s'agissait d'une tâche morale. Le mot de « devoir » renvoie en réalité à ce que Marx et Lénine ont toujours considéré comme *la forme d'existence d'une tendance dominante*, qui, comme toute tendance selon Marx, est intérieurement « contrecarrée » par des causes qui l'empêchent de parvenir à son accomplissement, et qui requiert, dans ses conditions d'existence même, la présence d'une force capable d'aider à son accomplissement : l'organisation de lutte de classe politique de la classe ouvrière, le parti. (On parle de tout ceci au singulier pour faire vite, mais en vérité il faudrait parler au pluriel des organisations, et évoquer les alliés populaires de la classe ouvrière.)

Il est clair que, pour Marx et Lénine et Mao, la capacité dite « subjective » (c'est-à-dire et théorique et organisationnelle), la qualité de l'organisation, de sa théorie et de sa ligne, *sont alors déterminantes* pour combattre judicieusement les « causes qui contrecarrent » la tendance dominante du processus de lutte de classe, et pour aider à l'accomplissement de la « tendance » elle-même. Aucune fatalité ne préside donc à l'échéance du processus. Tout au contraire : il dépend des capacités théoriques, organisationnelles et politiques, jusque dans ses moindres pratiques, *du parti*, que la tendance s'accomplisse, ou qu'au contraire quelque résultat « monstrueux » résulte d'une lutte menée sans prendre en considération les « causes qui contrecarrent » le développement de la tendance. Ces causes sont premier chef du côté de la lutte de classe bourgeoise, mais elles peuvent aussi se trouver du côté du parti, de sa mauvaise organisation, de son absence de vue théorique, de son absence d'analyse concrète de la situation concrète, de ses mauvaises pratiques politiques, de son incapacité à se saisir du « maillon décisif », qu'il soit « le plus faible » ou « le plus fort », etc.

Lorsque les « causes qui contrecarrent la tendance objective » prennent le dessus, et elles peuvent le prendre du fait des faiblesses du parti lui-même, alors les choses sont perdues, non définitivement peut-être, mais pour un temps très long, pendant lequel peuvent régner des formes de société inédites, quasi inclassables, et qui, tout en continuant par routine, ou pour en imposer à leurs masses populaires, à invoquer le « socialisme », sont tout simplement des formes bâtardes ou monstrueuses. Aristote, pour qui Marx avait tant de considération, était aussi l'auteur d'un *Traité des monstres* : des monstres biologiques bien entendu. Marx laisse lui-même entendre dans les dernières lignes de la Préface de 1859 qu'il peut aussi exister des formes monstrueuses en histoire, et que le « hasard » y a son rôle. Tout cela est dans la logique d'une pensée qui n'a rien à voir, n'en déplaise aux célèbres phrases de la même Préface, avec un « devoir » qui, s'il n'est pas moral évidemment, n'en est pas moins défini en fonction d'une fin, d'un modèle de mode de production à atteindre, et qui, « normalement », doit ou devrait être atteint dans la suite « progressive » des modes de production complaisamment et un peu trop aisément énumérés par Marx.

Il faut une fois pour toutes se convaincre que la pensée de Marx contient, sur la question de la nécessité historique, des indications extrêmement originales, qui n'ont rien à voir avec le mécanisme de la fatalité, ou la finalité du destin ou de l'ordre hiérarchique des modes de production. On a pu s'en faire une première idée à propos de la façon dont Marx exposait deux fois ses idées, dans une dispostion spatiale « topique », à la fois pour montrer l'extrême étendue de leur validité théorique, et les conditions extrêmement restreintes de leur efficacité politico-historique. Cette idée se renforce quand on voit comment, à propos de la définition de la domination de classe du prolétariat et de ses alliés, Marx pense la « nécessité » de la prise du pouvoir et de son avenir : *dans une dialectique de la tendance*, nécessairement prise dans des « causes qui la contrarient » (et viennent avant tout d'elle), où une intervention politique est possible et s'impose pour permettre l'accomplissement de cette tendance. *Sans cette « intervention », jamais la tendance ne s'accomplira d'elle-même*, et si cette « intervention » est de mauvaise qualité, le pire est à craindre, dans la médiocrité d'un « compromis historique » dont les variétés peuvent être infinies, et qui peut s'achever dans des horreurs, pour peu que la situation de l'impérialisme y prête les mains.

Résumons-nous. A condition de démêler les textes de Marx et surtout de Lénine de toutes les difficultés théoriques, politiques, sémantiques et autres, qui trop souvent les encombrent et les retournent même contre la « ligne générale » d'une pensée qui requiert de recevoir sa cohérence pour penser ce qu'elle désigne, on découvre justement une pensée cohérente.

La fameuse expression « dictature du prolétariat » a servi à Marx, bouleversé par le massacre des révolutions de 1848 dans toute l'Europe, à penser une réalité incontestable : celle de *la dictature de classe*, inévitable dans toute société de classe. Elle lui a servi à penser cette autre réalité : que toute « révolution » ouvrière et populaire, aussi convaincante fût-elle, irait au désastre si le prolétariat et ses alliés se trouvaient hors d'état d'assurer la condition absolue de survie de la révolution : la domination de classe des nouvelles classes groupées autour du prolétariat sur les anciennes. Cette domination, pour être vraiment *cette domination*, doit être domination dans les formes de la production, dans les formes de la politique, et dans les formes de l'idéologie tout ensemble. *Les formes politiques* de cette domination ne peuvent, sauf exception et encore, provisoire, avoir quoi que ce soit de commun avec les formes d'un gouvernement « au-dessus des lois et sans lois », donc violent et dictatorial. Ces formes sont « normalement » celles de la démocratie de masse la plus large, où la démocratie est « poussée jusqu'au bout ». Tout cela se tient, et de surcroît est clair. Pourquoi les choses n'ont-elles alors pas toujours été aussi clairement dites? Il n'était pas facile de les dire tout de suite aussi clairement, il fallait, pour se faire entendre, l'emprise de formules tranchantes, et, disons-le, ni Marx ni Lénine n'ont eu une conception bien contrôlée des effets sémantiques de leurs expressions, énoncées par des individus en posture de faire autorité sur le mouvement et l'organisation.

12. RETOUR À L'ÉTAT-MACHINE

Quoi qu'il en soit, ce long détour par la dictature du prolétariat était, on va s'en convaincre, indispensable pour éclairer les termes clés de la définition de l'État par Marx et Lénine et avant tout le terme de machine.

Une longue phrase de Marx, cachée dans la fin du Livre III du Capital *(Genèse de la rente foncière capitaliste)* va nous mettre sur la voie et sa *limite absolue*.

Marx s'interroge alors sur les préalables de la rente foncière capitaliste, et s'attarde à examiner la question de savoir à quelles conditions « le travailleur qui s'entretient lui-même » peut gagner un excédent sur ses moyens de subsistance indispensables, c'est-à-dire produire ce qui deviendra, dans le mode de production capitaliste, le « profit ». Ce « travailleur s'entretenant lui-même » est, comme souvent chez Marx, une pure hypothèse de travail, qui peut prendre plusieurs figures, ici la figure du serf puis de la communauté paysanne. Mais ce qui est décisif, c'est que Marx fait d'emblée intervenir la catégorie de la *reproduction*, dont le Livre I faisait en général abstraction pour se concentrer sur la théorie de la valeur et de la plus-value. Ici, Marx nous livre le fond de sa pensée :

> « Le fait que le produit du serf doive suffire à remplacer, outre sa subsistance, ses moyens de travail, est commun à tous les modes de production ; il ne résulte point de leur forme spécifique, mais est une condition naturelle de tout travail continu et reproductif en général, de toute production continue qui est toujours en même temps reproduction, donc y compris la reproduction de ses propres conditions d'activité [a]. »

La reproduction est donc la condition de toute production « continue », donc de la durée dans le temps de tout mode de production. Et Marx note :

> « *En outre*, il est évident que dans toutes les formes où le producteur direct reste le " possesseur " des moyens de production, et des moyens de travail nécessaires pour produire ses propres moyens de subsistance, le rapport de propriété doit fatalement *se manifester* simultanément comme un rapport de maître à serviteur [b]... »

ce qui est le « germe » même d'un rapport politique. Ce qui est curieux, c'est que Marx dise *« en outre »*, ce qui à la limite ne serait pas grave, si Marx ne parlait plus du tout, dans cette phrase, qui suit celle que je viens de citer, *de la reproduction*. Le rapport politique apparaît ainsi dans son principe et son germe comme la *manifestation* quasi directe du rapport de propriété identifié au rapport de production. Ce n'est certes pas faux, mais il est frappant de voir que Marx ne tire aucun parti, dans cette définition, de ce qu'il vient de dire de la *reproduction*. Et il persévère dans son silence au cours du célèbre passage qui suit, à une page d'intervalle :

« Cette forme économique spécifique, dans laquelle du surtravail non payé est extorqué aux producteurs directs, détermine le rapport de dépendance, tel qu'il découle *directement* de la production elle-même, et réagit à son tour de façon déterminante sur celle-ci. C'est la base de toute forme de *communauté économique, issue directement* des rapports de production et en même temps la base de *sa forme politique spécifique*. C'est toujours dans le *rapport immédiat* entre le propriétaire des moyens de production et le producteur direct (rapport dont les différents aspects *correspondent naturellement à un degré défini du développement des méthodes de travail*, donc à un certain *degré de force productive sociale*), qu'il faut chercher le secret le plus profond, le fondement caché de *tout* l'édifice social et par conséquent de *la forme politique* que prend *le rapport de souveraineté et de dépendance*, bref la base de la *forme spécifique que revêt l'État* à une période donnée. Cela n'empêche pas qu'une même base économique (la même, quant à ses conditions fondamentales), sous l'influence d'innombrables conditions empiriques différentes, de conditions naturelles, de rapports raciaux, d'influences historiques extérieures etc. peut présenter des variations et des nuances infinies que seule une analyse de ces conditions empiriques pourra élucider [a]. »

Marx défend ainsi la thèse fondamentale que le secret de l'État, le « fondement *caché* de *tout* l'édifice social » est à rechercher dans le " *rapport immédiat* " entre le propriétaire des moyens de production et le travailleur direct », donc dans le rapport de production ou d'exploitation. Et il insiste : l'État est la forme politique que revêt toute forme de dépendance et de maîtrise, qui n'est elle-même que la « manifestation » du rapport de production. Et il insiste : ce « secret » est caché sous et dans la société.

Laissons de côté deux questions : celle de la « correspondance » entre telle forme de dépendance, donc telle forme politique, et le « degré de productivité sociale », formule qui peut résonner en écho aux formules de la Préface de 1859 ; et celle des variantes qui concernent non pas, comme on pourrait s'y attendre, les *formes de l'État* (lesquelles sont passées sous silence), mais les *formes de la base*, c'est-à-dire du mode de production, dont les « variations » peuvent être soumises à des influences naturelles et sociales infinies. Et retenons d'abord que Marx parle de la « forme politique *spécifique* », laissant entendre soit que chaque mode de production a son État propre, spécifique, soit que l'État comme tel est une réalité spécifique, « spéciale » comme dira Lénine en insistant sur le mot.

De toute façon, nous avons ici une esquisse d'une théorie de l'État qui met, et presque « directement » (le mot est de Marx), l'État en rapport avec le *rapport* de propriété, donc (ici aussi équation) de *production* propre à un mode de production donné. Non seulement l'existence de l'État, mais sa forme. L'existence de l'État n'est en effet que la « manifestation » du rapport maître/serf, qui est lui-même la manifestation du rapport de production par la médiation (immédiate !) du « rapport de propriété ». *Ce qui laisse entendre que l'État est directement issu du rapport de production, comme sa manifestation.* Et Marx ajoute que ce même rapport définit *aussi* la forme politique de l'État. Laissons de côté ce degré intermédiaire maître/serf qui est manifestation du rapport de production, et qui sera ce dont l'État est la « forme politique », où Marx s'embarrasse et dans son caractère direct, et dans la « médiation » d'un rapport de propriété, qui n'affecte en rien l'immédiateté du rapport Rapport de production/État : après tout ce texte n'est qu'un brouillon de Marx, publié par

Engels. De toute façon nous avons affaire dans ces phrases à une théorie de l'État très simple : *l'État est la manifestation « directe » du rapport de production*, lequel est son « secret ». Très simple et très importante, puisque Marx y montre l'enracinement de l'État dans le rapport d'exploitation, donc le caractère de classe de l'État. Mais en même temps cette indication simple et très importante nous laisse sur notre soif, et pour deux raisons.

La première raison est que Marx ne nous dit rien ici (ce qui n'exclut pas qu'il le dise ailleurs) des « formes » spécifiques de cette « manifestation », ni de l'« élément » dans lequel le rapport politique se manifeste sous la forme politique de l'État. Il s'agit donc ici d'une déduction théorique, ou d'une généalogie théorique, sous la figure d'un raccourci instantané, qui suppose qu'on sache ce qu'est le rapport de production (*Le Capital* y est en grande partie consacré), mais aussi ce qu'est l'État. Or l'État, on sait à peu près [a] ce qu'il est, quand a lu *Le 18 Brumaire* par exemple – mais alors on a bien du mal à penser que la complexité de l'État et son rôle puissent se réduire à cette déduction « directe » à partir du rapport de production. La déduction de l'État que nous donnent ces quelques lignes de Marx fait un peu penser à la « déduction » en raccourci schématique des modes de production dans *Misère de la philosophie*, lorsque Marx affirmait imprudemment : avec le moulin à vent vous avez le [...] et avec le moulin à eau le [...] [b].

La seconde raison est plus grave. C'est que Marx, qui vient très clairement et consciemment de parler de la catégorie capitale de la reproduction, change de langage et *revient en deçà de la reproduction pour parler de l'État.* Je crois pouvoir dire que c'est là une des *« limites absolues »* sur lesquelles bute et s'arrête radicalement la « théorie marxiste de l'État ». *Ni chez Marx ni chez Lénine on ne trouve,* à ma connaissance, en tous cas lorsqu'ils parlent ouvertement de l'État, *mention de la fonction de l'État dans la reproduction.* Marx parle bien du rôle de l'État dans l'accumulation primitive, il parle bien du rôle de l'État dans l'émission de la monnaie, il parle bien aussi de l'intervention de l'État anglais dans la loi limitant le travail à dix heures : *il n'envisage pas l'État sous le rapport de la reproduction des conditions sociales (et même matérielles) de la production*, donc dans le rapport à la continuité ou perpétuation, ou « éternité », ou « reproduction » des rapports de production. On comprend évidemment, si on en reste à cette conception décevante, que la théorie de l'État-« instrument » ait pu irriter et Gramsci et ses modernes commentateurs comme une théorie inacceptable à la lettre. Mais le paradoxe est que Gramsci critique cette théorie de l'État par *ses effets* (l'économisme), et sans lui ajouter quoi que ce soit d'intéressant, car il reste lui aussi en deçà de la reproduction. La dimension de la reproduction, les fonctions de l'État sont bien dérisoirement réduites dans les formules de Marx à celles de l'intervention, et à la limite à celles de la brutalité.

Or c'est par la voie de la reproduction qu'il est, semble-t-il, possible de sortir la pensée de Marx et de Lénine de l'ornière où elle est restée si longtemps embourbée, et de ses « limites absolues ». C'est en empruntant cette voie que j'ai suggéré, en 1969, dans un article intitulé *Idéologie et Appareils idéologiques d'État*[a], quelques propositions. Nous verrons si elles doivent être rectifiées, et si elles peuvent être prolongées. C'est dans cette voie en tous cas que je voudrais présenter mon hypothèse sur la raison pour laquelle Marx et Lénine ont tellement tenu aux termes d'*appareil* et surtout de *machine* lorsqu'ils parlaient de l'État.

13. POURQUOI L'ÉTAT EST-IL UNE MACHINE « SPÉCIALE » ?

Si l'on veut bien retenir ce qui est acquis, que l'État est un « appareil spécial », une « machine spéciale », qui constitue un « instrument » pour la classe dominante dans la lutte de classe ; si cet « instrument » doit nécessairement être « séparé » non seulement « de la société », non seulement « de la société civile », mais de la lutte des classes, *pour* y intervenir dans toute la mesure du possible comme un « instrument », c'est-à-dire pour servir au mieux et sans se rebeller les intérêts de classe de la classe dominante prise dans son ensemble, en échappant le plus possible aux vicissitudes de la lutte de classe, tant de la classe dominante que des classes dominées ; si l'État est donc un État de classe, engagé dans la lutte de classe par la classe dominante, pour dominer ses exploités et perpétuer sa domination, les conditions de l'exploitation et de l'oppression – *alors la* question qui reste en suspens, et *la* question qui se pose est celle de l'adjectif « *spécial* », plus de dix fois répété par Lénine dans sa fameuse conférence de Sverdlovsk en 1919 [a]. L'État est un appareil « spécial », une « machine spéciale ». Que peut bien vouloir indiquer (non pas penser, mais indiquer) cet adjectif prodigieusement insistant, et dont l'insistance crève les yeux ?

Il indique d'abord que l'État est fait *d'un tout autre métal* que le reste des institutions, organisations ou organismes de la société, bref que le reste de la société. Et qu'il est seul à être forgé dans ce métal « spécial ». Il indique ensuite que sa fonction est une tout autre fonction que les fonctions des institutions ou organisations de la société.

L'État en effet ne « produit » rien (sauf quand il existe des manufactures royales ou un secteur public, mais ce n'est pas alors cette fonction de production qui le définit), l'État en effet ne fait rien dans la circulation (sauf sociétés commerciales du secteur public), bien qu'il frappe la monnaie sans laquelle il n'y aurait pas de circulation. Mais l'État, qui ne produit rien, en revanche lève les impôts dont il paie [ses] militaires, [ses] policiers, ses fonctionnaires, ses dépenses « publiques », et ses aides aux trusts etc., il ne produit rien mais dépense énormément, un argent ponctionné par impôts directs et surtout indirects dans les masses productives et autres. En outre l'État rend la « justice », il a ses gendarmes, policiers, magistrats, et ses prisons. L'État « administre » et gère la politique du pays dans le monde. Une fonction assurément très « spéciale » : pas comme les autres. On peut le montrer : pour les amateurs d'organigrammes ou des gens plus sérieux, on peut montrer que *l'État ne fonctionne pas comme une entreprise privée, ni comme une Église, ni comme un Parti*, bien qu'un parti puisse, en revanche, « fonctionner comme un « État » ou « comme l'État », etc.

Et il faut alors bien reconnaître qu'il existe un rapport non seulement très « spécial » mais *très précis* entre le « métal spécial » dont est fait le « corps de l'État » et la [façon] très « spéciale » mais *très précise*, dont fonctionne cet État.

Le « corps » de l'État est fait d'un certain nombre d'appareils dont on accordera aisément qu'ils n'ont pas tous la même forme. Pour simplifier nous distinguerons :

1. *L'appareil de force publique* (ou appareil de répression) constitué par le « noyau dur » de l'État, sa force armée d'intervention extérieure ou (et) intérieure : armée, différentes polices, gendarmerie, CRS, garde mobile, à quoi s'ajoutent les fonctionnaires de la justice, et les prisons avec leurs agents, et toute une série d'institutions disciplinaires ou paradisciplinaires, côtoyant la psychiatrie, la médecine, la psychologie, l'enseignement, etc.

2. ensuite *l'appareil politique*, constitué par le chef de l'État, le corps gouvernemental, le corps préfectoral, et toutes les grandes administrations, qui, faisant profession de « service public », ne sont que les agents d'exécution de la politique de l'État, donc d'une politique de classe.

3. enfin ce que j'ai proposé d'appeler les *appareils idéologiques d'État*, sur lesquels je reviendrai.

Une pareille énumération, même distinguant trois formes types à l'intérieur de l'État, comme Appareil ou Machine, ne nous dit pas clairement en quoi cet appareil est *« spécial »*. Il faut y voir de plus près, dans des « domaines » que Marx et Lénine ont laissés vierges.

La première raison à retenir – elle a été assez bien vue par des sociologues et déjà par Max Weber – c'est que le caractère « spécial » du « corps de l'État » tient à des rapports très particuliers imposés d'en haut et par le système régnant entre les supérieurs hiérarchiques et leurs subordonnés. Le principe qui gouverne ces rapports est celui de la centralisation hiérarchique aussi poussée que possible, tout venant d'en haut et aucune initiative ne pouvant être prise par un fonctionnaire que s'il sait qu'il sera « couvert » par son supérieur. On dira peut-être que le même principe prévaut dans une entreprise de production ? Ce n'est pas exact : la marge d'initiative y est infiniment plus large, et d'ailleurs sanctionnée ou sanctionnable par la mise à pied ou par des sanctions internes. On a même pu soutenir que la titularisation des fonctionnaires, qui paraissait les libérer, contribuait à renforcer les formes de la hiérarchie et donc de la soumission administrative. Les « hauts fonctionnaires », recevant leurs ordres directement des ministres ou des préfets, se considèrent comme de hauts techniciens chargés d'appliquer une politique à laquelle ils peuvent le plus souvent adhérer, mais que de toute façon ils appliquent sous le couvert d'une idéologie du « service public » ou de la « technique ». Les ordres descendent avec toute la lenteur de l'« administration », hiérarchiquement, avec les complications inévitables créées par les interférences provenant de l'association de plusieurs ministères et de plusieurs « grands corps » sur une même affaire. En fait plusieurs de ces mondes sont pratiquement clos, quasi au secret, l'armée, la ou les polices, la gendarmerie, les CRS, la garde mobile, mais aussi la magistrature, les juristes, les enseignants, etc. Et chaque corps tend à travailler dans son domaine prescrit, pour éviter tout conflit avec les autres corps, dans une idéologie qu'il faut bien appeler un « esprit de corps ». Il y a un « esprit de corps » presque partout, jusque dans l'enseignement, lui-même divisé, et dans la « magistrature ». Une division du travail incroyablement impérative y règne (sait-on que les juristes du droit privé sont complètement coupés de leurs collègues du droit public et administratif ?). Vraiment, *un corps très « spécial »*, composé de corps « spéciaux » clos sur eux-mêmes dans leur discipline et le point d'honneur de leur propre « esprit de corps » : il est vrai que l'État n'est bien séparé de la lutte des classes que s'il est séparé, divisé par des séparations intérieures, celles de ses corps, et de leur « esprit de corps ».

Mais ce n'est pas la raison essentielle. Pour la découvrir il faut regarder du côté des « forces armées » de l'État, de sa puissance physique, qu'on ne voit qu'en partie. Si l'État est un

« appareil spécial », c'est qu'à la différence de toute autre organisation de la société, il *« fonctionne à la force publique »*. Certes
une grande boîte capitaliste peut avoir ses milices privées, une
organisation syndicale ou politique son « service d'ordre »,
mais ce ne serait pas sérieux de soutenir la comparaison : ces
forces sont « privées », et faibles, et pas toujours « légales ».
L'État, lui, entretient des centaines de milliers d'hommes armés
soit à attendre en s'entraînant l'heure d'intervenir, soit à intervenir quotidiennement dans la vie sociale, publique et privée.
Ils reçoivent pour l'immense majorité d'entre eux une préparation physique de combat et s'ils se servent aussi rarement que
possible « en temps normal » de leurs armes, ils n'en sont pas
moins là, nombreux, disciplinés, et armés. Rappelez-vous
l'insistance symptomatique de Lénine : *« L'État, ce sont des
groupes d'hommes armés. »* Une partie de ces forces reste le plus
souvent invisible : l'armée. Mais tout le reste se voit tous les
jours, et intervient constamment. La police intervient tous les
jours, les gendarmes aussi, les gardiens de prison, les infirmiers
de certains services de psychiatrie etc., mais les CRS et la garde
mobile seulement quand des manifestations menacent. Et
quand on pense à l'immense réseau de contrôle, de sanctions,
de surveillance qui s'étend sur tout le pays, sur toutes les activités du pays, et quand on sait que cet immense réseau a *pour
condition matérielle l'existence de cette force physique publique
légale*, disposant d'armes, de prisons, d'établissements de surveillance de tous ordres, on s'avise qu'on a peut-être sous-
estimé le rôle que joue la force physique dans l'État.

C'est sans doute là ce qui fait, au fond des choses, la raison
du caractère si « spécial » de l'appareil qu'est l'État : tout ce
qui fonctionne en lui, sous son nom, que ce soit l'appareil politique ou les appareils idéologiques *est silencieusement étayé par
l'existence et la présence de cette force physique publique armée*.
Que cette force physique ne soit pas tout entière visible et en
exercice, qu'elle n'intervienne même, bien souvent, que de
façon intermittente, ou qu'elle soit cachée et invisible : c'est
encore une de ses formes d'existence et d'action. Lyautey
disait : il faut montrer sa force pour n'avoir pas à s'en servir,

voulant assurer d'expérience par là qu'il suffisait de déployer sa force (militaire) pour obtenir par intimidation les résultats qu'on aurait normalement atteints par son engagement physique. On peut aller plus loin et dire qu'*on peut aussi ne pas montrer sa force pour ne pas avoir à s'en servir.* Quand les menaces de la force nue, ou de la force de la loi, pèsent manifestement sur les acteurs d'une situation donnée, il n'est pas alors nécessaire d'exhiber cette force, il peut être plus utile de la cacher. Ainsi les chars de l'armée sous les arbres de Rambouillet en mai 1968. Ils ont joué *par leur absence* un rôle décisif dans la « réduction » de l'émeute parisienne de 1968. Lisez le préfet Grimaud [a], il le dit en toutes lettres. Car engager les chars, c'eût été pour la bourgeoisie l'aventure – la révolte d'une partie du contingent en Algérie n'avait pas été oubliée.

Si donc la raison qui fait dire à Lénine que l'État est un « appareil spécial », une « machine spéciale » tient *à la fois* à la mécanique des rapports hiérarchiques gouvernant les fonctionnaires ou agents de l'État, *et* à la présence incontournable d'une force physique publique et armée qui est au cœur de l'État, et rayonne sur l'ensemble de ses activités, cette explication règle peut-être la question du caractère *spécial* de la machine d'État. Elle n'explique pourtant pas l'insistance de Marx et Lénine à parler d'appareil et surtout de *machine* [1].

---

1. Je signale que l'historien anglais Perry Anderson a fort bien compris et illustré ce point de théorie et de politique. Dans un brillant article qui démonte les « antinomies de Gramsci » [« The Antinomies of Antonio Gramsci », *New Left Review* n° 100, mars 1977], il compare la présence-absence, mais efficace par son absence même, des forces armées de l'État, à la réserve monétaire des Banques nationales en or. Ces stocks d'or varient peu ou prou, mais dans l'ensemble leur total reste stable dans l'ensemble du monde, et ce n'est que de temps à autre que la politique monétaire nationale (de tel État) ou internationale (de l'impérialisme dominant) fait intervenir l'or dans ses transactions : soit que de l'or soit vendu sur ces stocks de réserve, soit que de l'or soit acheté pour les renforcer. Mais la circulation générale sous toutes ses formes (et elles sont pratiquement infinies) se poursuit indépendamment de la présence des stocks d'or sur le marché : *cette circulation serait pourtant impossible sans l'existence de ces stocks* (que l'abandon de l'étalon or n'a pas supprimée le moins du monde). Comme on dit, ils « pèsent sur le marché » tout simplement parce qu'ils rendent *ce* marché-là possible (et pas un autre), exactement comme la présence invisible (faut-il dire « refoulée » ? oui, pour la plupart des gens qui « ne veulent pas savoir » qu'elles existent et que leur rôle est déterminant) des forces de l'ordre publiques et armées pèse sur la situation, tout simplement parce qu'elles rendent cette situation-là impossible, *cet ordre-là* possible

Je propose, et je ne pense pas forcer les mots, bien qu'évidemment je leur fasse dire ce qu'ils autorisent bien qu'ils ne le disent pas en toutes lettres, l'*hypothèse* suivante, que j'exprime directement en termes positifs, comme si elle était vérifiée, ce qui n'est évidemment pas le cas.

Je dirais donc que *l'État est une machine au sens fort et précis du terme* tel qu'il s'est imposé au XIXᵉ siècle, [...] après la découverte de la machine à vapeur, de la machine électromagnétique etc., c'est-à-dire au sens d'un *dispositif artificiel*, comportant un *moteur* mû par une énergie I, puis un système de *transmission*, le tout étant destiné à transformer une énergie définie (A) en une autre énergie définie (B).

Une telle machine constitue d'abord un *corps artificiel* qui comporte le *moteur*, le système de *transmission* et les organes d'*exécution* ou d'application de l'énergie transformée par la machine. Dans le cas des machines-outils (ou machines-instruments), *ce corps est matériel*, et comporte différentes pièces de métal « spécial », qui assurent la transformation de l'énergie A en énergie B, et sa mise en application par les outils (en général très nombreux) sur la matière première travaillée par les outils.

On peut généraliser sans peine, et dire que *toute machine*, siège et moyen de transformation de l'énergie, *comporte un « corps » matériel spécial*, fait de « métal » spécial, et que, tout en étant la condition de la transformation de cette énergie, *le corps de la machine* est, *comme corps, « séparé »* de la fonction de transformation énergétique qu'il accomplit. De fait, dans la machine à vapeur par exemple, le « corps » métallique de la machine est tout à fait distinct, donc « séparé » du charbon, qui transforme l'eau en vapeur et la vapeur en mouvement

---

(cet ordre-là, et pas un autre évidemment) pour la classe dominante évidemment, et par voie de conséquence parce qu'elles rendent cet ordre nécessaire pour les classes dominées. Tout cela, se faisant en « douceur », produit ces admirables effets de consensus par une force armée qui pèse d'un tel poids sur l'ordre public qu'elle peut à la limite n'y pas intervenir ou presque, c'est-à-dire laissant ce soin aux forces non armées de l'État [...] et entre autres, parfois par-dessus tout, aux convictions idéologiques des « citoyens » qui pensent que tout compte fait, il vaut mieux rester bien tranquille chez soi et cultiver son jardin.

horizontal puis circulaire, et également « séparé » des outils et de leur « travail » sur la matière première (le coton etc). La « *séparation* » du *corps matériel de la machine* des matières énergétiques qui y sont consommées pour leur transformation, est la condition absolue de l'existence de la machine et de son fonctionnement. Bien entendu le corps de la machine (les différentes pièces façonnées à partir de différents métaux) exige aussi de l'énergie pour sa production, mais la machine n'existe que si cette énergie préalable a accompli son œuvre et s'est fixée dans le corps de la machine : cette énergie antérieure n'intervient plus comme énergie *dans* la marche de la machine, car elle a disparu dans son résultat : dans la chaudière, les pistons, courroies, bras et roues, par le moyen desquels la transformation énergétique a lieu.

Nous pouvons maintenant nous retourner vers la machine de l'État, pour mieux comprendre pourquoi Marx parle de machine, *et* pour comprendre *qu'elle a un corps, et surtout pour comprendre quelle énergie elle transforme en quelle autre énergie.*

Que l'État ait un « corps » matériel, nous le savons déjà : son existence nous a été révélée par le fait de considérer que l'État est un appareil, et un appareil « séparé ». La « séparation » de l'État reçoit alors un sens nouveau. L'État est « séparé » parce qu'il a nécessairement un corps, agencé pour produire une transformation d'énergie. Et de surcroît nous pouvons comprendre que ce corps matériel soit *« spécial »*, c'est-à-dire ne soit pas *n'importe quel corps*, mais soit un corps « pas comme les autres », taillé dans un « métal spécial », dont nous avons pu nous faire une idée en examinant la nature « spéciale » du corps des agents de l'État, militaires, forces de l'ordre, polices, et aussi fonctionnaires des diverses administrations. Reste la question clé : celle de la transformation de l'énergie et de la nature de l'énergie B qui provient de la transformation de l'énergie A par la machine de l'État.

Je dirais pour mon compte que l'État peut être, sous ce rapport, défini de deux façons. On pourra dire d'abord que l'État est une *machine à pouvoir*, comme on parle d'une *machine à percussion, à impression*, etc. Dans ces cas en effet, on définit la machine en question *par le type ou la forme d'énergie (B) qu'elle produit comme le résultat de la transformation de l'énergie préalable (A).*

Dans ce cas on met l'accent sur le résultat de la transformation énergétique, et on dit clairement que l'État est une *machine à produire du pouvoir,* qui, dans le principe, est du *pouvoir légal,* non par des raisons qui tiendraient au privilège moral de la légalité, mais parce que, même quand il est despotique et de surcroît « dictatorial », l'État a toujours intérêt, pratiquement parlant, à s'appuyer sur des lois, au besoin d'exception, au besoin même pour les violer ou les suspendre à « son gré ». C'est plus sûr pour lui, car les lois sont aussi un moyen de contrôler son propre appareil répressif, et nous savons tous, pour notre consternation, que les États les plus tyranniques et les plus fanatisés, les plus horribles, *se sont donné des lois,* ont donné des lois à leur régime de terreur et d'extermination, que Hitler avait promulgué des lois sur les Juifs et leur extermination. Nous savons aussi qu'aucun État au monde n'est aussi tatillon sur ses propres lois que l'URSS, où sévit une répression légalement sélective et donc protégée, car exigée par la loi. *L'État,* sous ce rapport, *est une machine à produire du pouvoir légal.* Et, de fait, tout l'appareil politique, comme toute l'administration passe son temps à produire du pouvoir légal, donc des lois, et des décrets et arrêtés qui sont dits à la limite d'application, quand le pouvoir produit par la machine d'État entre en rapport direct avec le concret. Je disais il y a un moment que l'État ne produit rien : au sens de la production des biens matériels, c'est exact. Mais *la plus grande partie de son activité consiste à produire du pouvoir légal, c'est-à-dire des lois, décrets et arrêtés : l'autre partie de son activité consistant à en contrôler l'application,* par les fonctionnaires de l'État eux-mêmes, soumis pour leur compte au contrôle des corps d'inspection, Cour des comptes en tête, et naturellement sur les citoyens soumis aux lois.

Mais il ne suffit pas de définir l'État comme machine à pouvoir, car cette énergie B (pouvoir) ne donne aucun renseignement sur l'énergie transformée (A) qui produit ce résultat :

pouvoir. Quelle est donc l'énergie A qui est transformée en pouvoir (légal) par la machine d'État ? Elle est difficile à nommer, car ici les choses sont très complexes et de surcroît réellement très compliquées. Pour en donner une idée je vais de nouveau recourir à une comparaison, et je dirai que l'État est, sous ce second rapport, donc sous le rapport de l'énergie qu'il transforme, celle qui « fonctionne » dans son moteur et le fait marcher pour assurer sa transformation en énergie B, une *machine à force* ou *machine à violence*, de la même façon qu'on parle de la machine à vapeur ou du moteur à essence.

Un mot ici sur la machine à vapeur. Carnot avait vu clair quand il parlait non de la machine à vapeur, mais de la *machine à feu* (ou plutôt « des machines à feu »). Car l'énergie A, celle qui constitue le « moteur » des transformations ultérieures, c'est le « feu », la chaleur, l'énergie « calorique » et non la vapeur. C'est la chaleur qui, transformant l'eau en vapeur, et utilisant l'énergie cinétique de la vapeur, met en mouvement le piston, qui « fait marcher la machine ». De l'énergie cinétique des gaz au « mouvement » du piston, il n'y a pas à proprement parler de changement d'ordre, c'est une même énergie, l'*énergie cinétique*, qui change simplement de forme. En revanche, c'est entre le charbon à l'état stable et le charbon en feu que se produit le saut, et le changement d'énergie.

Rappelons-nous le texte de Marx que nous avons cité sur la machine[a]. Marx s'intéressait alors quasi uniquement à la machine-outil, donc aux *derniers* prolongements de la transformation énergétique : plus précisément, il s'intéressait uniquement aux *transformations du mouvement, de l'énergie cinétique*, observables au bout du procès, lorsque le mouvement est transmis aux outils, qui multiplient les mains de l'homme dans la machine-outil. Et, de fait, *Marx ne s'intéressait pas au moteur lui-même*, disant « qu'il enfante lui-même sa propre force de mouvement » (!), notant qu'il était indifférent que l'énergie du moteur fût « extérieure » à la machine (soit naturelle, soit humaine) ou lui fût « intérieure ». Un homme, tout comme une chute d'eau, ne meut la machine-outil que de l'extérieur. Quand le moteur est « intérieur » comme dans le cas de la machine à vapeur, les choses ne changent pas de registre pour Marx. Il ne se demande pas ce qui se passe dans ce moteur-là, et écrit tranquillement et non sans raisons que, du point de vue de la technologie de la production, ce n'est pas la machine à vapeur qui a bouleversé la production, mais la machine-outil. Mais la question n'est pas là.

Car ce qui n'intéressait pas Marx dans le cas de la machine-outil, l'intéressait peut-être (?) dans le cas de la machine-État, bien qu'il soit vraisemblable que Marx n'ait pas été alerté sur un rapprochement qu'il pratiquait, pour de bonnes raisons, mais sans en avoir conscience.

Dans le cas de la machine-État, si la machine-État est une machine à pouvoir, c'est qu'elle transforme en énergie-Pouvoir une autre énergie préalable, l'énergie-Force ou énergie-Violence. Quelle est alors cette énergie A, que nous désignons ici par Force ou Violence ? Tout simplement la force ou la Violence de la lutte des classes, la Force ou la Violence qui n'a *« pas encore »* été transformée en Pouvoir, qui n'a pas été transformée en lois et en droit.

Notons tout de suite, pour éviter toute tentation d'invoquer ici des Puissances métaphysiques (la « Volonté » chère à Schopenhauer, ou la « Volonté de puissance » qui a, chez Nietzsche, un tout autre sens que celui qui nous occupe, etc.), que Force et Violence ne sont pas des concepts absolus, mais relatifs, que la Force désigne *celle du plus fort*, la Violence *celle du plus violent*, et que Force et Violence désignent donc une *différence conflictuelle* [a], où, dans la différence et le conflit, c'est le plus fort qui représente la Force, qui est donc Force, et le plus violent qui représente la Violence, qui est donc Violence. Dans ce théâtre truqué par eux, certains voudraient voir la Force pure et seule, la Violence pure et seule produire les effets de fascination qui les arrangent. Mais nous parlons de tout autre chose : de la lutte des classes, où une classe n'est forte et violente que parce qu'elle est dominante, donc exerce sa force et violence sur une autre classe (elle aussi est une force) qu'elle doit tenir en lisière, dans une lutte sans répit pour avoir le dessus sur elle. La résultante relativement stable (et reproduite dans sa stabilité par l'État) de cet *affrontement* de forces (*rapport* de forces est une notion comptable car statique) est effectivement que *ce qui compte, c'est l'excès dynamique de force* que détient dans la lutte de classe la classe dominante, et c'est *cet excès de force conflictuel, réel ou potentiel, qui constitue l'énergie A*, laquelle va être transformée en pouvoir par la machine d'État : *transformée en droit, en lois, et en normes.*

Tout comme Marx a pu dire que « dans l'habit le tailleur a disparu » (lui et toute l'énergie qu'il a dépensée pour tailler et coudre), dans l'État tout l'arrière-monde de l'affrontement des forces et violences, *les pires violences de la lutte des classes ont disparu, au profit de leur seule et unique résultante : la Force de la classe dominante, qui ne se présente même pas comme ce qu'elle est : excès de sa propre force sur la force des classes dominées, mais comme Force tout court.* Et c'est cette Force-là ou Violence-là qui est alors transformée en pouvoir par la machine de l'État.

On comprend alors en quel sens nouveau l'État [est] une machine « *séparée* ». Car effectivement la domination de classe se trouve sanctionnée dans et par l'État en ce que *seule la Force de la classe dominante y entre et y est reconnue* – et, qui plus est, elle est le seul « moteur » de l'État, la seule énergie à y être transformée en pouvoir, en droit, lois et normes. Oui, seule la Force de la classe dominante entre dans l'État et y est reconnue, et par la « séparation » violente qui fait que cette entrée dans l'État est en même temps le rejet radical et la négation de la lutte des classes dont elle est pourtant issue, comme sa résultante, et aussi, disons-le, comme sa condition. Que tout l'État soit constitué pour étayer ce rejet absolu et violent, que son propre corps soit « fait pour ça », nous l'avons déjà assez dit, mais descriptivement, alors que nous apercevons maintenant seulement les raisons théoriques de ces effets qui déconcertaient et pourtant retenaient l'attention.

Et ce n'est pas seulement *dans son corps* que l'État est *fait pour* rejeter cet « arrière-monde » de la lutte des classes d'où émerge seulement, pour refouler nécessairement tout le reste, la Force de la seule classe dominante : il est *fait pour ça aussi dans l'idéologie qu'il professe*, une idéologie qui sous mille formes, nie l'existence de la lutte de classe, nie le fonctionnement de la nature de classe de l'État, pour bégayer par la bouche convaincue de ses fonctionnaires (ou des partis politiques qui y ont intérêt ou qui vivent dans la complicité de cette illusion) le catéchisme des vertus du « service public », de l'État-service public, sous prétexte qu'il assure la poste, les chemins de fer, les hôpitaux et le tabac! Il y a là une *prodigieuse opération d'annulation, d'amnésie et de refoulement politiques*. C'est cette opération qui scelle et assure *la* « séparation » de l'État, *dont* la classe dominante a le plus besoin, non seulement dans son idéologie, mais jusque dans sa pratique, pour assurer la perpétuation de son hégémonie. Les raisons qui font que *seule* la Force (= l'excès de force) ou Violence (= excès de violence) est représentée dans l'État, est transformée par l'État en pouvoir, bref que seule la classe dominante a accès à l'État pour transformer sa propre force en pouvoir, *ces raisons qui sont des raisons de classe* recouvertes par la dérision, hélas efficace, de l'idéologie du « service public », sont si fortement ancrées dans la nature même du corps de l'État qu'elles peuvent, malgré leur clarté, demeurer « secrètes » comme dit Marx, et « enfouies » sous tout l'édifice social. Un « fétichisme » que, comme par hasard, il n'a pas repéré!

14. Du corps de l'État

Je parle du *corps* de l'État de nouveau. Il le faut. Car contrairement à la machine à feu, où la matière énergétique (soit : le charbon ou le bois) n'a *aucun rapport* avec le *métal* dont est fait la chaudière et les pistons, etc., dans le cas de l'État, si « séparé » qu'il soit, et c'est là une raison de plus à vouloir sa « séparation » si difficile à obtenir, *le corps de l'État n'est pas, naturellement, sans rapport avec l'énergie qu'il doit transformer*.

Qu'est-ce que le corps de l'État, sous cet angle? Des hommes, des armes, des techniques et des pratiques, des locaux aussi et tous les instruments dont ils ont besoin pour assurer leur fonction. Mais *avant tout des hommes*, dont la majorité proviennent des classes exploitées par la classe qui domine les classes exploitées et qui détient le pouvoir d'État.

Paradoxe! Le corps de l'État a pour personnel, et en très grande majorité, des fils de paysans et d'ouvriers, et aussi d'employés (dans l'armée, les CRS, la gendarmerie, la police et l'administration). Gramsci a insisté sur le caractère populaire de l'extraction non seulement des troupes de l'armée (qui n'est pas permanente dans nos pays, mais soumise au renouvellement des recrues, avec un encadrement de carrière important), mais aussi des policiers, autres membres des forces de l'ordre, des prêtres et autres intellectuels d'Église ou d'État. Sans doute être agent de l'État représente déjà une « promotion sociale » pour l'immense majorité de ces hommes d'origine populaire, mais l'État prend bien d'autres précautions que leur simple promotion, pour les « séparer » de leurs frères d'origine et de classe, et il parvient à cette « séparation », indispensable pour leur imposer la « discipline » de leur fonction. Or ce sont ces hommes qui constituent en grande majorité les appareils du service d'ordre public de l'État : et la majorité des autres fonctionnaires sont pratiquement de même origine. Bien sûr ils sont dirigés, encadrés, et soumis à des règles extraordinairement contraignantes, comme on l'a vu. Il n'empêche qu'on pourrait être fort tenté de considérer que, tout compte fait, l'État présente sur les « machines à feu » cette différence que chez lui le « corps » n'est pas passif comme une chaudière, ni fait d'une tout autre matière que le combustible et le feu, mais constitué d'hommes comme ceux sur lesquels il règne, et de surcroît d'hommes issus des classes sociales que la classe dominante tient en respect par la force de l'État dont ils sont l'essentiel.

Cela fait partie à la fois des conditions aperçues et des conditions rêvées pour assurer la révolution. Que le noyau armé de l'État revienne à ses origines, que l'armée et la police passent du côté du peuple, et, à moins d'une intervention étrangère, le peuple pourra prendre le pouvoir d'État. « Braves soldats du 17ᵉ » qui avez, dans le midi de la révolte des vignerons jetés dans la famine par le mildiou, refusé de « tirer sur vos frères [a] », vous êtes chantés dans la mémoire populaire. Mais ce haut fait ne produisit pas de révolution : il faut au moins que la question soit politique et d'envergure nationale.

Oui, l'armée tsariste en 1917, minée par la défaite et la démoralisation, puis complètement désorganisée par la guerre elle-même, sut entendre les militants bolcheviks : à ces paysans en guenilles et affamés, traités comme des bêtes par leurs officiers, les bolcheviks promettaient et la paix et de surcroît, plus tard, la terre. Ils furent entendus, mais aussi furent entendus les socialistes-révolutionnaires qui avaient des liens plus étroits avec la paysannerie. Et la révolution put avoir lieu. Mais ailleurs combien de fils de paysans et d'ouvriers en armes, et malgré les militants et leur propagande, « firent leur devoir » et tirèrent sur leurs frères ouvriers, à commencer par l'Allemagne de 1919-1921, puis d'innombrables autres exemples, et pour finir par le Chili, dont la peur inspira paraît-il le projet de Berlinguer [b] sur le « compromis historique ». Si on s'en tient à l'origine sociale du « personnel » de la force publique (et des administrations d'État), on constate qu'il faut des circonstances exceptionnelles (qu'il ne faut pas exclure *a priori*) pour voir le corps de la force publique armée rompre avec la « séparation » que l'État lui impose.

Cette vérité permet de juger à son prix, qui est très aléatoire, toute une série de spéculations contemporaines, qui expriment plus un vœu subjectif que la réalité et qui portent sur une prétendue « crise de l'État », dans la mesure où elle serait attendue de mouvements qui toucheraient certains des personnels de l'État, lequel serait ainsi « traversé par la lutte des classes [1] ». Je crois qu'il s'agit là d'une utopie, fondée sur

---

1. En vérité la « théorie » de cette crise de l'État n'est que l'illustration apologétique d'illusions sur certaine ligne politique.

une extrapolation abusive. Qu'il y ait des mouvements de mécontentement dans la magistrature et dans la police (du moins dans la police en uniforme), que ce mécontentement soit alimenté par l'air du temps où les revendications s'expriment sous forme de grèves, que les grèves soient de près ou de loin des formes de la lutte de classe, tout cela n'est pas faux, mais bien lâche dans l'argument. Car encore faut-il savoir que toutes les grèves ne sont pas des formes de la lutte de classe ouvrière, il en est qui sont des formes de la lutte de classe petite-bourgeoises ou corporatives, elles peuvent aussi être des formes de la lutte de classe conservatrices ou même réactionnaires, et de toute façon c'est non seulement le mouvement qui permet de définir le mouvement, mais aussi sa tendance, donc ses limites. Et il faut aussi de surcroît, pour estimer cette tendance, savoir si elle est révolutionnaire ou progressiste ou pas, apprécier les modifications qui affectent le corps de l'État lui-même, et si ces grèves ne sont pas en partie des réactions plus ou moins éclairées contre ces modifications, ou allant dans leur sens, etc.

Toutes ces considérations n'ont qu'un objet : nous ramener au paradoxe qui fait que le « corps de l'État » est constitué par des hommes d'extraction populaire pour le plus grand nombre, donc au paradoxe que la classe dominante parvient à utiliser l'État pour façonner ses agents de manière à ce que leur propre origine de classe soit elle aussi refoulée, neutralisée, de manière à en faire des « sujets » obéissants qui, même s'ils se mettent en grève ne mettront jamais en question, disons sérieusement, leur « service », dont ils assurent la sécurité. Formation, inculcation idéologique, discipline stricte, sens du « service », emploi garanti, retraite, droit de grève pour les fonctionnaires, mais interdit aux forces de l'ordre public, l'État (et derrière lui, en lui, la classe dominante) parvient par ces moyens et leur habile dosage (y compris les différents régimes de la fonction publique, les avantages des Finances et des « Grands corps de l'État » en France, par exemple) à se constituer un « corps » qui est vraiment « séparé » de la lutte des classes, et qui est vraiment constitué d'un « métal humain » spécial. Il suffit de considérer, ne fût-ce que quelques instants, l'histoire des luttes de la « fonction publique » en France, et même en Italie, pour voir que le bilan en est très mince et très décevant en matière politique, et à plus forte raison en matière de politique révolutionnaire. Il faut vraiment imaginer des circonstances tout à fait exceptionnelles pour concevoir que ce « corps » puisse craquer, et se décomposer. Ces circonstances ne sont pas à exclure *a priori*, mais le moins qu'on puisse dire est qu'elles ne sont pas en vue.

15. Sur la destruction de l'État

L'État possède donc un corps séparé et spécial. C'est en lui et par lui que s'opère la transformation de l'énergie-force en énergie-pouvoir. Lorsque Lénine parlait de la destruction de l'État, il avait en vue, de manière extrêmement précise, *le corps de l'État*, qui fait un avec son idéologie conservatrice ou réactionnaire. Quand il disait que l'État bourgeois doit être *détruit*, et employait à cette occasion un mot aussi fort que sa pensée (mais lui aussi sans doute trop fort pour ne pas effrayer ses contemporains et ses lecteurs), Lénine visait avant tout le corps de l'État, montrant par là qu'il savait (et Marx l'avait déjà montré pour la Commune de Paris, sur son exemple : malheureusement sans étudier à fond les causes sociales et politiques de son aventure et de son échec) quelle importance possédait le corps de l'État pour définir la fonction de l'État.

Les pages répétées de Lénine sur la destruction de l'État sont sans doute les plus avancées que le marxisme nous ait léguées sur la question de l'État. Elles font apparaître *l'unité organique existant entre le « métal » de ce corps et ses fonctions*. Là aussi, une fois de plus, l'État apparaît comme un « appareil » très « spécial », justement en ce que son corps est si bien adapté à ses fonctions, que ses fonctions apparaissent comme le prolongement naturel de ses organes. Ici Lénine vise avant tout deux choses : 1/ la domination de la haute administration militaire, policière et politique sur l'État, domination absolue d'un caste ramifiée sur le peuple des agents des différents corps ou services, domination assurée en personne par le gratin de la classe dominante, et 2/ la division du travail étatique entre les différents corps ou services de l'État.

Lénine n'avait nullement l'idée qu'il fallait *détruire « tout l'État »*, formule qui n'a aucun sens, à moins d'exterminer les agents de l'État et de supprimer tous les services existants. En revanche il pensait qu'il fallait *détruire les formes de domination et de subordination* dans tous les appareils d'État, et en même temps *les formes de la division du travail entre les différents appareils*. Sa vue, profonde, était que la séparation de l'État était non seulement produite mais reproduite [1] par le système hiérarchique régnant entre le sommet et la base de la fonction publique, et par la division du travail entre les « corps » de l'État ou ses différents services. Il est en effet de toute évidence, une fois aperçu le rôle idéologique que peut jouer l'« esprit de corps » dans l'État, que cet « esprit de corps » sert avant tout une division du travail étatique, qui s'est peut être cherchée longtemps, mais qui a fini par fort bien se trouver et assez vite, pour assurer le maximum d'efficacité d'instrument à l'État de classe. S'il faut « diviser » pour « régner », l'État le sait et commence par s'appliquer à lui-même la célèbre sentence. Pour que les sommets de l'État « règnent » sur leurs subordonnés, il faut les diviser, il faut donc diviser les « corps » ou « services » en fonction de la division de leurs fonctions.

Tout cela a l'air *naturel*. Mais qui définit et fixe les fonctions de l'État, sinon la domination de classe et la nature de la classe dominante? Le grand remue-ménage des définitions de fonctions dont la Commune de Paris avait donné le mauvais exemple et l'idée (que ce fût possible), l'expérience des soviets

---

1. La reproduction des formes, du personnel, des pratiques et de l'idéologie de l'appareil d'État est une question capitale. Elle tient étroitement au thème de la « séparation » de l'État.

en 1905, tout cela montra à l'évidence que les fonctions ne sont pas « naturelles », ne vont pas de soi, donc leur division non plus, donc les appareils destinés à assurer ces fonctions non plus. Lénine attendait, entre autres, d'un remaniement dans la division du travail entre les appareils d'État, la fin de la séparation de l'État, en tout cas une étape sur le chemin de la fin de la séparation ou du dépérissement de l'État, dont la destruction des formes bourgeoises n'est que le premier moment.

Voulant la fin de la « séparation » de l'État, qui est l'instrument numéro 1 de tout État de classe dominante, Lénine essayait d'agir de deux façons : partant d'en bas, *par les soviets*, il voulait abolir par la base la séparation de l'État [et] des travailleurs – d'où l'idée d'un État des Soviets. Mais en même temps, partant d'en haut, prenant pour cible le corps de l'État, il voulait détruire en lui les formes de la division du travail entre les différentes « fonctions » assignées à l'État par la politique tsariste.

Aucun texte de Lénine ne parle systématiquement et théoriquement de cette question, mais il ne cesse d'en parler pratiquement. Que la force et le pouvoir ne fussent qu'un dans l'État, que le corps de l'État fût non plus « spécial », mais de la même matière humaine que les travailleurs et paysans, il cherchait à le réaliser par le mot d'ordre : « tout le pouvoir aux Soviets! », et la formule « l'État des Soviets ». Mais pour que les formes de cet État ne fussent plus marquées, déterminées, et fixées dans la division du travail fondée sur une division des fonctions voulue par la classe dominante, Lénine s'attaquait à ces formes mêmes, et voulait, pour ce faire, *détruire, oui, détruire* la division du travail existant dans l'État, voulait mettre par exemple fin à la séparation des pouvoirs, à la séparation entre l'enseignement et le travail, entre la culture et la politique, entre le travail manuel et le travail intellectuel, etc. J'emploie ses propres expressions, qui sont parfois sujettes à caution, mais son intention est incontestable, et elle est lucide.

Elle repose sur l'idée que si on ne touche pas au corps de

l'État, si on ne change pas son métal, on aura beau vouloir lui imposer une autre politique et un autre personnel, le système de la reproduction de l'État par lui-même (son personnel et les critères de « compétence » à commander ou obéir), et la séparation des pouvoirs et des appareils et des services [feront que] *cette politique sera finalement digérée par le corps de l'État*, qui produira bien des lois mais pas les décrets, bien les décrets mais pas les circulaires d'application etc., bref qui boycottera et sabordera la politique officielle de la révolution. Lénine en fit rapidement la douloureuse expérience. Il ne suffit pas de mettre des ouvriers dans les postes occupés avant par des bourgeois, il ne suffit pas de donner des ordres révolutionnaires pour qu'ils soient exécutés. Le corps de l'État, tant qu'il n'est pas mis en question *dans son organisation*, c'est-à-dire dans ses prétendues *fonctions* et leur prétendue *division* « naturelles », finit par absorber tous les ordres et les transformer en paperasserie, où les révolutionnaires et la révolution même finissent par se perdre. « Nous avons un État qui souffre d'une grave tare. C'est l'État des Soviets, mais il souffre d'une grave maladie bureaucratique » (1919). Et à la fin de sa vie Lénine en était venu au désespoir pur et simple : il avait dû se résoudre à créer un « appareil sûr », pur et dur, la commission de contrôle ouvrier et paysan pour contrôler et redresser un État bureaucratique. A l'expérience, ce ne fut pas une mesure, mais un échec. Ceux qui cherchent les raisons du stalinisme n'ont pas tort quand ils se penchent sur la terrible aventure des rapports de l'État et de la Révolution. Ils n'ont pas tort non plus quand ils observent que si nous pouvons tirer ces quelques propositions de Lénine, Lénine ne les a jamais clairement regroupées ni énoncées, et sans doute était-ce aussi, outre le manque de temps, faute de voir assez clair dans l'État [a].

Quand on est resté bloqué sur la « limite absolue » de certaines formules, fort justes en elles-mêmes mais énoncées dans une forme si énigmatique et péremptoire qu'elle intimide et interdit toute recherche possible au-delà de l'espace théorique qu'elles balisent, rien d'étonnant que les expériences les plus criantes et les plus dramatiques en restent à l'état passif d'expérience, sans avoir la liberté nécessaire pour devenir des expérimentations, où les acteurs historiques puissent apprendre ce qu'elles contiennent d'effectivement nouveau. Si on ne reconnaît pas l'existence de ces phénomènes qui sont à la fois d'intelligence et d'aveuglement sur ce qui est compris, du fait même de l'intensité énigmatique des formules où « du vrai » a été fixé, on ne comprend pas, on ne peut pas comprendre les « limites » dans lesquelles non seulement « la théorie marxiste de l'État » – ou plutôt les « éléments » théoriques qui en tiennent lieu –, mais aussi dans lesquelles les acteurs historiques, qui comme Lénine étaient bien contraints d'innover et de rechercher pour faire face à des exigences terribles, se sont trouvés, en dépit de l'urgence de la situation et à cause de cette urgence, pris et bloqués. « Au-delà de ces limites les billets ne sont plus valables. » Je me suis longtemps souvenu de cette formule d'émail qui me frappa quand, en 1945, à Paris, je pris le métro. Sur les barbelés des camps de prisonniers dont je rentrais, elle ne figurait pas : les barbelés en tenaient lieu. J'y ai souvent pensé dans les années qui suivirent en lisant Marx et Lénine, frappé par des réactions étonnantes de blocage : ils donnaient bien des « billets », et combien précieux. Mais « au-delà » de « certaines limites », dont il fallait découvrir le tracé dans leurs œuvres et leurs luttes, les « billets » n'étaient « plus valables ». Les choses en sont restées là pendant des années et des années. Il se peut que maintenant elles changent, et que la vieille pancarte d'émail disparaisse enfin du marxisme comme elle a, maintenant, disparu du métro.

16. LA GRANDE MYSTIFICATION DE L'ÉTAT

Quand on commence à prospecter autour de ces « limites » de la « théorie marxiste » de la superstructure, et avant tout de l'État (car ce point commande tout), on ne s'en tire pas avec quelques précisions supplémentaires, même insistantes.

Dès que les « barrières » sont tant soit peu levées, on découvre le paysage d'un nombre infini de questions, qu'on peut au moins tenter de poser, car leur réponse concrète requerrait des analyses concrètes minutieuses, qu'il n'est pas possible d'esquisser ici.

Prenez le simple point de la « séparation » de l'État, dont nous avons vu qu'il était « séparé », dans toute la mesure du possible, de la lutte des classes, mais pour pouvoir y intervenir de manière sûre, et « tous azimuts », afin de maintenir et perpétuer la domination de classe de la classe dominante. C'est le premier sens de la séparation de l'État, qu'on trouve aussi exprimé chez Engels lorsque l'État y est dit « au-dessus des classes » : il n'est « au-dessus des classes », donc au-dessus de la lutte des classes, *que* pour pouvoir mieux y intervenir au service de la classe dominante.

Mais la formule, coupée de son explication, peut faire illusion, et elle peut même « frôler » la définition que l'idéologie des classes dominantes a toujours donnée de l'État : que l'État soit « au-dessus des classes » signifie alors qu'il est sans aucun rapport avec aucune des classes en lutte, ni par sa nature ni par sa fonction, mais tout au contraire Institution Neutre, qui est « au-dessus des classes », comme un Arbitre au-dessus de l'affrontement de deux équipes, ou de deux classes, et qui limite leurs excès et leur lutte de manière à faire triompher l'« intérêt commun », ou « général », ou « intérêt public ».

Dans ce cas le corps de l'État est composé de fonctionnaires neutres (les meilleurs et les plus « cultivés », c'était l'idée de Hegel, recrutés par voie de concours objectifs, eux-mêmes soumis à un Jury neutre et présidé par un président neutre). Et ces fonctionnaires n'auraient qu'un but : le « service public ». Il pourrait y avoir de temps à autre quelque écart, mais dans l'ensemble, ça marche. La notion de « fonctionnaire » est si haute dans l'abnégation de son service, que même le philosophe allemand Husserl se définissait à travers la définition qu'il donnait des philosophes comme « fonctionnaires de l'humanité », et il est bien connu que le philosophe français Brunschvicg (qui fut destitué comme Juif par Pétain

478

et persécuté) avait déclaré un jour que la fonction du policier étant de faire respecter l'ordre public, et le même respect [du] même ordre public constituant [une] des fonctions de la Raison, rien n'était plus respectable et rassurant qu'un policier... C'était une âme pure, kantienne, mais incapable d'« anticiper » certaines « perceptions ».

Cette version de la thèse de la « séparation » de l'État peut, comme on le voit clairement dans les interprétations qui dominent dans les partis communistes de France et d'Italie par exemple, se nourrir d'une argumentation massive et qui ne manque pas d'impressionner, car elle prend sa source non seulement dans des « évidences concrètes » (ouvrez les yeux!), mais dans certaines formules d'Engels qui, à tout le moins, ont été mal interprétées. Oui, y dit-on plus ou moins, l'État assure des services publics essentiels, eau, gaz, électricité, postes, transports, santé, éducation, etc. Oui, l'État intervient en matière d'investissements (il est en France et en Italie la plus grande puissance financière de ces deux pays). Oui, il intervient en matière de valeur de la force de travail et « arbitre » entre les interlocuteurs (patronat/ouvriers), etc. Dans tous ces cas, il « décide » lui-même en fonction de l'« intérêt général », ou il « arbitre » entre deux intérêts différents ou contradictoires. Et il ne peut assumer et assurer ce rôle d'arbitre que parce que, chargé de tâches « publiques » *objectives*, il est bien en un sens « au-dessus des classes ». Pensez à ces extraordinaires sociétés du Moyen-Orient antique, qui étaient dotées du mode de production dit « asiatique » — d'autres ont dit hydraulique [a] : il leur fallait, pour que les communautés paysannes vivent et travaillent, elles qui étaient presque les seules à produire, la construction de gigantesques systèmes de barrages, de retenues d'eau, de conduites, de circulation et de répartition d'eau. Cela dépassait la force de qui que ce soit, de quelque groupe que ce soit, de quelque classe, s'il y en avait, que ce soit, tout comme la construction des pyramides d'Égypte ou du Mexique, etc. Seul l'État, « au-dessus des communautés », « au-dessus des classes » avait assez de fonctionnaires et de militaires pour faire lever assez d'impôts en nature et mobiliser des masses d'hommes, et leur faire accomplir ces gigantesques travaux. Service public.

C'est ici qu'on voit combien peut être « courte » (et donc stérile) la conception descriptive de l'État qui se contente de dire que l'État est « séparé », et « au-dessus des classes » : cette conception est « mûre » pour tomber dans la théorie bourgeoise de l'État, arbitre objectif dans les conflits de classe. En vérité, pour y voir un peu clair, *il faut faire intervenir la reproduction*. L'État n'est « séparé », n'est « au-dessus des classes » que pour assurer la reproduction des conditions de domination de la classe dominante. Cette reproduction ne consiste pas seulement dans la reproduction des conditions des « rapports sociaux », et en définitive du « rapport de production », mais aussi des *conditions matérielles* du rapport de production et d'exploitation.

Ce n'est pas dans les « rapports intersubjectifs [a] » que l'exploitation s'exerce, ni dans des « rapports sociaux » éthérés. Elle s'exerce *dans des conditions matérielles* qui ne sont nullement arbitraires, mais qui sont les conditions matérielles requises et produites par le mode de production actuel. Ceux qui, pour prendre cet exemple, qu'on pourrait multiplier à l'infini, s'imaginent que les grandes routes, qui ont de tout temps été construites par l'État, des voies romaines aux autoroutes dans nos pays [1], ont été construites pour le plaisir de s'y promener, se racontent des histoires. Les grandes routes ont toujours été construites, tout comme les chemins de fer ensuite, etc., selon des desseins et des directions (y compris « sur la carte ») qui avaient des objectifs militaires ou économiques profondément liés aux formes de domination, donc d'exploitation de ce temps. Que par-dessus le marché ces voies de communication servent aux vacances, et que les autoroutes, une fois leur usage militaire relativement

---

1. Qu'elles soient (en France) construites ou gérées par des sociétés « privées » auxquelles elles sont affermées par décision d'État ne change rien au fond.

suspendu, servent aussi et majoritairement, actuellement, *et* aux poids lourds, *et* aux vacances qui sont elles aussi devenues une entreprise capitaliste, cela non seulement n'exclut par leur destination réelle, mais au contraire la renforce par un appoint imprévu (ces mêmes « vacances » qui contribuent à reproduire la force de travail). Il serait intéressant de faire la démonstration avec les chemins de fer, pourtant « nationalisés » en France, et un peu partout, à la fois pour des raisons de lutte de classes, mais aussi (c'est d'ailleurs en partie la même chose) pour des raisons qui tiennent aux nécessités de l' « industrie moderne », c'est-à-dire la forme matérielle classique (il en est d'autres!) de l'exploitation capitaliste. La rivalité farouche train/poids lourds/avion, la politique des prix différentiels (faibles pour les grosses boîtes, élevés pour les particuliers), la fermeture systématique des voies dites d' « intérêt secondaire », etc. permettraient de se faire une idée plus juste des enjeux en cause dans les conflits économico-politiques de la « politique des communications ». Apparemment, c'est une affaire purement « technique », mais les hauts fonctionnaires de la SNCF (comme du Gaz de France et de l'énergie électrique et nucléaire), ceux qui assistent les ministres et le gouvernement dans une décision prise en définitive par le personnel politique d'État tout entier, ne font pas mystère du fait qu'il existe plusieurs solutions « techniques », mais qu'un choix politique intervient toujours pour n'en retenir qu'une − qui est alors justifiée mensongèrement par des arguments « techniques », alors qu'elle est profondément politique (et cette politique de classe est de plus en plus ouvertement une politique de classe internationale).

Ceux des communistes qui ne peuvent (pour des raisons inavouées) penser l'État qu'à la condition d'incliner dans le sens d'une définition de l'État comme service public du domaine public, se racontent peut-être à eux-mêmes des histoires, et s'ils ont besoin, pour les défendre publiquement, de croire aux thèses qu'ils défendent (la fonction crée l'organe!), peu importe. Ils font en tout cas la preuve (et je ne parle pas ici soit de leur mauvaise foi, soit de leur mystification illuminée) d'une ignorance têtue de ce qu'est la théorie marxiste de l'exploitation. La lutte des classes ne se passe pas dans le ciel, elle commence dans l'exploitation dont le plus fort, et de loin, se passe dans la production, donc *dans la matière*, la matière des bâtiments d'usine, la matière des machines, la matière de l'énergie, la matière de la matière première, la matière de la « journée de travail », la matière de la chaîne, la matière des rythmes de travail, etc. Et pour que tout cela soit réuni dans le même lieu, il faut la matérialité des moyens de transport, et la matérialité des informations financières et techniques, etc. Que tout cela finisse par se présenter sous la forme de voies ferrées et de transports terrestres, aériens et maritimes, que tout cela finisse aussi par se présenter sous la forme des PTT et des guichets de postes (avec, là aussi, des tarifs dégressifs singuliers qui ne sont pas connus du « grand public »), sous la forme d'un bouton qu'on tourne et l'électricité jaillit pour éclairer votre maison ; que tout cela revête aussi la forme des conditions matérielles « modernes » de la vie privée, c'est-à-dire *de la vie privée considérée du point de vue de sa distribution de masse, comme autant de conditions de reproduction de la force de travail* (les enfants, l'École, aussi « service public », n'est-ce pas ! ; la sécurité sociale, aussi « service public », n'est-ce pas ! ; et l'Église ou le sport, aussi « services publics », n'est-ce pas ! ; et le téléphone, gare aux écoutes, et la télé, aussi services publics, n'est-ce pas ! mais aux ordres de ministres habiles ou maladroits), *non seulement ça n'a rien d'étonnant, mais c'est nécessaire et inévitable.*

Le « service » public est la forme que prend la gigantesque mystification des soi-disant « services publics » de l'État, qui *a dû rendre ses services publics* et les multiplier pour faire face aux formes modernes de la lutte des classes. Et si on prétend invoquer ici la baisse tendancielle du taux de profit pour expliquer, comme le fait Boccara [a], que c'est par l'effet de la « dévalorisation du capital » (trop de capital pour la main-d'œuvre existante à exploiter) que l'État s'est trouvé obligé de prendre en charge tel « secteur » déficitaire pour le faire fonctionner comme service public déficitaire, c'est réduire singulièrement la portée de la théorie marxiste de la baisse tendancielle du taux de profit, qui est en réalité une *théorie de la hausse tendancielle de la lutte des classes*, et la réduire à de simples effets financiers, voire comptables, alors qu'elle est profondément politique. Il faut être singulièrement aveuglé par de soi-disant arguments théoriques, qui ne servent à rien d'autre qu'à habiller de « théorie » une conviction politique reçue de haut, pour laisser entendre ou soutenir que, de ce fait, du fait que l' « État » doit, de plus en plus, prendre en charge des secteurs naguère laissés au privé, ou naguère inexistants, du fait de son « élargissement », l'État deviendrait de plus en plus « socialisé », ou en voie de l'être, et que, pour reprendre une malheureuse formule de Lénine (mais voir le contexte : c'était sous Kérensky et la « catastrophe » était « imminente » [a]!), l'État du soi-disant Capitalisme monopoliste d'État serait alors l'antichambre de l'État du socialisme. Mais laissons là ces sottises qui n'existent qu'à l'état de *Wunscherfüllung* comme ont dit Feuerbach le premier et Freud le second, parlant tous deux du rêve.

17. LE PSEUDO-CERCLE DE L'ÉTAT

Mais si on prend au sérieux le concept de reproduction, si on prend au sérieux l'exigence que « même un enfant comprendrait » (Marx), que, pour exister, toute « société » doit reproduire les conditions de sa production, et que toute société de classe doit perpétuer le rapport d'exploitation et de production sur lequel elle vit ; si on en conclut que l'État joue, dans cette reproduction, un rôle « spécial » à condition d'être « séparé » de la lutte des classes pour pouvoir y intervenir de manière sûre au service de la classe dominante (un serviteur sûr doit être coulé dans un métal et une mentalité spéciaux), et si enfin l'État ne peut jouer un rôle que comme machine, nous ne sommes pas au bout de nos peines.

Car le lecteur attentif aura certainement relevé un « jeu » singulier dans nos explications.

Supposé que l'on admette en effet le principe de la transformation énergétique assurée par la machine d'État, qui transforme un excès de Force – résultat reproduit de la lutte de classe – de la classe dominante en pouvoir légal tout court (les classes étant escamotées dans cette transmutation), il reste qu'on se trouve devant une situation difficile à penser.

Si la machine d'État sert à transformer une Force ou Violence de classe en Pouvoir, et ce Pouvoir en droit, lois et normes, *c'est laisser entendre qu'il y a un avant et un après*, dans l'ordre suivant : *avant*, il y avait la Force qui est excès de Force d'une classe dominante sur les classes dominées ; cette Force passe, non comme excès de force, mais comme Force tout court dans la machine d'État ou machine à pouvoir, et après, à l'autre bout de la machine (comme de l'autre côté de la machine à hacher, le cochon sort en pâté à saucisses), cette Force sort sous la forme de Pouvoir et de ses formes juridiques, légales, et normatives. Or ce n'est pas exactement ainsi que les choses se passent, à moins de remonter à une *origine* difficilement assignable de l'État, comme tenta de le faire (mais sans entrer dans le détail de cette Machine) Engels dans son livre connu [a]. Pour nous, non seulement nous ne sommes pas en état de raisonner sur l'origine, mais l'*origine, fût-elle assignable, ne nous servirait strictement à rien*. Car ce qui fonctionne aujourd'hui dans l'État n'a rien à voir avec l'origine, mais avec *les formes de reproduction et* de la société de classe *et* de la machine d'État elle-même.

Autrement dit : la Force qui entre dans les mécanismes de la machine d'État, pour en sortir comme Pouvoir (droit, lois politiques, normes idéologiques), cette Force n'y entre pas comme Force pure. Pour une bonne raison : c'est que *le monde dont elle provient est lui-même déjà soumis au pouvoir de l'État*, donc au pouvoir du droit, des lois et des normes. Et c'est bien normal puisque, pour comprendre cette domi-

nation de classe qui requiert l'État pour sa défense et sa perpétuation, nous avons invoqué « l'ensemble des formes de
domination de classe, dans la production, dans la politique
et dans l'idéologie ». Or, pour exister, l'ensemble de ces
formes supposent déjà l'existence de l'État, du droit, des lois
politiques et autres, et des normes idéologiques. On ne peut
donc pas sortir de *ce cercle de l'État qui n'a rien de vicieux,
puisqu'il traduit tout simplement le fait que la reproduction
des conditions matérielles et sociales* comporte, et implique
aussi la reproduction de l'État et de ses formes, lesquelles
concourent, mais de manière « spéciale », à la reproduction
de la société de classe existante. La reproduction de l'État a
pour « fonction spéciale » la reproduction des formes « spé-
ciales » (celles de l'État), requises pour maîtriser les conflits
de classe capables de faire à la limite sauter le régime
d'exploitation existant. Gramsci s'est gaussé de la formule
manchestérienne de « l'État veilleur de nuit », et à raison :
car il est absurde de concevoir, même dans la belle période
manchestérienne, que l'État pût veiller sur la société la nuit
seulement, quand tout le monde dort. L'État est bien *veilleur*, mais permanent, et de jour et de nuit, et il veille à ce
que, comme le dit pudiquement Engels, la « société » ne soit
pas « détruite » sous l'effet de la lutte des classes antagonistes. Je dirais qu'il veille plutôt à ce que la lutte de classe,
c'est-à-dire l'exploitation, soit *non pas abolie mais conservée,
maintenue, renforcée*, et bien entendu au profit de la classe
dominante, donc [à ce] que les conditions de cette exploitation soient conservées et renforcées. Et pour cela il veille
aussi « au grain » d'une explosion toujours possible, comme
en 1848 et 1871 – et alors c'est le bain de sang – ou en
mai 1968 – et alors ce sont les gaz lacrymogènes et la violence des affrontements de rues.

Lénine avait mille fois raison, dans sa conférence de Sverdlovsk sur l'État, de répéter avec insistance : la question de
l'État est « compliquée », terriblement compliquée, et
d'ajouter que sa complication tenait à la lutte de classe. Mais
Lénine avait tort de réduire la lutte de classe à certains de ses

effets idéologiques, avant tout aux idéologues bourgeois qui « embrouillent tout », entendez consciemment et à dessein pour que les masses populaires se méprennent sur l'État, et se fient au contraire aux évidences de ce que Platon appelait en son temps les Beaux Mensonges nécessaires à l'exercice du pouvoir d'État. C'était un peu trop simple, et ce jugement prouvait que Lénine, dans la ligne de la tradition des fondateurs du marxisme, surestimait les pouvoirs de l'idéologie consciente et en tout cas l'idéologie consciente de ses adversaires de classe. En vérité les idéologues bourgeois ne mentent aussi facilement et ne prennent les forces populaires à leurs Beaux Mensonges avec une telle facilité, que parce que « ça ment tout seul », parce que la réalité de la séparation de l'État, du caractère spécial de sa machine, et des formes déconcertantes de simplicité de sa reproduction à partir de ses propres effets, constituent un système d'une mécanique extraordinairement compliquée, qui dissimule objectivement à chaque instant ses fonctions sous son appareil, et son appareil sous ses fonctions, et sa reproduction sous ses interventions, etc.

Si l'on veut bien charger ce mot de tout ce qui a été dit, c'est *« le cercle de la reproduction de l'État dans ses fonctions d'instrument au service de la reproduction des conditions de la production, donc de l'exploitation, donc des conditions d'existence de la domination de la classe exploiteuse », qui constitue en lui-même* la *grande mystification objective*. Les idéologues bourgeois, dont Lénine invoque les méfaits, ne faisaient que prolonger les effets de cette grande mystification par les justifications classiques de leurs écrits ou pamphlets, mais ils n'y voyaient pas clair pour autant, et c'est leur faire un prodigieux cadeau de croire qu'ils étaient conscients d'une vérité qu'ils falsifiaient pour des raisons de classe. Aussi faut-il dire, contre Lénine, que si la question de l'État est effectivement terriblement compliquée, ce n'est pas en dernière instance aux falsifications des idéologues bourgeois qu'en revient le « mérite », mais à la complication du mécanisme qui reproduit la machine de l'État comme « machine séparée et spéciale » dans une société de classe.

18. Sur le fétichisme

Et soit dit en passant, puisque nous disposons dans *Le Capital* (qui se fait, dans son chapitre I, paragraphe 4 feuerbachien à cent pour cent), d'une théorie de la mystification objective, celle du fétichisme, ce qui vient d'être dit de l'État permet peut-être d'en régler, au moins en partie, car le sort des mots est incontrôlable, la lancinante question, sempiternellement ressassée, du fétichisme.

On sait que les quelques pages illuminées et d'une trop grande évidence pour leur prétention, que Marx a consacrées au fétichisme, ont nourri une prodigieuse littérature, qui ne cesse de se reproduire, et chaque fois en « en rajoutant ». On en comprend bien les raisons. Tous les marxistes qui refusent d'entrer dans la logique de l' « économisme mécaniste » de certaines formules de Marx, cherchent dans ces pages (un peu trop considérées comme homogènes et donc toujours justes) de quoi défendre des positions disons « ouvriéristes » au sens noble du terme, de quoi défendre les ressources humaines de la révolte ou de la « parole » ouvrières, sans se laisser intimider par le fait que la même théorie du fétichisme sert de base à tous les interprètes « humanistes », voire « religieux » de la pensée de Marx.

Dans un texte de cette importance, situé comme il l'est dans l'ordre d'exposition du *Capital*, nombre de « sens » sont en jeu. Et le fait est que Marx joue sur cette multiplicité de sens possibles – il n'est même pas exclu qu'elle le serve, pour soutenir sa démonstration, qui invoque dès le début la religion : « pour trouver une analogie à ce phénomène, il faut la chercher dans la région nuageuse du monde religieux », et la contre-épreuve apparaîtra à la fin, où on apprend que le Christianisme est « le complément religieux le plus convenable » à la société marchande. Coincé dans le modèle religieux et exaltant la simplicité et la transparence des *rapports* de l'homme Robinson et des *choses*, Marx peut avancer sa thèse : « ... pour les producteurs, les rapports de leurs travaux privés apparaissent ce qu'ils sont, c'est-à-dire non des rapports sociaux immédiats des personnes dans leurs travaux mêmes, mais bien plutôt des rapports sociaux entre les choses ». Cette phrase (je choisis celle qui donne au fétichisme sa plus grande chance théorique) dit en fait assez bien[a] la vérité.

Marx y joue sur « rapports sociaux », tantôt entre des « personnes », et tantôt entre des choses. Quand il invoque les rapports sociaux immédiats des personnes dans leurs travaux mêmes, il invoque en fait une double transparence, fondée chaque fois sur l'*immédiateté* : 1/ le rapport de chaque sujet au produit de son travail (chose) est transparent, 2/ le rapport des sujets entre eux, dans leur procès de travail collectif (social) est transparent. Ces rapports sont transparents parce que immédiats. Or c'est là se donner un pur postulat philosophique (le rapport d'un sujet à « son » objet est transparent parce que immédiat), à moins d'aller chercher cette transparence par immédiateté là où elle règne, dans le droit marchand, ou plutôt dans l'idéologie du droit.

Dans ce cas effectivement le rapport d'un sujet de droit à la chose qu'il détient, et dont il détient ainsi la propriété, est transparent parce que immédiat. Et l'idéologie du droit affirme de surcroît que tous les rapports marchands étant fondés sur l'immédiateté de la détention des « choses » par tout sujet de droit, cette transparence s'étend à tous les rapports juridiques. Elle affirme enfin que le rapport du sujet de droit aux choses, étant un rapport de propriété, est en même temps un rapport qui implique le droit d'aliéner et donc de vendre et d'acheter les « choses » (marchandises), ce qui fait apparaître le rapport immédiat et transparent du sujet à la chose comme un rapport social. Le droit reconnaît ainsi que les rapports sociaux des hommes entre eux [sont] identiques aux rapports sociaux des marchandises (choses) entre elles, puisqu'il n'en [sont] que l'envers.

Le paradoxe est que Marx oppose les rapports entre les hommes aux rapports entre les choses, alors que la réalité même du droit énonce ces rapports dans leur unité. En vérité, en serrant de près le texte de Marx, on s'aperçoit qu'il n'en a pas tant à cette unité qu'au fait qu'elle soit *apparente* : les rapports des hommes entre eux leur *apparaissent* comme des rapports entre les choses. Mais cette apparence, dont Marx constate qu'une fois démontée théoriquement, elle continue de subsister, fait aussi bien partie de la réalité des rapports sociaux que l'autre apparence : celle de l'immédiateté et de la transparence des rapports entre les hommes et « leurs choses » ou « leurs produits ».

Tant qu'on reste pris dans le système conceptuel de l'opposition personne/chose, qui sont deux catégories fondamentales du droit et de l'idéologie juridique, on peut tout aussi bien défendre la position de Marx que la position contraire, ou prendre en charge à la fois les deux positions, ou même les rejeter. Dans tous les cas, on reste enfermé dans les catégories du droit ou dans les notions de l'idéologie juridique.

En vérité la théorie du fétichisme chez Marx n'est qu'une sorte de parabole, dont les arrière-pensées apparaissent clairement dans la suite du texte, mais en détruisant l'effet de « démonstration » attendu des brillants paragraphes qui les précèdent.

Marx nous donne d'abord une suite d'exemples de « sociétés » où les « rapports sociaux entre les hommes » règnent dans leur immédiateté et leur transparence – et non pas, comme dans une société productrice de marchandises, *sous l'apparence* de rapports sociaux entre les choses (marchandises). Exemple : Robinson, l'homme aux rapports limpides avec les choses, y compris celles qu'il fabrique pour se recomposer dans son île le monde des « objets » de la société marchande civilisée. Exemple, la société féodale, où les rapports entre les hommes ne revêtent pas l'apparence de rapports entre des choses, puisqu'ils se passent entre « personnes », directement et limpidement (exemple : la corvée, les bastonnades etc.). Exemple : une famille patriarcale. Exemple enfin : la société des libres producteurs associés où tout se passe dans la transparence de la conscience et de la planification librement consentie.

Si l'on prend les soi-disant preuves de Marx au mot, elles n'ont pas de sens général, car il donne chaque fois au mot « personne » et au mot « chose » le sens qui convient à sa « démonstration » : le lapin est toujours-déjà dans le chapeau. En revanche si on entend la parabole, elle veut dire : les rapports marchands, sous lesquels nous vivons, et qui, comme tous les rapports sociaux établis, qu'ils soient robinsonniens (le rapport de Robinson avec soi est un rapport social), ou féodaux ou patriarcaux, ont toujours pour eux la « transparence » de leur « évidence », ces rapports marchands n'ont pas toujours existé, ils ne sont pas une fatalité, le communisme les abolira – alors, on comprend. Mais on ne voit pas pourquoi Marx est allé s'empêtrer dans cette parabole.

Mais Marx nous donne ensuite une série d'exemples autrement convaincants. Il s'agit cette fois de « théories » plus ou moins idéologiques : celles des mercantilistes, qui ont cru que toute richesse (valeur) résidait dans la qualité de tel métal (or, argent), des Physiocrates, qui ont cru que seule la terre était productive ; des idéologues tout venant, qui considèrent que le capital est constitué par des « choses » (moyens de production), etc. Ici Marx appelle ses adversaires par leur nom : il dénonce « l'illusion produite sur la plupart des économistes par le fétichisme inhérent au monde marchand, ou *par l'apparence matérielle des attributs sociaux du travail*[a]... ». Mais en même temps il avoue quelque chose qui n'est peut-être pas sans importance, savoir que le fétichisme est ici identifié à des « illusions » d'économistes, d'idéologues faisant leur métier d'idéologues. Le court-circuit par lequel Marx rapporte ces « illusions » d' « économistes » au « fétichisme inhérent au monde marchand » est pour le moins précipité, et une manière, qu'il faudrait justifier, de les décharger de leur responsabilité théorique sur « le monde marchand ». Mais qui plus est, Marx est contraint d'en « rajouter » très fortement, quand il ose parler de l' *« apparence matérielle des attributs sociaux du travail »*, désignant par là incontestablement tout ce qui est matériel, conditions matérielles du travail, aussi bien la matière première que les moyens de production, la monnaie, etc. Qu'est-ce donc alors que ce « travail », cette Substance qui se voit ainsi dotée d'office d'Attributs Sociaux (les moyens de production) dont toute la réalité matérielle n'est qu' « apparence » ? Quand on a dans la tête une petite phrase, inscrite dans la *Critique du Programme de Gotha,* où, à propos du « travail », et d'une Thèse du Programme qui dit que toute valeur provient du travail (en somme du Travail-Substance), Marx dénoncera vigoureusement la croyance des idéologues bourgeois en la « toute-puissance du travail », on a de quoi rester rêveur devant « l'apparence matérielle des attributs sociaux du travail » qui fonde ici toute la théorie du fétichisme.

Que Marx ait voulu, dans ce passage, qui inaugure le chapitre sur la monnaie, se donner d'avance le moyen de réfuter aisément la théorie des mercantilistes (qui croient que la valeur de l'or provient de la « nature » de l'or), c'est trop clair. Qu'il ait voulu de surcroît parler aussi des rapports marchands (notez bien qu'il parle, curieuse notion, de « travaux *privés* ») dans la lancée du malheureux ordre d'exposition fondé sur le commencement par l'abstraction simple (et transparente) de la valeur, c'est trop évident. Qu'il en ait parlé pour ouvrir les voies à l'idée que les rapports sociaux ne sont pas nécessairement des rapports marchands, on le comprend. Mais ses raisons sont bien faibles, et ne font que renvoyer, ici comme en tout autre lieu de ses faiblesses, à la première faiblesse, où il a mis toute sa force, d'avoir commencé *Le Capital* comme il l'a fait.

Ces réflexions ne sont pas une digression. Car si on laisse de côté le fétichisme comme théorie d'une certaine apparence nécessaire en général, fondée ici comme par hasard sur l'abstraction de la valeur et sa forme-marchandise, ce qui reste de sérieux dans ce texte, c'est ce qui est dit en fonction de ce qui n'y est pas dit. Car la seule chose qui soit sûre, parmi tous les exemples que cite Marx, c'est le cas des « illusions de la plupart des économistes », c'est-à-dire des constructions théoriques qui ont servi de pensée économique non pas à un « monde marchand », mais à un « monde capitaliste » déjà avancé : monde dans lequel existaient non seulement des marchandises et la monnaie-or, mais aussi le travail salarié, donc l'exploitation capitaliste, et l'État. Ces réalités, fondamentales pour comprendre non seulement Robinson mais aussi les « illusions des économistes » cités, Marx devait forcément en faire abstraction, dans sa déduction à partir de l'abstraction la plus simple : la valeur. Il ne pouvait pas les faire intervenir pour rendre compte du « fétichisme de la marchandise », puisque alors il n'avait pas dépassé la déduction du concept de marchandise.

Et voilà Marx qui entreprend cette chose prodigieuse : déduire la nécessité des « illusions de la plupart des économistes », ceux qu'il va devoir réfuter pour placer sa déduction de la monnaie, de ces économistes qui vivaient dans un tout autre monde que celui du rapport entre la valeur et la forme valeur, sans tenir compte des rapports concrets de ce monde qui [font] de lui un monde, et non le chapitre d'un livre, à partir d'une théorie complètement improvisée et imaginaire du « fétichisme de la marchandise »!! C'est la marchandise toute seule, sa « scission » entre valeur d'usage (chose) et valeur (rapport social des hommes entre eux), qui va fournir toute seule l'explication de cette méprise sensationnelle, qui vous fait donner aux « Attributs Sociaux du Travail » (charbon, minerai, hauts fourneaux, etc.) une *« apparence matérielle »*!

Nous en déduirons 1/ que Marx, pressé, voulait déjà indiquer la fin qu'il visait (le communisme, « mode de production » sans rapports marchands), et 2/ que dès *« le commencement »* par l'abstraction simple et transparente de la valeur, il avait sur lui de quoi fabriquer cette théorie [a] du « fétichisme », puisqu'elle dépend de catégories juridiques et de notions de l'idéologie juridique correspondante dans lesquelles, justement, Marx pense pour pouvoir « commencer » par le commencement son grand œuvre : *Le Capital.* Au fond, cette théorie (qui dépend d'une théorie de l'aliénation), elle « démangeait » Marx depuis les premiers mots du *Capital,* il avait tout pour la faire, et dès qu'il eut déduit la marchandise, comme par impatience, il l'a livrée, juste avant d'avoir affaire aux ennuis des « illusions des économistes » sur la monnaie.

Ce n'est pas une digression, car ce qui manque dans ce texte pour comprendre ce qu'il contient de réalité, c'est, outre tout ce qui sera dit ultérieurement sur le procès de production capitaliste et son procès de reproduction, tout ce qui revient au droit, à l'État et aux idéologies dans la production des « illusions des économistes ». Dès qu'on parle du droit on parle de l'État. Marx a bien tenté, dans les essais inédits de la *Contribution à la Critique de l'Économie politique,* de « déduire » le droit marchand des... rapports marchands, mais sauf à croire à une autorégulation providentielle desdits rapports marchands, on ne voit pas comment ils pourraient fonctionner, et sans monnaie frappée par l'État, et sans transactions enregistrées par des organismes d'État, et sans tribunaux pour trancher les différends éventuels. Et comme les rapports marchands dont il est question ici ne sont pas ceux d'une imaginaire société où des producteurs individuels « privés » compareraient au jugé ou autrement la durée de leurs travaux privés, pour connaître la valeur des produits qu'ils entreprennent, longtemps avant de les produire (et ils croient, eux, non pas à l' « apparence matérielle » des fameux « Attributs Sociaux du Travail », mais aux conditions matérielles de leur propre travail); comme les rapports marchands dont il est question ici sont ceux d'une société capitaliste déjà bien avancée en force, les « rapports marchands » s'établissent comme ils se sont toujours établis, non entre individus « privés », mais entre des groupes d'hommes sociaux, ici entre classes sociales, dont l'une détient les « Attributs Sociaux du Travail » et l'autre non pas la « Substance du Travail », mais sa propre force de travail toute nue. Et dans cette société de classe capitaliste, il y a encore et toujours l'État, le droit, pas seulement le droit marchand, privé, mais aussi le droit public, politique, ce qui est, malgré l'appellation commune, un tout autre droit, et il y a les idéologies, que l'idéologie de la classe dominante tend à unifier en idéologie dominante.

Que le droit et l'idéologie juridique soient au cœur de cette idéologie (tendanciellement) dominante qu'est l'idéologie bourgeoise, voilà qui a sans doute à voir avec les « illusions de la plupart des économistes », qui tombent dans le « fétichisme » de croire que les rapports sociaux entre les hommes revêtent « l'apparence de rapports entre les choses ». Ces braves gens croient que la valeur de l'or tient à sa matière, à la qualité de sa matière. Des matérialistes vulgaires. Mais que le même droit et la même idéologie juridique soient au cœur de cette idéologie (tandanciellement dominante) qu'est l'idéologie bourgeoise, voilà qui a sans doute aussi à voir avec les illusions » de la « toute-puissance du travail », qui fondent l'illusion d'une « théorie du fétichisme *de la* marchandise » d'un philosophe nommé Marx, qui paie une première fois ici le prix de s'être embarqué dans l'analyse du mode de production capitaliste (*Le Capital*) avec une certaine idée de l'ordre d'exposition qui lui imposait de « commencer » par le commencement prescrit : l'abstraction la plus simple, la valeur.

Notons ce point avec soin. Car à la première occasion où Marx s'expose à parler de discours « illusoires », et nécessairement illusoires, donc à affronter, en l'espèce, et le droit, et l'État et la réalité de ce qu'on convient d'appeler (faute de mieux) idéologies, Marx dérape. Et il dérape parce qu'il a dérapé dès le commencement. Et la cause la plus grave n'est pas, comme il l'a cru lui-même, d'avoir « flirté » avec la terminologie hégélienne, mais de s'être embarrassé, sans pouvoir encore en sortir, dans les notions de l'idéologie juridique bourgeoise, à propos de la valeur même, dans sa façon de parler de la valeur, et d'en parler au commencement, pour tout en déduire. Je parlais il y a quelques instants de « limites absolues » de tout auteur, et donc de Marx. En voilà un exemple.

Je crois qu'il n'y a aucun sens à parler du fétichisme de la marchandise, comme si la marchandise pouvait être l'auteur « du » fétichisme. Il y a sans doute quelque sens à parler de fétichisme, mais à condition de le rapporter à ce qui le produit effectivement et sans se raconter les histoires naïves que Marx nous inflige pour se donner des preuves. Et il n'est pas sûr que le fétichisme, qui revient à considérer ce qui est comme étant « naturel » et n'étant que « naturel », soit d'une telle portée dans l' « explication » des illusions ; car le propre de toute « illusion » étant de se donner pour allant de soi, donc pour naturel, ce qui importe plus que ce sceau, c'est l'explication du mécanisme qui le produit. Or le mécanisme, ou plutôt l'analyse de la « double face » de la valeur, devenue subrepticement « scission » pour les besoins d'une cause théorique douteuse, n'est, sur le fétichisme, qu'une pseudo-explication, qu'un redoublement des concepts (personne, chose) sous lesquels Marx a pensé la valeur. En revanche, au niveau où se situent les exemples réels de Marx (les « illusions » des mercantilistes et physiocrates, etc.), l'explication appelle d'autres réalités : l'existence d'une production capitaliste, du droit, de la monnaie, de l'État et des idéologies que « travaille » l'idéologie bourgeoise, à base d'idéologie juridique, pour devenir dominante.

Fétichisme pour fétichisme, il serait autrement fécond d'examiner, sous le rapport des « illusions », celles qui sont redevables à l'État, dont Engels disait qu'il est « la plus grande puissance idéologique » sur la terre. Nous en avons assez dit sur sa fonction politico-économico-idéologique de machine à transformer la force issue de la lutte de classe en pouvoir, et sur les conditions de sa reproduction, pour soupçonner que cette réalité très compliquée peut être à l'origine de prodigieuses mystifications, et bien au-delà de l'illusion qui consiste ou consisterait à prendre des rapports sociaux entre les hommes pour des rapports sociaux entre les choses.

19. LES « LIMITES ABSOLUES » DE MARX SUR L'IDÉOLOGIE

Évoquant toujours les « limites absolues » de Marx, je voudrais mentionner ici la conception qu'il s'est faite très tôt de l'*idéologie,* et à laquelle il n'a, à ma connaissance, pas renoncé. Reprenant le terme aux Idéologues, mais en le détournant passablement de son sens originel, Marx a au fond toujours conçu l'idéologie comme rapportée à la forme-conscience, comme « objet » de la conscience, elle-même conçue très classiquement comme la capacité du sujet d'être présent à des sensations, émotions et idées qui soit lui viennent du dehors, soit lui viennent du dedans : sens externe, sens interne, le sens interne étant capable de perception, de réflexion, de rétention (souvenir), de protention (anticipation) et de jugement, etc.

Sur cette base, qui reprend non seulement le thème philosophique « classique » (= bourgeois) de la conscience, mais aussi situe l'acte conscient de soi au sommet de la hiérarchie des actes du sujet, Marx a apporté une importante contribution en envisageant que les idéologies puissent être des *systèmes d'idées et de représentations,* dans lesquels est représentée, mais déformée et le plus souvent inversée, la réalité du sujet lui-même, et en défendant la thèse du caractère social des idéologies (Lénine parlera de « rapports sociaux idéologiques ») et de leur fonction dans la lutte des classes.

Il a bien entendu appliqué cette notion à la lutte des classes et aux classes sociales elles-mêmes. C'est ainsi que dans *Misère de la philosophie*[a] il distingue la classe sociale « en soi » de la classe sociale « pour soi » (donc ayant conscience de soi), et attribue une extrême importance à la conscience politique, non pas à la simple conscience subjective qui peut faire des révoltés ou des aigris, mais à la conscience objective (ou « théorie ») qui parvient à la connaissance des conditions objectives de la vie sociale, de l'exploitation et de la lutte. Les mots d'ordre « élever la conscience » des militants, leur donner une « vraie conscience de classe » sont issus de cette tradition terminologique. Dans la Préface à la *Contribution,* Marx ira même jusqu'à parler des idéologies « *où* les hommes prennent conscience de leur conflit de classe et le mènent jusqu'au bout ». Dans cette dernière formule l'idéologie n'est plus considérée comme la somme d'idées individuelles, mais comme une réalité « spirituelle » supra-individuelle, qui s'impose aux individus eux-mêmes. C'est le sens qui triomphera finalement dans Marx : sous le même terme, idéologie, il cessera de penser la représentation individuelle faussée qu'un sujet se fait de lui-même, pour en venir à penser une réalité objective « dans laquelle » les hommes, ici les classes, mais aussi les individus qui figurent dans les classes, « prennent conscience » de leur conflit de classe, et « le mènent jusqu'au bout ».

Mais cette réalité collective, que Marx ne cesse aussi très tôt d'invoquer (c'est dès l'*Idéologie allemande* qu'apparaît le concept d'idéologie dominante liée à la classe dominante), Marx n'a jamais entrepris de la *penser*, croyant sans doute s'être, dans le principe, acquitté de cette tâche par sa « théorie du fétichisme », qui a effectivement servi de théorie des idéologies pour des générations de marxistes. Confrontés à ce vide théorique rempli par une théorie fictive (celle du fétichisme-aliénation), ceux qui ont entrepris de tenter une explication de cette réalité sociale idéale ont produit des énoncés très décevants. C'est ainsi qu'on trouve chez Plekhanov [a] une explication de l'idéologie en termes psychosociologiques tout à fait désarmante parce que redondante : Plekhanov se contentant d'invoquer, pour expliquer la nature sociale de l'idéologie, le terme de « conscience sociale », qui a fait le bonheur des sociologues, même marxisants. Gramsci n'a pas, à mon avis du moins, apporté grand-chose sur la question, se contentant d'insister sur la fonction de l'idéologie comme « *ciment* » *unificateur* d'un groupe social (Durkheim et d'autres l'avaient déjà dit), et remplaçant volontiers la question de l'idéologie par celle de la « culture ». Par ce biais, Gramsci faisait ainsi rentrer les innovations de Marx « dans le rang », dans les voies classiques de la philosophie de son temps, qui reprenait un thème « travaillé » par Hegel autrefois, comme par tout l'idéalisme allemand, de Kant à Goethe, Fichte et Schelling.

Ce qu'on peut dire, c'est que Marx ne s'est au fond jamais détaché de la conviction que *l'idéologie c'était des idées,* et que pour comprendre une idéologie il suffisait de trois termes de référence absolue, la *conscience* d'une part (que Marx a eu la prudence de ne pas déclarer « sociale ») et des *idées* d'autre part, le tout étant, bien entendu, en bon matérialisme, rapporté et comparé au « *réel* », aux conditions réelles du sujet existant, que ce soit un individu ou une classe, ou même une « société ». D'où la règle matérialiste qu'il ne faut juger ni un individu, ni une classe, ni une société, ni une période historique sur « sa conscience de soi ».

Cette recommandation impliquait le primat du réel sur la conscience, de l' « être social sur la conscience sociale » et individuelle. Elle impliquait aussi qu'on sût distinguer la conscience de l'être, donc qu'on se fît une certaine conception de la déformation idéologique : soit simple déformation, soit renversement (comme l'image est inversée dans le fond de la rétine ou dans la chambre noire). Mais cette déformation, tout comme cette inversion (typique pour Marx du rapport idéologique) ne donnait lieu, tout comme le « fétichisme de la marchandise », à aucune explication théorique autre que le recours à l'aliénation, conçue en termes vagues ou précis, selon les cas, et en termes directement repris de Feuerbach. Ce n'est pas un hasard si tant de marxistes ont recouru au fétichisme pour rendre compte de l'aliénation idéologique : c'est dans la logique de l' « opération » tentée par Marx pour penser ces deux « apparences matérielles » en termes, justement, d' « opération » philosophique idéaliste.

De toute façon le réel, et les idées de l'idéologie, n'étaient *que des idées.* A la transparence de la conscience correspondait ainsi la transparence des idées. Malgré toutes les difficultés que lui proposa l'histoire concrète, telle qu'il en rendit compte par exemple dans *Le 18 Brumaire,* malgré tous les problèmes que pouvait poser à Marx l'existence des « illusions » non seulement « de la plupart des économistes », mais de la plupart des politiciens et des hommes ordinaires [1], Marx ne s'est jamais trouvé contraint de sortir de la réserve philosophique où il puisait *et* la conscience *et* les idées, et les combinait avec talent pour en obtenir l'effet de déformation désiré. Tout en croyant visiblement que les idéologies avaient un rapport avec la pratique, ou « les intérêts » de groupes, ou de classes, Marx

---

1. Par exemple les « illusions » entretenues par le *Programme de Gotha...*

n'a pas franchi « la limite absolue » de l'existence matérielle des idéologies et de leur existence matérielle dans la matérialité de la lutte de classes. Il n'a pas dit le contraire, mais il n'en a rien dit. Il est resté en deçà de cette « limite », qui, pour lui, dans les « évidences » qu'il acceptait, n'en était pas une.

En suggérant que les idéologies pouvaient trouver cette *existence matérielle* dans des appareils tendanciellement rattachés à l'État, j'ai tenté, dans un texte déjà ancien et sur bien des points maladroit [a], de franchir cette « limite ». Contre des évidences alors très fortes, j'ai tenté de suggérer qu'on pouvait et devait, sinon systématiquement, du moins tendanciellement, parler des idéologies *en termes d'Appareils Idéologiques d'État*.

On a critiqué cette suggestion, en disant que ce pouvait être du fonctionnalisme. Pourtant les notes de mon article de 1970 signalaient le danger et le moyen que j'apercevais alors pour l'éviter (affirmer et penser le primat de la lutte de classe sur les AIE). En général on a supprimé de ma formule (AIE) la mention d'État et on a conservé le terme d'appareil idéologique, et cela pour des raisons politiques évidentes. On ne voulait pas compromettre dans le caractère de classe de l'État des « valeurs » engagées dans la « famille », l' « école », la « santé », l' « architecture », le régime constitutionnel, l'information, la presse, la culture, les Églises, les partis, les syndicats, etc.

Et comme ce que je suggérais paraissait avoir déjà été dit, et bien mieux, par Gramsci, qui a effectivement posé la question de l' « infrastructure *matérielle* des idéologies », mais pour lui donner une réponse plutôt mécaniste et économiste, on a cru que je parlais, sur le même registre, de la même chose.

Je crois en vérité que Gramsci n'avait pas le même objet que mes remarques. Gramsci ne parle *jamais* d'*appareil idéologique d'État,* mais d' *« appareil hégémonique »,* ce qui laisse dans le vide la question de savoir par quoi est assuré l'effet d'hégémonie dont il parle, dans les appareils dont il parle.

Gramsci définit en somme ses appareils par leur effet ou résultat, lui-même mal pensé, l'*hégémonie,* alors que je tentais de définir les AIE par leur « cause motrice » : l'idéologie. Et Gramsci qui déclare que les appareils hégémoniques appartiennent à la « société civile » (laquelle n'est rien d'autre que *leur ensemble,* à la différence de la société civile classique qui est la société tout entière *moins l'État*) sous prétexte qu'ils sont « privés », pensant donc comme il le fait dans la distinction du public (l'État) et du privé (la société civile), Gramsci en vient pourtant, dans un de ses retournements stupéfiants qui donnent le vertige parce qu'il contredit mot pour mot la formule qu'il vient de défendre, à dire que « *l'État est la société civile* [a] ». Si on pense dans cette perspective, on s'engage dans les aventures non pas de la dialectique (Gramsci en avait à revendre, du moins pour le maniement des mots), mais de l'*hégémonie.*

20. L'HÉGÉMONIE SELON GRAMSCI

Il n'est pas facile de comprendre la question de l'hégémonie chez Gramsci, d'abord parce qu'il faut découvrir, derrière son vocabulaire et surtout les cas de figure variés et contradictoires qu'il développe avec complaisance, ce qu'il vise et ce qu'il tente, sans succès probant, de dire. Ce n'est pas facile non plus à cause de la *terminologie* de Gramsci qui, sur la question de l'État, ne doit presque rien à Marx et Lénine (à part le mot d'hégémonie), mais beaucoup plus à Croce, Gentile, Mosca [b], que naturellement il utilise à sa façon. C'est encore plus difficile maintenant que, depuis 1947, Togliatti a fait de Gramsci le théoricien officiel du PCI, et que d'innombrables philosophes, politiques, historiens, responsables politiques du parti etc. ont renchéri sur la terminologie de Gramsci, presque devenue une terminologie de tour de Babel, avec cette précision qu'elle est en fait contrôlée par une autre tour, où des veilleurs politiques du PCI surveillent les écarts de langage. Sous toutes ces réserves, et à condition qu'on me fasse la charité d'accepter quelques écarts par rapport au langage consacré et sacré, je vais tenter d'expliquer pourquoi la façon dont Gramsci a tenté, et au prix de quelles hésitations et contradictions, de franchir la « limite absolue » de Marx sur l'Idéologie et l'État (les deux problèmes sont étroitement liés), n'est pas la meilleure.

Mais pour le comprendre, il faut nous transporter là où Gramsci nous convoque sans préavis, pour nous soumettre à une problématique étonnante de simplicité [a]. Il a lu Machiavel (j'en parlerai ailleurs en détail [b]), et appris de lui qu'un Prince (vrai Prince classique, ou le Parti communiste, « Prince moderne »...) est à la fois « homme et bête », tel le centaure qui éduquait, dans la mythologie grecque, les hommes qui devaient commander aux hommes. Donc homme et lion. Donc Force (lion) et moralité, éthique (Gramsci, qui connaît Hegel par [?] et aussi et surtout par Croce et Gentile, aime parler d'éthique). Et c'est sur cette base que, après des contradictions que Perry Anderson a fort bien analysées (dans son article de la *New Left Review* [c]), Gramsci nous invite à entrer dans sa problématique de l'État.

Il n'a pas beaucoup de cartes entre les mains : il a l'État, et ses deux « moments » ou « éléments », savoir la Force et l'hégémonie, ou consensus. Il a la « société civile », qui est pour lui constituée par l'ensemble des « appareils hégémoniques », dont on ne sait pas à quoi ils marchent (un moteur à essence, ça marche à l'essence, un appareil idéologique d'État, ça marche à l'idéologie, mais un appareil hégémonique?...), et c'est tout! C'est tout, car Gramsci, qui ne peut ignorer l'existence de l'« infrastructure », donc de la production et de ses conditions étatiques (le droit, la monnaie, le contrôle de la reproduction des rapports sociaux, donc de la lutte des classes au service de la classe dominante), n'en parle pas. Manifestement pour lui, à part quand même un certain écho de la lutte de classe dans la simple évocation de la Force et de l'hégémonie, l'infrastructure et les conditions étatiques de l'exploitation et de la reproduction des rapports sociaux étant mises entre parenthèses, la question de l'État peut et doit se trancher *pour elle-même*, sur la base des quatre concepts dont il dispose, et sans faire intervenir l'infrastructure, que Gramsci n'aime pas citer, car la distinction marxiste entre l'infrastructure et la superstructure lui semble au fond une erreur mécaniste-économiste de Marx.

Il faut connaître cette réserve [a] pour comprendre ce qui va se passer entre l'État, la Force, l'hégémonie, les appareils d'hégémonie et la société civile. Je ne vais pas entrer dans les détails de ce petit jeu de substitution de mots et de substitution de places dans cette partie à quatre : je vais à l'essentiel.

L'essentiel, c'est que *le « moment » de la Force est finalement digéré chez Gramsci par le moment de l'hégémonie*. Gramsci propose toute une série d'équivalents pour la force : la coercition, la violence, et naturellement la dictature (et c'est ici que dans la tradition gramscienne du parti italien s'opère le tour de passe-passe que Gerratana [b] a bien vu), dictature qui n'a rien à voir à ce moment de ses manipulations avec la dictature de classe ou la domination de classe, mais caractérise un des « moments » de l'État, qui en a deux. De même, Gramsci propose toute une série d'équivalents pour l'Hégémonie : le consensus, l'accord, le libre consentement, la direction non violente sous tous ses aspects possibles (active, passive etc.) Pourquoi tout ce « travail » sur des concepts arbitrairement décidés, et qui viennent plus du politologue Mosca que de Marx et Lénine ? Pour en venir à penser une stratégie pour le mouvement ouvrier après les grands échecs que représentent pour lui, *et* la forme politique « dictatoriale » régnant en URSS, *et* la réussite actuelle du fascisme en Italie, en Allemagne et au Japon, *et* la politique du New Deal de Roosevelt en Amérique.

Ce qui se présente alors chez Gramsci comme une « théorie de l'État », ou plutôt a été, pour des raisons politiques définies, pris pour tel, me semble plus relever de *l'auscultation politique de la « nature », donc de la « composition », ou du dispositif des États contemporains, en vue de définir une stratégie politique pour le mouvement ouvrier*, une fois évanouies les espérances de voir se reproduire le schéma de 1917, et une fois ces États marqués par la transformation que leur inflige le développement de l'impérialisme, c'est-à-dire de la concentration industrielle et financière.

Dans le cadre de cette « auscultation » politique, les recherches de Gramsci, qui change sans cesse de formule, se contredit volontiers et aboutit *finalement à tout penser sous la catégorie de l'hégémonie*, peuvent avoir quelque sens politique : mais ce n'est, vu leur abstraction, toute prête à se laisser emplir de contenus pieux, pas toujours sûr [a]. Quoi qu'il en soit, les vraies raisons qui commandent et la définition de la « société civile » et de ses appareils hégémoniques « privés », et la distinction puis l'identification de la « société politique » (État) et de ladite « société civile », et finalement l'absorption de la société politique et civile sous la catégorie unique d'Hégémonie, donc les raisons qui commandent ces étranges concepts théoriques incapables de se fixer sans se contredire, sont à chercher dans la fameuse théorie de la guerre de mouvement (attaque frontale style palais d'Hiver 1917 en Russie) et de la guerre de position (on y prend pied à pied et dans la longue durée les tranchées et casemates de la « société civile » qui protègent de loin l'État [b]).

Réduire l'extraordinaire complexité de ce qui s'est passé en Russie en 1917, tout comme décrire l'État tsariste comme « trop fort » pour une société civile « gélatineuse [c] » ne va pas, comme on l'a souvent fait remarquer, sans une outrance de simplification difficilement défendable. Mais cette outrance (qui colporte avec soi toutes les sottises classiques sur l'arriération et de la société et de l'État russes) était nécessaire comme faire-valoir à Gramsci pour proposer une autre « ligne politique », celle de la guerre de position, de longue durée, et de conquête pas à pas des « casemates et tranchées » qui constituent le glacis d'un bon État normal, où règne le « juste équilibre » entre la Force et l'hégémonie, d'un État où « l'Hégémonie est cuirassée de coercition [d] ».

Que la stratégie d'une lutte de longue durée soit nécessaire pour assurer l'hégémonie du mouvement ouvrier sur ses alliés (c'est en ce sens que Lénine emploie le terme hégémonie), donc sur des éléments sociaux relevant non seulement de la classe ouvrière, mais des paysans travailleurs, et de la petite bourgeoisie productrice ou employée, c'est une thèse classique de la tradition marxiste. Que cette lutte ait donc pour objectif la conquête *et* dans l'infrastructure *et* dans la superstructure de positions, voire de ces « associations » (syndicats et autres) que Gramsci désigne restrictivement comme « société civile », il n'y a là rien qui soit vraiment neuf. Mais ce que Gramsci introduit de neuf c'est l'idée que l'Hégémonie puisse être *comme représentative du tout constitué par* 1/ *la « société civile »* (c'est son domaine), 2/ *l'État comme Force ou coercition*, 3/ *et par l'effet appelé lui aussi Hégémonie qui résulte du fonctionnement du tout de l'État*, constitué, rappelons-le, de Force et d'Hégémonie.

Autrement dit, dans le schéma gramscien l'hégémonie est inscrite deux fois, et même trois fois. La première hégémonie est celle des « appareils hégémoniques » privés (École, Église, syndicats etc.) qui font accepter sans violence le pouvoir de l'État, et derrière lui de la classe dominante. Cette première hégémonie (H[égémonie] n° 1) est, rappelons-le, un des deux moments de l'État, celui qui coexiste avec la Force. La seconde hégémonie (H[égémonie] n° 2) est l'effet d'hégémonie de l'État lui-même, considéré tout entier, c'est-à-dire l'effet de l'union « bien équilibrée », dans le bon État, de la Force et de l'Hégémonie (n° 1) : dans ce concept d'hégémonie la Force n'a pas disparu, mais elle est si bien « enveloppée » par l'hégémonie, intégrée dans l'Hégémonie (n° 2) qu'à la limite elle n'aurait pas besoin de se montrer ni de s'exercer. C'est là le bel État, l'État éthique, fonctionnant comme un bel organisme, où ses « intellectuels organiques » font marcher les appareils hégémoniques de la « société civile ». Mais il y a une troisième hégémonie : celle du parti de la classe ouvrière, celle qui fait que le parti dirige sans violence et ses membres et ses alliés, et, sans nulle violence, étend son influence hors de lui, et à la limite sur... toute la « société civile » et même sur la « société politique ». Si on suit ce raisonnement jusqu'à ses conséquences, on en conclura que *tout peut alors se jouer au niveau de l'Hégémonie* : l'Hégémonie de la classe ouvrière, de son parti, et de ses alliés d'une part, l'Hégémonie qu'exerce la classe dominante par le biais de son État d'autre part, et l'effet d'Hégémonie enfin que la classe dominante tire de l'unité de la Force et de l'hégémonie dans son État (« société civile »). Et dans ce cas il sera alors légitime de parler de *« conflit d'hégémonie »*, ou, pour aller encore plus loin, les deux Hégémonies s'unissant en une [a], il serait alors nécessaire de parler de *« crise d'Hégémonie »*, comme si l'Hégémonie était une entité absorbant en elle et résumant en elle tous les conflits et toutes les contradictions de la « société ». Dans cette perspective, on peut alors concevoir que, dans toute la lutte des classes, on n'a jamais affaire en dernier ressort *qu'à une contradiction interne à l'Hégémonie*, et que cette contradiction ultime, et qui résumerait toutes les luttes, pourrait basculer du seul fait de sa crise.

Il est trop clair que dans ce « montage » ingénieux et équivoque on peut comprendre que Gramsci parle de la lutte des classes, et qu'alors, à ce niveau, le terme d'Hégémonie désigne bien la domination de classe, c'est-à-dire ce que Marx et Lénine appelaient la dictature de classe, bourgeoisie ou prolétariat. Cette « lecture » autoriserait ainsi une lecture « de gauche » de Gramsci, une interprétation léniniste de Gramsci. Mais ce serait au prix, fort élevé, d'un silence étrange sur la réalité des luttes de classes, économiques, politiques et idéologiques, qui ne sont représentées dans ce schéma que sous la forme d'un effet d'Hégémonie, et au prix de l'idéalisme absolu d'*une Hégémonie sans base matérielle*, et sans aucune explication sur ses appareils de Force, qui sont pourtant partie prenante dans l'effet d'Hégémonie.

Et, de fait, cette équivoque a précipité la plupart des commentateurs de Gramsci dans une lecture « de droite », autorisée d'ailleurs par le fait que Gramsci masque presque complètement l'infrastructure sous le concept arbitraire de « société civile » privée, masque donc aussi et la reproduction et la lutte de classe, ses différents niveaux et son enjeu, l'État, dont la Force est alors considérée comme nulle, parce que parfaitement intégrée dans l'effet d'Hégémonie. Tout se joue alors, dans ce modèle fluide, dans l'abstraction « Hégémonie », qui est non seulement effet suprême, mais cause suprême, puisque cause de soi, en même temps qu'effet de soi, puisqu'on ne dit rien de sa cause, et qui a cette puissance extraordinaire, puisqu'il suffit qu'elle entre en crise (ou bien l'est-elle toujours ?) pour que vacille et s'effondre la domination de la classe dominante.

Si on veut être réaliste, il faut dire qu'en fait Gramsci raisonne dans tous ses fameux textes non tant en ignorant des thèses de Marx et Lénine sur l'État, non tant en ignorant du *Capital*, qu'en tant que politique qui considère tout ce qui se passe dans l'infrastructure, la reproduction, la lutte des classes comme *pouvant être mis entre parenthèses*, c'est-à-dire comme *des réalités constantes*. Ce n'est pas la petite phrase dérisoire : « l'hégémonie commence dès l'usine [a] », qui peut contrebalancer cette conclusion, car si on a donné à Gramsci toutes ses chances dans ce « discours répétitif » sur l'État, il est clair que l'Hégémonie dont il parle ne commence nulle part, car elle n'a pas de « commencement ».

L'idée qu'il puisse être non seulement possible, mais même nécessaire, *de déchiffrer tout ce qui se passe*, non seulement dans l'infrastructure, la reproduction, la lutte des classes, mais aussi dans le droit [et] l'État (Force + Hégémonie) *au seul niveau de ce que Gramsci appelle Hégémonie*, quand il parle de « crise d'Hégémonie », l'idée qu'on puisse déchiffrer toute la nature terriblement matérielle de la production, de l'exploitation, donc de la lutte de classe dans la production, la nature terriblement matérielle des contraintes et des pratiques du droit, des luttes de classe politiques et idéologiques, dans la seule réalité intitulée Hégémonie (sans qu'on sache au juste ce que ce mot peut bien vouloir dire !) est d'un étonnant [b] idéalisme.

Et cette impression se redouble quand on se demande : mais que peut bien signifier de spécifique ce terme d'Hégémonie ? En sa racine, il veut indiquer une « direction » qui ne soit ni une dictature, ni une coercition, ni une domination. Il suggère l'idée d'un effet de libre consensus. Outre que cet effet de libre consensus peut être aussi bien produit, pour reprendre des distinctions aristotéliciennes ou hégéliennes qui affleurent constamment sous la plume de Gramsci et dans sa pensée, par un État bon (l'« État éthique ») que par un État mauvais (Force brute + société civile gélatineuse), ce consensus peut être aussi bien produit par la Force nue ou enrobée de discours sucrés, ou par une belle rhétorique ou une belle sophistique, que par une vérité librement exposée et librement consentie pour sa raison de vérité. Il y a beau temps que Rousseau disait du voleur au coin du bois : « après tout son revolver est une puissance [a] » de dissuasion, de conviction, donc de consensus, et il ajoutait que les discours sophistiques des philosophes de son temps produisaient le même effet de consensus trompeur. Mais ce serait trop facile d'en découdre avec Gramsci à ce niveau d'argument.

Il faut aller plus loin, jusqu'à la vieille idée hégélienne reprise par Croce et Gentile que l'*État est par essence éducateur* [b], que les hommes ne deviennent hommes, c'est-à-dire cultivés, que par la contrainte – ce qui peut se défendre ; mais que la culture *(die Bildung)* de masse est l'idéal que l'humanité peut se proposer comme tâche ultime. Par là, on commence à comprendre l'étrange complaisance de Gramsci pour cette phrase idéaliste de la Préface à la *Contribution* que l'« humanité ne se propose jamais que les tâches qu'elle peut accomplir » – il faudrait, dans le cas de Gramsci, comme dans le cas de tous les idéalistes, dire qu'elle *doit* accomplir. Aussi étonnant que ce soit, Gramsci n'est pas sorti de la conception hégéliano-crocéenne de la culture comme Fin ultime de l'Humanité, donc comme tâche ultime de l'Humanité. Et, tout comme chez Hegel et Croce, c'est bel et bien l'État qui est l'« instrument » prédestiné de cette tâche et de cette Fin. On s'explique alors le *traitement de sublimation de l'État en Hégémonie* qui s'opère sous nos yeux dans tant de textes de Gramsci, inclus ses petits phrases sur l'État. Sans doute il faut quelque contrainte, fondamentalement *de la* contrainte, pour transformer les hommes « incultes » ou mal cultivés, ou peu cultivés, en hommes cultivés, dotés de *Bildung*. C'est pourquoi la Force figure dans l'État, sans que jamais Gramsci éprouve le besoin de montrer où elle est logée, quelle est sa matière, et comment elle s'exerce. Mais la Force n'est si discrète que parce qu'il y a mieux à faire que de l'employer ou de la montrer : l'Hégémonie (n° 1) c'est beaucoup mieux, puisqu'elle obtient le même résultat de « dressage » (le mot est de Gramsci) que la Force, et à moindres frais, qui plus est, en anticipant sur les résultats de la « culture » elle-même. Dans l'hégémonie (celle des « appareils de la société civile ») on apprend sans violence et par le seul effet de la reconnaissance de... la vérité. C'est cette nostalgie que Gramsci a littéralement sublimée dans la notion d'Hégémonie (au sens n° 2), en se donnant de l'État éducateur une conception telle qu'il réalise l'idéal d'une *autoculture universelle* qui ne va certes pas sans les « médiations » indispensables à tout système téléologique, mais qui pour l'essentiel se fait « sans violence », quoique non sans « douleur ». Dans cette autoculture (*Selbstbildung* : auto-formation, auto-éducation etc.) se réalise, au sens hégélien, le dépassement (*Aufhebung*) de toute Force, et c'est trop clair alors que la Force disparaît de l'utime « définition » de l'État comme « unité de l'État et de la société civile », de l'État comme Hégémonie, et finalement de l'Hégémonie toute seule (l'État ayant lui-même été « dépassé »). Gramsci avoue ainsi sa pensée la plus profonde, heureusement pour nous contredite par d'autres vues de lui.

Inutile d'insister sur la conception que se fait alors Gramsci du parti politique ouvrier. « Prince moderne » il a pour Fin et Tâche la « société réglée » (!) du communisme. Mais il n'y parviendra qu'à la condition de jouer, comme parti, son rôle pré-étatique en éduquant ses adhérents et les masses sur lesquelles s'étend sa « direction », son « hégémonie ». Le Parti, tout comme l'État, doit cultiver les hommes, en vue de faire, la révolution faite, et « le parti devenu État », triompher la Fin de l'humanité dans cette société réglée où régnera toujours l'Hégémonie, la sienne, jusqu'à ce qu'elle s'efface devant le résultat atteint de la culture universelle devenue autoculture : le développement infini des individus libres, et librement associés.

Ces vues de Gramsci, si on les épouse, ne sont pas sans conséquences, dont je ne relèverai que trois.

La première conséquence consiste à faire proprement disparaître les problèmes spécifiques de l'État, dont nous avons vu toute l'importance, pour peu que l'on veuille bien retenir l'idée essentielle que l'État est une « machine spéciale » ayant un corps spécial, destiné à être « instrument » de la classe dominante pour servir, assurer, et perpétuer sa domination de classe. La réalité spécifique de l'État disparaît en effet dans une formule où Hégémonie = Force + consensus, ou = société politique + société civile [a], etc. Lorsqu'on traite des réalités de la lutte de classe *sous les espèces des seuls effets d'Hégémonie*, on se dispense évidemment d'examiner de près *et* la nature *et* la fonction de l'État comme « machine spéciale », et en particulier on met entre parenthèses (et ici il est difficile de supposer stable la fonction de ces appareils !) les appareils de Force de l'État (l'armée, les polices, les autres forces de l'ordre, les appareils de justice, etc.). Ce n'est pas très sérieux — à moins de supposer que toutes ces réalités peuvent être *considérées comme nulles parce qu'elles ont été neutralisées, politiquement et historiquement*. On retrouve ici la même présupposition qu'à l'instant. Je disais que tout se passe chez Gramsci comme si l'infrastructure et ses effets étaient considérés comme nuls ou constants, donc neutralisés, puisqu'on n'a plus, au niveau de l'État, et contrairement à la fameuse phrase de Marx du Livre III du *Capital* que j'ai citée, à tenir compte de la détermination de l'État à partir du rapport de production. De même ici, tout se passe comme si Gramsci raisonnait, mais cette fois sur l'État, dans l'hypothèse absolue que l'appareil de l'État exerçait un effet constant, c'est-à-dire en fait avait été neutralisé.

Or il est bien facile de supposer que l'État est neutralisé (formule qui peut aisément basculer, on en conviendra, dans l'idée bourgeoise que l'État est neutre...). Et le paradoxe est que cette conséquence puisse être tirée de phrases d'un homme qui les écrivait sur un cahier d'école, condamné à la prison la plus sévère par un État fasciste... Et si c'est facile ce n'est pas très sérieux. Dans ses raisonnements du *Capital*, Marx supposait telle grandeur constante, puis telle autre, mais c'était pour le raisonnement, et le moment de la démonstration visée passé, il revenait sur son hypothèse de neutralisation, justement parce que la grandeur en question *n'était pas neutre*. Or il est frappant de voir que Gramsci ne revient jamais sur la présupposition de neutralisation soit de l'infrastructure, soit de l'État. C'est sans doute la preuve, et la diversité des exemples historiques qu'il emploie le prouve surabondamment, qu'il avait en tête un modèle des éléments de l'État et de leur unité dans la différence de ces éléments, équilibrés ou non, qu'il traitait comme l'essence de tout État possible — alors que, paradoxalement, il avait en vue des États modernes et très différents.

Peu importent les arguments de ce dossier : il en reste qu'à parler de « crise d'Hégémonie », et donc de l'Hégémonie comme le dernier mot sur l'État, les petites formules de Gramsci avaient pour effet de dissimuler la question de la nature matérielle de la machine d'État sous l'invocation hyper-allusive de l'Hégémonie, qui entretient tous les malentendus possibles, mais peut aussi nourrir toutes les élucubrations réformistes imaginables sur la nature de l'État, et le « devenir État du parti ».

Ces vues débouchent naturellement sur la réduction de l'idéologie à la culture, ou plus exactement sur une théorie de l'idéologie inexistante (sauf comme « ciment » de groupes d'hommes, sans que mention soit faite des classes), et sur une exaltation de la valeur théorique d'une notion, qui est bien vide, la notion de « culture », sans d'ailleurs que soit assigné l'élément spécifique que la notion de culture désigne, et qui ne peut se trouver dans le concept d'idéologie, du moins directement. Chacun imagine quelles conséquences, y compris politiques, peut entraîner *le remplacement de la notion d'idéologie par la notion de culture*, les intellectuels du parti italien en sont les preuves vivantes. Car si l'idéologie désigne assez vite la lutte idéologique, donc une forme inévitable et nécessaire de la lutte des classes, la notion de culture porte tout droit à l'œcuménisme de la détention élitiste (dans le parti comme dans la société bourgeoise) de ses propres valeurs de « production » (les « créateurs ») et de dégustation (les « connaisseurs », « amateurs », etc.). Je n'insiste pas, ce serait trop facile.

Il est une autre conséquence, peut être encore plus grave, qu'on peut tirer de la nébulosité de Gramsci et sur l'État et sur la « société civile » privée, et de la sublimation de l'État en Hégémonie. C'est ce qu'on appelle traditionnellement depuis longtemps *« l'autonomie de la politique »* ou « du politique ». Je n'ai fait rien d'autre que donner son nom philosophique à cette thèse obligée dans le système de pensée de Gramsci même, lorsque j'ai dit qu'en définitive l'Hégémonie (sens n° 2) comme sublimation de l'unité de la « société politique » (l'État) et de la « société civile », devait nécessairement se donner comme *« causa sui »*, comme la réalité qui, englobant tout en soi, n'avait pas de dehors. Or cette « autonomie pratique de l'Hégémonie » se reproduit dans l'autonomie pratique de son « essence », puisque pour Gramsci, tout étant politique, l'hégémonie est le comble, le summum, et le sommet de la politique. Gramsci est de part en part politique et il le dit. Nous avons vu qu'il l'était au point de penser la question politique de la stratégie du mouvement ouvrier à venir (du moins dans nos sociétés où existe un « juste équilibre entre la Force et l'Hégémonie » (au sens n° 1) dans la manipulation et l'ajustement de concepts empruntés à la politologie bourgeoise et hantés par la lutte des classes à leur manière. Dans ses vues sur l'État, ses deux moments, et surtout dans ses vues sur l'Hégémonie comme englobant les deux moments de l'État, donc dans l'Hégémonie, Gramsci reste toujours aussi politique, aussi universellement politique (« tout est politique »). La différence est que dans sa théorie finale de l'Hégémonie, Gramsci énonce en fait et en réalité que, pour lui, la politique (et l'homme politique qui est son agent) sont « *causa sui* », autonomes, de plein droit ou plutôt par destination. Que « tout soit politique » ne contredit nullement « l'autonomie de la politique », puisque, et on le voit clairement dans la sublimation de toute la réalité de l'État (et par voie de silence de la superstructure et de l'infrastructure même) dans l'Hégémonie, c'est l'autonomie de cette Hégémonie qui englobe tout – « tout est politique » – qui coïncide avec l'autonomie de toute politique, et proclame donc sans nul doute possible « l'autonomie de la politique ».

Il y aurait beaucoup à dire sur cette thèse de l'autonomie du politique ou de la politique, et en particulier sur le fait qu'on ne peut pas l'entendre comme l'autonomie, soit du parti vis-à-vis des masses dans la lutte des classes, soit des hommes politiques dirigeants dans la vie du parti, etc. Mais le fait est que cette thèse aberrante nous met sur le seuil d'une autre « limite absolue » de la pensée marxiste : à savoir son incapacité à penser « la politique ». Paradoxe dira-t-on, s'il est vrai que l'œuvre de Marx et Lénine est pleine de « politique ». Oui, elle en est pleine, pleine d'analyses politiques. Mais jamais nos auteurs ne nous ont donné, sauf sous des formes énumératives et descriptives, le commencement d'une analyse répondant à la question : *qu'est-ce que peut bien être la politique ?* Où se trouve-t-elle, sous quelles formes, et qu'est-ce qui la distingue des formes non politiques, et alors comment désigner ces autres formes? A moins d'affronter ces questions, nous risquons d'être, longtemps encore, « dans la nuit où toutes les vaches sont noires », et, couleur pour couleur, on peut être assuré que nos mains ne seront pas blanches.

Car parler de ce que peut être la politique entraîne à donner son avis sur le parti. Or que fait-on dans le parti, si ce n'est de la politique [a]?

Notes d'édition de « Marx dans ses limites »

Page 359

a. Le titre du premier chapitre reprend celui de l'intervention d'Althusser au colloque de Venise (11-13 novembre 1977) : « Enfin la crise du marxisme! », in Il Manifesto : *Pouvoir et opposition dans les sociétés post-révolutionnaires* (Paris, Le Seuil, 1978).

b. Cf. Lénine, *L'Opportunisme et la Faillite de la Deuxième Internationale* (1916) in *Œuvres*, Paris, Éditions sociales/Éditions de Moscou, t. 22.

Page 360

a. Première rédaction : « les conflits les plus graves ».

b. 1956. Kroutchev y prononça son « rapport secret » sur les « crimes de Staline ».

c. Telles étaient les attaques principales de Kroutchev contre les pratiques de la période stalinienne. Outre « Marxisme et humanisme » (repris dans *Pour Marx*), et « Note sur la " critique du culte de la personnalité " » (in *Réponse à John Lewis*), Althusser écrivit en 1964 deux textes inachevés, mais longuement travaillés, sur l'aliénation et le « culte de la personnalité », plus directement politiques que les écrits publiés.

d. La rupture officielle du parti communiste chinois avec le parti soviétique consacra en 1963 la « scission du mouvement communiste international ».

e. Rappelons qu'Althusser publia en 1966, dans le n° 13-14 des *Cahiers marxistes-léninistes*, un article non signé intitulé « Sur la révolution culturelle ».

Page 361

a. Première rédaction : « crise du marxisme ».

Page 362

a. Allusion au courant des « nouveaux philosophes », et plus particulièrement au livre d'André Glucksmann : *Les Maîtres penseurs* (Paris, Grasset, 1977). Plusieurs lettres de Louis Althusser montrent que, tout en trouvant très faible ce dernier ouvrage, il avait été extrêmement touché par le ton des attaques que Glucksmann lui adressait, y voyant comme la caricature de ce qu'il avait toujours craint d'être : un praticien de l'intimidation.

Page 364

a. Mot d'ordre de Georges Marchais, alors secrétaire général du Parti communiste français.

b. « Compter sur ses propres forces » : mot d'ordre en son temps célèbre de Mao Zedong.

Page 365

a. Cf. Louis Althusser, *Ce qui ne peut plus durer dans le parti communiste*, Paris, Maspero, 1978, pp. 28-29.

Page 366

a. « La tendance principale est à la révolution » : mot d'ordre en son temps célèbre de Mao Zedong.

b. Propos de Marx à Lafargue rapportés par Engels dans une lettre à Bernstein (2-3 novembre 1882). Première rédaction : « Marx aimait à répéter. »

c. *Le Capital*, préface de la première édition allemande, Paris, Éditions sociales, 1959, t. 1, p. 21.

Page 367

a. Karl Marx, *Manuscrits de 1857-1858 (Grundrisse)*, Éditions sociales, 1980, t. I, pp. 410-452. Une longue correspondance avec la direction des Éditions sociales, et en particulier avec leur directeur Guy Besse, en 1966-1967, témoigne de l'intention d'Althusser, en un temps où les *Grundrisse* étaient encore inédits en français, de publier ce texte, souvent désigné par l'abréviation *Formen*, dans la collection « Théorie ». Après avoir fait traduire cet écrit, il renonce à le publier lui-même à la demande des Éditions sociales, auxquelles il envoie la traduction le 13 août 1966. Celles-ci ayant finalement publié une autre traduction dans le recueil *Sur les sociétés précapitalistes* (Paris, Éditions sociales,

1970), Louis Althusser en retira, ses lettres le montrent, le sentiment d'avoir été floué.

Page 370

a. « Le communisme n'est pour nous ni un *état* qui doit être créé, ni un *idéal* sur lequel la réalité devra se régler. Nous appelons communisme le mouvement *réel* qui abolit l'état actuel. » (Karl Marx-Friedrich Engels, *Idéologie allemande*, Paris, Éditions sociales, 1968, p. 64).

Page 371

a. Dans la période qu'il qualifia lui-même de « théoriciste », Althusser défendit une thèse rigoureusement inverse de celle développée dans ce chapitre. Dans un texte ronéotypé de 47 pages écrit en 1965, *Théorie, Pratique théorique et Formation théorique. Idéologie et lutte idéologique*, qui pour être inédit n'en a pas moins beaucoup circulé, on peut lire par exemple (page 15) : « La science marxiste-léniniste, qui est au service des intérêts objectifs de la classe prolétarienne, ne pouvait pas être le produit spontané de la pratique prolétarienne : elle a été produite par la pratique théorique d'intellectuels possédant une très haute culture, Marx, Engels et Lénine, et elle a été *apportée " du dehors "* à la pratique prolétarienne. »

b. Le Capital, postface à la deuxième édition allemande, *op. cit.*, p. 29.

Page 372

a. Connu pour son *Voyage en Icarie*, Émile Cabet (1788-1856) fut influencé par Owen lors de son émigration en Angleterre pendant la monarchie de Juillet; il tenta par la suite de fonder des colonies communautaires en Amérique.

b. Artisan tailleur, Wilhelm Weitling (1807-1871) est l'une des grandes figures du « communisme utopique » allemand. Il est entre autres l'auteur de *Garanties de l'harmonie et de la liberté* (1842), apprécié par Marx qui rompit avec lui en 1846, et de *L'Évangile d'un pauvre pécheur*.

c. Première rédaction : « d'un point de vue prolétarien ».

Page 373

a. Correspondance Marx-Engels. Lettres sur « Le Capital », Paris, Éditions sociales, 1964, p. 59.

b. Contribution à la critique de l'économie politique, préface de 1859, Paris, Éditions sociales, 1967, p. 5.

Page 374

a. Le *(sic)* est de Louis Althusser.

b. Louis Althusser cite ce texte de Kautsky, écrit en 1901, d'après la traduction française du *Que faire ?* de Lénine publié par les Éditions de Moscou.

Page 375

a. Lénine, *Œuvres, op. cit.* t. XIII, p. 95 *sq.*

b. Organe du Parti ouvrier social-démocrate de Russie, et plus tard du parti bolchevik.

Page 376

a. 1904-1905.

b. Le manuscrit contient « Trotzky ».

Page 378

a. Ce paragraphe est un rajout inséré dans le manuscrit par Louis Althusser.

Page 379

a. Cf. *Pour Marx*, Paris, Maspero, 1965, p. 60 : « La première condition à remplir pour bien poser le problème des Œuvres de Jeunesse de Marx est... d'admettre que *les philosophes eux-mêmes* ont une jeunesse. Il faut bien naître un jour, quelque part, et commencer de penser et d'écrire. »

b. Auguste Cornu, *Karl Marx et Friedrich Engels* (Paris, PUF, t. III, 1962). Louis Althusser tire la plupart de ses renseignements sur la vie de Marx et Engels de l'ouvrage d'Auguste Cornu, à qui est dédié l'article « Sur le jeune Marx », repris dans *Pour Marx*.

Page 380

a. « Umrisse zu einer Kritik der Nationalökonomie », in Marx-Engels, *Werke*, Dietz Verlag, Berlin, t. I.

Page 381

a. Pour Marx, op. cit., p. 25.

b. « Hégélianisée » est un rajout manuscrit.

Page 383

a. « Proudhon n'écrit pas simplement dans l'intérêt des prolétaires ; il est lui-même prolétaire, ouvrier. Son ouvrage [*Qu'est-ce que la propriété ?*] est un manifeste scientifique du prolétariat » (*La Sainte Famille*, in *Œuvres philosophiques*, Paris, Costes, 1927, t. III, p. 71).

Page 384
a. Manuscrits de 1857-1858 (Paris, Éditions sociales, 1980).
b. Contribution..., *op. cit.*, p. 6.
c. Ibid., pp. 149-175.

Page 385
a. Cf. postface à la deuxième édition allemande, *Le Capital*, *op. cit.*, t. I, p. 23 : « L'accueil intelligent que *Le Capital* a rapidement trouvé dans de vastes milieux de la classe ouvrière allemande, a été la meilleure récompense de mon travail. »
b. Préface d'Engels à l'édition anglaise du *Capital*, *op. cit.*, p. 36.
c. Écrite par Marx en 1875, la *Critique du programme de Gotha* a été publiée par Engels le 31 janvier 1891 dans la *Neue Zeit*.

Page 387
a. Karl Kautsky, *Les Trois Sources du marxisme. L'œuvre historique de Marx* (1907), trad. française Éditions Spartacus (sans date); Lénine, *Les Trois Sources et les trois parties constitutives du marxisme* (1913), in *Œuvres choisies en deux volumes*, Éditions de Moscou, 1948, t. II, pp. 63-68.

Page 388
a. Hegel, *Phénoménologie de l'Esprit, op. cit.*, t. I, p. 77, ou encore *Encyclopédie*, paragraphe 25. On notera l'affection d'Althusser pour cette formule, qu'il cite déjà dans son mémoire de DES (p. 159 du présent volume), et sur laquelle il insiste en 1976 dans sa conférence *La Transformation de la philosophie* (in *Sur la philosophie*, Paris, Gallimard, 1994, p. 153 *sq.*)

Page 390
a. Cf. en particulier l'*Anti-Dühring*, Paris, Éditions sociales, 1950, p. 169.
b. Le Capital, Livre III, chap. XLVIII, *op. cit.*, t. 8, p. 198 *sq.*

Page 391
a. In *Le Capital, op. cit.* t. 3, pp. 240-253.

Page 392
a. Contribution... op. cit., préface, p. 5.

Page 395

a. In *Contribution...* *op. cit.*, pp. 164-172. Rappelons que la théorie de la « pratique théorique » développée en 1963 par Althusser dans l'article « Sur la dialectique matérialiste », repris dans *Pour Marx*, s'appuyait pour l'essentiel sur ce texte de Marx.

Page 396

a. Louis Althusser possédait un exemplaire dédicacé du livre de Galvano Della Volpe : *La Libertà comunista* (Milan, Edizioni Avanti, 1963), dans lequel il avait lu avec une particulière attention l'article « Sulla dialettica » en grande partie consacré à l'*Introduction...*, de Marx.

Page 399

a. *Le Capital, op. cit.*, t. I, pp. 211 *sq.*

Page 401

a. Lénine, *Les Trois Sources...*, *op. cit.*, p. 63.

Page 406

a. Engels, lettre à August Bebel du 12 octobre 1979, in Marx-Engels, *Critique des programmes de Gotha et Erfurt*, Éditions sociales, collection « Classiques du marxisme », 1966, p. 68.

b. Engels à Bebel, 18-28 mars 1875, *ibid.*, p. 60.

Page 407

a. « J'ai dit et j'ai sauvé mon âme. » C'est par cette formule que commence un texte écrit par Louis Althusser en 1982, et intégré à l'ouvrage partiellement publié dans ce volume sous le titre *Le courant souterrain du matérialisme de la rencontre* (voir notre présentation pp. 533 *sqq.*). Publié sous le titre « Sur la pensée marxiste » dans le numéro spécial de la revue *Futur antérieur* intitulé *Sur Althusser. Passages* (Paris, L'Harmattan, 1993), ce texte, qui fait largement double emploi avec celui de *Marx dans ses limites*, n'a pas été repris dans la présente édition.

b. « Donc se taire » est un rajout manuscrit.

Page 408

a. « Dans un fond de tiroir » est un rajout manuscrit.

Page 410

a. *Annales franco-allemandes,* dont l'unique numéro parut en février 1844.

Page 417
a. Première rédaction : « assez rusé ».

Page 420
a. Contribution à la critique de la déraison pure était le sous-titre initialement prévu par Feuerbach.
b. Ludwig Feuerbach épousa en 1836 Bertha Löw, cohéritière du château de Brucherg et d'une manufacture de porcelaine qui s'y trouvait installée.

Page 421
a. Le *(sic)* est de Louis Althusser.
b. Cf. Sixième Thèse sur Feuerbach : « Feuerbach... est obligé... de faire abstraction du cours de l'histoire », ou encore Marx-Engels, *Idéologie allemande, op. cit.,* p. 57 : « Dans la mesure où il est matérialiste, Feuerbach ne fait jamais intervenir l'histoire, et, dans la mesure où il fait entrer l'histoire en ligne de compte, il n'est pas matérialiste. »
c. « [Feuerbach] ne considère comme authentiquement humaine que l'activité théorique, tandis que la pratique n'est saisie et fixée par lui que dans sa manifestation juive sordide. »

Page 422
a. L'essentiel de la *Critique du droit politique hégélien* ne fut publié qu'en 1927.

Page 424
a. Première rédaction : « de rudiments ».

Page 425
a. Cf. en particulier Louis Althusser, *XXIIe Congrès*, Paris, Maspero, 1977.

Page 428
a. Francs-Tireurs et Partisans. Cf. Charles Tillon, *Les FTP*, Paris, Julliard, nouvelle édition 1967.

Page 433
a. Cf. *Le Capital,* Livre I, chap. x, *op. cit.,* t. 1, pp. 227-296.
b. Le manuscrit contient ici le paragraphe suivant, finalement rayé par Louis Althusser : « Et pas une seule fois, pas un seul instant il n'accepta d'entrer dans une autre pratique que celle de recourir aux devoirs des citoyens vis-à-vis de l'État de la nation française, opprimée et humiliée, donc d'invoquer, c'est-à-dire

d'utiliser les valeurs de l'État : obéissez à l'État légitime, au chef légitime de l'État légitime, celui de la France libre, et ne faites pas de politique, car si vous, militaires, en uniforme ou non, faites de la politique, alors l'État sera déchiré et se perdra. Bien sûr, c'était jouer sur la corde raide, mais de Gaulle n'était que cette raideur, et c'est de cette raideur qu'il tirait sa force, Churchill en sut quelque chose. Mais le fait est que cette carte était vraie, puisque, la jouant à fond, de Gaulle finit par l'emporter, y compris sur les organisations et les hommes de la Résistance intérieure, qui, eux, n'avaient pas tous exactement le même " sens de l'État ", car ils avaient, eux, la prétention de " faire de la politique ". Mais après tout, leur statut était équivoque, ce n'étaient pas de vrais militaires, comme de Gaulle le leur fit sévèrement sentir quand, dans l'amalgame de la Résistance, ils durent rétrograder en grade et rentrer dans le rang. »

Page 434

a. Retentissante affaire de corruption internationale, conduisant entre autres le prince Berhnard des Pays-Bas à démissionner de ses fonctions officielles en 1975.

Page 436

a. Maurice Grimaud, *En mai, fais ce qu'il te plaît*, Paris, Stock, 1977. Alors préfet de police de Paris, Maurice Grimaud joua un rôle clé dans l'évolution des « événements » de mai 1968.

Page 437

a. Première rédaction : « sottise ».

b. Première rédaction : « quoique par d'autres moyens ».

Page 438

a. Lénine, *De l'État*, in *Œuvres, op. cit.*, t. XXIX, pp. 474-493. Cette traduction est republiée en annexe de : Étienne Balibar, *Sur la dictature du prolétariat* (Paris, Maspero, 1976). Ces deux versions, retrouvées dans sa bibliothèque, ont été longuement annotées par Louis Althusser.

b. Première rédaction : « comme l'est le musée d'Art moderne de la Ville de Paris ».

Page 440

a. Charles Babbage (1792-1871), mathématicien et mécanicien anglais, est entre autres l'auteur de *On the Economy of*

Machinery and Manufactures, 2ᵉ édition, Londres, 1882. Cette phrase est citée par Marx dans *Le Capital,* Livre I, chap. xv, *op. cit.* t. 2, p. 62.

Page 441
    a. Ibid., p. 59 *sq.*

Page 442
    a. La question de la dictature du prolétariat est l'un des thèmes dominants de la réflexion d'Althusser dans les années 1975-1978. Outre son *XXIIᵉ Congrès*, il y consacre plusieurs conférences en France et en Espagne, et un ouvrage demeuré inédit de 215 pages dactylographiées, plusieurs fois remanié : *Les Vaches noires. Interview imaginaire.*

Page 448
    a. Première rédaction : « mais une exigence des rapports de classe ».

Page 453
    a. Le Capital, Livre III, chapitre xlvii, *op. cit.,* t. 8, p. 165.
    b. Ibid., souligné par Louis Althusser.

Page 454
    a. Ibid., p. 172. Souligné par Louis Althusser.

Page 456
    a. Première rédaction : « un peu ».
    b. Les blancs figurent dans le manuscrit. Cf. : « Le moulin à bras vous donnera la société avec le suzerain ; le moulin à vapeur, la société avec le capitalisme industriel » (*Misère de la philosophie,* Paris, Édition sociales, 1961, p. 119).

Page 457
    a. Repris dans *Positions* (Paris, Éditions sociales, 1976).

Page 458
    a. Voir p. 438.

Page 462
    a. Cf. note a p. 436.

Page 466
    a. Voir p. 441.

Page 467

a. Première rédaction : « contradictoire ».

Page 471

a. Référence à la chanson *Gloire au 17ᵉ* (1908) de Gaston Montheus, de son vrai nom Mardochée Brunswick, également auteur, entre autres, de *La Jeune Garde*. *Gloire au 17ᵉ* est un hommage aux soldats du 17ᵉ régiment de ligne qui se mutinèrent à Agde en juin 1907 pour ne pas tirer sur les vignerons en grève.

b. Enrico Berlinguer était alors le secrétaire général du Parti communiste italien.

Page 476

a. Passage rayé sur le manuscrit : « Car sur toutes ces questions, même après l'expérience de la Commune qui suggéra des mesures, mais sans qu'on connût exactement leur sens et les conditions de leur application, les théoriciens marxistes et les dirigeants marxistes n'étaient guère avancés. Ce n'est pas en se contentant de dire que l'État est un gourdin, et en confondant la dictature politique du Soviet suprême avec la domination de classe du prolétariat qu'on pouvait aller bien loin. »

Page 479

a. Karl Wittfogel, *Le Despotisme oriental* (trad. française Paris, Éditions de Minuit, 1964).

Page 480

a. Première rédaction : « ce n'est pas dans l'air du temps ».

Page 482

a. Alors l'un des principaux responsables de la section économique du comité central du PCF et de la revue *Économie et Politique*, Paul Boccara contribua activement à la rédaction du *Traité marxiste d'économie politique : le capitalisme monopoliste d'État* (Paris, Éditions sociales, 1971), et publia entre autres : *Études sur le capitalisme monopoliste d'État, sa crise et son issue* (Paris, Éditions sociales, 1973). En 1972-1973, Louis Althusser projeta d'écrire un livre sur l'impérialisme dont l'un des objectifs était de réfuter la théorie du « capitalisme monopoliste d'État » qui soustendait alors la stratégie d'union de la gauche du PCF : il en rédigea la préface et de nombreux textes préparatoires, dont l'un intitulé « L'erreur des gars du CME ».

Page 483

a. Cf. Lénine : *La Catastrophe imminente et les moyens de la conjurer* (octobre 1917), in *Œuvres, op. cit.,* t. 25.

Page 484

a. Première rédaction : « dans son livre maladroit ». Il s'agit de *L'Origine de la famille, de la propriété privée et de l'État* (Paris, Éditions sociales, 1954).

Page 488

a. Première rédaction : « terriblement bien ».

Page 490

a. C'est Louis Althusser qui souligne.

Page 492

a. Première rédaction : « cette petite théorie portative ».

Page 496

a. Op. cit., p. 177.

Page 497

a. Cf. G. Plekhanov, *Les Questions fondamentales du marxisme,* Éditions sociales, 1947, dont un exemplaire très annoté a été retrouvé dans la bibliothèque de Louis Althusser.

Page 499

a. Cf. note p. 457.

Page 500

a. Cf. *Cahiers de prison,* cahier 6, paragraphe 137 : « Par État on doit entendre non seulement l'appareil gouvernemental, mais aussi l'appareil " privé " d'hégémonie ou société civile. » Passage souligné par Althusser dans le livre de Christine Buci-Glucksmann : *Gramsci et l'État* (Paris, Fayard, 1975).

b. Passage biffé : « Sorel, voire... Bergson ». Gaetano Mosca (1858-1941), juriste et homme politique italien, parfois considéré comme un « machiavélien », auteur entre autres d'*Éléments de science politique.*

Page 501

a. Première rédaction : « à une problématique ahurissante ».

b. Dans un texte inédit de 95 pages intitulé « Que faire? », Althusser analyse longuement la lecture de Machiavel par Gramsci, qu'il évoque également dans son *Machiavel et nous* qui sera publié dans le tome II des *Écrits philosophiques et politiques.*

c. Cf. note p. 462.

Page 502

a. Première rédaction : « cette énormité ».

b. Valentino Gerratana, auteur entre autres de l'édition définitive en italien des *Cahiers de prison* de Gramsci.

Page 503

a. Première rédaction : « même pas sûr ».

b. Cf. par exemple *Note sul Machiavelli, sulla politica e sullo stato moderno*, Turin, Einaudi, 1949, p. 68 *sq.*

c. *Ibid.*

d. *Cahiers de prison*, cahier 6, paragraphe 88.

Page 505

a. Passage biffé : « ce qui eût fait frémir Mao ».

Page 506

a. *Cahiers de prison*, cahier 1, paragraphe 61.

b. Première rédaction : « incroyable ».

Page 507

a. « Le pistolet qu'il tient est aussi une puissance » (*Du contrat social*, I, 3).

b. Cf. *Cahiers de prison*, cahier 10, paragraphe 43 : « Tout rapport d' " hégémonie " est nécessairement un rapport pédagogique. »

Page 509

a. « État = société politique + société civile, c'est-à-dire hégémonie cuirassée de coercition » (*Cahiers de prison*, cahier 6, paragraphe 88) ; « En politique, l'erreur provient d'une compréhension inexacte de ce qu'est l'État (dans son sens intégral : dictature + hégémonie). » Cf. L. Althusser : « Enfin la crise du marxisme ! », in Il Manifesto : *Pouvoir et Opposition dans les sociétés post-révolutionnaires, op. cit.*, p. 251 : « Il y a aussi quelque chose de pathétique à relire sous ce jour les petites équations du Gramsci de la prison (État = coercition + hégémonie ; = dictature + hégémonie ; = force + consensus, etc.), qui expriment moins une théorie de l'État que, sous des catégories empruntées à la " science politique " autant qu'à Lénine, la recherche d'une ligne politique pour la conquête du pouvoir par la classe ouvrière. »

Page 512

a. Le texte s'arrête ainsi, probablement inachevé.

ANNEXE

Lettre à Merab

16 janvier 1978

Très cher Merab, ton mot et le merveilleux petit collier de pièces aujourd'hui par poste. Très ému. Il y avait eu ton appel, puis des nouvelles transmises par les uns et les autres, dont Annie, vue une fois depuis je ne sais combien de temps (elle galope toujours mais sur d'autres terres) et en général on me disait que tu allais « bien ». J'en prends et j'en laisse toujours quand ça passe par des tiers, mais je te sais assez fort, et je me disais c'est peut-être vrai, alors que tous les signes sont contraires, et que, j'imagine, tous les amis s'en vont. Cette fois, de ta main, je touche au vrai. Certes je voudrais te voir et t'entendre mais j'imagine assez, d'après ce que j'avais entrevu, *una volta*, ce qu'il doit en être autour de toi, tu sais, comme autrefois « les éléphants sont contagieux », aujourd'hui tout communique, les rideaux n'y font rien, seules les formes changent, qui peuvent être importantes, puisqu'elles laissent courir relativement ou bloquent impitoyablement. J'ai, combien de fois, pensé à ton mot, combien de fois : « je reste, car c'est ici qu'on voit le fond des choses, à nu ». Devoir de l'intellect, mais qui doit se payer cher. Ne pas rester se paie aussi assez cher si j'en juge par ceux qui sont partis et que j'ai vus. Assez cher : autrement. Et peu se défendent contre l'assaut général qu'on leur fait pour les exhiber comme des « enfants-loups » qui savent parler des forêts ! Tu as peut-être

525

entendu parler d'un « colloque » qui a été organisé par le
Manifesto à Venise sur la situation dans les pays « post-
révolutionnaires [a] » : fallait trouver le terme ! J'y suis allé
« pour discuter », et comme il n'y eut qu'une suite d'interventions, inaugurée par des émigrés, suivie par des syndica-
listes et politiques, à un moment il fallut bien que je parle,
puisque j'étais là et qu'on le savait (les emmerdes de la
« notoriété », tu connais ce mot de Heine, sur un de ses ennemis : « X... qui est connu pour sa notoriété »), j'ai donc à peu
près prononcé la petite exhortation que je joins à ce mot. Ça
pourrait s'appeler : « la morale de l'histoire, *ou* le moral de
l'histoire », cyniquement. Tu jugeras du moral à la morale.
Bien sûr, il y a des « effets » de conjoncture et de mode (pour
et par ceux qui l'exploitent), et on sait que les conjonctures,
c'est aussi comme les cigognes, ça passe, même quand ça vole
bas (à la différence des cigognes), mais y a quand même un
peu plus que ça : c'est l'heure de l'*addition*. Peu importe qui
la fait, à la limite personne, mais un jour vient où les petits
comptes qu'on a évité de faire se présentent sur une longue
liste : et en général ce ne sont pas les dépensiers qui sont som-
més de régler l'addition, mais de pauvres bougres comme toi
et moi (et combien d'autres encore plus perdus). Comme
toute addition est toujours fausse ou faussée, faut la refaire,
mais d'abord l'accepter : tout cela dans une merde politique
et théorique sans précédent (sauf pire) qui a pour tout avantage de ne pouvoir être éludée. Et de toute façon faut payer et
pour soi (ce qui peut se comprendre) et pour les autres, et
quels Autres !

C'est un peu ce que j'essayais de dire entre les lignes dans
cette intervention « masquée » de Venise, improvisée, donc
sans rigueur entre les raisons, mais pour tenter d'endiguer un
peu les eaux. Ces digues dont parle Machiavel, mais il avait
des fleuves sous la main, et nous, allez savoir si ce sont des

---

a. In Il Manifesto. *Pouvoir et Opposition dans les sociétés post-révolutionnaires* (Paris,
Le Seuil, 1978). Parmi les intervenants à ce colloque figuraient Léonide Plioutch, Jiri
Pelikan, Charles Bettelheim, Bruno Trentin, Rossana Rossanda, Krysztof Pomian.

fleuves ou quoi. J'ai comme l'impression qu'on n'a jamais connu ça. Des variations de conjoncture oui, c'est pas la première, où l'accumulation des travers un jour change jusqu'à l'aspect du jour, insensible à venir, longue à se décider, puis comme d'un coup, on n'est plus dans le même air. Mais cette fois, si la réalité abonde et même se répète, ce sont les repères qui manquent. Autre impression : de s'être battu si longtemps sur un front pour découvrir qu'il s'évanouit, que plus de front mais que la bataille (ou ce qui en tient lieu !) est partout, et d'abord dans ton dos. Faudrait être Koutouzov et savoir dormir sur son cheval pour la grande retraite dans le froid. Mais il n'y a pas de chevaux (du moins chez nous, et sans cheval, comment dormir dessus ?).

C'est là qu'on peut percevoir, non dans la conscience qui a toujours été hantée par leur existence, mais dans le recul du temps, ses limites ou insanités. Je vois clair comme le jour que ce que j'ai fait voilà quinze ans, ç'a été de fabriquer une petite *justification* bien française, dans un bon petit rationalisme nourri de quelques références (Cavaillès, Bachelard, Canguilhem, et derrière eux un peu de la tradition Spinoza-Hegel), à la prétention du marxisme (le matérialisme historique) à se donner comme science. Ce qui est finalement (était, car depuis j'ai un peu changé) dans la bonne tradition de toute entreprise philosophique comme garantie et caution. Je vois aussi que, les choses étant alors ce qu'elles étaient, les prétentions et contre-prétentions étant alors ce qu'elles étaient, et moi étant ce que j'étais, il ne pouvait en aller autrement, et la réplique que je donnais était comme naturelle, aussi naturelle que les orages et les grêles de Spinoza. J'y croyais à moitié, comme tout « bon » esprit, mais cette moitié de défiance était nécessaire à l'autre moitié, pour écrire. Cet échafaudage a sans doute rendu à des gens le service de pouvoir grimper sur le toit de la maison et va savoir ce qu'ils ont fait du toit et de la maison ! et de la vue sur le paysage qu'ils recevaient de leur escalade ! Les choses sont quand même un peu compliquées : et j'ai de surcroît acquis une autre certitude, savoir que les écrits se suivent selon une logique qui, pour peu que tu en reconnaisses en général la nécessité pour être tant soit peu philosophe, ne se laisse pas « rectifier » aussi facilement que cela. Rectifie, rectifie, il en restera *toujours* quelque chose... La prison du personnage reste, même si le « personnage » qui a eu l'imprudence de se découvrir dans un texte décide d'annoncer qu'il a changé. J'en reviens au précepte célèbre : n'écrivez jamais vos œuvres de jeunesse ! n'écrivez jamais votre premier livre !

Tout n'a pas été vain dans cette aventure, ni nul, car la logique du jeu des assertions n'est pas celle des assertions mêmes. Mais la question est de savoir comment « gérer » ce passé présumé ou présomptif dans une situation comme celle que nous subissons. La seule réponse que je trouve pour le moment est le silence. Et, malgré toutes les différences, je comprends le tien, qui a bien d'autres raisons. Comme je comprends la tentation et la ressource d'une retraite dans « des profondeurs métaphysiques » qui ont l'avantage de combattre la solitude. Silence qui peut être définitif, pourquoi pas ? Ou recul pour publier quand même quelques petites choses sur Machiavel, Gramsci et consorts, ou quelques impertinences sur la philosophie, vieille idée que je traîne, tu t'en souviens, mais que je dois, l'expérience aidant, passablement rectifier depuis nos promenades dans les herbages, ou encore sur la tradition épicurienne, que sais-je ?, peu de chose en un temps où faudrait être armé d'assez de connaissances concrètes pour parler de choses comme l'État, la crise économique, les organisations, les pays « socialistes », etc. Ces connaissances je ne les ai pas, et il faudrait, comme Marx en 1852, « recommencer par le commencement », mais c'est bien tard, vu l'âge, la fatigue, la lassitude et aussi la solitude.

Il y a bien sûr aussi la possibilité de revenir sur *Le Capital*, maintenant qu'on voit à peu près ce qui ne marche pas dans son raisonnement, qui ne touche pas à l'Idée de l'entreprise, mais à ses arguments : mais là aussi, en bonne logique, il ne suffirait pas de démontrer, mais il faudrait « remonter » le mécanisme, ce qui suppose d'autres pièces et bien autre chose que la petite culture philosophique dont je dispose.

Tu parles de « dégoût » : j'entends le mot autour de moi, chez les meilleurs. Et ici pourtant, ce n'est pas comme chez toi, mais c'est le même mot. C'est le mot qui dit tout haut qu'on ne trouve plus sa place dans toute cette merde, et qu'il est vain de l'y chercher, car toutes les places sont emportées par le cours insensé des choses. On ne peut plus se baigner dans un fleuve du tout. Sauf à être un piquet planté dans le courant, et qui, en silence, tienne. A un peu de terre ferme. Le tout est de trouver ce peu de terre sous les eaux. Après tout c'est le « branle du monde » de Montaigne qui en a vu, en fait de conjoncture, de toutes les couleurs. Mais le livre est déjà fait : faut trouver autre chose.

Si tu peux m'écrire, je suis preneur pour tes « profondeurs métaphysiques » : par curiosité et pour savoir comment tu fais, et deviner à travers les réponses que tu cherches les questions qui te travaillent.

J'ai passé un été très difficile, mais maintenant j'ai retrouvé un certain équilibre, je puis un peu lire, et suis capable d'attendre. La façon incroyable dont les problèmes du monde viennent se nouer sur les fantasmes personnels, c'est incroyable et impitoyable : j'ai vécu ça. Mais j'ai aussi vécu le premier dénouement de la chose, et cela m'a rendu un peu de courage, et une sorte de sérénité « instruite ». Cela ne change rien au bordel du monde, mais aux obsessions de l'âme... c'est un commencement, disons quand même encourageant. Comme quoi, changer l'ordre de ses pensées plutôt que l'ordre du monde...

Pardon pour cette longue confidence, cher Merab. Ici je garde tout ça pour moi seul : avec toi, c'est autre chose.

Je t'embrasse et suis soucieux de toi.

Louis.

III

Louis Althusser après Althusser

A partir du mois de juillet 1982, à la clinique de Soisy-sur-Seine, puis dans son appartement parisien, Louis Althusser se remet à écrire. Il rédige en quelques semaines une dizaine de textes portant aussi bien sur la conjoncture politique que sur ce qu'il appelle désormais « matérialisme de la rencontre ». Il décide au cours de l'automne de construire un livre sur cette base : photocopiant un certain nombre de ces textes initiaux, il rédige des passages et des chapitres intermédiaires pour aboutir à un ensemble de 142 pages dactylographiées composé de seize chapitres — la double, triple, voire quadruple numérotation de certaines pages montrant que plusieurs montages ont été réalisés, dont la reconstitution est aujourd'hui problématique. Le document retrouvé dans les archives d'Althusser n'étant pas l'original de l'ouvrage, mais un simple jeu de photocopies, il est extrêmement difficile de retracer l'histoire du texte : si les corrections manuscrites, innombrables, ne semblent pas toutes contemporaines, la photocopie rend leur datation tout à fait aléatoire.

Il est très vite apparu qu'il était impossible de publier intégralement cet ouvrage, dont plusieurs passages sont identiques [1]. Et les répétitions survenant au cœur de développements subitement interrompus, il était également impossible de se contenter

---

1. Les pages 109-116 sont identiques aux pages 56-63, et les pages 119-125 aux pages 69-75.

de les supprimer : en tout état de cause le fil conducteur était rompu. Tel n'est pas le seul défaut du collage effectué par Louis Althusser ; l'insertion d'une ou de plusieurs pages sans raccord au beau milieu d'une phrase rend à plusieurs reprises le texte incompréhensible. Une évidence s'est alors imposée : quel que soit le choix effectué, la publication de cet ouvrage serait le fruit d'une construction a posteriori. *Et plutôt que d'adopter le point de vue, de toute façon insatisfaisant, de la plus grande fidélité possible, il nous a semblé préférable de procéder suivant une logique rigoureusement inverse de celle adoptée pour l'édition des autres textes du présent volume. Plusieurs passages, en particulier les chapitres II et III, tous deux intitulés « Que faire ? », tombent directement sous le coup de la sévère critique que Louis Althusser s'adressait à lui-même dans sa lettre du 3 novembre 1987 à Fernanda Navarro, lui demandant de retirer plusieurs chapitres de ses Entretiens avec lui : « Ce sont des échanges d'opinions discutables, car non fondées, non argumentées, sans citations de textes, sans exemples convaincants, bref faibles : niveau* journalistique, *et c'est dommage, comme c'est dommage ! Laisse donc de côté cette ambition (que je t'ai inoculée imprudemment)* " politico-stratégique " *et* limite-toi à *la seule philosophie* [1]. » *D'autres passages, écrits plusieurs semaines après les autres, font manifestement double emploi avec eux. Puisque de toute façon il fallait choisir, nous avons réduit le texte à ce qui en est le cœur : le « courant souterrain du matérialisme de la rencontre », modifiant par là même l'économie générale de l'ouvrage.*

Lorsque Louis Althusser décide en effet de construire ce volume, son intention est celle qui présidera en 1985 à la rédaction de L'avenir dure longtemps : *reprendre publiquement la parole. Précédé d'une dédicace :* « Pour Hélène / sans qui / ce livre en deuil » *(ces quatre derniers mots rayés), l'ouvrage s'ouvre sur un chapitre partiellement autobiographique :*

---

1. Louis Althusser, *Sur la philosophie*, Paris, Gallimard, 1994, p. 134. Cf. dans le même volume : « Philosophie et marxisme. Entretiens avec Fernanda Navarro ».

« J'écris ce livre en octobre 1982, au sortir d'une atroce épreuve de trois ans dont, qui sait, je raconterai peut-être un jour l'histoire, si jamais elle peut en éclairer d'autres et sur ses circonstances et sur ce que j'ai subi (la psychiatrie etc.). Car j'ai étranglé ma femme au cours d'une crise intense et imprévisible de confusion mentale, en novembre 1980, elle qui m'était tout au monde, elle qui m'aimait au point de ne vouloir que mourir faute de pouvoir vivre, et sans doute lui ai-je, dans ma confusion et mon inconscience, " rendu ce service " dont elle ne s'est pas défendue, mais dont elle est morte.

« Depuis, quand j'étais dans les hôpitaux psychiatriques, après une décision de " non-lieu " rapidement intervenue sur la base de trois expertises dont j'ai apprécié la compétence comme l'indépendance, je vivais ce temps sans nom qui ne passe pas, sans conscience. C'est plus tard que j'appris que le monde avait suivi son cours. Il vit la victoire de la gauche, écrasante, aux élections du 10 mai 1981, la constitution d'un gouvernement socialiste avec Mauroy à sa tête, sous la présidence " tranquille " de François Mitterrand. Il vit les premières mesures " sociales " (faut-il les dire " socialistes " ?) inquiéter, voire faire trembler le patronat (qui en a pourtant l'habitude – feinte ?, mais qui vit quand même bien des choses changer, de la justice au SMIG pour ne citer que ces deux extrêmes, l'un du droit, l'autre du salaire, les deux piliers de notre monde). On vit aussi la droite tenter de se reprendre, gagner çà et là quelques élections dont elle fit tapage pour croire à son existence, on vit François Mitterrand parcourir le monde à la recherche d'alliés pour la paix et de contrats pour la production. Nous apercevons bien d'autres réformes progressistes encore annoncées, et qui feront date, mais comme chacun sait : il " faut que le sucre fonde " (Bergson), il faut du temps pour que toute chose mûrisse, le pire étant sans doute en elle une prématuration, qui expose à toutes les mésaventures. La France de 1792 et de 1871 en est bien instruite, en sa sagesse et mémoire populaire qui, justement, sait attendre que les temps soient enfin venus, mais pas avant terme. Elle attend, sûre que le jeu en vaut la chandelle, que tout peut rater, mais qu'il faut au moins tenter cette expérience inespérée et de longtemps méditée et préparée, qui peut lui ouvrir, après l'effort, le monde du bien-être, de la sécurité, de l'égalité et de la paix, mieux assurés.

« Et voici que, mieux allant, débarrassé de ce que furent mes horribles délires, je sors de l'hôpital (Soisy-sur-Seine) où je fus merveilleusement – si on peut jamais parler de merveille en ces matières – soigné, et reviens à ce monde qui m'est tout neuf de ne pas l'avoir connu, donc plein de surprises. J'habite désormais un quartier populaire, et vois de mes yeux, moi qui, dans l'École normale du cinquième arrondissement, ne les connaissais que par ouï-dire et " ouï-lire ", ce que sont les artisans, en déroute ou pas, ce qu'est un " mode de production " et la " sous-traitance ", et il me semble que je comprends mieux ce que Marx voulait dire, et voulant le dire, a en partie raté. Bien entendu se combinent à ces constats de longues réflexions issues de ma vocation (on n'est pas " philosophe " pour rien depuis l'âge de vingt-huit ans) et il en sort ce livre, étrange à qui voudra le parcourir, sérieux à qui voudra le lire sinon l'étudier, où j'ai condensé ce que je crois, en cet automne où les feuilles jaunies tombaient l'autre jour lentement sur les tombes au Père-Lachaise, près du Mur et ailleurs, pouvoir dire. Je l'ai dit, comme toujours, d'un trait, faisant confiance en quelque sorte au mouvement d'une écriture comme " parlée " plus qu'à une " écriture écrite ", et confiance qu'il y correspondra chez le lecteur de bonne volonté comme un mouvement du même ordre, enjambant les difficultés signalées, répétant quand il le faut des vérités acquises, et se hâtant vers son terme, dans l'attente de sa suite : un second Tome sur Marx et peut-être un troisième sur les pays du " socialisme réel [1] ".

« On jugera certes imprudent que " j'annonce " ainsi la couleur, surtout après l'épreuve dont je ne sors pas sans trembler, mais enfin autant que le lecteur sache dès aujourd'hui où il va, me suivant, autant qu'il sache donc où je vais, voudrais aller et peut-être vais, et que cette *philosophie de la rencontre* dont je plaide et l'existence et la cause et la fécondité, *n'a rien d'une spéculation, mais est la*

1. Ces deux tomes n'ont jamais été écrits.

clé de ce que nous avons lu de Marx, et comme compris de ce qui nous advient : ce monde, déchiré entre des puissances complices et la " crise " qui les unit de son anneau diabolique, car presque inconnu.

« Il me reste à souhaiter au lecteur et courage pour lire, et bon courage pour me faire crédit et, mais ce n'est pas indispensable, de commencer cet ouvrage par la lecture d'un chapitre provisoire et provisionnel qui s'intitule prétentieusement, depuis Tchernichevski à qui Lénine, en un temps de désarroi, avait repris le titre : " Que faire ? " [1]. »

Telle est la première rédaction de la préface, ultérieurement complétée par un développement qui s'achève ainsi :

« C'est pourquoi je voudrais reprendre ici la tâche là où l'avaient laissée mes premiers essais maladroits et mes rectifications ultérieures : voir plus clair, et si possible enfin clair dans la théorie de Marx, dans sa pensée théorique, en donnant au mot de pensée toute son extension (effort pour penser, pour assumer les conséquences, pour embrasser les termes d'une contradiction nécessaire, etc.). Il va donc encore et toujours s'agir, dans ces deux premiers livres du moins, de philosophie puis de théorie — je m'en excuse auprès de ceux qui trouveront la plaisanterie amère. Qu'ils se rassurent : ce détour par la théorie, et tout particulièrement par la philosophie puis la pensée théorique de Marx, n'est là, comme je viens de le dire, que pour permettre de comprendre la politique, celle dans laquelle nous sommes engagés, celle dans laquelle nous sommes " perdus " et " sans repères ". C'est peut-être une ambition démesurée, mais l'expérience vaut d'être tentée et je compte sur la vigilance des critiques pour me reprendre si jamais je me laissais aller. »

De nouveau hospitalisé à Soisy du 24 juin au 28 juillet 1986, Louis Althusser rédige à la main et signe ce qui est sans

---

1. Ce paragraphe, qui concluait la première version de la préface, a ensuite été rayé par Louis Althusser.

*doute sa dernière série de textes philosophiques : « Sur l'ana-
lyse » (12 pages, non daté), « Sur l'histoire » (2 pages, 6 juillet), « Du matérialisme aléatoire » (19 pages, 11 juillet),
« Portrait du philosophe matérialiste » (2 pages, 19 juillet),
« Machiavel philosophe » (13 pages, non daté). Comme il
n'était guère possible de publier l'ensemble de cette variation
inachevable sur le thème du matérialisme aléatoire, nous y
avons prélevé pour finir le singulier « Portrait du philosophe
matérialiste ». Il est, chacun en conviendra, particulièrement
surdéterminé.*

Le courant souterrain
du matérialisme de la rencontre [a]
(1982)

. . . .

Il pleut.

Que ce livre soit donc d'abord un livre sur la simple pluie.

Malebranche [b] se demandait « pourquoi il pleut sur la mer, les grands chemins et les sablons », puisque cette eau du ciel qui ailleurs arrose les cultures (et c'est fort bien) n'ajoute rien à l'eau de la mer ou se perd dans les routes et les plages.

Il ne s'agira pas de cette pluie-là [c], providentielle ou contre-providentielle.

Ce livre porte tout au contraire sur une autre pluie, sur un thème profond qui court à travers toute l'histoire de la philosophie, et qui y a été aussitôt combattu et refoulé qu'il y a été énoncé : la « pluie » (Lucrèce) des atomes d'Épicure qui tombent parallèlement dans le vide, la « pluie » du parallélisme des attributs infinis chez Spinoza, et bien d'autres encore, Machiavel, Hobbes, Rousseau, Marx, Heidegger aussi et Derrida.

Tel est le premier point que, découvrant d'emblée ma thèse essentielle, je voudrais mettre en évidence : *l'existence d'une tradition matérialiste presque complètement méconnue* dans

---

Notes d'édition p. 577 à 579.

l'histoire de la philosophie : le « matérialisme » (il faut bien un mot pour la démarquer en sa tendance) *de la pluie, de la déviation, de la rencontre, et de la prise*. Je développerai tous ces concepts. Pour simplifier les choses, disons pour le moment : un *matérialisme de la rencontre*, donc de l'aléatoire et de la contingence, qui s'oppose comme une tout autre pensée aux différents matérialismes recensés, y compris au matérialisme couramment prêté à Marx, à Engels et à Lénine, qui, comme tout matérialisme de la tradition rationaliste, est un matérialisme de la nécessité et de la téléologie, c'est-à-dire une forme transformée et déguisée d'idéalisme.

Que ce matérialisme de la rencontre ait été refoulé par elle ne signifie pas qu'il ait été négligé par la tradition philosophique : il était trop dangereux. Aussi a-t-il été très tôt interprété, refoulé et détourné en un *idéalisme de la liberté*. Si les atomes d'Épicure qui tombent en une pluie parallèle dans le vide, se *rencontrent*, c'est alors pour bien faire reconnaître, dans la déviation que produit le *clinamen*, l'existence de la liberté humaine dans le monde même de la nécessité. Il suffit évidemment de produire ce contresens intéressé pour couper court à toute autre interprétation de cette tradition refoulée que j'appelle le matérialisme de la rencontre. A partir de ce contresens, les interprétations idéalistes l'emportent, qu'il s'agisse non plus du seul *clinamen*, mais de tout Lucrèce, de Machiavel, de Spinoza et de Hobbes, du Rousseau du second *Discours*, de Marx et de Heidegger lui-même, pour autant qu'il ait frôlé ce thème. Et dans ces interprétations triomphe une certaine conception de la philosophie et de l'histoire de la philosophie qu'on peut, avec Heidegger, qualifier d'occidentale, car elle domine depuis les Grecs notre destin, et de logocentrique car elle identifie la philosophie avec une fonction du Logos chargé de penser l'antécédence du Sens sur toute réalité.

Délivrer de son refoulement ce matérialisme de la rencontre, découvrir s'il se peut ce qu'il implique et sur la philosophie et sur le matérialisme, en reconnaître les effets cachés là où ils agissent sourdement, telle est la tâche que je voudrais me proposer.

On peut partir d'un rapprochement qui surprendra : celui d'Épicure et de Heidegger.

Épicure nous explique qu'avant la formation du monde une infinité d'atomes tombaient, parallèlement, dans le vide. Ils tombent toujours. Ce qui implique qu'avant le monde il n'y eût rien, et en même temps que tous les éléments du monde existassent de toute éternité avant qu'aucun monde ne fût. Ce qui implique aussi qu'avant la formation du monde *aucun Sens* n'existait, ni Cause, ni Fin, ni Raison ni déraison. La non-antériorité du Sens est une thèse fondamentale d'Épicure, en quoi il s'oppose aussi bien à Platon qu'à Aristote. Survient le *clinamen*. Je laisse aux spécialistes la question de savoir qui en a introduit le concept, qu'on trouve chez Lucrèce mais qui est absent des fragments d'Épicure. Le fait qu'on l'ait « introduit » laisse à penser que son concept était, au besoin à la réflexion, indispensable à la « logique » des thèses d'Épicure. Le *clinamen,* c'est une *déviation* infinitésimale, « aussi petite que possible », qui a lieu « on ne sait où ni quand, ni comment », et qui fait qu'un atome « dévie » de sa chute à pic dans le vide, et, rompant de manière quasi nulle le parallélisme sur un point, provoque *une rencontre* avec l'atome voisin et de rencontre en rencontre un carambolage, et la naissance d'un monde, c'est-à-dire de l'agrégat d'atomes que provoque en chaîne la première déviation et la première rencontre.

Que l'origine de tout monde, donc de toute réalité et de tout sens soit due à une déviation, que la Déviation et non la Raison ou la Cause soit l'origine du monde, donne une idée de l'audace de la thèse d'Épicure. Quelle philosophie a donc, dans l'histoire de la philosophie, repris la thèse que la *Déviation était originaire* et non dérivée? Il faut aller plus loin. Pour que la déviation donne lieu à une rencontre, dont naisse un monde, il faut qu'elle dure, que ce ne soit pas une « brève rencontre », mais une rencontre durable, qui devient alors la base de toute réalité, de toute nécessité, de tout Sens et de toute raison. Mais la rencontre peut aussi ne pas durer, et alors il n'est pas de monde. Qui plus est, on voit que la rencontre ne crée rien de la réalité du monde, qui n'est qu'atomes agglomérés, mais *qu'elle donne leur réalité aux atomes eux-mêmes* qui sans la déviation et la rencontre ne seraient rien que des éléments *abstraits*, sans consistance ni existence. Au point qu'on peut soutenir que l'*existence même des atomes ne leur vient que de la déviation et de la rencontre* avant laquelle ils ne menaient qu'une existence fantomatique.

On peut dire tout cela dans un autre langage. Le monde peut être dit *le fait accompli*, dans lequel, une fois le fait accompli, s'instaure le règne de la Raison, du Sens, de la Nécessité et de la Fin. Mais *cet accomplissement du fait* n'est que pur effet de contingence, puisqu'il est suspendu à la rencontre aléatoire des atomes due à la déviation du *clinamen*. Avant l'accomplissement du fait, avant le monde, il n'y a que *le non-accomplissement du fait*, le non-monde qui n'est que l'existence *irréelle* des atomes.

Que devient dans ces circonstances la philosophie? Elle n'est plus l'énoncé de la Raison et de l'Origine des choses, mais théorie de leur contingence et reconnaissance du *fait*, du fait de la contingence, du fait de la soumission de la nécessité à la contingence, et du fait des formes qui « donne forme » aux effets de la rencontre. Elle n'est plus que *constat* : *il y a eu* rencontre, et « *prise* » des éléments les uns sur les autres (comme on dit que la glace « prend »). Toute question d'Origine est récusée, comme toutes les grandes questions de la philosophie : « pourquoi y a-t-il quelque chose plutôt que rien? quelle est l'origine du monde? quelle est la raison d'être du monde? quelle est la place de l'homme dans les fins du monde? etc. » Je répète : quelle philosophie a, dans l'histoire, eu l'audace de reprendre de telles thèses?

Je parlais de Heidegger. Justement on trouve chez lui, qui n'est évidemment pas épicurien ni atomiste, un mouvement de pensée analogue. Qu'il récuse toute question sur l'Origine, toute question sur la Cause et la Fin du monde, on le sait. Mais il y a chez lui toute une série de développements autour de l'expression « *es gibt* », « il y a », « c'est donné ainsi » qui rejoignent l'inspiration d'Épicure. « *Il y a* du monde, de la matière, des hommes... » Une philosophie du « *es gibt* », du « c'est donné ainsi », règle leur compte à toutes les questions classiques d'Origine, etc. Et elle « ouvre » sur une vue qui restaure une sorte de contingence transcendantale du monde, dans lequel nous sommes « jetés », et du sens du monde, lequel renvoie à l'ouverture de l'Être, à la pulsion originelle de l'Être, à son « envoi » au-delà de quoi il n'y a rien ni à chercher ni à penser. Le monde nous est ainsi un « don », un « fait de fait » que nous n'avons pas choisi, et qui s'« ouvre » devant nous dans la facticité de sa contingence, au-delà même de cette facticité, dans ce qui n'est pas seulement un constat, mais un « être-au-monde » qui commande tout Sens possible. « Le *Da-sein* est le gardien de l'être. » Tout y tient au *« da »*. Que reste-t-il à la philosophie? Une fois encore, mais sur le mode transcendantal, *le constat du « es gibt »* et de ses réquisits, ou plutôt de ses effets dans leur « donné » insurmontable.

Est-ce encore du matérialisme? La question n'a pas beaucoup de sens chez Heidegger qui se situe délibérément en dehors des grandes divisions et appellations de la philosophie occidentale. Mais alors les thèses d'Épicure sont-elles encore matérialistes? Oui peut-être, sans doute, mais à condition d'en finir avec cette conception du matérialisme qui en fait, sur le fond de questions et concepts communs, la réponse à l'idéalisme. Si nous allons continuer à parler du matérialisme de la rencontre, ce sera par commodité : il faut bien savoir qu'Heidegger y entre et que ce matérialisme de la rencontre échappe aux critères classiques de tout matérialisme, et qu'il faut bien un mot pour désigner la chose.

Machiavel sera notre second témoin dans l'histoire de cette tradition souterraine du matérialisme de la rencontre. On connaît son projet : penser, dans les conditions impossibles de l'Italie du XVI⁰ siècle, les conditions de la constitution d'un État national italien. Toutes circonstances favorables à imiter la France ou l'Espagne, mais elles sont *sans lien* entre elles : un peuple divisé mais ardent, le morcellement de l'Italie en petits État périmés et condamnés par l'histoire, la révolte généralisée mais désordonnée de tout un monde contre l'occupation et le pillage étranger, et une profonde aspiration populaire latente à l'unité, dont témoignent toutes les grandes œuvres du temps, y compris celle de Dante qui n'y comprenait rien, mais attendait que vînt le « grand Lévrier ». En somme un pays atomisé, dont chaque atome tombe en chute libre sans rencontrer le voisin. Il faut *créer les conditions d'une déviation* et donc d'une rencontre pour que « prenne » l'unité italienne. Comment faire ? Machiavel ne croit pas qu'aucun État existant, surtout pas les États de l'Église, les pires qui soient, puisse jouer le rôle de l'unification. Dans *Le Prince* il les énumère les uns après les autres, mais c'est pour les récuser comme autant de pièces décadentes du mode de production précédent, féodal, y compris les républiques qui en sont l'alibi et les prisonnières. Et il pose le problème dans toute sa rigueur et toute sa nudité.

Une fois récusés tous les États et leurs princes, donc tous les *lieux* et les *hommes*, il en vient, aidé de l'exemple de César Borgia, à l'idée que l'unité sera faite s'il se rencontre un homme sans nom qui ait assez de chance et de vertu pour s'installer quelque part, dans un coin d'Italie *sans nom*, et qui, à partir de ce point atomal agrège peu à peu les italiens autour de lui dans le grand projet d'un État national. C'est un raisonnement complètement aléatoire, qui laisse politiquement *en blanc* le nom du Fédérateur comme le nom de la région à partir de laquelle se fera cette fédération. Les dés sont ainsi jetés sur la table du jeu, elle-même vide (mais remplie d'hommes de valeur) [a].

Pour que cette rencontre entre un homme et une région « prenne », il faut qu'elle *ait lieu*. Politiquement conscient de l'impuissance des États et des princes existants, Machiavel se tait sur ce prince et ce lieu. Ne nous y trompons pas. Ce silence est une condition *politique* de la rencontre. Machiavel souhaite seulement que dans l'Italie atomisée la rencontre ait lieu et il est manifestement hanté par ce César, qui, parti de rien, fit de la Romagne un Royaume, et, Florence prise, allait unifier tout le Nord s'il n'était tombé malade au moment décisif dans les marais de Ravenne, quand il allait, malgré Jules II, jusqu'à Rome, le destituer. *Un homme de rien, parti de rien, et partant d'un lieu inassignable,* voilà pour lui les conditions de la régénération.

Mais pour que cette rencontre ait lieu, il faut une autre rencontre : celle de la fortune et la « virtù » dans le Prince. Rencontrant la fortune, il faut que le Prince ait la virtù de la traiter comme une femme, de l'accueillir pour la séduire ou lui faire violence, bref de l'utiliser à la réalisation de son destin. C'est à cette considération que nous devons à Machiavel toute une théorie philosophique de la rencontre entre la fortune et la virtù. La rencontre peut ne pas avoir lieu *ou* avoir lieu. On peut se rater. La rencontre peut être brève ou durable : il lui faut une rencontre qui dure. Pour cela le Prince doit apprendre à gouverner sa fortune en gouvernant les hommes. Il doit structurer, en en formant les hommes, son État, et surtout en lui donnant *des lois* constantes. Il doit les gagner en allant au-devant d'eux, mais en sachant garder sa distance. Cette double démarche donne lieu à la théorie de la séduction et à la théorie de la crainte, comme à la théorie du faux-semblant. Je passe sur le rejet de la démagogie de l'amour, sur la crainte préférable à l'amour, sur les méthodes violentes destinées à inspirer la crainte, pour aller directement à la théorie du faux-semblant.

Le Prince doit-il être bon ou méchant? Il doit apprendre à être méchant, mais en toutes circonstances il doit savoir *paraître* bon, posséder les vertus morales qui lui gagneront le peuple, même si elles lui valent la haine des grands, qu'il méprise, car d'eux on ne peut rien attendre d'autre. On connaît la théorie de Machiavel : que le Prince soit « comme le centaure des anciens, homme et bête ». Mais on n'a pas assez remarqué qu'en lui *la bête se dédouble,* se fait à la fois lion et renard, et qu'en définitive c'est le renard qui gouverne tout. Car c'est le renard qui lui imposera soit de paraître méchant, soit de paraître bon, bref de se fabriquer une image populaire (idéologique) de soi qui réponde à ses intérêts et aux intérêts des « petits » ou non. En sorte que le Prince est gouverné au-dedans de lui par les variations de cette autre rencontre aléatoire, celle du renard d'une part et du lion et de l'homme d'autre part. Cette rencontre *peut ne pas avoir lieu*, mais elle peut aussi avoir lieu. Elle aussi doit être durable pour que « prenne » la figure du Prince dans le peuple, « prenne », c'est-à-dire prenne forme, qu'il se fasse craindre institutionnellement comme bon et finalement, si c'est possible, le soit, mais à la condition absolue de ne jamais oublier de savoir être méchant s'il le faut.

On dira qu'il ne s'agit là que de philosophie politique, sans voir qu'une philosophie y est, en même temps, à l'œuvre. Singulière philosophie qui est un *« matérialisme de la rencontre », pensée au travers de la politique*, et qui, comme telle, ne suppose rien de préétabli. C'est dans le *vide* politique que doit se faire la rencontre, et que doit « prendre » l'unité nationale. Mais *ce vide politique est d'abord un vide philosophique*. On n'y trouve aucune Cause qui précède ses effets, aucun Principe de morale ou de théologie (comme dans toute la tradition politique aristotélicienne : les bons et les mauvais régimes, la décadence des bons dans les mauvais), on n'y raisonne pas dans la Nécessité du fait accompli, mais dans la contingence du fait à accomplir. Comme dans le monde épicurien, tous les éléments sont là et au-delà, à pleuvoir (voir plus haut : la situation italienne), mais ils n'existent pas, ne sont qu'abstraits tant que l'unité d'un monde ne les a pas réunis dans la Rencontre qui fera leur existence.

On aura remarqué qu'en cette philosophie règne l'alternative : la rencontre peut n'avoir pas lieu, comme elle peut avoir lieu. Rien ne décide, aucun principe de décision ne décide à l'avance de cette alternative, qui est de l'ordre du jeu de dés. « Jamais un coup de dés n'abolira le hasard ». Eh oui! Jamais une rencontre réussie et qui ne soit pas brève mais dure, ne garantit qu'elle durera encore demain au lieu de se défaire. Tout comme elle aurait pu ne pas avoir lieu, elle peut *ne plus* avoir lieu : « fortune passe et varie », témoin Borgia à qui tout réussit jusqu'aux fameux jours des fièvres. En un autre langage rien ne vient jamais garantir que *la réalité du fait accompli* soit *la garantie de sa pérennité* : bien au contraire, tout fait accompli, même électoral, et tout ce qu'on peut en tirer de nécessité et raison n'est que rencontre provisoire, car toute rencontre étant provisoire, même quand elle dure, il n'est point d'éternité dans les « lois » d'aucun monde et d'aucun État. L'histoire n'y est que la révocation permanente du fait accompli par un autre fait indéchiffrable à accomplir, sans qu'on sache à l'avance ni jamais, ni où, ni comment l'événement de sa révocation se produira. Simplement un jour viendra où les jeux seront à redistribuer, et les dés de nouveau à jeter sur la table vide.

On aura ainsi remarqué que cette philosophie est en tout et pour tout une philosophie du *vide* : non seulement la philosophie qui *dit* que le vide préexiste aux atomes qui tombent en lui, mais une philosophie qui *fait le vide philosophique* pour se donner l'existence : une philosophie qui au lieu de partir des fameux « problèmes philosophiques » (« pourquoi y a-t-il quelque chose plutôt que rien ? »), *commence par évacuer tout problème philosophique*, donc par refuser de se donner quelque « objet » que ce soit (« la philosophie n'a pas d'objet »), pour ne partir que de *rien*, et de cette variation infinitésimale et aléatoire du rien qu'est la déviation de la chute. Est-il critique plus radicale de toute philosophie dans sa prétention de dire le vrai sur les choses ? Est-il manière plus frappante de dire que l'« objet » par excellence de la philosophie est le néant, le rien, ou le vide ? Au XVIIᵉ siècle on vit Pascal tourner autour de cette idée, et introduire le vide comme objet philosophique. Mais c'était sur le fond déplorable d'une apologétique. Là encore il faudra attendre Heidegger, après la fausse parole d'un Hegel (« *le travail du négatif* ») ou d'un Stirner (« *je n'ai mis ma cause en rien* »), pour redonner au vide toute sa portée philosophique décisive. Mais on trouve déjà tout cela chez Épicure et Machiavel, chez Machiavel qui fit le vide de tous les concepts philosophiques de Platon et d'Aristote pour penser la possibilité de faire de l'Italie un État national. On mesure là l'impact de la philosophie : réactionnaire ou révolutionnaire, sous des apparences souvent déconcertantes, qu'il faut déchiffrer avec patience et soin.

A lire Machiavel ainsi (ce ne sont là que des notes brèves qu'il faudrait développer et que je pense développer un jour [a]), qui donc a pu croire qu'il ne s'agissait, sous les dehors de politique, d'une authentique pensée philosophique? Et qui a pu croire que la fascination exercée par Machiavel était seulement politique, de surcroît centrée sur le problème absurde de savoir s'il était ou monarchiste ou républicain (tout le meilleur de la philosophie des lumières a donné dans cette sottise [b]), alors que ses résonances philosophiques ont été à son insu parmi les plus profondes qui nous soient parvenues de ce douloureux passé? Je voudrais *déplacer* le problème, non seulement donc récuser l'alternative monarchiste/républicain qui n'a aucun sens, mais récuser aussi la thèse de Machiavel comme fondateur de la seule science politique, qui court les rues. Je voudrais suggérer que Machiavel ne doit pas tant à la politique qu'à son *« matérialisme de la rencontre »* l'essentiel de son influence sur des hommes qui se soucient à juste titre de la politique comme de leur dernière savate – *personne n'est obligé de « faire de la politique »* –, et se sont partiellement trompés sur lui, cherchant en vain, comme le faisait encore un Croce, d'où pouvait bien venir cette fascination *à jamais* incompréhensible.

Cette fascination, un homme l'avait comprise moins de cent ans après la mort de Machiavel. Il s'appelait Spinoza. On trouve dans le *Traité politique* l'éloge explicite de Machiavel, dans un traité où apparemment une nouvelle fois il s'agit de politique, alors qu'en réalité il s'y agit aussi de philosophie. Mais pour entendre cette philosophie, il faut remonter plus haut, la stratégie philosophique de Spinoza étant radicale et d'une extrême complexité. C'est qu'il se bat dans un monde plein, guetté à chacun de ses mots par des adversaires qui occupent ou pensent occuper tout le terrain et qu'il lui faut développer une problématique déconcertante : par le haut, qui domine toutes les conséquences.

Je soutiendrai la thèse que l'objet de la philosophie est pour Spinoza le vide [a]. Thèse paradoxale, quand on voit la masse de concepts qui sont « travaillés » dans l'*Éthique*. Il suffit pourtant de remarquer *comment il commence*. Il avoue dans une lettre : *« les uns commencent par le monde, les autres par l'esprit humain, moi je commence par Dieu* [b] *».* Les autres : ce sont d'une part les scolastiques qui commencent par le monde, et du monde créé remontent à Dieu. Les autres, c'est d'autre part Descartes qui commence par le sujet pensant, et par le cogito, remonte aussi au dubito et à Dieu. Tous passent par Dieu. Spinoza fait l'économie de ces détours et délibérément s'installe *en Dieu*. Par là on peut dire qu'il investit *d'avance* la place forte commune, garantie dernière et ultime recours de tous ses adversaires, en commençant par cet *au-delà de quoi il n'est rien*, et qui, d'exister ainsi dans l'absolu, sans aucune relation, *n'est lui-même rien*. Dire « je commence par Dieu », ou par le Tout, ou par la substance unique, et laisser entendre « je ne commence par rien », c'est au fond la même chose : quelle différence entre le Tout et rien? puisque rien n'existe hors le Tout... De fait, qu'a-t-il à dire de Dieu? C'est ici que commence l'étrange.

Dieu *n'est que* nature, ce qui revient à ne dire *rien* d'autre : il n'est *que nature*. Épicure partait aussi de la nature comme ce en dehors de quoi rien n'existe. Qu'est donc ce dieu spinoziste? Une substance absolue, unique et infinie, dotée d'un nombre infini d'attributs infinis. Évidemment c'est manière de dire que quoi [qui] puisse exister n'existe jamais qu'en Dieu, que ce « quoi que ce soit » soit connu ou inconnu. Car nous ne connaissons que deux attributs, l'étendue et la pensée, et encore, du corps nous ne connaissons pas toutes les puissances, comme de la pensée nous ne connaissons pas la puissance impensée du désir. Les autres attributs, en nombre infini et infinis eux-mêmes, sont là pour couvrir tout le possible et l'impossible. Qu'ils soient en nombre *infini*, et nous soient inconnus, laisse grande ouverte la porte à leur existence et leurs figures aléatoires. Qu'ils soient *parallèles*, que tout y soit effet du parallélisme fait penser à la pluie épicurienne. Les attributs tombent dans l'espace vide de leur détermination comme des gouttes de pluie qui ne sont rencontrables [que dans] ce parallélisme d'exception, ce parallélisme *sans rencontre, sans union* (de l'âme et du corps...) qu'est l'homme, dans ce parallélisme assignable, mais minuscule de la pensée et du corps [a], qui n'est encore que parallélisme, puisque en lui, comme en toutes choses, « l'ordre et la connexion des choses est le même que l'ordre et la connexion des idées ». Un *parallélisme sans rencontre* en somme mais qui est déjà en soi *rencontre* à cause de la structure même du rapport entre les éléments différents de chaque attribut.

Pour en juger, il faut voir les effets philosophiques de cette stratégie et de ce parallélisme. Que Dieu ne soit *rien* que nature, et que cette nature soit la somme infinie d'un nombre infini d'attributs parallèles, fait non seulement qu'*il ne reste rien à dire de Dieu*, mais qu'il ne reste non plus rien à dire du grand problème qui a envahi toute la philosophie occidentale depuis Aristote et surtout depuis Descartes : *le problème de la connaissance*, et de son double corrélat, le sujet connaissant et l'objet connu. Ces grandes causes, qui font tant causer, se réduisent à rien : « *homo cogitat* », « l'homme pense », c'est ainsi, c'est le constat d'une facticité, celle du « c'est ainsi », celle d'un « *es gibt* » qui annonce déjà Heidegger et rappelle la facticité de la chute des atomes chez Épicure. La pensée n'est que la suite des modes de l'attribut pensée, et renvoie, non à un Sujet, mais en bon parallélisme, à la suite des modes de l'attribut étendue.

Aussi, intéressante est la façon dont la pensée se constitue dans l'homme. Qu'il commence à penser par pensées confuses et par ouï-dire jusqu'à ce que ces éléments finissent par « prendre » forme pour penser dans des « notions communes » (du premier au second genre, puis au troisième genre : par essences singulières), cela importe, car l'homme pourrait en rester au ouï-dire, et la « prise » ne pas se faire entre les pensées du premier genre et celles du second. Tel est le sort de la majorité des peuples qui en restent au premier genre et à l'imaginaire, c'est-à-dire à l'illusion de penser, alors qu'ils ne pensent pas. C'est ainsi. On peut en rester au premier genre ou ne pas y rester. Il n'y a pas comme chez Descartes de nécessité immanente qui fasse passer de la pensée confuse à la pensée claire et distincte, pas de cogito, pas de moment nécessaire de la réflexion qui assure ce passage. Il peut avoir lieu ou pas. Et l'expérience montre qu'en règle générale il n'a pas lieu, sauf dans l'exception d'une philosophie consciente de n'être rien.

Une fois réduits à rien et Dieu et la théorie de la connaissance, qui sont destinés à mettre en place des « valeurs » suprêmes à quoi tout mesurer, que reste-t-il à la philosophie ? Plus de morale, et surtout plus de religion, mieux, une théorie de la religion et de la morale qui, longtemps avant Nietzsche, les détruit jusque dans leurs fondements imaginaires du « renversement » – la « fabrica à l'envers » (cf. l'appendice du Livre I de l'*Éthique*) ; plus de finalité (qu'elle soit psychologique ou historique) : bref *le vide qui est la philosophie même*. Et comme ce résultat est un résultat, il n'est atteint qu'au terme d'un gigantesque travail sur les concepts, qui fait tout l'intérêt de l'*Éthique*, travail « critique » dirait-on couramment, travail de « déconstruction » dirait Derrida après Heidegger, car ce qui est détruit est en même temps reconstruit, mais sur d'autres bases, et selon un tout autre plan, témoin cette inépuisable théorie de l'histoire, etc., mais dans [ses] fonctions effectives, politiques.

Étrange théorie qu'on a tendance à présenter comme une théorie de la connaissance (le premier des trois genres), alors que *l'imagination n'est nullement, en rien, une faculté, mais au fond, seulement le seul monde même* [a] *dans son « donné »*. Par ce glissement, Spinoza non seulement échappe à toute théorie de la connaissance, mais ouvre la voie à la reconnaissance du « monde », comme ce au-delà de quoi il n'est rien, pas même une théorie de la nature, à la reconnaissance du « monde » comme [...] totalité unique *non totalisée mais vécue dans sa dispersion*, et vécue comme le « donné » dans lequel nous sommes « jetés » et à partir duquel nous forgeons toutes nos illusions (« fabricae »). Au fond la théorie du premier genre comme « monde » répond de loin, mais très exactement à la thèse de Dieu comme « nature », la nature n'étant que le monde pensé selon les notions communes, mais donné avant elles comme ce en deçà de quoi il n'est rien. C'est dans l'imaginaire du monde et de ses mythes nécessaires que se greffe alors la politique de Spinoza, qui rejoint Machiavel au plus profond de ses conclusions et de l'exclusion de tous les présupposés de la philosophie traditionnelle, l'autonomie du politique n'étant que la forme prise par l'exclusion de toute finalité, de toute religion et de toute transcendance. Mais la théorie de l'imaginaire comme monde permet à Spinoza de penser cette « essence singulière » du troisième genre qu'est par excellence l'histoire d'un individu ou d'un peuple, comme Moïse ou le peuple juif. Qu'elle soit nécessaire signifie seulement qu'elle s'est accomplie, mais tout en elle pouvait basculer selon la rencontre ou la non-rencontre de Moïse et de Dieu ou la rencontre de l'intelligence [ou de] la non-intelligence des prophètes. La preuve : il fallait leur expliquer le sens de ce qu'ils rapportaient de leurs entretiens avec Dieu ! avec cette situation-limite, du néant même, celle de Daniel [...] : on avait beau tout lui expliquer, jamais il ne comprenait rien. Preuve par le néant du néant même, comme situation limite.

C'est Hobbes, ce « diable », ce « démon » qui nous servira à sa manière de transition entre Spinoza et Rousseau. La chronologie en cette affaire importe peu, puisque ces pensées se développèrent chacune pour soi, malgré la correspondance intermédiaire d'un Mersenne, et qu'il s'agit avant tout des résonances d'une tradition enfouie et reprise, qu'il faut faire sentir.

Toute la société repose sur la crainte, dit Hobbes, et la preuve empirique est que vous avez *des clés*, et pourquoi donc? pour fermer votre maison contre l'agression de vous ne savez qui, qui peut être votre voisin ou votre meilleur ami, transformé par votre absence, l'occasion et le désir de s'enrichir, en « loup pour l'homme ». De cette simple remarque, qui vaut nos meilleures « analyses d'essence », Hobbes tire toute une philosophie : savoir qu'il règne entre les hommes une « guerre de tous contre tous », une « course infinie » où chacun veut gagner, mais presque tous perdent, à considérer la position des concurrents (d'où les « passions » dont il fit, comme c'était alors la mode, pour y déguiser la politique, un traité [*sic*]) devant, derrière, à égalité dans la course – d'où l'état de guerre généralisé : non qu'elle éclate, ici, entre États (comme le voudra conséquemment Rousseau), mais comme on parle d'un « mauvais temps qui menace » (il peut pleuvoir à tout moment de la journée ou de la nuit, sans crier gare), bref comme d'une menace permanente sur sa personne et ses biens, et la menace de mort qui pèse, toujours à chaque instant, sur tout homme du simple fait de vivre en société. Je sais bien que Hobbes a en tête tout autre chose que, comme on l'a cru, la concurrence, la simple concurrence économique, savoir les grandes séditions dont il fut le témoin (on n'est pas impunément le contemporain de Cromwell et de l'exécution de Charles Ier), et où il vit l'équilibre de la petite peur des « clés » basculer devant la grande peur des révoltes populaires et des meurtres politiques. C'est d'elle qu'il parle en particulier et sans équivoque quand il invoque ces temps de malheur où une part de la société pouvait massacrer l'autre pour y prendre le pouvoir.

En bon théoricien du droit naturel notre Hobbes ne s'en tient évidemment pas à ces apparences, même atroces, il veut voir clair dans les effets en remontant aux causes, et pour cela nous offre à son tour une théorie de l'état de Nature. Pour le décomposer en ses éléments il faut parvenir jusqu'à ces « *atomes de société* » que sont les *individus, doués de conatus*, c'est-à-dire du pouvoir et de la volonté de « persévérer dans leur être », et de *faire le vide* devant eux pour y ménager l'espace de leur liberté. Des individus atomisés, le vide comme la condition de leur mouvement, voilà qui nous rappelle quelque chose, non? Hobbes tient en effet que la liberté, qui fait tout l'individu et sa force d'être, tient dans le « vide d'obstacle », dans l'« absence d'obstacle [a] » devant sa force conquérante. Il ne se livre à la guerre de tous contre tous que par la volonté d'échapper à tout obstacle qui l'empêche de marcher tout droit (on pense à la chute libre et parallèle des atomes), et serait au fond heureux s'il ne rencontrait personne dans un monde qui serait alors vide. Le malheur est que *ce monde est plein*, plein d'hommes qui poursuivent le même but, qui s'affrontent donc pour faire place libre à leur propre *conatus*, et ne trouvent d'autre moyen pour réaliser leur fin que de « donner la mort » à qui encombre leur chemin. D'où le rôle essentiel de la *mort* dans cette pensée de la vie infinie, le rôle non de la mort accidentelle, mais de la mort nécessaire donnée et reçue de la main d'homme, le rôle du meurtre économique et politique, seul propre à soutenir cette société d'état de guerre dans un équilibre instable, mais nécessaire. Pourtant ces hommes atroces sont aussi des hommes, ils pensent, c'est-à-dire ils *calculent*, supputant les avantages respectifs à rester dans l'état de guerre ou à entrer dans un État de contrat, mais qui repose sur le fondement inaliénable de toute société humaine : la *peur* ou la *terreur*. Ils raisonnent donc et en viennent à considérer comme avantageux de conclure entre eux un singulier pacte déséquilibré, par lequel ils s'engagent entre eux (comme individus atomaux) à ne pas résister au pouvoir tout-puissant de celui à qui ils vont déléguer unilatéralement et sans aucune contrepartie tous leurs *droits* (leurs droits naturels), le Léviathan – que ce soit un individu dans la monarchie absolue, ou l'assemblée toute-puissante du peuple ou de ses représentants. Ils s'y engagent et s'engagent entre eux à respecter cette délégation de pouvoir sans jamais la trahir, faute de tomber sous la sanction terrifiante du Léviathan, qui, notons-le bien, n'est pour son compte lié par aucun contrat au peuple, mais le maintient dans son unité par l'exercice de sa toute-puissance consentie unanimement, par la crainte et la terreur qu'il fait régner aux frontières des lois, et par le sens qu'il possède (quel miracle !) de son « devoir » [de] maintenir un peuple ainsi soumis dans sa soumission, pour lui épargner les horreurs, infiniment plus terribles que sa crainte, de l'état de guerre. Un Prince que rien ne lie à son peuple que le devoir de le protéger de l'état de guerre, un peuple que rien ne relie à son Prince que la promesse, tenue, ou alors gare! de lui obéir en tout, *y compris en matière de conformité idéologique* (Hobbes est le premier à penser, s'il se peut, la domination idéologique et ses effets), voilà qui fait toute l'originalité et l'horreur de ce penseur subversif (ses conclusions étaient bonnes, mais il pensait mal, ses raisons étaient fausses dira Descartes), de ce théoricien hors du commun, que personne ne comprit mais qui fit peur à tous. Il pensait (ce privilège de la pensée de se moquer du qu'en dira-t-on, du monde, des ragots, de sa réputation même, de raisonner dans la solitude absolue – ou son illusion), et qu'importaient alors les accusations qu'il partageait avec Spinoza d'être un envoyé de l'Enfer et du Diable parmi les hommes, etc. Hobbes pensait que toute guerre est préventive, que chacun, contre l'Autre éventuel n'a de ressource que de « prendre les devants ». Hobbes pensait (quelle audace en la matière!) que tout pouvoir est absolu, qu'être absolu est l'essence du pouvoir, et que tout ce qui excède tant soit peu cette règle, soit de droite soit de gauche, doit être combattu avec la dernière rigueur. Et il ne pensait pas tout cela pour faire l'apologie de ce que l'on appellerait de nos jours, d'un mot qui brouille toute différence, donc tout sens et toute pensée, le « totalitarisme », ou l'« étatisme » : il pensait tout cela au service de la libre concurrence économique et du libre développement du commerce et de la culture des peuples! Car, à y voir de près, il se trouve que son fameux État totalitaire est presque déjà semblable à l'État de Marx qui doit *s'éteindre.* Toute guerre, donc toute terreur étant préventives, il suffisait en effet que cet État terrible fût pour être comme absorbé par son existence jusqu'à n'avoir pas besoin d'exister. On a parlé de la peur du gendarme, de « montrer sa force pour ne pas avoir à s'en servir » (Lyautey), on parle maintenant de *ne pas* montrer sa force (atomique) pour n'avoir pas à s'en servir. C'est dire que la Force est un mythe, et qu'elle agit comme telle sur l'imagination des hommes et des peuples, préventivement, hors de toute raison de l'employer.

Je sais que je prolonge ici une pensée qui n'est jamais allée aussi loin, mais je reste dans sa logique, et je rends compte de ses paradoxes dans une Logique qui reste la sienne. Quoi qu'il en soit il est trop clair que Hobbes n'était pas ce monstre qu'on nous a dit, et que sa seule ambition était de bien servir les conditions de viabilité et de développement d'un monde qui était ce qu'il était, le sien, celui de la Renaissance, qui s'ouvrait à la prodigieuse découverte d'un autre monde, le Nouveau. Certes la « prise » des individus atomisés n'y était pas de la même essence et vigueur que chez Épicure et Machiavel, et Hobbes pour notre malheur, lui qui vécut tant d'histoire, n'était pas un historien (ce sont vocations qui ne se commandent pas), mais à sa manière il était parvenu au même résultat que ses maîtres en tradition matérialiste de la rencontre : *à la constitution aléatoire d'un monde*, et si ce penseur a joué un tel rôle sur Rousseau (j'en parlerai un jour), et même sur Marx, c'est bien à la reprise de cette tradition secrète qu'il le dut, même s'il (et ce n'est pas impossible) n'en avait pas conscience. Après tout nous savons que la conscience en ces affaires n'est que mouche du coche, l'essentiel est que l'attelage tire le train du monde au grand galop des plaines ou dans la longue lenteur des montées.

Sans qu'il y soit fait nulle référence à Épicure et à Machiavel, c'est au Rousseau du deuxième *Discours* et du *Discours sur l'origine des langues* que nous devons une reprise du matérialisme de la rencontre.

On n'a pas assez remarqué que le second *Discours* commence par une description de l'état de nature qui jure avec les autres descriptions de son espèce en ce qu'il se divise en deux : un *« état de pure nature »* qui est l'Origine radicale de tout, et l' *« état de nature »* qui suit des modifications imprimées au *pur état*. Dans tous les exemples de l'état de nature que nous offrent les auteurs du Droit naturel on observe en effet que cet état de nature est un état de société, soit de guerre de tous contre tous, soit de paix. Ils ont bien, comme le leur reproche Rousseau, projeté l'état de société sur

l'état de pure nature. Rousseau est le seul qui pense l'état de
« *pure nature* », et le pensant, le pense comme un état sans
nulle relation sociale, soit positive, soit négative. Et il nous en
donne la figure dans l'image fantastique de la forêt primitive,
qui fait penser à un autre Rousseau, le Douanier, où errent
des individus isolés, sans rapports entre eux, des *individus
sans rencontre.* Certes un homme et une femme peuvent se
rencontrer, se « tâter » et même s'accoupler, mais ce n'est
qu'une brève rencontre sans identité ni reconnaissance : à
peine se sont-ils connus (et même pas : et d'enfant il n'est
nulle question, comme si le monde humain, avant l'*Émile*, les
ignorait ou pouvait s'en passer – ni d'enfant ni donc de père
et de mère, de *famille* pour tout dire) qu'ils se séparent, et
chacun suit sa voie dans l'infini vide de la forêt. La plupart du
temps, s'ils se rencontrent, deux hommes ne font que se croi-
ser de plus ou moins loin sans s'en apercevoir, et la rencontre
n'a même pas lieu. La forêt est l'équivalent du vide épicurien
dans lequel tombe la pluie parallèle des atomes : c'est un vide
pseudo-brownien où des individus se croisent, c'est-à-dire ne
se rencontrent pas, sinon en de brèves conjonctures qui ne
durent pas. Rousseau a voulu par là figurer à un prix très
élevé (l'absence d'enfant) un *néant de société* antérieur à toute
société et condition de possibilité de toute société, le néant de
société qui constitue l'essence de toute société possible. Que le
néant de société soit l'essence de toute société, c'est une thèse
audacieuse, dont la radicalité a échappé non seulement à ses
contemporains, mais à nombre de ses commentateurs ulté-
rieurs.

Pour qu'une société soit en effet, que faut-il? Il faut que
l'état de rencontre soit imposé aux hommes, que l'infini de la
forêt, comme condition de possibilité de la non-rencontre, se
réduise au fini, par des raisons extérieures, que des catastrophes naturelles la morcellent en espaces réduits, en îles par
exemple, où les hommes soient *forcés* à la rencontre, et forcés
à une rencontre qui dure : forcés par une force plus haute
qu'eux. Je laisse de côté l'ingéniosité de ces catastrophes naturelles, qui affectent la surface terrestre, et dont la plus simple

est la très légère, infinitésimale inclinaison de l'équateur sur l'écliptique, accident sans cause comparable au *clinamen*, pour en venir à leurs effets. Une fois forcés à la rencontre et à des associations *de fait* durables, les hommes voient se développer entre eux des *rapports contraints*, qui sont des rapports de société, rudimentaires d'abord, puis redoublés ensuite par les effets produits par ces rencontres sur leur nature d'hommes.

Toute une longue et lente dialectique intervient alors où, à force de l'accumulation du temps, les contacts forcés produisent le langage, les passions, et le commerce amoureux ou la lutte entre les hommes : jusqu'à l'état de guerre. La société est née, l'état de nature est né, la guerre aussi, et avec eux se développe un procès d'accumulation et de changement qui littéralement *crée la nature humaine socialisée*. On notera que cette rencontre pourrait ne point durer si la constance des contraintes extérieures ne la maintenait contre la dispersion tentante dans un état constant, ne lui imposait littéralement sa loi de rapprochement, sans demander leur avis aux hommes, dont la société naît en quelque sorte dans leur dos, et dont l'histoire naît comme la constitution dorsale et inconsciente de cette société.

Sans doute l'homme dans l'état de pure nature, s'il a un corps et pour ainsi dire pas d'âme, porte en lui une capacité transcendante à tout ce qu'il est et qui va lui advenir, la *perfectibilité*, qui est comme l'abstraction et la condition de possibilité transcendantale de toute anticipation de tout développement, et, en outre, faculté qui est peut-être plus importante, la *pitié*, comme faculté négative de ne [pas] souffrir la souffrance de ses semblables, société par manque, donc en creux, société négative en creux dans l'homme isolé, avide de l'Autre en sa solitude même. Mais tout cela, qui est posé dès l'état de « pure » nature, n'y agit pas, y est nul d'existence et d'effet, n'est qu'attente de l'avenir qui l'attend. De même que la société et l'histoire où elle se constitue se font dans le dos de l'homme, sans son concours conscient et actif, de même et perfectibilité et pitié ne sont que l'anticipation nulle de cet avenir, où *l'homme n'est pour rien.*

Si on a réfléchi sur la généalogie de ses concepts (Gold-schmidt [a], dont le livre est définitif), on n'a pas assez réfléchi les effets de tout ce dispositif, qui se clôt dans le second *Discours* par la théorie du *contrat illégitime*, contrat de force, passé avec l'obéissance des faibles par l'arrogance des forts qui sont aussi les plus « rusés », [et] fixe son véritable sens au Contrat social, qui ne se passe et ne subsiste que guetté par l'*abîme* (le mot est de Rousseau lui-même dans les *Confessions*) de la *re-chute* dans l'état de nature, organisme hanté par la mort intérieure qu'il doit conjurer, en somme *rencontre qui a pris forme*, et est devenue nécessaire, mais sur le fond de l'aléatoire de la non-rencontre et de ses formes où le contrat peut *retomber* à tout instant. Si cette remarque, qu'il faudrait développer, n'est pas fausse, elle résoudrait l'aporie classique qui oppose interminablement le *Contrat* au second *Discours*, difficulté académique qui n'a d'autre équivalent dans l'histoire de la culture occidentale que la question saugrenue de savoir si Machiavel était monarchiste ou républicain... Elle éclairerait aussi par le même biais le statut des textes où Rousseau s'aventure à légiférer pour des peuples, le corse, le polonais etc., en reprenant en toute sa force le concept qui domine Machiavel — bien qu'il n'en prononce pas le mot, mais peu importe puisque la chose est là —, le concept de *conjoncture* : pour donner des lois aux hommes il faut tenir le plus grand compte de la façon dont les *conditions* se présentent, du « *il y a* » ceci et pas cela, comme allégoriquement du climat et de tant d'autres conditions chez Montesquieu, des conditions et de leur histoire, c'est-à-dire de leur « être-devenu », bref des rencontres qui auraient pu ne pas avoir lieu (cf. l'état de nature : « cet état qui aurait pu ne jamais être ») et qui ont eu lieu, façonnant le « donné » du problème et son état. Qu'est-ce à dire sinon penser non seulement la contingence de la nécessité, mais aussi la nécessité de la contingence qui est à sa racine? Alors le contrat social n'apparaît plus comme une utopie, mais comme la loi intérieure de toute société, dans sa forme soit légitime, soit illégitime, le vrai problème devenant : *comment se peut-il qu'on redresse jamais une forme illégitime (la courante) en forme légitime ?* Celle-ci à la limite n'existe pas, mais *il faut la poser* pour pouvoir penser les formes concrètes existantes, ces « essences singulières » spinozistes, que ce soient les individus, les conjonctures, les États réels [ou] leurs peuples, qu'il faut donc poser comme condition transcendantale de toute condition, c'est-à-dire de toute *histoire*. Le plus profond de Rousseau est sans doute découvert et recouvert là, dans cette vue sur toute théorie possible de l'histoire, qui pense la contingence de la nécessité comme effet de la nécessité de la contingence, couple de concepts déroutant, mais qu'il faut sans doute prendre en compte, affleurant déjà chez Montesquieu, et ouvertement posé chez Rousseau, comme une intuition du XVIIIe siècle qui réfute par avance toutes les téléologies de l'histoire qui le tentaient et à qui il ouvrit toutes grandes les portes sous l'impulsion irrésistible de la Révolution française. Pour le dire en termes polémiques, quand on pose la question de la *« fin de l'histoire »*, on voit dans un même camp se ranger et Épicure et Spinoza, et Montesquieu et Rousseau, sur la base, explicite ou implicite, d'un même matérialisme de la rencontre ou, au sens fort, pensée de la *conjoncture*. Et Marx bien entendu, mais forcé à penser dans un horizon déchiré entre l'aléatoire de la Rencontre et la nécessité de la Révolution.

Peut-on risquer une dernière remarque ? Elle tendrait à retenir que ce n'est peut-être pas un hasard si ce singulier couple de concepts a intéressé avant tout des hommes qui cherchaient dans les concepts de rencontre et de conjoncture de quoi penser non seulement la *réalité* de l'histoire, mais avant tout celle de la *politique*, non seulement l'essence de la réalité mais avant tout l'essence de la *pratique*, et le lien de ces deux réalités lors de *leur rencontre : dans la lutte*, je dis bien la lutte, à la limite la guerre (Hobbes, Rousseau), [dans] la lutte pour la reconnaissance (Hegel), [mais] aussi et bien avant lui [dans] la lutte de tous contre tous qu'est la concurrence ou, quand elle en prend la forme, dans la lutte des classes (et sa « contradiction ») [a]. Faut-il rappeler ici pourquoi et pour qui parle Spinoza quand il invoque Machiavel ? Il ne veut que penser sa pensée, et comme elle est pensée de la pratique, penser la pratique à travers une pensée[a].

Toutes ces remarques historiques ne sont que préliminaires à ce que je voudrais tenter de faire entendre sur Marx. Elles ne sont pas toutefois de hasard, mais témoignent que d'Épicure à Marx a toujours subsisté, mais recouverte (par sa découverte même, par l'oubli, et surtout les dénégations et les refoulements, quand ce ne fut pas sous les condamnations assorties de mort d'hommes), la « découverte » d'une tradition profonde qui cherchait son assiette matérialiste *dans une philosophie de la rencontre* (et donc plus ou moins atomiste, l'atome étant la figure la plus simple de l'individualité dans sa « chute »), donc dans le rejet radical de toute philosophie de l'essence (*Ousia, Essentia, Wesen*), c'est-à-dire de la Raison (*Logos, Ratio, Vernunft*), donc de l'Origine et de la Fin — l'Origine n'y étant que l'anticipation de la Fin dans la Raison ou ordre primordial, c'est-à-dire de l'Ordre, qu'il soit rationnel, moral religieux ou esthétique —, au profit d'une philosophie qui, refusant le Tout et tout Ordre, refuse le Tout et l'ordre *au profit* de la dispersion (« dissémination » dirait en son langage Derrida) et *du désordre*. Dire qu'au début était le néant ou le désordre, c'est s'installer en deçà de tout assemblage et de toute ordonnance, renoncer à penser l'origine comme Raison ou Fin, pour la penser comme néant. A la vieille question : « quelle est l'origine du monde? », cette philosophie matérialiste répond par : « le néant? » — « rien » — « je commence par rien » — « il n'y a pas de commencement, parce qu'il n'a jamais rien existé, avant quoi que ce soit » ; donc « il n'y a pas de commencement obligé de la philosophie » — « la philosophie ne commence pas par un commencement qui soit son origine », au contraire elle « prend le train en marche », et, à la force du poignet, « monte dans le convoi » qui de toute éternité coule, comme l'eau d'Héraclite, [devant] elle. Donc il n'y a de fin ni du monde, ni de l'histoire, ni de la philosophie, ni de la morale, de l'art ou de la politique, etc. Ces thèmes, qui, de Nietzsche à Deleuze et Derrida, l'empirisme anglais (Deleuze) ou Heidegger (Derrida aidant) nous sont désormais devenus familiers et féconds pour toute intelligence non seulement de la philosophie, mais de tous ses prétendus « objets » (que ce soit la science, la culture, l'art, la littérature ou toute autre expression de l'existence), sont essentiels à ce matérialisme de la rencontre, aussi déguisés soient-ils sous les espèces d'autres concepts. Nous pouvons aujourd'hui les traduire en une langue plus claire.

Nous dirons que le matérialisme de la rencontre n'est dit matérialisme que par provision [1], pour bien faire sentir son opposition radicale à tout idéalisme de la conscience, de la raison, qu'elle qu'en soit la destination. Nous dirons ensuite que le matérialisme de la rencontre tient dans une certaine interprétation de l'unique proposition : *il y a* (« *es gibt* », Heidegger) et ses développements ou implications, savoir : « il y a » = « il n'y a rien »; « il y a » = « *il y a toujours-déjà eu rien* », c'est-à-dire « quelque chose », le « toujours-déjà », dont j'ai fait jusqu'ici un usage abondant dans mes essais, mais qui n'a pas toujours été aperçu, étant la griffe (*Greifen* : prise en allemand; *Begriff* : prise ou concept) de cette antécédance de toute chose sur elle-même, donc sur toute origine. Nous dirons alors que le matérialisme de la rencontre tient dans la thèse du primat de la positivité sur la négativité (Deleuze), dans la thèse du primat de la déviation sur la rectitude du trajet droit (dont l'Origine est déviation et non raison), dans la thèse du primat du désordre sur l'ordre (on pense à la théorie du « bruit »), dans la thèse du primat de la « dissémination » sur la position du sens dans tout signifiant (Derrida), et dans le sourdre de l'ordre du sein même du désordre qui produit un monde. Nous dirons que le matérialisme de la rencontre tient aussi bien tout entier dans la négation de la Fin, de toute téléologie, qu'elle soit rationnelle, mondaine, morale, politique ou esthétique. Nous dirons enfin que le matérialisme de

1. Et c'est pourquoi, à juste titre, Dominique Lecourt s'autorise dans un ouvrage remarquable et, naturellement, méconnu par l'Université qui n'en est pas à son premier mépris, dès qu'elle se sent « touchée », à parler de « surmatérialisme » à propos de Marx (cf. *L'Ordre et les Jeux*, Paris, Grasset, 1981, dernière partie).

la rencontre est non celui d'un sujet (fût-il Dieu ou le prolétariat), mais celui d'un processus, sans sujet mais imposant aux sujets (individus ou autres) qu'il domine l'ordre de son développement sans fin assignable.

Si nous voulions serrer de plus près ces thèses, nous serions conduits à produire un certain nombre de concepts qui, naturellement, sont des *concepts sans objets*, étant les concepts de *rien*, et, la philosophie n'ayant pas d'objet, façonnant ce rien en être ou êtres à l'y rendre méconnaissable et reconnaissable (et c'est pourquoi il y fut, en dernier ressort, méconnu et pressenti). Nous nous rapporterions pour les figurer à la forme primitive, la plus simple et la plus pure qu'ils ont prise dans l'histoire de la philosophie, chez Démocrite et surtout Épicure, notant au passage que ce n'est pas un hasard si leur œuvre fut la proie des flammes, ces incendiaires de toute tradition philosophique ayant payé par où ils péchèrent – le feu qu'on voit s'allumer au frottis des sommets des grands arbres, parce que grands (Lucrèce), ou des philosophies (les grandes). Et nous aurions, sous leur figure (qui doit être renouvelée à chaque étape de l'histoire de la philosophie) les formes primitives suivantes.

« *Die Welt ist alles, was der Fall ist* » (Wittgenstein[a]) : le monde est tout ce qui « tombe », tout ce qui « advient », « tout ce dont il est le cas » – par *cas* entendez *casus* : *occurrence et hasard à la fois*, ce qui advient sur le mode de l'imprévisible et pourtant de l'être.

Donc, aussi loin que nous puissions remonter : « il y a » = « il y a toujours eu », il « a-toujours-déjà-été », le « déjà » étant essentiel à marquer cette antécédence de l'occurrence, du *Fall* sur toutes ses formes, c'est-à-dire sur toutes les *formes* d'êtres. C'est le « *es gibt* » de Heidegger, la « *donne* » (plutôt que le donné, selon l'aspect actif-passif que l'on veut relever) primitive, toujours antérieure à sa *présence*. En d'autres termes c'est le primat de l'absence sur la présence, (Derrida) non comme *remontée-vers*, mais en tant qu'horizon reculant interminablement comme devant le marcheur qui, cherchant sa voie dans une plaine, ne trouve à jamais pour jamais qu'autre plaine devant lui (si différent du marcheur cartésien à qui suffit de marcher droit dans une forêt pour en sortir, puisque le monde est fait, alternativement, de bois intacts et de bois défrichés en champs ouverts : sans « *Holzwege* »[a]).

Dans ce « monde » sans être et sans histoire (telle la forêt de Rousseau), qu'advient-il ? Car *il y advient* : « il », actif/passif impersonnel. *Des rencontres.* Il y advient ce qu'il advient dans la pluie universelle d'Épicure, antérieure à tout monde, à tout être et à toute raison comme à toute cause, il y advient que « ça se rencontre », chez Heidegger que « ça soit jeté » dans un « envoi » primordial. Que ce soit par le miracle du *clinamen*, il suffit de savoir qu'il se produit « on ne sait où, on ne sait quand », et qu'il est « la plus petite déviation possible », c'est-à-dire le néant assignable de toute déviation, peu importe. Le texte de Lucrèce est assez clair pour désigner *ce que rien au monde ne peut désigner* et qui est pourtant l'origine de tout monde. Dans le « rien » de la déviation a lieu la rencontre entre un atome et un autre, et cet événement devient *avènement* sous la condition du parallélisme des atomes, car c'est ce parallélisme qui, une unique fois violé, provoque le gigantesque carambolage et accrochage des atomes en nombre infini d'où naît un monde (un ou un autre : d'où la pluralité des mondes possibles, et l'enracinable de ce concept de possibilité dans le concept de désordre originel). D'où la *forme d'ordre* et la *forme d'êtres* provoquées à naître de ce carambolage, déterminées qu'elles sont par la *structure* de la rencontre ; d'où, une fois la rencontre effectuée (mais pas avant), le primat de la structure sur ses éléments ; d'où enfin ce qu'il faut bien appeler une *affinité* et complétude des éléments en jeu dans la rencontre, leur « accrochabilité », pour que cette rencontre « prenne », c'est-à-dire « prenne *forme* », donne *enfin naissance à des Formes, et nouvelles* – comme l'eau « prend » quand la glace la guette, ou le lait « prend quand il caille », ou la mayonnaise quand elle durcit. D'où le primat du « rien » sur toute « forme », et *du matérialisme aléatoire sur tout formalisme*[b]. En d'autres termes n'importe quoi ne peut pas produire n'importe quoi, mais des éléments voués à leur rencontre et, par leur affinité, à leur « prise » les uns sur les autres – c'est pourquoi dans Démocrite et peut-être même Épicure, les atomes sont, ou seront dits, « crochus », c'est-à-dire propres à s'accrocher les uns après les autres, de toute éternité, à jamais, pour jamais.

Une fois ainsi « pris », ou « accrochés », les atomes entrent dans le royaume de l'Être qu'ils inaugurent : ils constituent *des êtres*, assignables, distincts, localisables, doués de telle ou telle propriété (selon le lieu et le temps), bref se dessine en eux une structure de l'Être ou du monde qui assigne à chacun de ses éléments et place et sens et rôle, mieux, qui fixe les éléments comme « éléments de... » (les atomes comme éléments des corps, des êtres, du monde), en sorte que les atomes, loin d'être l'origine du monde, ne sont que la retombée secondaire de son assignement et avènement. Et pour parler ainsi du monde et des atomes, il faut que le monde soit, et les atomes *déjà*, ce qui rend à *jamais second* le discours sur le monde, et *seconde* (et non première comme le voulait Aristote) la philosophie de l'Être – et ce qui rend à jamais intelligible comme impossible (et de ce fait explicable, cf. l'appendice du Livre I de l'*Éthique*, qui reprend presque mot pour mot la critique de toute religion chez Épicure et Lucrèce) tout discours de *philosophie première*, fût-elle matérialiste (ce qui explique qu'Épicure, qui le savait, n'ait pas adhéré au matérialisme « mécaniste » de Démocrite, ce matérialisme-là n'étant qu'une résurgence, au sein d'une philosophie possible de la rencontre, de l'idéalisme dominant de l'Ordre comme immanent au Désordre).

Ces principes posés, le reste coule, si j'ose dire, de source.

1. Pour qu'*un être soit* (un corps, un animal, un homme, un État, ou un Prince) il faut que rencontre *ait eu* lieu au passé composé antérieur. Pour nous en tenir au seul Machiavel, que rencontre ait eu lieu entre des affinissables, tels que tel individu et telle conjoncture, ou Fortune – la conjoncture étant elle-même jonction, con-jonction, rencontre figée, même si mouvante, ayant déjà eu lieu, renvoyant pour

son compte à l'infini de ses causes antécédentes tout comme renvoie d'ailleurs à l'infini [de] la suite des causes antécédentes leur résultat qu'est tel individu défini, Borgia par exemple.

2. Il n'est de rencontre qu'entre des séries d'êtres résultats de plusieurs séries de causes – au moins deux, mais ce deux prolifère aussitôt par l'effet du parallélisme ou de la contagion ambiante (comme disait Breton, en un mot profond : « les éléphants, sont contagieux » [1]). On pense ici aussi à Cournot, ce grand méconnu.

3. Chaque rencontre est aléatoire; non seulement dans ses origines (rien ne garantit jamais une rencontre), mais dans ses effets. Autrement dit toute rencontre aurait pu ne pas avoir lieu, bien qu'elle ait eu lieu, mais son possible néant éclaire le sens de son être aléatoire. Et toute rencontre est aléatoire en ses effets en ce que rien dans les éléments de la rencontre ne dessine, avant cette rencontre même, les contours et les déterminations de l'être qui en sortira. Jules II ne savait pas qu'il nourrissait dans son sein romagnole son ennemi mortel, et il ne savait pas non plus que ce mortel allait frôler la mort et se trouver hors histoire au moment décisif de la Fortune, pour aller mourir en une obscure Espagne, sous un fort inconnu. Cela signifie qu'aucune détermination de l'être issu de la « prise » de la rencontre n'était dessinée, fût-ce en pointillé, dans l'être des éléments concourant dans la rencontre, mais qu'au contraire toute détermination de ces éléments n'est assignable que dans le *retour en arrière* du résultat sur son devenir, dans sa récurrence. S'il faut donc dire qu'il n'est nul résultat sans son devenir (Hegel), il faut aussi affirmer qu'il n'est nul devenu que déterminé par le résultat de ce devenir : cette récurrence même (Canguilhem). C'est-à-dire qu'au lieu de penser la contingence comme modalité ou exception de la nécessité, il faut penser la nécessité comme le devenir-nécessaire de la rencontre de contingents. C'est ainsi qu'on

---

1. Cf. Feuerbach citant Pline l'Ancien : « les éléphants n'ont pas de religion » [Ludwig Feuerbach, *L'Essence du christianisme*, trad. française Jean-Pierre Osier, Paris, Maspero, 1973, p. 117].

voit non seulement le monde de la vie (les biologistes récemment s'en sont avisés, eux qui eussent dû connaître Darwin [1]), mais le monde de l'histoire *se figer* à certains moments heureux dans la prise d'éléments que conjoint une rencontre propre à dessiner telle figure : telle espèce, tel individu, tel peuple. C'est ainsi qu'il y a des hommes et des « vies » aléatoires, soumis à l'accident de la mort donnée ou reçue, et leurs « œuvres », et les grandes figures du monde auquel le « jeu de dés » originel de l'aléatoire a donné leur forme, les grandes figures dans lesquelles le monde de l'histoire a « pris forme » (l'Antiquité, le Moyen Age, la Renaissance, l'Aufklärung, etc.). Il est alors trop clair que celui qui s'aviserait de considérer ces figures, individus, conjonctures ou États du monde, soit comme le résultat nécessaire de prémisses données, soit comme l'anticipation provisoire d'une Fin, errerait, puisqu'il négligerait ce fait (ce « *Faktum* ») que ces résultats provisoires le sont doublement, non seulement en ce qu'ils vont être dépassés, mais en ce qu'ils auraient pu ne jamais advenir, ou ne seraient advenus que comme l'effet d'une « brève rencontre », s'ils n'avaient surgi sur le fond heureux d'une bonne Fortune donnant leur *« chance »* de « durée » aux éléments à la conjonction desquels cette forme se trouve (par hasard) devoir présider. Par là on voit que nous ne sommes pas, nous ne vivons pas dans le Néant, mais que, s'il n'est pas de Sens de l'histoire (une Fin qui la transcende, de ses origines à son terme), il puisse y avoir du sens *dans* l'histoire, puisque ce sens naît d'une rencontre effective et effectivement heureuse, ou catastrophique, qui est aussi *du* sens.

Il suit de là des conséquences de grande importance sur le sens du mot « loi ». Qu'il n'y ait point de loi qui préside à la rencontre de la prise, on le concédera, mais, dira-t-on, une fois « prise » la rencontre, c'est-à-dire une fois constituée la figure stable du monde, du *seul* qui existe (car l'avènement d'un

---

1. Cf. le beau colloque Darwin, récemment organisé avec un très grand succès à Chantilly par Dominique Lecourt et Yvette Conry [*De Darwin au darwinisme. Science et idéologie*, édition préparée par Yvette Conry, Paris, Vrin, 1983].

monde donné exclut évidemment tous les autres possibles), nous avons affaire à un monde stable dont les événements obéissent, en leur suite, à des « lois ». Peu importe alors que le monde, le nôtre (nous n'en connaissons pas d'autre, nous ne connaissons parmi l'infinité des attributs possible que l'entendement et l'espace, « *Faktum* », aurait pu dire Spinoza) soit né de la rencontre des atomes tombant dans la pluie épicurienne du vide, ou du « big bang » dont parlent les astronomes, c'est un fait que nous avons affaire à *ce* monde et pas à un autre, c'est un fait que ce monde est « *régulier* » (comme on le dit d'un joueur honnête : car ce monde joue et se joue bel et bien de nous), est soumis à des règles, et obéit à des lois. De là la très grande tentation, même pour qui nous accorderait les prémisses de ce matérialisme de la rencontre, de se réfugier, une fois la rencontre « prise », dans l'examen des lois issues de cette prise de formes et répétant ces formes, en son fond, indéfiniment. Car c'est aussi un fait, un « *Faktum* », qu'il y a de l'ordre dans ce monde et que la connaissance de ce monde passe par la connaissance de ses « lois » (Newton) et des conditions de possibilité non de l'existence de ces lois, mais seulement de leur connaissance : façon certes de rejeter aux calendes la vieille question de l'origine du monde (c'est ainsi que procède Kant), mais pour mieux faire la nuit sur l'origine de cette rencontre seconde qui rend possible la connaissance de la rencontre première en *ce* monde (la rencontre entre les concepts et les choses).

Eh bien, nous nous garderons de cette tentation, soutenant une thèse chère à Rousseau qui tenait que le contrat repose sur un « abîme », soutenant donc que la nécessité des lois issues de la prise provoquée par la rencontre est, jusque dans sa plus grande stabilité, hantée par une *instabilité radicale*, qui explique ce que nous avons tant de mal à comprendre, car cela heurte notre sens des « convenances », savoir que les lois puissent changer – non qu'elles puissent valoir pour un temps et pas pour l'éternité (dans sa critique de l'économie politique classique, Marx est allé jusque-là, comme l'avait bien compris son « critique russe [a] » : à chaque époque historique ses lois,

mais pas plus loin, comme on va le voir), mais qu'elles puissent changer à tout bout de champ, révélant le fond aléatoire dont elles se soutiennent, et sans raison, c'est-à-dire sans fin intelligible. C'est là leur *surprise* (il *n'est de prise que sous la surprise*), et qui frappe tant les esprits aux grands déclenchements, déhanchements ou suspens de l'histoire, soit des individus (exemple : la folie), soit du monde, lorsque les dés sont comme rejetés impromptus sur la table, ou les cartes redistribuées sans préavis, les « éléments » déchaînés dans la folie qui les libère pour de nouvelles prises surprenantes (Nietzsche, Artaud). Personne ne fera difficulté à reconnaître là un des traits fondamentaux de l'histoire des individus ou du monde, de la révélation qui, d'un individu inconnu fait un auteur ou un fou, ou les deux à la fois, quand nous naissent conjointement des Hölderlin, des Goethe et des Hegel, quand éclate et triomphe la Révolution française jusqu'au défilé de Napoléon, l'« esprit du monde » sous les fenêtres de Hegel à Iéna, quand de la trahison jaillit la Commune, quand explose 1917 en Russie, et à plus forte raison la « révolution [culturelle] », où vraiment presque tous les *« éléments »* furent déchaînés sur de gigantesques espaces, mais où la rencontre durable ne se produisit pas — tel le 13 mai[a] quand les ouvriers et les étudiants, qui eussent dû se « joindre » (quel résultat en fût résulté !), se croisèrent en leurs longs cortèges parallèles mais *sans se joindre*, en évitant à tout prix de se joindre, de se conjoindre, de s'unir en une unité encore sans doute à jamais sans précédent (la pluie en ses effets *évités*).

. . . .

Pour [b] donner une idée du courant souterrain du matérialisme de la rencontre, si important chez Marx, et de son refoulement sous un matérialisme de l'essence (philosophique), il faut parler du mode de production. Nul ne niera l'importance de ce concept qui ne sert pas seulement à penser toute « formation sociale », mais à en *périodiser* l'histoire, donc à fonder une théorie de l'histoire [1].

En fait on trouve *deux* conceptions du mode de production chez Marx, qui n'ont rien à voir l'une avec l'autre.

La *première* remonte à la *Situation des classes laborieuses* d'Engels, qui en est le vrai initiateur : elle se retrouve dans le chapitre célèbre sur l'accumulation primitive, la journée de travail, etc., et dans maintes allusions de détail sur lesquelles je reviendrai. On peut aussi la trouver dans la théorie du mode de production asiatique. La *seconde* se trouve dans les grands passages du *Capital* sur l'essence du capitalisme, comme du mode de production féodal et du mode de production socialiste, sur la révolution, et plus généralement dans la « théorie » de la transition ou forme de passage d'un mode de production à un autre. Ce qui a pu s'écrire ces vingt dernières années sur la « transition » entre le capitalisme et le communisme passe l'entendement et le dénombrement!

En d'innombrables passages, Marx, et ce n'est assurément pas un hasard, nous explique que le mode de production capitaliste est né de la *« rencontre »* entre l'« homme aux écus » et le prolétaire dénué de tout, sauf de sa force de travail. « Il se trouve » que cette rencontre a eu lieu, et a « pris », ce qui veut dire qu'elle ne s'est pas défaite sitôt que faite, mais *a duré* et est devenue un fait accompli, le fait accompli de cette rencontre, provoquant des rapports stables et une nécessité dont l'étude fournit des « lois », tendancielles bien entendu : les lois du développement du mode de production capitaliste (loi de la valeur, loi de l'échange, loi des crises cycliques, loi de la crise et de la décomposition du mode de production capitaliste, loi de passage — transition — au mode de production socialiste sous les lois de la lutte des classes, etc.). Ce qui importe, dans cette conception, ce n'est pas tant le dégagement des lois, donc d'une essence, que *le caractère aléatoire de la « prise » de cette rencontre donnant lieu au fait accompli*, dont on peut énoncer des lois.

1. Cf. *Lire Le Capital*, I.

On peut dire cela autrement : le tout qui résulte de la « prise » de la « rencontre » n'est pas antérieur à la « prise » des éléments, mais postérieur, et de ce fait il aurait pu ne pas « prendre » et, à plus forte raison, « la rencontre aurait pu ne pas avoir lieu ». Tout cela est dit, à demi-mot certes, mais est dit dans la formule de Marx, quand il nous parle si souvent de la « rencontre » *(das Vorgefundene)* entre l'homme aux écus et la force de travail nue. On peut même aller plus loin et supposer que *la rencontre a eu lieu dans l'histoire nombre de fois avant sa prise occidentale*, mais faute d'un élément ou de la disposition des éléments, n'a pas alors « pris ». Témoins ces États italiens du XIIIᵉ et XIVᵉ siècle de la vallée du Pô, où il y avait bien l'homme aux écus, la technologie et l'énergie (des machines mues par la force hydraulique du fleuve), et la main-d'œuvre (les artisans au chômage), et où le phénomène, pourtant, n'a pas « pris ». Il y manquait sans doute (peut-être, c'est là une hypothèse) ce que Machiavel cherchait désespérément sous les espèces de l'appel à un État national, c'est-à-dire un *marché intérieur* propre à absorber la production possible.

Si on réfléchit tant soit peu sur les réquisits de cette conception, on s'aperçoit qu'elle pose entre la structure et les éléments qu'elle est censée unir une relation très particulière. Car qu'est-ce qu'un mode de production ? Nous avons dit, avec Marx : une « combinaison » particulière entre des éléments. Ces éléments sont l'accumulation financière (celle de « l'homme aux écus »), l'accumulation des moyens techniques de la production (outils, machines, expérience de la production chez les ouvriers), l'accumulation de la matière de la production (la nature) et l'accumulation des producteurs (les prolétaires dénués de tout moyen de production). Ces éléments n'existent pas dans l'histoire *pour qu'existe* un mode de production, ils y existent à l'état « flottant » avant leur « accumulation » et « combinaison », chacun étant le produit de son histoire propre, aucun n'étant le produit téléologique, des autres ou de leur histoire. Lorsque Marx et Engels diront que le prolétariat est « le produit de la grande industrie », ils diront une grande sottise, se situant dans la *logique du fait accompli de la reproduction élargie du prolétariat*, et non dans la logique aléatoire de la « rencontre » qui produit (et non reproduit) en prolétariat cette masse d'hommes dénués et dénudés comme un des éléments constituant le mode de production. Ce faisant ils passeront de la première conception du mode de production, historico-aléatoire, à une seconde conception, essentialiste et philosophique.

Je me répète, mais il le faut : ce qui est remarquable dans cette première conception, outre la théorie explicite de la rencontre, c'est l'idée que tout mode de production est constitué d'*éléments indépendants les uns des autres*, étant chacun le résultat d'une histoire propre, sans qu'il existe aucun rapport organique et téléologique entre ces diverses histoires. Cette conception culmine dans la théorie de l'*accumulation primitive*, dont Marx, s'inspirant d'Engels, a tiré un magnifique chapitre dans *Le Capital*, son vrai cœur. On y voit se produire un phénomène historique, dont on connaît le résultat, la dépossession des moyens de production de toute une population rurale en Grande-Bretagne, mais dont les causes sont sans rapports avec le résultat et ses effets. Était-ce pour se ménager de grandes terres à chasse? ou des champs sans fin à élever le mouton? On ne sait au juste (sans doute les moutons) quelle est la raison qui a prévalu dans ce processus de dépossession violente, ni surtout dans sa violence, et peu importe d'ailleurs : le fait est que ce processus a eu lieu et a abouti à un *résultat* qui a été aussitôt *détourné* de sa fin présomptive possible par les « hommes aux écus » en quête de main-d'œuvre misérable. *Ce détournement est la marque de la non-téléologie du processus* et de l'inscription de son résultat dans un processus [qui l'a] rendu possible et qui lui était du tout au tout étranger.

On aurait d'ailleurs tort de croire que ce processus de rencontre aléatoire se limite au XIVe siècle anglais. Il s'est toujours poursuivi et *se poursuit encore de nos jours*, non seulement dans les pays du Tiers Monde qui en sont l'exemple le plus éclatant, mais chez nous aussi, dans la dépossession des producteurs agricoles et leur transformation en Ouvriers Spécialisés (cf. Sandouville [a] : des Bretons aux machines), comme un processus constant qui inscrit l'aléatoire au cœur de la survie et du renforcement du « mode de production » capitaliste, comme d'ailleurs au cœur du soi-disant « mode de production » socialiste lui-même [1]. Et là, inlassablement, on voit les chercheurs marxistes reprendre le fantasme de Marx, et penser la *reproduction* du prolétariat en croyant penser sa production, penser dans le fait accompli en pensant penser dans son devenir-accompli.

De fait, il y a dans Marx de quoi tomber dans cette erreur, lorsqu'il cède à l'autre conception du mode de production capitaliste : une conception totalitaire, téléologique et philosophique.

Dans ce cas on a bien alors affaire à tous les éléments distincts dont il a été question, mais ils sont pensés et disposés comme s'ils étaient de toute éternité destinés à entrer en combinaison, à s'accorder entre eux, et à se produire mutuellement comme leurs propres fins et (ou) compléments. Dans cette hypothèse, Marx laisse délibérément de côté le caractère aléatoire de la « rencontre » et de sa « prise » *pour ne plus penser que dans le fait accompli de la « prise » et donc dans sa prédestination*. Dans cette hypothèse aucun élément n'a plus d'histoire indépendante, mais une histoire ayant une fin, celle de s'adapter aux autres histoires, l'histoire formant un tout qui *reproduit* sans cesse ses propres éléments, propres à leur engrenage. C'est ainsi que Marx et Engels penseront le prolétariat comme « produit de la grande industrie », « produit de l'exploitation capitaliste », « produit du capitalisme », *confondant la production du prolétariat avec sa reproduction capitaliste élargie*, comme si le mode de production capitaliste avait préexisté à un de ses éléments essentiels, la main-d'œuvre dépossédée [2]. Ici *les histoires propres ne flottent plus dans l'his-*

---

1. Voir le très remarquable ouvrage de Charles Bettelheim : *Les Luttes de classes en URSS*, vol. IV.

2. Sur ce point, le *Catéchisme communiste* d'Engels [« Dossiers partisans », présentation de Robert Paris, Paris, Maspero, 1965] ne laisse pas d'équivoque : le prolétariat est le produit de la « révolution industrielle ».

toire, comme autant d'atomes dans le vide, à la faveur d'une « rencontre » qui pourrait ne pas avoir lieu. Tout est accompli d'avance, *la structure précède ses éléments et les reproduit pour reproduire la structure*. Ce qui vaut de l'accumulation primitive vaut aussi de l'homme aux écus. D'où vient-il, cet homme aux écus, chez Marx? On ne sait exactement : du capitalisme commercial? [...] (expression bien mystérieuse qui a donné lieu à maints contresens sur le « mode de production marchand »), de l'usure? de l'accumulation primitive? du pillage des colonies? Peu importe à la limite pour nous, mais cela importe singulièrement à Marx — *l'essentiel est le résultat : qu'il existe*. Cette thèse, Marx l'abandonne, lui préférant *la thèse d'une mythique « décomposition » du mode de production féodal et de la naissance de la bourgeoisie au cœur de cette décomposition*, ce qui introduit de nouvelles énigmes. Qu'est-ce qui prouve que le mode de production féodal s'affaiblisse et se décompose pour disparaître — il fallut attendre 1850-1870 en France pour que le capitalisme s'instaure. Et surtout, puisqu'elle en serait le produit, qu'est-ce qui prouve que *la bourgeoisie ne serait pas une classe du mode de production féodal signant le renforcement et non la décadence de ce mode?* Ces énigmes du *Capital* se concentrent toutes deux sur un même objet : le capitalisme financier et le capitalisme commercial d'[une] part, et la nature de la classe bourgeoise qui en serait le support et le bénéficiaire d'autre part.

Si pour toute définition du capital on se contente de parler, comme fait Marx, d'accumulation d'argent produisant un surplus — un profit en argent ($A'' = A + A'$), alors on peut parler de capitalisme financier et commercial. Mais ce sont des capitalismes sans capitalistes, des capitalismes sans exploitation de main-d'œuvre, des capitalismes où l'échange prend plus ou moins la forme d'un prélèvement qui n'obéit pas à la loi de la valeur, mais aux pratiques du pillage direct ou indirect. Et c'est là que nous rencontrons par voie de conséquence la grande question de la *bourgeoisie*.

La solution de Marx est simple et désarmante. La bourgeoisie est produite, comme classe antagoniste, par la décomposition de la classe dominante féodale. Nous retrouvons ici le schéma de la production dialectique, le contraire produisant son contraire. Nous y retrouvons aussi la thèse dialectique de la négation, ce contraire devant se substituer naturellement par une nécessité conceptuelle à son contraire et devenir dominant. *Et s'il n'en était pas ainsi ? Si la bourgeoisie, loin d'être le produit contraire de la féodalité, en était l'achèvement et comme l'acmé, la plus haute forme et pour ainsi dire le perfectionnement ?* Cela permettrait de sortir de bien des problèmes qui sont autant d'impasses, de ces révolutions bourgeoises, comme la française, qui devraient à toute force être des révolutions capitalistes [1] mais ne le sont pas, ou de problèmes qui sont autant de mystères : qu'est donc cette classe étrange, capitaliste par son avenir, mais formée bien avant tout capitalisme mais sous la féodalité, qu'est la bourgeoisie ?

De même qu'il n'y a pas chez Marx de théorie satisfaisante du soi-disant mode de production marchand, ni a fortiori de théorie satisfaisante du capitalisme commercial (et financier), *il n'y a pas chez Marx de théorie satisfaisante de la bourgeoisie*, sauf bien entendu, pour se débarrasser des difficultés, un usage surabondant de l'adjectif « bourgeois », comme si un adjectif pouvait tenir lieu de concept du négatif pur. Et ce n'est pas un hasard si la théorie de la bourgeoisie comme forme de décomposition antagoniste du mode de production féodal est cohérente avec la conception du mode de production d'inspiration philosophique. La bourgeoisie n'y est en effet que l'*élément prédestiné* à unir tous les autres éléments du mode de production, qui en fera une autre combinaison, celle du mode de production capitaliste, elle est la dimension du tout et de la téléologie, qui assigne à chaque élément son rôle et sa place dans le tout, et le reproduit dans son existence et dans son rôle.

Nous sommes aux antipodes de la conception de la « *rencontre entre la bourgeoisie* », élément aussi « flottant » que les

---

1. Soboul s'est acharné, toute sa vie durant, à le prouver.

autres, et *des autres éléments* flottants pour constituer un mode de production original, le capitaliste. Il n'y a pas alors rencontre, car l'unité précède les éléments, *car il n'y a pas ce vide nécessaire à toute rencontre aléatoire.* Alors qu'il s'agit encore de penser *le fait à accomplir*, Marx s'installe délibérément dans *le fait accompli* et nous invite à le suivre dans les lois de sa nécessité.

Nous [a] avions, suivant Marx, défini un mode de production comme une double combinaison (Balibar), celle des moyens de production et celle des rapports de production (??). Si nous voulons aller plus avant dans cette analyse, nous devons y distinguer des éléments « forces productives, moyens de production, possesseurs des moyens de production, producteurs avec ou sans moyens, nature, hommes, etc. » Ce qui fait alors le mode de production, c'est une combinaison qui soumet les forces productives (les moyens de production, les producteurs) à la domination d'une totalité, où ce sont les propriétaires des moyens de production qui sont dominants. Cette combinaison est d'essence, elle est fixée une fois pour toutes, elle correspond à un centre de références ; certes elle peut se défaire, mais dans sa défection conserve toujours la même structure. Un mode de production est une combinaison parce que c'est une *structure* qui impose son unité à une série d'éléments. Ce qui importe dans le mode de production, le fait tel ou tel, c'est le *mode de domination* de la structure sur ses éléments. Ainsi dans le mode de production féodal, c'est la *structure de dépendance* qui impose leur sens aux éléments : la possession du domaine, inclus les serfs qui y travaillent, la possession des instruments collectifs (le moulin, la ferme, etc.) par le seigneur, le rôle subordonné de l'argent, sauf lorsque les rapports monétaires s'imposeront à tous. Ainsi dans le mode de production capitaliste, c'est la structure d'exploitation qui s'imposera à tous les éléments, la subordination des moyens de production et des forces productives au procès d'exploitation, l'exploitation des travailleurs démunis de moyens de production, le monopole des moyens de production aux mains de la classe capitaliste, etc.

. . . .

Notes d'édition de
« Le courant souterrain du matérialisme de la rencontre »

Page 539

a. Louis Althusser n'avait pas donné de titre à cet ouvrage, dont nous extrayons ici une formule utilisée p. 569. Les passages que nous publions correspondent aux chapitres IV à IX, puis au chapitre XII du montage effectué par Althusser (voir notre présentation p. 533).

b. Entretiens sur la métaphysique, IX, paragraphe 12. Voir p. 53 du présent volume.

c. Cf. Malebranche, *Traité de la nature et de la grâce*, I, paragraphe 14, Additions : « Je me sers de l'irrégularité de la pluye ordinaire, pour préparer l'esprit à une autre pluye, qui n'est pas donnée aux mérites des hommes, non plus que la pluye commune, laquelle ne tombe pas plutôt sur les terres ensemencées, que sur celles qui sont en friche. »

Page 544

a. Première rédaction : « elle-même vide (mais pleine) ».

Page 548

a. Althusser pense ici à son livre *Machiavel et nous*, rédigé à partir de ses nombreux cours sur Machiavel, qu'il fut plusieurs fois sur le point de publier. Ce texte sera publié dans le second volume des *Écrits philosophiques et politiques.*

b. Cf. Rousseau, *Du contrat social*, III, 6 : « En feignant de donner des leçons aux rois, il en a donné de grandes aux peuples. *Le Prince* de Machiavel est le livre des républicains. »

Page 549

a. On notera qu'au moment précis où Althusser écrit ces lignes, Pierre Macherey soutient un paradoxe du même genre dans sa contribution au colloque tenu à Urbino en octobre 1982 à l'occasion du 350ᵉ anniversaire de la naissance de Spinoza : *Entre Pascal et Spinoza : le vide*, reprise dans son livre *Avec Spinoza* (Paris, PUF, 1992). On y lit par exemple, page 165 *sq.* : « Si l'on cherche au-delà des mots à comprendre le sens qu'ils communiquent, Pascal dit-il autre chose [que Spinoza]? En donnant son " sentiment " sur le vide, il s'agissait bien pour lui de postuler l'infinité, c'est-à-dire l'indivisibilité de l'étendue, comme telle irréductible à quelque partie corporelle de la nature que ce soit, et qui doit donc pouvoir être pensée pour elle-même, indépendamment de la présence de toute réalité matérielle finie. Que l'on nomme cette infinité plein ou vide, c'est après tout question de désignation, et celle-ci est indifférente au contenu du raisonnement qu'elle sert à formuler. »

b. Il s'agit en fait d'une note manuscrite de Leibniz consécutive à une discussion avec Tschirnhaus portant sur Spinoza.

Page 550

a. Surchargé de corrections manuscrites, le texte est ici difficilement lisible. Voici sa version initiale : « Les attributs tombent dans l'espace vide de leur indétermination comme des gouttes de pluie qui ne se sont rencontrées qu'en l'homme, dans ce parallélisme assignable mais minuscule de la pensée et du corps. »

Page 551

a. Deux corrections manuscrites semblent se juxtaposer ici, sans que la première ait été retirée.

Page 553

a. *Léviathan*, chapitre XIV.

Page 559

a. Victor Goldschmidt, *Anthropologie et Politique. Les principes du système de Rousseau* (Paris, Vrin, 1974.)

Page 560

a. Surchargée de corrections manuscrites, cette phrase est difficilement lisible.

Page 561

a. Cf. *Traité politique,* V, paragraphe 7. Althusser avait prévu de citer ici une partie non précisée de ce texte de Spinoza.

Page 563

a. Il s'agit de la première proposition du *Tractatus logico-philosophicus.*

Page 564

a. Une édition allemande de *Holzwege* de Martin Heidegger (Vittorio Klostermann, Frankfurt-am-Main, 1952) a été retrouvée dans la bibliothèque de Louis Althusser (trad. française *Chemins qui ne mènent nulle part,* nouvelle édition, Paris, Gallimard, 1986).

b. Cette phrase est un rajout manuscrit. Il s'agit de la seule apparition dans ce texte de l'expression « matérialisme aléatoire ». Louis Althusser intitulera en 1986 l'un de ses derniers écrits « Du matérialisme aléatoire » (voir notre présentation p. 537).

Page 568

a. Cf. Karl Marx, posface de la deuxième édition allemande du *Capital, op. cit,* t. 1, p. 27 *sq.*

Page 569

a. Référence à la plus grande manifestation de mai 1968.

b. Les pages qui suivent, correspondant au chapitre XII du montage effectué par Louis Althusser (voir notre présentation p. 533-537), sont la reprise, légèrement modifiée, d'un texte d'abord intitulé « Sur le mode de production ».

Page 573

a. Référence aux usines Renault de Sandouville.

Page 576

a. Le « montage » réalisé ici par Louis Althusser étant à l'évidence insatisfaisant, nous rétablissons le texte dans sa rédaction originaire, celle du texte intitulé « Sur le mode de production » (voir note d'édition de la page 569). Le « nous » se rapporte vraisemblablement aux auteurs de *Lire le Capital.*

Portrait du philosophe matérialiste
(1986)

L'âge de l'homme n'a nulle importance. Il peut être très vieux ou très jeune.

L'essentiel est qu'il ne sache pas où il est et ait envie d'aller quelque part.

C'est pourquoi, comme dans les westerns américains il prend toujours le train en marche. Sans savoir d'où il vient (origine) ni où il va (fin). Et il descend en route, petit bled autour d'une gare ridicule.

Saloon, bière, whisky : D'où qu'tu viens le mec? – De loin. – Où tu vas? – J' sais pas! – Y a peut-être du boulot pour toi. – OK.

Et notre ami Nikos se met au travail. C'est un Grec de naissance, immigré aux USA comme tant d'autres mais sans un sou en poche.

Il travaille dur et au bout d'un an épouse la plus belle fille de l'endroit. Il accumule un petit pactole et s'achète le début du troupeau.

Par son intelligence, son sens *(Einsicht)* du choix des jeunes bêtes (chevaux, bovins) il finit par avoir le meilleur ensemble de bêtes à la ronde – au bout de dix ans de travail.

Le meilleur ensemble de bêtes = le meilleur ensemble de catégories et concepts.

Concurrence avec les autres propriétaires – paisible. Chacun le reconnaît comme le meilleur et ses catégories et concepts (son troupeau) comme les meilleurs.

Sa réputation gagne l'Ouest et le pays entier.

De temps en temps il prend le train en marche pour voir bavarder écouter – comme fait Gorbatchev dans les rues de Moscou – on peut d'ailleurs prendre le train sur place!

Populaire plus qu'aucun autre il pourrait être élu à la Maison-Blanche, lui parti de rien. Non. Il préfère voyager, descendre dans la rue, c'est comme ça qu'on comprend la vraie philosophie, celle qu'ont les gens dans la tête et qui est toujours conflictuelle.

Bien sûr il peut aussi régler des problèmes, apaiser des conflits mais à condition absolue de bien maîtriser ses passions.

C'est alors qu'il lit les Hindous, les Chinois (le zen) et Machiavel, Spinoza, Kant, Hegel, Kierkegaard, Cavaillès, Canguilhem, Vuillemin, Heidegger, Derrida, Deleuze, etc.

Il devient ainsi sans l'avoir voulu un philosophe matérialiste quasi professionnel – non matérialiste *dialectique*, cette horreur, mais matérialiste aléatoire.

Il atteint alors à la sagesse classique, à la « connaissance » du troisième genre de Spinoza, au surhomme de Nietzsche et à l'intelligence du retour éternel : savoir que tout se répète et n'existe que dans la répétition différentielle.

Il peut alors discuter avec les grands idéalistes. Non seulement il les comprend mais leur explique à eux-mêmes les raisons de leurs thèses! Et les autres se rallient parfois dans l'amertume, mais quoi

amicus Plato, magis amica Veritas [a]!

---

a. « J'aime Platon, mais j'aime encore plus la vérité! »

Index

Index

Table

I. Louis Althusser avant Althusser

II. Textes de crise

III. Louis Althusser après Althusser

Imprimé en France par la SOCIÉTÉ NOUVELLE FIRMIN-DIDOT
Dépôt légal : Octobre 1994
N° d'édition : 3111
54.07.4378.01/3
N° d'impression : 27904
ISBN : 2-234-04378-6